2025 판례·기출 증보판

객관식 테마

2024년 상반기 기준 개정법령·판례·기출문제 반영

경찰채용·승진 | 경찰간부 | 검찰직·법원직
교정보호직·승진 | 철도경찰직 | 해양경찰직

조충환·양건

형사소송법

조충환·양건·오상훈 편저

동영상강의 www.pmg.co.kr

THEMA

박문각

조충환·양건

형사소송법

THEMA

PREFACE

2025 테마 형사소송법 판례·기출증보판을 내면서

이번 2025 판례·기출증보판에서는 다음과 같은 사안에 중점을 두었습니다.

첫째, 기출문제 반영

작년 테마형사소송법 출간 이후의 2023년 기출문제(9급 법원직, 순경 2차, 경력채용, 7급 국가직 등)와 2024년 기출문제(경찰간부, 경찰승진, 순경 1차, 해경간부, 소방간부, 9급 검찰·마약수사·교정·보호·철도경찰, 변호사시험 등)를 전부 비교분석하여 테마와 객관식문제에 반영하였습니다.

둘째, 판례 반영

최근 판례(2024.6.1. 대법원 판례공보)까지 빠짐없이 추가하였으며, 특히 전원합의체 판결(예: 국선변호인선정사유 중 피고인이 구속된 때의 범위 등)에 따라 변경된 기존 판례들을 수정·교체·추가·삭제하였고, 기존 판례들도 최근 출제경향에 맞추어 수정·보완하였습니다.

셋째, 테 마

각 단원마다 사안별로 (판례)총정리 또는 문제화하여 기본서나 요약집(sub-note)을 보지 않고도 한눈에 내용이 정리되고, 사안마다 키워드와 기출을 색표기로 중요도를 파악하여 짧은 시간에 기본서를 총정리하고 뒤에 나온 객관식 문제를 쉽게 해결할 수 있도록 하였습니다.

넷째, 객관식문제(기출문제)

최근 판례와 기출문제까지 전부 비교·분석하여 최근 출제경향에 맞추어 선별하였습니다. 순서는 테마마다 이어서 관련 문제를 넣었고, 마지막에는 파트별 종합문제를 수록하였으며, 문제에서 빠진 기출문제들은 기출지문 종합문제로 배치하였습니다.

테마 형사소송법으로 반복학습 하신다면 테마 형사소송법 한 권만으로도 어느 시험에서나 고득점으로 합격·승진하는 데 아무런 지장이 없을 것입니다.
애독자 여러분께 진심으로 감사드리며, 절실한 심정으로 초지일관하시어 우수한 성적으로 합격·승진하시길 간절히 기원합니다.

2024. 6.

공편저자 조충환·양건·오상훈

차례

CONTENTS

1권

서 론

수사와 공소

2권

차례
CONTENTS

제2장 소송절차의 일반이론

3권

제4편
공 판

제1장 공판절차

제2장 증 거

4권

제3장 재 판

차례

CONTENTS

제5편

상소·비상구제절차·특별형사절차·재판의 집행과 형사보상

PART 02

수사와 공소

제3절 압수 · 수색 · 검증

압수 · 수색 · 검증은 수사기관에 의한 경우와 법원이나 법관에 의한 경우로 나눌 수 있다. 형사소송법은 입법기술적 · 체계적 효율성을 위해 법원의 압수 · 수색 · 검증을 먼저 규정하고(제106조~제145조) 그 규정을 수사상 압수 · 수색 · 검증에 대해 준용하고 있다(제219조).

Ⅰ. 압수 · 수색

THEMA 01 압수 · 수색의 의의 · 대상

1. 압수 · 수색의 의의

① 압수의 의의 : 압수란 증거물 또는 몰수할 것으로 예상되는 물건의 점유를 취득하는 강제처분을 말한다. 압수에는 압류, 영치, 제출명령의 3종류가 있다.

② 수색의 의의 : 수색이란 압수할 물건이나 피의자를 발견하기 위해 사람의 신체나 물건 또는 일정한 장소를 뒤져 찾는 강제처분을 말한다. 수색은 주로 압수와 함께 행해지고 실무상으로도 압수 · 수색영장이라는 단일영장을 사용하고 있다.

2. 압수 · 수색의 대상

① 압수의 대상

㉠ 증거물 또는 몰수의 대상물 : 압수의 대상은 증거물 또는 몰수할 것으로 예상되는 물건이다(제219조, 제106조 제1항).

▶ 동산 · 부동산 ⇨ 압수의 대상(○)

▶ 채권 · 전기 ⇨ 압수의 대상(×)

▶ 사람의 신체 ⇨ 압수대상(×), 신체의 일부(모발 등) ⇨ 압수의 대상(○)

관련판례 : 검사가 압수 · 수색영장의 효력이 상실되었음에도 물건을 압수한 경우 압수 자체가 위법하게 됨은 별론으로 하더라도, 몰수의 효력에는 영향을 미치지 않는다(대판 2003.5.30, 2003도705). 19. 순경 2차

㉡ 정보저장매체의 압수

> **제106조** ③ 법원은 압수의 목적물이 컴퓨터용디스크, 그 밖에 이와 비슷한 정보저장매체인 경우에는 기억된 정보의 범위를 정하여 출력하거나 복제하여 제출받아야 한다. 다만, 범위를 정하여 출력 또는 복제하는 방법이 불가능하거나 압수의 목적을 달성하기에 현저히 곤란하다고 인정되는 때에는 정보저장매체 등을 압수할 수 있다. 14. 경찰간부
> ④ 법원은 제3항에 따라 정보를 제공받은 경우 개인정보 보호법 제2조 제3호에 따른 정보주체에게 해당 사실을 지체 없이 알려야 한다.

㉢ 우체물의 압수 : 법원은 필요한 때에는 피고(피의)사건과 관계가 있다고 인정할 수 있는 것에 한정하여 우체물 또는 전기통신에 관한 것으로서 체신관서, 그 밖의 관련 기관 등이 소지 또는 보관하는 물건의 제출을 명하거나 압수를 할 수 있다(제107조 제1항, 제219조).

▶ 종전에는 피고인(피의자)이 발신인 또는 수신인으로 되어 있는 우체물이나 전신에 관한 것으로서 체신관서 기타 자가 소지 · 보관하는 것은 제출을 명하거나 압수할 수 있고(제219조, 제107조 제1항), 그 이외의 우체물이나 전신은 피의사건과 관계있다고 인정할 수 있는 것에 한하여 그 대상이 된다고 구분하여 규정(제107조 제2항, 제219조)하고 있었으나, 현행법은 우체물에 대한 특별한 제한규정 ×

② 수색의 대상

㉠ 수색의 대상은 사람의 신체, 물건 또는 주거 기타 장소이다(제219조, 제109조).

㉡ 법원(수사기관)은 필요한 때에는 피고(피의)사건과 관계가 있다고 인정할 수 있는 것에 한정하여 피고인이나 피의자의 신체, 물건 또는 주거, 그 밖의 장소를 수색할 수 있다(제109조 제1항, 제219조).

㉢ 피고인이나 피의자 아닌 자의 신체, 물건, 주거 기타 장소에 관하여는 압수할 물건이 있음을 인정할 수 있는 경우에 한하여 수색할 수 있다(제109조 제2항, 제219조).

▶ 피고인 · 피의자와 제3자에 대한 수색은 압수할 물건이 있음을 인정할 수 있는 경우에 한하여 가능하다. (×)

전자정보 압수 · 수색 관련판례

• 혐의사실 관련성

1. 전자정보에 대한 압수 · 수색영장을 집행할 때에는 원칙적으로 혐의사실과 관련된 부분만을 문서 출력물로 수집하거나 수사기관이 휴대한 저장매체에 해당 파일을 복사하는 방식으로 이루어져야 한다. 21. 경찰승진 집행 현장의 사정상 혐의사실과 관련된 부분만을 문서 출력물로 수집하거나 수사기관이 휴대한 저장매체에 해당 파일을 복사하는 방식에 의한 집행이 불가능하거나 현저히 곤란한 부득이한 사정이 있더라도 그와 같은 경우에 그 저장매체 자체를 직접 또는 하드카피나 이미징 등 형태로 수사기관 사무실 등 외부로 반출하여 해당파일을 압수 · 수색할 수 있도록 영장에 기재되어 있고 실제 그와 같은 사정이 발생한 때에 한하여 예외적으로 허용될 수 있을 뿐이다(대결 2011.5.26, 2009모1190). 13. 7급 국가직, 15. 경찰승진 · 변호사시험, 16. 9급 검찰 · 마약수사, 16 · 20 · 24. 순경 1차

▶ 압수 · 수색영장에 저장매체 자체를 직접 또는 하드카피나 이미징 등 형태로 수사기관 사무실 등 외부로 반출하여 해당 파일을 압수 · 수색할 수 있도록 기재되어 있지 않더라도, 수사기관이 전자정보의 복사 또는 출력이 불가능하거나 현저히 곤란한 부득이한 사정이 있을 때에는 압수목적물인 저장매체 자체를 수사관서로 반출할 수 있다. (×) 19. 경찰간부, 20 · 21. 경찰승진

▶ 전자정보에 대한 압수 · 수색영장을 집행할 때에는 원칙적으로 저장매체 자체를 수사기관 사무실 등으로 옮겨 혐의사실과 관련된 부분만을 문서로 출력하거나 해당 파일을 복사하는 방식으로 이루어져야 한다. (×) 17. 순경 2차

2. 수사기관 사무실 등으로 반출된 저장매체 또는 복제본에서 혐의사실 관련성에 대한 구분 없이 임의로 저장된 전자정보를 문서로 출력하거나 파일로 복제하는 행위는 원칙적으로 영장주의 원칙에 반하는 위법한 압수가 된다(대결 2015.7.16, 2011모1839 전원합의체). 16. 7급 국가직 · 9급 법원직 · 9급 검찰 · 마약수사, 19. 경찰간부, 16 · 20. 순경 1차

3. 저장매체 자체를 수사기관 사무실 등으로 옮긴 후 영장에 기재된 범죄 혐의 관련 전자정보를 탐색하여 해당 전자정보를 문서로 출력하거나 파일을 복사하는 과정 역시 전체적으로 압수 · 수색영장 집행에 포함된다고 보아야 한다. 따라서 그러한 경우 문서출력 또는 파일복사의 대상 역시 혐의사실과 관련된 부분으로 한정되어야 함은 당연하다(대판 2012.3.29, 2011도10508). 16. 9급 검찰 · 마약 · 교정 · 보호 · 철도경찰

▶ 저장매체 자체를 수사기관 사무실로 옮긴 후 영장에 기재된 범죄혐의 관련 전자정보를 탐색하여 해당 전자정보를 문서로 출력하거나 파일을 복사하는 과정은 압수·수색영장 집행의 일환에 포함되지 않으므로 문서출력 또는 파일복사 대상은 반드시 혐의사실과 관련된 부분에 한정되지 않는다. (×)

4. 전자정보에 대한 압수·수색이 종료되기 전에 혐의사실과 관련된 전자정보를 적법하게 탐색하는 과정에서 별도의 범죄혐의와 관련된 전자정보를 우연히 발견한 경우라면, 수사기관은 더 이상의 추가 탐색을 중단하고 법원에서 별도의 범죄혐의에 대한 압수·수색영장을 발부받은 경우에 한하여 그러한 정보에 대하여도 적법하게 압수·수색을 할 수 있다(대결 2015.7.16, 2011모1839 전원합의체).
17. 순경 2차, 19. 변호사시험, 16·20. 9급 검찰·마약·교정·보호·철도경찰, 21. 경찰승진, 23. 순경 2차

5. 수사기관이 피의자 甲의 공직선거법 위반 범행을 영장 범죄사실로 하여 발부받은 압수·수색영장의 집행 과정에서 乙, 丙 사이의 대화가 녹음된 녹음파일을 압수하여 乙, 丙의 공직선거법 위반 혐의사실(영장에 기재된 피의사실과 무관)을 발견한 사안에서, 별도의 압수·수색영장을 발부받지 않고 압수한 위 녹음파일은 위법수집증거로서 乙·丙사건에서 증거능력이 없다(대판 2014.1.16, 2013도7101).
15. 순경 2차, 17. 경찰간부, 20. 순경 1차, 22. 경찰승진

6. 성폭력범죄의 처벌 등에 관한 특례법 위반(카메라 등 이용촬영)죄의 피해자가 임의제출한 피고인 소유·관리의 휴대전화 2대의 전자정보를 탐색하다가 피해자를 촬영한 휴대전화가 아닌 다른 휴대전화에서 다른 피해자 2명에 대한 동종 범행 등에 관한 1년 전 사진·동영상을 발견하고 영장 없이 이를 복제한 CD를 증거로 제출한 사안

[판시사항]

① 전자정보에 대한 수사기관의 압수·수색은 포괄적으로 이루어져서는 안 되고, 비례의 원칙에 따라 최소한의 범위 내에서 이루어져야 한다(대판 2021.11.18, 2016도348 전원합의체).

② 수사기관은 특정 범죄혐의와 관련하여 전자정보가 수록된 정보저장매체를 임의제출받아 그 안에 저장된 전자정보를 압수하는 경우 그 동기가 된 범죄혐의사실과 관련된 전자정보의 출력물 등을 임의제출받아 압수하는 것이 원칙이다. 다만, 범위를 정하여 출력 또는 복제하는 방법이 불가능하거나 압수의 목적을 달성하기에 현저히 곤란하다고 인정되는 때에 한하여 예외적으로 정보저장매체 자체나 복제본을 임의제출받아 압수할 수 있다(대판 2021.11.18, 2016도348 전원합의체).

③ 전자정보가 혼재된 정보저장매체를 임의제출받은 경우, 그 정보저장매체에 저장된 전자정보 전부가 임의제출되어 압수된 것으로 취급할 수는 없다. 임의제출자의 의사에 따른 전자정보 압수의 대상과 범위가 명확하지 않거나 이를 알 수 없는 경우에는 임의제출에 따른 압수의 동기가 된 범죄혐의사실과 관련되고 이를 증명할 수 있는 최소한의 가치가 있는 전자정보에 한하여 압수의 대상이 된다. 이때 범죄혐의사실과 관련된 전자정보에는 범죄혐의사실 그 자체 또는 그와 기본적 사실관계가 동일한 범행과 직접 관련되어 있는 것은 물론 범행 동기와 경위, 범행 수단과 방법, 범행 시간과 장소 등을 증명하기 위한 간접증거나 정황증거 등으로 사용될 수 있는 것도 포함될 수 있다. 다만, 그 관련성은 구체적·개별적 연관관계가 있는 경우에만 인정되고, 범죄혐의사실과 단순히 동종 또는 유사 범행이라는 사유만으로 관련성이 있다고 할 것은 아니다(대판 2021.11.18, 2016도348 전원합의체).

▶ 카메라의 기능과 정보저장매체의 기능을 함께 갖춘 휴대전화인 스마트폰을 이용한 불법촬영 범죄와 같이 범죄의 속성상 해당 범행의 상습성이 의심되거나 성적 기호 내지 경향성의 발현에 따른 일련의 범행의 일환으로 이루어진 것으로 의심되고, 범행의 직접 증거가 스마트폰 안에 이미지 파일이나 동영상 파일의 형태로 남아 있을 개연성이 있는 경우에는 그 안에 저장되어 있는 같은 유형의 전자정보에서 그와 관련한 유력한 간접증거나 정황증거가 발견될 가능성이

높다는 점에서 이러한 간접증거나 정황증거는 범죄혐의사실과 구체적・개별적 연관관계를 인정할 수 있다(대판 2021.11.18, 2016도348 전원합의체).

④ 피의자가 소유・관리하는 정보저장매체를 피의자 아닌 피해자 등 제3자가 임의제출하는 경우에는 그 임의제출 및 그에 따른 수사기관의 압수가 적법하더라도 임의제출의 동기가 된 범죄혐의사실과 구체적・개별적 연관관계가 있는 전자정보에 한하여 압수의 대상이 되는 것으로 더욱 제한적으로 해석하여야 한다(대판 2021.11.18, 2016도348 전원합의체).

⑤ 피해자 등 제3자가 피의자의 소유・관리에 속하는 정보저장매체를 영장에 의하지 않고 임의제출한 경우에는 특별한 사정이 없는 한 피의자에게 참여권을 보장하고 압수한 전자정보 목록을 교부하는 등 피의자의 절차적 권리를 보장하기 위한 적절한 조치가 이루어져야 한다(대판 2021.11.18, 2016도348 전원합의체).

⑥ 전자정보에 대한 압수・수색이 종료되기 전에 범죄혐의사실과 관련된 전자정보를 적법하게 탐색하는 과정에서 별도의 범죄혐의와 관련된 전자정보를 우연히 발견한 경우라면, 수사기관은 더 이상의 추가 탐색을 중단하고 법원으로부터 별도의 범죄혐의에 대한 압수・수색영장을 발부받은 경우에 한하여 그러한 정보에 대하여도 적법하게 압수・수색을 할 수 있다(대판 2021.11.18, 2016도348 전원합의체). 22. 9급 검찰・마약・교정・보호・철도경찰

⑦ 임의제출된 정보저장매체에서 압수의 대상이 되는 전자정보의 범위를 넘어서는 전자정보에 대해 수사기관이 영장 없이 압수・수색하여 취득한 증거는 위법수집증거에 해당하고, 사후에 법원으로부터 영장이 발부되었다거나 피고인이나 변호인이 이를 증거로 함에 동의하였다고 하여 그 위법성이 치유되는 것도 아니다(대판 2021.11.18, 2016도348전원합의체). 22. 9급 검찰・마약・교정・보호・철도경찰

⑧ 임의제출자인 제3자가 제출의 동기가 된 범죄혐의사실과 구체적・개별적 연관관계가 인정되는 범위를 넘는 전자정보까지 일괄하여 임의제출한다는 의사를 밝혔더라도, 그 정보저장매체 내 전자정보 전반에 관한 처분권이 그 제3자에게 있거나 그에 관한 피의자의 동의 의사를 추단할 수 있는 등의 특별한 사정이 없는 한, 그 임의제출을 통해 수사기관이 영장 없이 적법하게 압수할 수 있는 전자정보의 범위는 범죄혐의사실과 관련된 전자정보에 한정된다고 보아야 한다(대판 2021.11.18, 2016도348 전원합의체). 22. 9급 검찰・마약・교정・보호・철도경찰

7. 법원은 압수・수색영장의 집행에 관하여 범죄 혐의사실과 관련 있는 전자정보의 탐색・복제・출력이 완료된 때에는 지체 없이 영장 기재 범죄 혐의사실과 관련이 없는 나머지 전자정보에 대해 삭제・폐기 또는 피압수자 등에게 반환할 것을 정할 수 있다. 수사기관이 범죄 혐의사실과 관련 있는 정보를 선별하여 압수한 후에도 그와 관련이 없는 나머지 정보를 삭제・폐기・반환하지 아니한 채 그대로 보관하고 있다면 위법하고, 사후에 법원으로부터 압수・수색영장이 발부되었다거나 피고인이나 변호인이 이를 증거로 함에 동의하였다고 하여 그 위법성이 치유된다고 볼 수 없다(대결 2022.1.14, 2021모1586).

8. 법원은 압수・수색영장의 집행에 관하여 범죄 혐의사실과 관련 있는 정보의 탐색・복제・출력이 완료된 때에는 지체 없이 압수된 정보의 상세목록을 피의자 등에게 교부할 것을 정할 수 있다. 수사기관은 압수 직후 현장에서 압수물 목록을 바로 작성하여 교부해야 하는 것이 원칙이다. 압수된 정보의 상세목록에는 정보의 파일 명세가 특정되어 있어야 한다(대결 2022.1.14, 2021모1586).

9. 수사기관이 압수・수색영장에 기재된 범죄 혐의사실과의 관련성에 대한 구분 없이 임의로 전체의 전자정보를 복제・출력하여 이를 보관하여 두고, 그와 같이 선별되지 않은 전자정보에 대해 구체적인 개별 파일 명세를 특정하여 상세목록을 작성하지 않고, 포괄적인 압축파일만을 기재한 후 이를 전자정보 상세목록이라고 하면서 피압수자 등에게 교부함으로써 범죄 혐의사실과 관련성 없는 정보에 대한 삭제・폐기・반환 등의 조치도 취하지 아니하였다면, 영장주의와 적법절차의 원칙을 중대하게

위반한 것으로 봄이 타당하다. 사후에 압수·수색영장이 발부되었다고 하여 달리 볼 수 없다(대결 2022.1.14, 2021모1586).

10. 영장 발부의 사유로 된 범죄 혐의사실과 무관한 별개의 증거를 압수하였을 경우 이는 원칙적으로 유죄 인정의 증거로 사용할 수 없다. 그러나 압수·수색의 목적이 된 범죄나 이와 관련된 범죄의 경우에는 그 압수·수색의 결과를 유죄의 증거로 사용할 수 있다(대판 2021.7.29, 2020도14654).
11. 압수·수색영장의 범죄 혐의사실과 관계있는 범죄라는 것은 압수·수색영장에 기재한 혐의사실과 객관적 관련성이 있고 압수·수색영장 대상자와 피의자 사이에 인적 관련성이 있는 범죄를 의미한다. 그중 혐의사실과의 객관적 관련성은 압수·수색영장에 기재된 혐의사실 자체 또는 그와 기본적 사실관계가 동일한 범행과 직접 관련되어 있는 경우를 의미하는 것이나, 범행 동기와 경위, 범행 수단과 방법, 범행 시간과 장소 등을 증명하기 위한 간접증거나 정황증거 등으로 사용될 수 있는 경우에도 인정될 수 있다. 이때 객관적 관련성은 압수·수색영장에 기재된 혐의사실의 내용과 수사의 대상, 수사 경위 등을 종합하여 구체적·개별적 연관관계가 있는 경우에만 인정된다고 보아야 하고, 혐의사실과 단순히 동종 또는 유사 범행이라는 사유만으로 그 관련성이 있다고 할 것은 아니다. 그리고 피의자와 사이의 인적 관련성은 압수·수색영장에 기재된 대상자의 범죄를 의미하는 것이나, 그의 공동정범이나 교사범 등 공범이나 간접정범은 물론 필요적 공범 등에 대한 피고사건에 대해서도 인정될 수 있다(대판 2021.7.29, 2020도14654). 22. 검찰·마약·교정·보호·철도경찰
12. 수사기관은 하드카피나 이미징 등 형태(이하 '복제본'이라 한다)에 담긴 전자정보를 탐색하여 혐의사실과 관련된 정보(이하 '유관정보'라 한다)를 선별하여 출력하거나 다른 저장매체에 저장하는 등으로 압수를 완료하면 혐의사실과 관련 없는 전자정보(이하 '무관정보'라 한다)를 삭제·폐기하여야 한다. 수사기관이 새로운 범죄 혐의의 수사를 위하여 무관정보가 남아 있는 복제본을 열람하는 것은 압수·수색영장으로 압수되지 않은 전자정보를 영장 없이 수색하는 것과 다르지 않다. 따라서 복제본은 더 이상 수사기관의 탐색, 복제 또는 출력 대상이 될 수 없으며, 수사기관은 새로운 범죄 혐의의 수사를 위하여 필요한 경우에도 유관정보만을 출력하거나 복제한 기존 압수·수색의 결과물을 열람할 수 있을 뿐이다(대판 2023.6.1, 2018도19782).
13. 경찰이 피해자 甲에 대한 범죄 혐의사실로 발부된 제1영장에 따라 2022. 6. 24. 피고인의 휴대전화 및 전자정보에 관한 집행을 완료('1차 압수·수색')한 후 2022. 7. 27. 그 복제본이 저장되어 있던 경찰관의 컴퓨터에서 피해자 乙에 대한 범죄 혐의사실에 관한 증거를 압수('2차 압수·수색')하였다가, 검사의 보완수사요구에 따라 제2영장을 발부받아 2022. 9. 10. 다시 경찰관의 컴퓨터에서 피해자 乙, 丙에 대한 범죄 혐의사실에 관한 증거를 압수('3차 압수·수색')한 사안에서, 2차 압수·수색이 제1영장을 이용한 것이라면 이는 효력을 상실한 영장을 재집행한 것이 되어 그 자체로 위법하며, 3차 압수·수색은 제1영장에 기하여 실시한 1차 압수·수색에 따른 복제본이 저장된 경찰관 컴퓨터의 전자정보를 대상으로 발부된 제2영장을 집행한 것인바, 이는 제1영장의 집행이 종료됨에 따라 당연히 삭제·폐기되었어야 할 전자정보를 대상으로 한 것이어서 위법하다(대판 2023.10.18, 2023도8752).

- **참여권보장**

1. 저장매체에 대한 압수·수색과정에서 범위를 정하여 출력 또는 복제하는 방법이 불가능하거나 압수의 목적을 달성하기에 현저히 곤란한 예외적인 사정이 인정되어, 전자정보가 담긴 저장매체 또는 하드카피나 이미징 등 형태(복제본)를 수사기관 사무실 등으로 옮겨 복제·탐색·출력하는 경우에도, 그와 같은 일련의 과정에서 피압수자나 변호인에게 참여의 기회를 보장하고 혐의사실과 무관한 전자정보의 임의적인 복제 등을 막기 위한 적절한 조치를 취하는 등 영장주의 원칙과 적법절차를 준수하여야 한다. 21. 변호사시험 만약 그러한 조치가 취해지지 않았다면 피압수자 측에 절차 참여를

보장한 취지가 실질적으로 침해되었다고 볼 수 없을 정도 등의 특별한 사정이 없는 이상 **압수・수색이 적법하다고 평가할 수 없으며, 비록 수사기관이 저장매체 또는 복제본에서 혐의사실과 관련된 전자정보만을 복제・출력하였다 하더라도** 위법하다(**대결 2015.7.16, 2011모1839 전원합의체**). 16. 9급 검찰・마약・교정・보호・철도경찰, 17. 순경 2차

▶ **전자정보가 담긴 저장매체 또는 복제본을 수사기관 사무실 등으로 옮겨 이를 복제・탐색・출력하는 경우, 피압수자 측에 절차 참여를 보장한 취지가 실질적으로 침해되었더라도 수사기관이 저장매체 또는 복제본에서 혐의사실과 관련된 전자정보만을 복제・출력하였다면 그 압수・수색은 적법하다.** (×) 21. 경찰승진

비교판례 : 수사기관이 정보저장매체에 기억된 정보 중에서 키워드 또는 확장자 검색 등을 통해 범죄 혐의사실과 관련 있는 정보를 선별한 다음 **정보저장매체와 동일하게 비트열 방식으로 복제하여 생성한 파일을 제출받아 압수하였다면 이로써 압수의 목적물에 대한 압수・수색 절차는 종료된 것이므로, 수사기관이** 수사기관 사무실에서 위와 같이 압수된 이미지 파일을 탐색・복제・출력하는 과정에서도 피의자 등에게 참여의 기회를 보장하여야 하는 것은 아니다(**대판 2018.2.8, 2017도13263**). 18. 7급 국가직・순경 2차・3차, 20. 순경 1차, 21. 변호사시험, 20・22. 경찰승진

▶ **범위를 정하여 출력 또는 복제하는 방법 등을 취하지 않고, 전자정보가 담긴 컴퓨터 등 저장매체 자체를 압수하여 복제・탐색・출력하는 위 판례 1(대결 2015.7.16, 2011모1839 전원합의체)과 다름에 주의!**

2. **검사가 압수・수색영장을 발부받아 甲주식회사 빌딩 내 乙의 사무실을 압수・수색하였는데, 저장매체에 범죄혐의와 관련된 정보와 범죄혐의와 무관한 정보가 혼재된 것으로 판단하여 甲 회사의 동의를 받아 저장매체를 수사기관 사무실로 반출한 다음 乙 측의 참여하에 저장매체에 저장된 전자정보 파일 전부를 '이미징'의 방법으로 다른 저장매체로 복제(제1처분)하고, 乙 측의 참여 없이 이미징한 복제본을 외장 하드디스크에 재복제(이하 '제2처분'이라 한다)하였으며, 乙 측의 참여 없이 하드디스크에서 유관정보를 탐색하는 과정에서 甲회사의 별건 범죄혐의와 관련된 전자정보 등 무관정보도 함께 출력(이하 '제3처분'이라 한다)한 사안에서,** 제1처분은 위법하다고 볼 수 없으나, 제2・3처분은 **제1처분 후 피압수・수색 당사자에게 계속적인 참여권을 보장하는 등의 조치가 이루어지지 아니한 채 유관정보는 물론 무관정보까지 재복제・출력한 것으로서 영장이 허용한 범위를 벗어나고 적법절차를 위반한 위법한 처분이다(대결 2015.7.16, 2011모1839 전원합의체).**

3. **피고인이 모텔 각 방실에 총 8개의 위장형 카메라를 설치하고 다른 사람의 신체를 그 의사에 반하여 촬영하였고, 이 저장매체를 모텔주인이 임의제출한 경우, 전자정보의 혼재 가능성을 상정하기 어려운 경우에는 위 소지・보관자의 임의제출에 따른 통상의 압수절차 외에 별도의 조치가 따로 요구된다고 보기는 어렵다. 따라서 피고인 내지 변호인에게 참여의 기회를 보장하지 않고 전자정보 압수목록을 작성・교부하지 않았다는 점만으로 곧바로 증거능력을 부정할 것은 아니다(대판 2021,11.25, 2019도7342).**

4. **정보저장매체를 임의제출한 피압수자에 더하여 임의제출자 아닌** 피의자에게도 **참여권이 보장되어야** 하는 '피의자의 소유・관리에 속하는 정보저장매체'라 함은, **피의자가 압수・수색 당시 또는 이와** 시간적으로 근접한 시기까지 **해당 정보저장매체를** 현실적으로 지배・관리하면서 **그 정보저장매체 내 전자정보 전반에 관한 전속적인 관리처분권을 보유・행사하고, 달리 이를 자신의 의사에 따라 제3자에게 양도하거나 포기하지 아니한 경우로써,** 피의자를 그 정보저장매체에 **저장된 전자정보에** 대하여 실질적인 피압수자로 평가할 수 있는 경우를 말하는 것이다. **이에 해당하는지 여부는 민사법상 권리의 귀속에 따른 법률적・사후적 판단이 아니라**24. 경찰간부 **압수・수색 당시 외형적・객관적으로**

인식 가능한 사실상의 상태를 기준으로 판단하여야 한다. 단지 피의자나 그 밖의 제3자가 과거 그 정보저장매체의 이용 내지 개별 전자정보의 생성·이용 등에 관여한 사실이 있다거나 그 과정에서 생성된 전자정보에 의해 식별되는 정보주체에 해당한다는 사정만으로 그들을 실질적으로 압수·수색을 받는 당사자로 취급하여야 하는 것은 아니다(대판 2022.1.27, 2021도11170). 22. 9급 검찰·마약·교정·보호·철도경찰

5. 甲은 자신 등의 혐의에 대한 수사가 본격화되자 乙에게 지시하여 하드디스크를 은닉하였는데, 이후 수사기관이 乙을 증거은닉혐의 피의자로 입건하자 乙이 이를 임의제출하였고, 수사기관은 하드디스크 임의제출 및 그에 저장된 전자정보에 관한 탐색·복제·출력 과정에서 乙측에 참여권을 보장한 반면 甲 등에게는 참여 기회를 부여하지 않아 그 증거능력이 문제 된 사안에서, 乙이 하드디스크를 임의제출한 이상 乙에게 참여권을 인정하는 것으로 충분하고, 甲은 하드디스크에 대한 관리처분권을 사실상 포기하거나 乙에게 양도한 것으로 볼 수 있어 하드디스크 임의제출 과정에서 참여권이 보장돼야 할 실질적 피압수자에 해당한다고 보기 어렵다. 따라서, 증거은닉범행의 피의자로서 하드디스크를 임의제출한 乙에 더하여 임의제출자가 아닌 甲 등에게도 참여권이 보장되어야 한다고 볼 수 없다(대판 2023.9.18, 2022도7453 전원합의체).

• 기 타

1. 압수물인 디지털 저장매체로부터 출력한 문건을 증거로 사용하기 위해서는 디지털 저장매체 원본에 저장된 내용과 출력한 문건의 동일성이 인정되어야 하고, 이를 위해서는 디지털 저장매체 원본이 압수시부터 문건 출력시까지 변경되지 않았음이 담보되어야 한다. 20. 9급 법원직 그리고 압수된 디지털 저장매체로부터 출력한 문건을 진술증거로 사용하는 경우, 그 기재 내용의 진실성에 관하여는 전문법칙이 적용되므로 형사소송법 제313조 제1항에 따라 공판준비나 공판기일에서의 그 작성자 또는 진술자의 진술에 의하여 그 성립의 진정함이 증명된 때에 한하여 이를 증거로 사용할 수 있다(대판 2013.6.13, 2012도16001). 16. 경찰승진, 14·17. 순경 2차, 19. 경찰간부
2. 전자정보에 대한 압수·수색 과정에서 이루어진 현장에서의 저장매체 압수·이미징·탐색·복제 및 출력행위 등 수사기관의 처분은 하나의 영장에 의한 압수·수색 과정에서 이루어지므로, 당해 압수·수색 과정 전체를 하나의 절차로 파악하여 그 과정에서 나타난 위법이 압수·수색 절차 전체를 위법하게 할 정도로 중대한지 여부에 따라 전체적으로 압수·수색 처분을 취소할 것인지를 판단하여야 한다(대결 2015.7.16, 2011모1839 전원합의체). 16. 9급 교정·보호·철도경찰, 17. 순경 1차
3. 압수·수색할 전자정보가 압수·수색영장에 기재된 수색장소에 있는 컴퓨터 등 정보처리장치 내에 있지 아니하고 그 정보처리장치와 정보통신망으로 연결되어 제3자가 관리하는 원격지의 서버 등 저장매체(국외에 있는 경우 포함)에 저장되어 있는 경우에도, 영장 기재 수색장소에 있는 컴퓨터 등 정보처리장치를 이용하여 적법하게 취득한 피의자의 이메일 계정 아이디와 비밀번호를 입력하는 등 피의자가 접근하는 통상적인 방법에 따라 그 원격지의 저장매체에 접속하고 그곳에 저장되어 있는 피의자의 이메일 관련 전자정보를 수색장소의 정보처리장치로 내려 받거나 그 화면에 현출시키는 것 역시 허용된다(대판 2017.11.29, 2017도9747). 19. 순경 1차·9급 법원직, 18·20. 5급 검찰·교정승진, 22. 경찰승진, 18·23. 순경 2차

▶ **구체적 사안** : 수사기관이 압수·수색영장에 따라 영장제시와 참여기회를 부여하고, 압수·수색영장에 기재된 수색장소인 한국인터넷진흥원에 설치된 인터넷용 컴퓨터에서 외국계 이메일 홈페이지 로그인 입력창에 사전에 적법하게 취득한 아이디와 비밀번호를 입력하여 피의자가 이용하는 외국계 이메일 계정에 접속한 후 위 컴퓨터 화면에 현출된 이메일 본문 및 첨부문서 중 범죄혐의사실과 관련된 부분만을 출력하거나 캡처, 저장하는 등의 방법으로, 이메일 계정의 전체보관함에 저장되어

있는 총 17건의 이메일을 선별 압수·수색하여 총 15건의 이메일 및 그 첨부파일을 추출하여 출력·저장함으로써 압수한 것은 적법하다(대판 2017.11.29, 2017도9747).

비교판례 : 수사기관이 압수·수색영장으로 압수한 휴대전화가 구글계정에 로그인되어 있는 상태를 이용하여 원격지 서버에 해당하는 구글클라우드에 접속하여 구글클라우드에서 발견한 불법촬영물을 압수한 경우, 이는 압수·수색영장에서 허용한 압수의 범위를 넘어선 것으로 적법절차 및 영장주의의 원칙에 반하여 위법하다(대판 2022.6.30, 2022도1452). 23. 변호사시험

4. 전국교직원노동조합 본부 사무실에 대한 압수·수색영장을 집행하면서 영장의 명시적 근거가 없음에도 수사기관이 임의로 정한 시점 이후의 접근 파일 일체를 복사하는 방식으로 8,000여 개나 되는 파일을 복사한 이 사건 영장집행은 원칙적으로 압수·수색영장이 허용한 범위를 벗어난 것으로서 위법하다고 볼 여지가 있으나, 범죄사실 관련성에 관하여 명시적인 이의를 제기하지 아니한 이 사건의 경우, 당사자 측의 참여하에 이루어진 위 압수·수색의 전 과정에 비추어 볼 때, 수사기관이 영장에 기재된 혐의사실의 일시로부터 소급하여 일정 시점 이후의 파일들만 복사한 것은 나름대로 혐의사실과 관련 있는 부분으로 대상을 제한하려고 노력을 한 것으로 보이고, 당사자 측도 그 조치의 적합성에 대하여 묵시적으로 동의한 것으로 봄이 상당하므로, 그 영장의 집행이 위법하다고 볼 수는 없다(대결 2011.5.26, 2009모1190).
5. 증거로 제출된 전자문서 파일의 원본 동일성은 증거능력의 요건에 해당하므로 검사가 그 존재에 대하여 구체적으로 주장·증명해야 한다(대판 2018.2.8, 2017도13263). 20. 경찰승진
6. 수사기관이 인터넷서비스이용자인 피의자를 상대로 피의자의 컴퓨터 등 정보처리장치 내에 저장되어 있는 이메일 등 전자정보를 압수·수색하는 것은 전자정보의 소유자 내지 소지자를 상대로 해당 전자정보를 압수·수색하는 대물적 강제처분으로 형사소송법의 해석상 허용된다(대판 2017.11.29, 2017도9747). 18. 순경 2차·3차
7. 정보처리장치 내에 저장되어 있는 이메일 등 전자정보를 압수·수색하는 것은 전자정보의 소유자 내지 소지자를 상대로 해당 전자정보를 압수·수색하는 대물적 강제처분으로 형사소송법의 해석상 허용된다(대판 2017.11.29, 2017도9747). 19. 순경 2차
8. 디지털 저장매체에 저장된 로그파일의 원본이 아니라 그 복사본의 일부 내용을 요약·정리하는 방식으로 새로운 문서파일이 작성된 경우 그 문서파일 또는 거기에서 출력한 문서를 로그파일 원본의 내용을 증명하는 증거로 사용하기 위하여는 피고인이 이를 증거로 하는 데 동의하지 아니하는 이상 그 문서파일의 기초가 된 로그파일 복사본과 로그파일 원본의 동일성도 인정되어야 한다. 나아가 이때 새로운 문서파일 또는 거기에서 출력한 문서를 진술증거로 사용하는 경우 그 기재 내용의 진실성에 관하여는 전문법칙이 적용되므로 형사소송법 제313조 제1항에 따라 공판준비기일이나 공판기일에서 그 작성자 또는 진술자의 진술에 의하여 성립의 진정함이 증명된 때에 한하여 이를 증거로 사용할 수 있다(대판 2015.8.27, 2015도3467). 19. 9급 검찰·마약·교정·보호·철도경찰

01 전자정보의 압수 · 수색에 관한 설명으로 옳지 않은 것은?(다툼이 있는 경우 판례에 의함)

22. 소방간부

① 전자정보에 대한 압수 · 수색영장을 집행할 때에는 원칙적으로 영장 발부의 사유로 된 혐의사실과 관련된 부분만을 문서 출력물로 수집하거나 수사기관이 휴대한 저장매체에 해당 파일을 복사하는 방식으로 이루어져야 한다.

② 수사기관은 전자정보의 복사 또는 출력이 불가능하거나 현저히 곤란한 부득이한 사정이 있는 경우에는, 압수 · 수색영장에 저장매체 자체를 직접 또는 하드카피나 이미징 등 형태로 수사기관 사무실 등 외부로 반출하여 해당 파일을 압수 · 수색할 수 있도록 기재되어 있지 않더라도 압수목적물인 저장매체 자체를 수사관서로 반출할 수 있다.

③ 전자정보가 담긴 저장매체 또는 복제본을 수사기관 사무실 등으로 옮겨 이를 복제 · 탐색 · 출력하는 경우 피압수자 측에 절차 참여를 보장한 취지가 실질적으로 침해되었다면 수사기관이 저장매체 또는 복제본에서 혐의사실과 관련된 전자정보만을 복제 · 출력하였더라도 그 압수 · 수색은 위법하다.

④ 수사기관이 정보저장매체에 기억된 정보 중에서 키워드 또는 확장자 검색 등을 통해 범죄 혐의사실과 관련 있는 정보를 선별한 다음 정보저장매체와 동일하게 비트열 방식으로 복제하여 생성한 파일(이미지 파일)을 제출받아 압수하였다면 이로써 압수의 목적물에 대한 압수 · 수색절차는 종료된 것이므로 수사기관의 수사기관 사무실에서 위와 같이 압수된 이미지 파일을 탐색 · 복제 · 출력하는 과정에서 피의자 등에게 참여의 기회를 보장하여야 하는 것은 아니다.

⑤ 증거로 제출된 전자문서 파일의 원본 동일성은 증거능력의 요건에 해당하므로 검사가 그 존재에 대하여 구체적으로 주장 · 증명해야 한다.

| 해설 ① 대결 2011.5.26, 2009모1190

② 영장 발부의 사유인 혐의사실과 관련된 부분만을 문서 출력물로 수집하거나 수사기관이 휴대한 저장매체에 해당 파일을 복사하는 방식으로 이루어져야 하나, 위와 같은 방식에 의한 집행이 불가능하거나 현저히 곤란한 부득이한 사정이 존재하더라도 저장매체 자체를 직접 혹은 하드카피나 이미징 등 형태로 수사기관 사무실 등 외부로 반출하여 해당 파일을 압수 · 수색할 수 있도록 영장에 기재되어 있고 실제 그와 같은 사정이 발생한 때에 한하여 위 방법이 예외적으로 허용될 수 있을 뿐이다(대결 2011.5.26, 2009모1190).

③ 대판 2020.11.26, 2020도10729 ④⑤ 대판 2018.2.8, 2017도13263

02 전자정보의 압수 · 수색에 대한 설명으로 가장 적절하지 않은 것은?(다툼이 있는 경우 판례에 의함)

22. 경찰승진

① 수사기관이 인터넷서비스이용자인 피의자를 상대로 피의자의 컴퓨터 등 정보처리장치 내에 저장되어 있는 이메일 등 전자정보를 압수 · 수색하는 것은 전자정보의 소유자 내지 소지자를 상대로 해당 전자정보를 압수 · 수색하는 대물적 강제처분으로 형사소송법의 해석상 허용된다.

Answer 1.② 2.④

② 수사기관 사무실 등으로 반출된 저장매체 또는 복제본에서 혐의사실 관련성에 대한 구분 없이 임의로 저장된 전자정보를 문서로 출력하거나 파일로 복제하는 행위는 원칙적으로 영장주의 원칙에 반하는 위법한 압수이다.

③ 수사기관이 피의자 甲의 공직선거법위반 범행을 영장 범죄사실로 하여 발부받은 압수·수색영장의 집행 과정에서 乙, 丙 사이의 대화가 녹음된 녹음파일을 압수하여 乙, 丙의 공직선거법위반 혐의사실을 발견한 경우, 별도의 압수·수색영장을 발부받지 않고 압수한 乙, 丙 사이의 대화가 녹음된 녹음파일은 위법수집 증거로서 증거능력이 없다.

④ 수사기관이 정보저장매체에 기억된 정보 중에서 키워드 또는 확장자 검색 등을 통해 범죄 혐의사실과 관련 있는 정보를 선별한 다음 정보저장매체와 동일하게 비트열 방식으로 복제하여 생성한 파일('이미지 파일')을 제출받아 압수하였다면, 그 이후 수사기관 사무실에서 위와 같이 압수된 이미지 파일을 탐색·복제·출력하는 모든 과정에서도 피의자 등에게 참여의 기회를 보장하여야 한다.

해설 ① 대판 2017.11.29, 2017도9747

② 대결 2015.7.19, 2011모1839 전원합의체

③ 대판 2014.1.16, 2013도7101

④ 수사기관이 정보저장매체에 기억된 정보 중에서 키워드 또는 확장자 검색 등을 통해 범죄 혐의사실과 관련 있는 정보를 선별한 다음 정보저장매체와 동일하게 비트열 방식으로 복제하여 생성한 파일(이하 '이미지 파일'이라 한다)을 제출받아 압수하였다면 이로써 압수의 목적물에 대한 압수·수색 절차는 종료된 것이므로, 수사기관이 수사기관 사무실에서 위와 같이 압수된 이미지 파일을 탐색·복제·출력하는 과정에서도 피의자 등에게 참여의 기회를 보장하여야 하는 것은 아니다(대판 2018.2.8, 2017도13263).

03 전자정보의 압수에 대한 설명으로 옳은 것은?(다툼이 있는 경우 판례에 의함)

22. 9급 검찰·마약·교정·보호·철도경찰

① 피의자 소유 정보저장매체를 제3자가 보관하고 있던 중 이를 수사기관에 임의제출하면서 그곳에 저장된 모든 전자정보를 일괄하여 임의제출한다는 의사를 밝힌 경우에도 특별한 사정이 없는 한 수사기관은 범죄혐의사실과 관련된 전자정보에 한정하여 영장 없이 적법하게 압수할 수 있다.

② 임의제출된 전자정보매체에서 압수의 대상이 되는 전자정보의 범위를 넘어서는 전자정보에 대해 수사기관이 영장 없이 압수·수색하여 취득한 증거는 위법수집증거에 해당하지만, 사후에 법원으로부터 영장이 발부되었거나 피고인 또는 변호인이 이를 증거로 함에 동의하였다면 그 위법성은 치유된다.

③ 정보저장매체를 임의제출 받아 이를 탐색·복제·출력하는 경우, 압수·수색 당시 또는 이와 시간적으로 근접한 시기까지 해당 정보저장매체를 현실적으로 지배·관리하지는 아니하였더라도 그곳에 저장되어 있는 개별 전자정보의 생성·이용 등에 관여한 자에 대하여서는 압수·수색절차에 대한 참여권을 보장해 주어야 한다.

Answer 3. ①

④ 수사기관이 임의제출된 전자저장매체에서 범죄혐의사실이 아닌 별도의 범죄혐의와 관련된 전자정보를 우연히 발견한 경우, 당해 정보저장매체에 대한 임의제출에 기한 압수·수색이 종료되기 전이라면 별도의 영장을 발부받지 않고 이를 적법하게 압수·수색할 수 있으나 임의제출에 의한 압수·수색이 종료되었던 경우에는 별도의 범죄혐의에 대한 압수·수색영장을 발부받아야 이를 적법하게 압수할 수 있다.

| 해설 ① 대판 2021.11.18, 2016도348 전원합의체
② 임의제출된 전자정보매체에서 압수의 대상이 되는 전자정보의 범위를 넘어서는 전자정보에 대해 수사기관이 영장 없이 압수·수색하여 취득한 증거는 위법수집증거에 해당하고, 사후에 법원으로부터 영장이 발부되었거나 피고인 또는 변호인이 이를 증거로 함에 동의하였다 하여 그 위법성이 치유되는 것도 아니다(대판 2021.11.18, 2016도348 전원합의체).
③ 정보저장매체를 임의제출한 피압수자에 더하여 임의제출자 아닌 피의자에게도 참여권이 보장되어야 하는 '피의자의 소유·관리에 속하는 정보저장매체'라 함은, 피의자가 압수·수색 당시 또는 이와 시간적으로 근접한 시기까지 해당 정보저장매체를 현실적으로 지배·관리하면서 그 정보저장매체 내 전자정보 전반에 관한 전속적인 관리처분권을 보유·행사하고, 달리 이를 자신의 의사에 따라 제3자에게 양도하거나 포기하지 아니한 경우로써, 피의자를 그 정보저장매체에 저장된 전자정보에 대하여 실질적인 피압수자로 평가할 수 있는 경우를 말하는 것이다(대판 2022.1.27, 2021도11170).
④ 임의제출된 정보저장매체에서 압수의 대상이 되는 전자정보의 범위를 초과하여 수사기관이 임의로 전자정보를 탐색·복제·출력하는 것은 원칙적으로 위법한 압수·수색에 해당하므로 허용될 수 없다. 만약 전자정보에 대한 압수·수색이 종료되기 전에 범죄혐의사실과 관련된 전자정보를 적법하게 탐색하는 과정에서 별도의 범죄혐의와 관련된 전자정보를 우연히 발견한 경우라면, 수사기관은 더 이상의 추가 탐색을 중단하고 법원으로부터 별도의 범죄혐의에 대한 압수·수색영장을 발부받은 경우에 한하여 그러한 정보에 대하여도 적법하게 압수·수색을 할 수 있다(대판 2021.11.18, 2016도348 전원합의체).

04 **전자정보의 압수·수색 등에 관한 설명 중 적절한 것은 몇 개인가?**(다툼이 있는 경우 판례에 의함)

22. 9급 검찰·마약·교정·보호·철도경찰, 23. 변호사시험

㉠ 압수물 목록은 피압수자 등이 압수처분에 대한 준항고를 하는 등 권리행사절차를 밟는 가장 기초적인 자료가 되므로 압수된 정보의 상세목록에는 정보의 파일 명세가 특정되어 있어야 하고 수사기관은 이를 서면으로 교부하여야 하며, 전자파일 형태로 복사해 주거나 이메일을 전송하는 등의 방식으로는 교부할 수 없다.
㉡ 준항고인이 전체 압수·수색 과정을 단계적·개별적으로 구분하여 각 단계의 개별 처분의 취소를 구한 경우, 특별한 사정이 없는 한 준항고법원으로서는 그 구분된 개별처분의 위법이나 취소 여부를 판단하여야 한다.
㉢ 수사기관은 특정 범죄혐의와 관련하여 전자정보가 수록된 정보저장매체를 임의제출받아 그 안에 저장된 전자정보를 압수하는 경우 그 동기가 된 범죄혐의사실과 관련된 전자정보의 출력물 등을 임의제출받아 압수하여야 하고, 정보저장매체 자체나 복제본을 임의제출받아 압수할 수 없다.
㉣ 압수물인 디지털 저장매체로부터 출력한 문건을 증거로 사용하기 위해서는 디지털 저장매체 원본에 저장된 내용과 출력한 문건의 동일성이 인정되어야 하고, 이를 위해서는 디지털 저장매체 원본이 압수시부터 문건 출력시까지 변경되지 않았음이 담보되어야 한다.

Answer 4. ②

ⓜ 정보저장매체를 임의제출한 피압수자에 더하여 임의제출자 아닌 피의자에게도 참여권이 보장되어야 하는 '피의자의 소유 · 관리에 속하는 정보저장매체'에 해당하는지 여부는 민사법상 권리의 귀속에 따른 법률적 · 사후적 판단에 의하며, 압수 · 수색 당시 외형적 · 객관적으로 인식 가능한 사실상의 상태를 기준으로 판단하여야 하는 것은 아니다.
ⓑ 수사기관이 범죄 혐의사실과 관련 있는 정보를 선별하여 압수한 후에도 그와 관련이 없는 나머지 정보를 삭제 · 폐기 · 반환하지 아니한 채 그대로 보관하고 있다면 위법하고, 사후에 법원으로부터 압수 · 수색영장이 발부되었다거나 피고인이나 변호인이 이를 증거로 함에 동의하였다고 하여 그 위법성이 치유된다고 볼 수 없다.

① 1개 ② 2개 ③ 3개 ④ 4개

| 해설 ㉠ × : 압수된 정보의 상세목록에는 정보의 파일 명세가 특정되어 있어야 하고, 수사기관은 이를 출력한 서면을 교부하거나 전자파일 형태로 복사해 주거나 이메일을 전송하는 등의 방식으로도 할 수 있다(대판 2018.2.8, 2017도13263).
㉡ × : 전자정보에 대한 압수 · 수색 과정에서 이루어진 현장에서의 저장매체 압수 · 이미징 · 탐색 · 복제 및 출력행위 등 수사기관의 처분은 하나의 영장에 의한 압수 · 수색 과정에서 이루어지는 것이다. 그러한 일련의 행위가 모두 진행되어 압수 · 수색이 종료된 이후에는 특정단계의 처분만을 취소하더라도 그 이후의 압수 · 수색을 저지한다는 것을 상정할 수 없고 수사기관으로 하여금 압수 · 수색의 결과물을 보유하도록 할 것인지가 문제될 뿐이다. 그러므로 이 경우에는 준항고인이 전체 압수 · 수색 과정을 단계적 · 개별적으로 구분하여 각 단계의 개별 처분의 취소를 구하더라도 준항고법원으로서는 특별한 사정이 없는 한 그 구분된 개별 처분의 위법이나 취소 여부를 판단할 것이 아니라 당해 압수 · 수색 과정 전체를 하나의 절차로 파악하여 그 과정에서 나타난 위법이 압수 · 수색 절차 전체를 위법하게 할 정도로 중대한지 여부에 따라 전체적으로 그 압수 · 수색 처분을 취소할 것인지를 가려야 할 것이다(대결 2015.7.16, 2011모1839 전원합의체).
㉢ × : 수사기관은 특정 범죄혐의와 관련하여 전자정보가 수록된 정보저장매체를 임의제출받아 그 안에 저장된 전자정보를 압수하는 경우 그 동기가 된 범죄혐의사실과 관련된 전자정보의 출력물 등을 임의제출받아 압수하는 것이 원칙이다. 다만, 범위를 정하여 출력 또는 복제하는 방법이 불가능하거나 압수의 목적을 달성하기에 현저히 곤란하다고 인정되는 때에 한하여 예외적으로 정보저장매체 자체나 복제본을 임의제출받아 압수할 수 있다(대판 2021.11.18, 2016도348 전원합의체).
㉣ ○ : 대판 2013.6.13, 2012도16001
㉤ × : 정보저장매체를 임의제출한 피압수자에 더하여 임의제출자 아닌 피의자에게도 참여권이 보장되어야 하는 '피의자의 소유 · 관리에 속하는 정보저장매체'란, 피의자가 압수 · 수색 당시 또는 이와 시간적으로 근접한 시기까지 해당 정보저장매체를 현실적으로 지배 · 관리하면서 그 정보저장매체 내 전자정보 전반에 관한 전속적인 관리처분권을 보유 · 행사하고, 달리 이를 자신의 의사에 따라 제3자에게 양도하거나 포기하지 아니한 경우로써, 피의자를 그 정보저장매체에 저장된 전자정보에 대하여 실질적인 피압수자로 평가할 수 있는 경우를 말하는 것이다. 이에 해당하는지 여부는 민사법상 권리의 귀속에 따른 법률적 · 사후적 판단이 아니라 압수 · 수색 당시 외형적 · 객관적으로 인식 가능한 사실상의 상태를 기준으로 판단하여야 한다. 이러한 정보저장매체의 외형적 · 객관적 지배 · 관리 등 상태와 별도로 단지 피의자나 그 밖의 제3자가 과거 그 정보저장매체의 이용 내지 개별 전자정보의 생성 · 이용 등에 관여한 사실이 있다거나 그 과정에서 생성된 전자정보에 의해 식별되는 정보주체에 해당한다는 사정만으로 그들을 실질적으로 압수 · 수색을 받는 당사자로 취급하여야 하는 것은 아니다(대판 2022.1.27, 2021도11170).
㉥ ○ : 대결 2022.1.14, 2021모1586

05 **다음 설명 중 가장 옳지 않은 것은?**(다툼이 있는 경우 판례에 의하고, 전원합의체 판결의 경우 다수의견에 의함) 22. 9급 법원직

① 수사기관은 압수의 목적물이 컴퓨터용 디스크 그 밖에 이와 비슷한 정보저장매체인 경우에는 영장 발부의 사유로 된 범죄 혐의사실과 관련 있는 정보의 범위를 정하여 출력하거나 복제하여 이를 제출받아야 하고, 피의자나 변호인에게 참여의 기회를 보장하여야 한다. 다만, 수사기관이 정보저장매체에 기억된 정보 중에서 키워드 또는 확장자 검색 등을 통해 범죄 혐의사실과 관련 있는 정보를 선별한 다음 정보저장매체와 동일하게 비트열 방식으로 복제하여 생성한 파일을 제출받아 압수하였다면 이로써 압수의 목적물에 대한 압수·수색 절차는 종료된 것이므로, 수사기관이 수사기관 사무실에서 위와 같이 압수된 이미지 파일을 탐색·복제·출력하는 과정에서도 피의자 등에게 참여의 기회를 보장하여야 하는 것은 아니다.

② 임의제출된 정보저장매체에서 압수의 대상이 되는 전자정보의 범위를 넘어서는 전자정보에 대해 수사기관이 영장 없이 압수·수색하여 취득한 증거는 위법수집증거에 해당하고, 사후에 법원으로부터 영장이 발부되었거나 피고인이나 변호인이 이를 증거로 함에 동의한 경우라도 그 위법성이 치유되는 것도 아니다.

③ 압수·수색영장의 범죄 혐의사실과 관계있는 범죄라는 것은 압수·수색영장에 기재한 혐의사실과 객관적 관련성이 있고 압수·수색영장 대상자와 피의자 사이에 인적 관련성이 있는 범죄를 의미한다. 그중 객관적 관련성은 압수·수색영장에 기재된 혐의사실의 내용과 수사의 대상, 수사 경위 등을 종합하여 구체적·개별적 연관관계가 있는 경우에만 인정되고, 혐의사실과 단순히 동종 또는 유사 범행이라는 사유만으로 관련성이 있다고 할 것은 아니다.

④ 피압수자가 수사 도중 자유로운 의사에 의해 소유권을 포기한 경우에는 국가가 그 소유권을 취득한다고 보아야 하므로, 수사기관의 환부의무는 면제되고, 피압수자의 압수물에 대한 환부청구권도 소멸한다.

| 해설 ① 대판 2018.2.8, 2017도13263

② 대판 2021.11.18, 2016도348 전원합의체

③ 대판 2017.12.5, 2017도13458 ; 대판 2021.11.18, 2016도348 전원합의체

④ 피압수자 등 환부를 받을 자가 압수 후 그 소유권을 포기하는 등에 의하여 실체법상의 권리를 상실하더라도 그 때문에 압수물을 환부하여야 하는 수사기관의 의무에 어떠한 영향을 미칠 수 없고, 또한 수사기관에 대하여 형사소송법상의 환부청구권을 포기한다는 의사표시를 하더라도 그 효력이 없어 그에 의하여 수사기관의 필요적 환부의무가 면제된다고 볼 수는 없으므로, 압수물의 소유권이나 그 환부청구권을 포기하는 의사표시로 인하여 위 환부의무에 대응하는 압수물에 대한 환부청구권이 소멸하는 것은 아니다(대결 1996.8.16, 94모51 전원합의체).

Answer 5. ④

06 **다음 사례에 대한 설명 중 가장 적절한 것은?**(다툼이 있는 경우 판례에 의함) 22. 순경 2차

> A는 2022. 2. 10. 甲의 집에서 자고 있는 사이 甲이 자신의 의사에 반해 나체를 촬영한 범행을 저질렀다며 경찰에 甲을 신고하였다. A는 甲을 신고하면서 甲의 집에서 가지고 나온 甲소유의 휴대폰 2대(휴대폰1, 휴대폰2)를 사법경찰관 P에게 임의제출하였고, P는 A에게 제출범위에 관한 의사를 따로 확인하지 않았다. P는 휴대폰1에 저장된 동영상 파일을 통해 甲의 A에 대한 범행을 확인한 후, 휴대폰2에서도 甲의 범행의 증거를 찾던 중 2021. 1.경 A가 아닌 B와 C의 나체를 불법 촬영한 동영상 30개와 사진을 발견하였다. P는 발견한 동영상과 사진을 CD에 복제한 후, 압수・수색영장을 발부받아 이 CD를 압수하였다.

① 휴대폰은 임의제출물이기 때문에 2대의 휴대폰에 저장된 전자 정보 전부가 임의제출되어 압수된 것으로 취급할 수 있다.
② 2021. 1.경 범행 동영상은 2022. 2. 10. 범행과 동종・유사한 범행이므로 2022. 2. 10. 범행과 구체적・개별적 연관관계가 없다 하더라도 2022. 2. 10. 범행 혐의사실과 관련성이 있다.
③ A가 제출한 휴대폰이 임의제출물이라 하더라도 휴대폰을 탐색하는 과정에서 甲에게 참여권을 보장하고 압수목록을 교부해야 한다.
④ 압수된 CD에 저장된 동영상과 휴대폰2에 저장된 원본 동영상과의 동일성은 검사가 주장・입증해야 하며, 엄격한 증명의 방법으로 증명되어야 한다.

| 해설 〈경찰이 성폭력범죄의 처벌 등에 관한 특례법 위반(카메라 등 이용촬영)죄의 피해자가 임의제출한 피고인 소유・관리의 휴대전화 2대의 전자정보를 탐색하다가 피해자를 촬영한 휴대전화가 아닌 다른 휴대전화에서 다른 피해자 2명에 대한 동종 범행 등에 관한 1년 전 사진・동영상을 발견하고 영장 없이 이를 복제한 CD를 증거로 제출한 사안〉 대판 2021.11.18, 2016도348 전원합의체의 사실관계를 변형한 사례이다.
① 수사기관이 제출자의 의사를 쉽게 확인할 수 있음에도 이를 확인하지 않은 채 특정 범죄혐의사실과 관련된 전자정보와 그렇지 않은 전자정보가 혼재된 정보저장매체를 임의제출받은 경우, 그 정보저장매체에 저장된 전자정보 전부가 임의제출되어 압수된 것으로 취급할 수는 없다. 제출자의 구체적인 제출범위에 관한 의사를 제대로 확인하지 않는 등의 사유로 인해 임의제출자의 의사에 따른 전자정보 압수의 대상과 범위가 명확하지 않거나 이를 알 수 없는 경우에는 임의제출에 따른 압수의 동기가 된 범죄혐의사실과 관련되고 이를 증명할 수 있는 최소한의 가치가 있는 전자정보에 한하여 압수의 대상이 된다(대판 2021.11.18, 2016도348 전원합의체).
② 범죄발생 시점 사이에 상당한 간격이 있고 피해자 및 범행에 이용한 휴대전화도 전혀 다른 피고인의 2021년 범행에 관한 동영상은 임의제출에 따른 압수의 동기가 된 범죄혐의사실(2022년 범행)과 구체적・개별적 연관관계 있는 전자정보로 보기 어려우므로 수사기관이 사전영장 없이 이를 취득한 이상 증거능력이 없고, 사후에 압수・수색영장을 받아 압수절차가 진행되었더라도 달리 볼 수 없다(대판 2021.11.18, 2016도348 전원합의체).
③ 대판 2021.11.18, 2016도348 전원합의체
④ 원본의 동일성은 증거능력의 요건에 해당하므로 검사가 그 존재에 대하여 구체적으로 주장・증명해야 한다(대판 2018.2.8, 2017도13263). 소송법적 사실이므로 자유로운 증명의 대상

Answer 6. ③

07 **전자정보의 압수 · 수색에 대한 설명으로 옳지 않은 것은?**(다툼이 있는 경우 판례에 의함)

22. 7급 국가직

① 수사기관의 전자정보에 대한 압수 · 수색은 원칙적으로 영장 발부의 사유로 된 범죄 혐의 사실과 관련된 부분만을 문서 출력물로 수집하거나 수사기관이 휴대한 저장매체에 해당 파일을 복제하는 방식으로 이루어져야 한다.

② 임의제출된 정보저장매체에서 압수의 대상이 되는 전자정보의 범위를 넘어서는 전자정보에 대해 수사기관이 영장 없이 압수 · 수색하여 취득한 증거는 사후에 피고인이 이를 증거로 함에 동의하였다고 하여 그 위법성이 치유되지 않는다.

③ 피의자가 휴대전화를 임의제출하면서 원격지에 저장되어 있는 전자정보를 수사기관에 제출한다는 의사로 클라우드에 접속하기 위한 아이디와 비밀번호를 임의로 제공하였더라도, 그 클라우드에 저장된 전자정보를 임의제출하는 것으로 볼 수는 없다.

④ 수사기관이 甲을 피의자로 하여 발부받은 압수 · 수색영장에 기하여 인터넷서비스업체인 A주식회사를 상대로 A주식회사의 본사 서버에 저장되어 있는 甲의 전자정보인 SNS 대화내용 등에 대하여 압수 · 수색을 실시한 경우, 수사기관은 압수 · 수색 과정에서 甲에게 참여권을 보장하여야 한다.

| 해설 ① 대결 2011.5.26, 2009모1190

② 대판 2021.11.18, 2016도348 전원합의체

③ 피의자가 휴대전화를 임의제출하면서 휴대전화에 저장된 전자정보가 아닌 클라우드 등 제3자가 관리하는 원격지에 저장되어 있는 전자정보를 수사기관에 제출한다는 의사로 수사기관에게 클라우드 등에 접속하기 위한 아이디와 비밀번호를 임의로 제공하였다면 위 클라우드 등에 저장된 전자정보를 임의제출하는 것으로 볼 수 있다(대판 2021.7.29, 2020도14654).

④ 대결 2022.5.31, 2016모587

08 **임의제출물의 압수에 대한 설명으로 옳지 않은 것은?**(다툼이 있는 경우 판례에 의함)

23. 경찰간부

① 검사가 교도관으로부터 그가 보관하고 있던 재소자의 인격적 법익에 대한 침해와 무관한 비망록을 뇌물수수 등의 증거자료로 임의제출받은 경우 그 압수절차가 재소자의 승낙없이 행해졌더라도 위법하지 않다.

② 수사기관이 압수 · 수색 영장의 집행과정에서 영장발부의 사유인 범죄 혐의사실과 무관한 별개의 증거를 압수하였다가 피압수자 등에게 환부하고 후에 이를 다시 임의제출받아 압수한 경우 검사가 그 압수물 제출의 임의성을 합리적 의심을 배제할 수 있을 정도로 증명하면 이를 유죄 인정의 증거로 사용할 수 있다.

③ 甲이 골프채로 A를 상해한 사건에서, 사법경찰관이 甲 소유의 골프채를 甲의 집 앞마당에서 발견했음에도 그 소지자 또는 보관자가 아닌 피해자 A로부터 임의로 제출받는 형식으로 위 골프채를 압수하였다면, 이는 위법한 압수이다.

Answer 7. ③ 8. ④

④ 사법경찰관이 절도죄의 피의자 A를 현행범으로 체포하면서 A로부터 절도를 위하여 소지하고 있던 드라이버를 임의제출받은 경우 사법경찰관은 형사소송법 제216조 제1항 제2호 및 같은 법 제217조 제2항에 따라서 사후에 압수영장을 발부받아야 한다.

| 해설 ① 대판 2008.5.15, 2008도1097 ② 대판 2016.3.10, 2013도11233 ③ 대판 2010.1.28, 2009도10092 ④ 검사, 사법경찰관은 현행범 체포 현장이나 범죄 장소에서도 소지자 등이 임의로 제출하는 물건은 형사소송법 제218조에 의하여 영장 없이 압수할 수 있고, 이 경우에는 검사나 사법경찰관이 사후에 영장을 받을 필요가 없다(대판 2016.2.18, 2015도13726).

09 **다음은 전자정보의 압수ㆍ수색에 대한 설명이다. 아래 ㉠부터 ㉣까지의 설명 중 옳고 그름의 표시(○, ×)가 바르게 된 것은?**(다툼이 있는 경우 판례에 의함) 23. 경찰승진

㉠ 피의자의 이메일 계정에 대한 접근권한에 갈음하여 발부받은 압수ㆍ수색영장의 효력은 대한민국의 사법관할권이 미치지 아니하는 해외 이메일서비스 제공자의 해외 서버 및 그 해외 서버에 소재하는 저장매체 속 피의자의 전자정보에 대하여까지 미치지는 않는다.
㉡ 수사기관 사무실 등으로 반출된 저장매체 또는 복제본에서 혐의사실 관련성에 대한 구분 없이 임의로 저장된 전자 정보를 문서로 출력하거나 파일로 복제하는 행위는 원칙적으로 영장주의 원칙에 반하는 위법한 압수가 된다.
㉢ 임의제출된 정보저장매체에서 압수의 대상이 되는 전자 정보의 범위를 넘어서는 전자정보에 대해 수사기관이 영장 없이 압수ㆍ수색하여 취득한 증거는 위법수집증거에 해당하고, 사후에 법원으로부터 영장이 발부되었다거나 피고인이나 변호인이 이를 증거로 함에 동의하였다고 하여 그 위법성이 치유되는 것도 아니다.
㉣ 전자정보에 대한 압수ㆍ수색영장을 집행할 때에는 원칙적으로 영장 발부의 사유인 혐의사실과 관련된 부분만을 문서 출력물로 수집하거나 수사기관이 휴대한 저장매체에 해당파일을 복사하는 방식으로 이루어져야 하지만, 집행현장 사정상 이러한 방식에 의한 집행이 현저히 곤란한 부득이한 사정이 존재하는 경우에는 영장에의 기재 여부와 상관없이 저장매체 자체를 직접 혹은 하드카피나 이미징 등 형태로 수사기관 사무실 등 외부로 반출하여 해당 파일을 압수ㆍ수색할 수 있다.

① ㉠(○), ㉡(×), ㉢(×), ㉣(×)
② ㉠(○), ㉡(×), ㉢(×), ㉣(○)
③ ㉠(×), ㉡(○), ㉢(○), ㉣(×)
④ ㉠(×), ㉡(○), ㉢(○), ㉣(○)

| 해설 ㉠ × : 피의자의 이메일 계정에 대한 접근권한에 갈음하여 발부받은 압수ㆍ수색영장의 효력은 대한민국의 사법관할권이 미치지 아니하는 해외 이메일서비스 제공자의 해외 서버 및 그 해외 서버에 소재하는 저장매체 속 피의자의 전자정보에 대하여까지 미친다(대판 2017.11.29, 2017도9747).
㉡ ○ : 대결 2015.7.16, 2011모1839 ㉢ ○ : 대판 2021.11.18, 2016도348 전원합의체
㉣ × : 전자정보에 대한 압수ㆍ수색영장을 집행할 때에는 원칙적으로 영장 발부의 사유인 혐의사실과 관련된 부분만을 문서 출력물로 수집하거나 수사기관이 휴대한 저장매체에 해당 파일을 복사하는 방식으로 이루어져야 하고, 집행현장 사정상 위와 같은 방식에 의한 집행이 불가능하거나 현저히 곤란한 부득이한 사정이 존재하더라도 저장매체 자체를 직접 혹은 하드카피나 이미징 등 형태로 수사기관 사무실 등 외부로 반출하여 해당 파일을 압수ㆍ수색할 수 있도록 영장에 기재되어 있고 실제 그와 같은 사정이 발생한 때에 한하여 위 방법이 예외적으로 허용될 수 있을 뿐이다(대결 2011.5.26, 2009모1190).

Answer 9. ③

10 **저장매체의 임의제출에 관한 설명 중 가장 적절하지 않은 것은?**(다툼이 있는 경우 판례에 의함)

23. 순경 1차 · 전의경경채

① 임의제출된 정보저장매체에서 압수의 대상이 되는 전자정보의 범위를 넘어서는 전자정보에 대해 수사기관이 영장 없이 압수 · 수색하여 취득한 증거는 위법수집증거에 해당하지만, 피고인이나 변호인이 이를 증거로 함에 동의하였다면 그 위법성이 치유된다.

② 제3자가 피의자의 소유 · 관리에 속하는 정보저장매체를 영장에 의하지 않고 임의제출하는 경우, 특별한 사정이 없는 한 피의자에게 참여권을 보장하고 압수한 전자정보 목록을 교부하는 등 피의자의 절차적 권리를 보장하기 위한 적절한 조치가 이루어져야 한다.

③ 피의자가 자기 소유의 휴대전화를 임의제출하면서 클라우드 등 제3자가 관리하는 원격지에 저장되어 있는 전자정보를 수사기관에게 제출한다는 의사로 수사기관에 클라우드 등에 접속하기 위한 자신의 아이디와 비밀번호를 임의로 제공한 경우, 위 클라우드 등에 저장된 전자정보를 임의제출하는 것으로 볼 수 있다.

④ 현행범 체포현장이나 범죄현장에서도 소지자 등이 임의로 제출하는 저장매체는 형사소송법 제218조에 의하여 영장 없이 압수하는 것이 허용된다.

| 해설 ① 임의제출된 정보저장매체에서 압수의 대상이 되는 전자정보의 범위를 넘어서는 전자정보에 대해 수사기관이 영장 없이 압수 · 수색하여 취득한 증거는 위법수집증거에 해당하고, 사후에 법원으로부터 영장이 발부되었다거나 피고인이나 변호인이 이를 증거로 함에 동의하였다고 하여 그 위법성이 치유되는 것도 아니다(대판 2021.11.18, 2016도348 전원합의체).
② 대판 2021.11.18, 2016도348 전원합의체
③ 대판 2021.7.29, 2020도14654
④ 대판 2016.2.28, 2015도13726

11 **전자정보 압수 · 수색에 관한 다음 설명 중 옳지 않은 것은 모두 몇 개인가?**(다툼이 있는 경우 판례에 의함)

23. 순경 2차

㉠ 수사기관이 압수 · 수색영장에 적힌 '수색할 장소'에 있는 컴퓨터 등 정보처리장치에 저장된 전자정보 외에 원격지클라우드에 저장된 전자정보를 압수 · 수색하기 위해서는 압수 · 수색영장에 적힌 '압수할 물건'에 별도로 원격지 클라우드 저장 전자정보가 특정되어 있어야 한다.
㉡ 수사기관이 전자정보에 대한 압수 · 수색이 종료되기 전에 혐의사실과 관련된 전자정보를 적법하게 탐색하는 과정에서 별도 범죄혐의와 관련된 전자정보를 우연히 발견한 경우, 대법원은 '우연한 육안발견 원칙(plain view doctrine)'에 의해 별도의 영장 없이 우연히 발견한 별도 범죄혐의와 관련된 전자정보를 압수 · 수색할 수 있다고 판시하였다.
㉢ 수사기관이 피의자의 이메일 계정에 대한 접근권한에 갈음하여 발부받은 압수 · 수색영장에 따라, 원격지의 저장매체에 적법하게 접속하여 내려받거나 현출된 전자정보를 대상으로 하여 범죄 혐의사실과 관련된 부분에 대하여 압수 · 수색하는 것은 특별한 사정이 없는 한 허용되지만, 원격지 저장매체가 국외에 있는 경우에는 허용되지 않는다.

Answer 10. ① 11. ②

ㄹ 수사기관이 범죄 혐의사실과 관련 있는 정보를 선별하여 압수한 후에도 그와 관련이 없는 나머지 정보를 법원의 영장 내용에 반하여 삭제·폐기·반환하지 아니한 채 그대로 보관하고 있다면, 범죄 혐의사실과 관련이 없는 부분에 대하여는 압수의 대상이 되는 전자정보의 범위를 넘어서는 전자정보를 영장 없이 압수·수색하여 취득한 것이어서 위법하다.

ㅁ 피의자가 휴대전화를 임의제출하면서 휴대전화에 저장된 전자정보가 아닌 클라우드 등 제3자가 관리하는 원격지에 저장되어 있는 전자정보를 수사기관에 제출한다는 의사로 수사기관에게 클라우드 등에 접속하기 위한 아이디와 비밀번호를 임의로 제공하였다면 위 클라우드 등에 저장된 전자정보를 임의제출하는 것으로 볼 수 있다.

① 1개 ② 2개 ③ 3개 ④ 4개

| 해설 ㉠ ○ : 대결 2022.6.30, 2020모735

㉡ × : 전자정보에 대한 압수·수색이 종료되기 전에 혐의사실과 관련된 전자정보를 적법하게 탐색하는 과정에서 별도의 범죄혐의와 관련된 전자정보를 우연히 발견한 경우라면, 수사기관으로서는 더 이상의 추가 탐색을 중단하고 법원으로부터 별도의 범죄혐의에 대한 압수·수색영장을 발부받은 경우에 한하여 그러한 정보에 대하여도 적법하게 압수·수색을 할 수 있다고 할 것이다(대결 2015.7.16, 2011모1839 전원합의체).

㉢ × : 원격지의 저장매체가 국외에 있는 경우라 하더라도 그 사정만으로 달리 볼 것은 아니다(대판 2017.11.29, 2017도9747).

㉣ ○ : 대결 2022.1.14, 2021모1586

㉤ ○ : 대판 2021.7.29, 2020도14654

12 전자정보의 압수·수색절차에 관한 설명으로 옳은 것은 모두 몇 개인가?(다툼이 있는 경우 판례에 의함)

24. 경찰간부

ㄱ 수사기관이 임의제출받은 정보저장매체가 대부분 임의제출에 따른 적법한 압수의 대상이 되는 전자정보만이 저장되어 있어서 그렇지 않은 전자정보와 혼재될 여지가 거의 없는 경우라 하더라도, 전자정보인 이상 소지·보관자의 임의제출에 따른 통상의 압수절차 외에 피압수자에게 참여의 기회를 보장하지 않았고 전자정보 압수목록을 작성·교부하지 않았다면 곧바로 증거능력을 인정할 수 없다.

ㄴ 압수물 목록은 수사기관의 압수 직후 현장에서 바로 작성하여 교부해야 하는 것이 원칙인데, 압수된 정보의 상세목록에는 정보의 파일명세가 특정되어 있어야 하고 수사기관은 이를 출력한 서면을 교부해야 하며, 이를 전자파일 형태로 복사해 주거나 이메일을 전송하는 등의 방식으로 교부해서는 안 된다.

ㄷ 정보저장매체를 임의제출한 피압수자와 임의제출자 아닌 피의자에게도 참여권이 보장되어야 하는 '피의자 소유·관리에 속하는 정보저장매체'에 해당하는지 여부는 압수·수색 당시 외형적·객관적으로 인식가능한 사실상의 상태를 기준으로 판단하는 것이 아니라 민사법상 권리의 귀속에 따른 법률적·사후적 판단을 기준으로 판단하여야 한다.

Answer 12. ①

㉣ 압수・수색영장에 적힌 '압수할 물건'에 컴퓨터 등 정보처리장치 저장 전자정보만 기재되어 있고 별도로 원격지 서버 저장의 전자정보가 특정되어 있지 않았다 하더라도, 영장에 기재된 해당 컴퓨터 등 정보처리장치를 이용하여 로그인되어 있는 상태의 원격지 서버 저장 전자정보를 압수한 경우는 영장주의 원칙에 반하지 않는다.

㉤ 수사기관이 압수・수색・검증 영장을 발부받은 후 그 집행현장에서 정보저장매체에 기억된 정보 중에서 키워드 또는 확장자 검색 등을 통해 범죄 혐의사실과 관련 있는 정보를 선별한 다음 정보저장매체와 동일하게 비트열 방식으로 복제하여 생성한 파일을 제출받아 적법하게 압수하였다면, 수사기관은 수사기관 사무실에서 위와 같이 압수된 이미지 파일을 탐색・복제・출력하는 과정에서 피의자 등에게 참여의 기회를 보장해야 하는 것은 아니다.

① 1개 ② 2개 ③ 3개 ④ 4개

| 해설 ㉠ ×: 수사기관이 임의제출받은 정보저장매체가 그 기능과 속성상 임의제출에 따른 적법한 압수의 대상이 되는 전자정보와 그렇지 않은 전자정보가 혼재될 여지가 거의 없어 사실상 대부분 압수의 대상이 되는 전자정보만이 저장되어 있는 경우에는 소지・보관자의 임의제출에 따른 통상의 압수절차 외에 피압수자에게 참여의 기회를 보장하지 않고 전자정보 압수목록을 작성・교부하지 않았다는 점만으로 곧바로 증거능력을 부정할 것은 아니다(대판 2021.11.25, 2019도7342).

㉡ ×: 압수물 목록은 수사기관의 압수 직후 현장에서 바로 작성하여 교부해야 하는 것이 원칙인데(대판 2009.3.12, 2008도763), 압수된 정보의 상세목록에는 정보의 파일명세가 특정되어 있어야 하고 수사기관은 이를 출력한 서면을 교부해야 하거나 전자파일 형태로 복사해 주거나 이메일을 전송하는 등의 방식으로 할 수 있다(대판 2018.2.8, 2017도13263).

㉢ ×: 이에 해당하는지 여부는 민사법상 권리의 귀속에 따른 법률적・사후적 판단이 아니라 압수・수색 당시 외형적・객관적으로 인식 가능한 사실상의 상태를 기준으로 판단하여야 한다(대판 2022.1.27, 2021도11170).

㉣ ×: 압수・수색영장에 적힌 '압수할 물건'에 원격지 서버 저장 전자정보가 기재되어 있지 않은 이상 압수・수색영장에 적힌 '압수할 물건'은 피고인의 주거지에 있는 컴퓨터 하드디스크 및 외부저장매체에 저장된 전자정보에 한정된다. 그럼에도 휴대전화가 구글계정에 로그인되어 있는 상태를 이용하여 원격지 서버에 해당하는 구글클라우드에 접속하여 구글클라우드에서 발견한 불법촬영물을 압수한 경우, 이는 압수・수색영장에서 허용한 압수의 범위를 넘어선 것으로 적법절차 및 영장주의의 원칙에 반하여 위법하다(대판 2022.6.30, 2022도1452).

㉤ ○: 대판 2018.2.28, 2017도13263

13 **정보저장매체의 압수 · 수색에 관한 설명으로 가장 적절하지 않은 것은?**(다툼이 있는 경우 판례에 의함)
24. 순경 1차

① 수사기관의 전자정보에 대한 압수 · 수색은 원칙적으로 영장 발부의 사유로 된 범죄 혐의사실과 관련된 부분만을 문서 출력물로 수집하거나 수사기관이 휴대한 저장매체에 해당 파일을 복제하는 방식으로 이루어져야 하고, 수사기관 사무실 등 외부로 저장매체 자체를 직접 반출하는 방식으로 압수 · 수색하는 것은 예외적으로만 허용된다.

② 압수의 목적을 달성하기에 현저히 곤란한 사정이 인정되어 전자정보가 담긴 저장매체를 수사기관 사무실 등으로 옮겨 혐의사실과 관련된 전자정보만을 복제 · 탐색 · 출력하는 경우에도, 피압수 · 수색 당사자나 변호인에게 참여의 기회를 보장하여야 한다.

③ 수사기관이 범죄 혐의사실과 관련 있는 전자정보를 선별 압수한 후 그와 관련이 없는 나머지 정보를 삭제 · 폐기 · 반환하지 아니한 채 보관하고 있더라도, 사후에 위 나머지 정보에 대하여 법원으로부터 압수 · 수색영장을 발부받거나 피고인 또는 변호인이 이를 증거로 함에 동의하였다면 증거로 사용할 수 있다.

④ 수사기관이 압수 · 수색영장에 적힌 '수색할 장소'에 있는 컴퓨터 등 정보처리장치에 저장된 전자정보 외에 원격지 서버에 저장된 전자정보를 압수 · 수색하기 위해서는 그 영장에 적힌 '압수할 물건'에 별도로 원격지 서버 저장 전자정보가 특정되어 있어야 하고, '압수할 물건'에 컴퓨터 등 전자처리장치 저장 전자정보만 기재되어 있다면 컴퓨터 등 정보처리장치를 이용하여 원격지 서버 저장 전자정보를 압수할 수는 없다.

| 해설 ① 대판 2014.2.27, 2013도12155
② 대판 2020.11.26, 2020도10729
③ 수사기관이 범죄 혐의사실과 관련 있는 정보를 선별하여 압수한 후에도 그와 관련이 없는 나머지 정보를 삭제 · 폐기 · 반환하지 아니한 채 그대로 보관하고 있다면 범죄 혐의사실과 관련이 없는 부분에 대하여는 압수의 대상이 되는 전자정보의 범위를 넘어서는 전자정보를 영장 없이 압수 · 수색하여 취득한 것이어서 위법하고, 사후에 법원으로부터 압수 · 수색영장이 발부되었다거나 피고인이나 변호인이 이를 증거로 함에 동의하였다고 하여 그 위법성이 치유된다고 볼 수 없다(대결 2022.1.14, 2021모1586).
④ 대판 2022.6.30, 2022도1452

Answer 13. ③

THEMA 02 압수 · 수색의 요건 · 제한

<table>
<tr><td rowspan="5">요건</td><td>범죄혐의</td><td>압수 · 수색도 범죄혐의가 있어야 한다. 다만, 그 혐의 정도에 대해서는 체포 · 구속의 경우처럼 상당한 범죄혐의를 요한다는 견해, 단순한 혐의만 있으면 족하다는 견해 대립이 있다.</td></tr>
<tr><td>필요성</td><td>압수 · 수색은 필요한 때 할 수 있다(제106조, 제109조, 제215조 제1항 · 제2항).</td></tr>
<tr><td>관련성</td><td>① 법원(수사기관)은 필요한 때에는 피고(피의)사건과 관계가 있다고 인정할 수 있는 것에 한정하여 증거물 또는 몰수할 것으로 사료하는 물건을 압수할 수 있다. 단, 법률에 다른 규정이 있는 때에는 예외로 한다(제106조 제1항, 제215조).
② 법원(수사기관)은 필요한 때에는 피고(피의)사건과 관계가 있다고 인정할 수 있는 것에 한정하여 피고인(피의자)의 신체, 물건 또는 주거, 그 밖의 장소를 수색할 수 있다(제109조 제1항, 제215조).
▶ 범죄수사에 필요한 때에는 영장에 의하여 압수를 할 수 있으므로 압수물이 증거물 내지 몰수하여야 할 물건으로 보이는 것이라면 언제나 압수할 수 있다. (×)
▶ 압수해제된 물품을 재압수 가능(대결 1997.1.9, 96모34)
▶ 압수 · 수색영장의 범죄 혐의사실과 관계있는 범죄라는 것은 압수 · 수색영장에 기재한 혐의사실과 객관적 관련성이 있고 압수 · 수색영장 대상자와 피의자 사이에 인적 관련성이 있는 범죄를 의미한다. 객관적 관련성은 압수 · 수색영장에 기재된 혐의사실 자체 또는 그와 기본적 사실관계가 동일한 범행과 직접 관련되어 있는 경우는 물론 범행 동기와 경위, 범행 수단과 방법, 범행 시간과 장소 등을 증명하기 위한 간접증거나 정황증거 등으로 사용될 수 있는 경우에도 인정될 수 있다. 그 관련성은 압수 · 수색영장에 기재된 혐의사실의 내용과 수사의 대상, 수사 경위 등을 종합하여 구체적 · 개별적 연관관계가 있는 경우에만 인정된다고 보아야 하고, 혐의사실과 단순히 동종 또는 유사 범행이라는 사유만으로 관련성이 있다고 할 것은 아니다. 인적 관련성은 압수 · 수색영장에 기재된 대상자의 공동정범이나 교사범 등 공범이나 간접정범은 물론 필요적 공범 등에 대한 피고사건에 대해서도 인정될 수 있다(대판 2017.1.25, 2016도13489). 21. 소방간부 · 해경승진</td></tr>
<tr><td>비례성</td><td>압수 · 수색을 하지 않고서는 달리 증거를 확보할 수 없는 경우라야 하고 목적달성을 위한 최소한의 범위에 그쳐야 한다(제199조 제1항 단서).
▶ 폐수무단방류 혐의가 인정된다는 이유로 공장부지, 건물, 기계류 일체 및 폐수운반차량 7대에 대하여 한 압수처분은 수사상의 필요에서 행하는 압수의 본래의 취지를 넘는 것으로 상당성이 없을 뿐만 아니라, 비례성의 원칙에 위배되어 위법하다(대결 2004.3.23, 2003모126). 08. 경찰승진, 15. 순경 3차</td></tr>
<tr><td rowspan="3">제한</td><td>군사상 비밀</td><td>책임자의 승낙 없이는 압수 · 수색을 할 수 없다. 그러나 책임자는 국가의 중대한 이익을 해하는 경우가 아니면 승낙을 거부하지 못한다(제219조, 제110조).</td></tr>
<tr><td>공무상 비밀</td><td>소속 공무소 또는 당해 감독관공서의 승낙 없이는 압수하지 못한다. 국가의 중대한 이익을 해하는 경우가 아니면 승낙을 거부하지 못한다(제219조, 제111조). 09. 9급 법원직</td></tr>
<tr><td>업무상 비밀</td><td>변호사, 변리사, 공증인, 공인회계사, 세무사, 대서업자, 의사, 한의사, 치과의사, 약사, 약종상, 조산사, 간호사, 종교의 직에 있는 자 또는 이러한 직에 있던 자가 그 업무상 위탁을 받아 소지 또는 보관하는 물건으로 타인의 비밀에 관한 것은 압수를 거부할 수 있다. 단, 그 타인의 승낙이 있거나 중대한 공익상 필요가 있는 때에는 예외로 한다(제112조, 제219조). 09. 순경</td></tr>
</table>

01 **다음 중 압수 · 수색의 요건에 관한 내용으로 옳은 것은 몇 개인가?**(다툼이 있으면 판례에 의함)

> ㉠ 범죄수사에 필요한 때에는 영장에 의하여 압수를 할 수 있으므로 압수물이 증거물 내지 몰수하여야 할 물건으로 보이는 것이라면 언제나 압수할 수 있다.
> ㉡ 폐수무단방류 혐의가 인정된다는 이유로 공장부지, 건물, 기계류 일체 및 폐수운반차량 7대에 대하여 한 압수처분은 상당성 뿐만 아니라, 비례성의 원칙에도 위배되지 아니한다.
> ㉢ 공범자에 대한 범죄수사를 위하여 여전히 그 물품의 압수가 필요하다거나 공범자에 대한 재판에서 그 물품이 몰수될 가능성이 있다면 검사는 그 압수해제된 물품을 다시 압수할 수도 있다.
> ㉣ 출판내용에 형벌법규에 저촉되어 범죄를 구성하는 혐의가 있는 경우에 그 증거물 또는 몰수할 물건으로서 압수하는 것이라고 하더라도 이는 사전검열과 같이 볼 수 있다.
> ㉤ 압수 · 수색영장의 범죄 혐의사실과 관계있는 범죄라는 것은 압수 · 수색영장에 기재한 혐의사실과 객관적 관련성이 있고 압수 · 수색영장 대상자와 피의자 사이에 인적 관련성이 있는 범죄를 의미한다. 혐의사실과 단순히 동종 또는 유사 범행이라는 사유만으로도 그 관련성이 있다고 할 것이다.

① 1개　　② 2개　　③ 3개　　④ 4개

| 해설 ㉠ × : 법원(수사기관)은 필요한 때에는 피고(피의)사건과 관계가 있다고 인정할 수 있는 것에 한정하여 피고인(피의자)의 신체, 물건 또는 주거, 그 밖의 장소를 수색할 수 있다(제109조 제1항, 제215조).
㉡ × : 폐수무단방류 혐의가 인정된다는 이유로 공장부지, 건물, 기계류 일체 및 폐수운반차량 7대에 대하여 한 압수처분은 수사상의 필요에서 행하는 압수의 본래의 취지를 넘는 것으로 상당성이 없을 뿐만 아니라, 비례성의 원칙에 위배되어 위법하다(대결 2004.3.23, 2003모126).
㉢ ○ : 대결 1997.1.9, 96모34
㉣ × : 출판에 대한 사전검열이 헌법상 금지된 것으로서 어떤 이유로도 행정적인 규제방법으로 사전검열을 하는 것은 허용되지 않으나 출판내용에 형벌법규에 저촉되어 범죄를 구성하는 혐의가 있는 경우에 그 증거물 또는 몰수할 물건으로서 압수하는 것은 재판절차라는 사법적 규제와 관련된 것이어서 행정적인 규제로서의 사전검열과 같이 볼 수 없고, 다만 출판 직전에 그 내용을 문제삼아 출판물을 압수하는 것은 실질적으로 출판의 사전검열과 같은 효과를 가져올 수도 있는 것이므로 범죄혐의와 강제수사의 요건을 엄격히 해석하여야 할 것이다(대결 1991.2.26, 91모1).
㉤ × : 압수 · 수색영장의 범죄 혐의사실과 관계있는 범죄라는 것은 압수 · 수색영장에 기재한 혐의사실과 객관적 관련성이 있고 압수 · 수색영장 대상자와 피의자 사이에 인적 관련성이 있는 범죄를 의미한다. 객관적 관련성은 압수 · 수색영장에 기재된 혐의사실 자체 또는 그와 기본적 사실관계가 동일한 범행과 직접 관련되어 있는 경우는 물론 범행 동기와 경위, 범행 수단과 방법, 범행 시간과 장소 등을 증명하기 위한 간접증거나 정황증거 등으로 사용될 수 있는 경우에도 인정될 수 있다. 그 관련성은 압수 · 수색영장에 기재된 혐의사실의 내용과 수사의 대상, 수사 경위 등을 종합하여 구체적 · 개별적 연관관계가 있는 경우에만 인정된다고 보아야 하고, 혐의사실과 단순히 동종 또는 유사 범행이라는 사유만으로 관련성이 있다고 할 것은 아니다. 인적 관련성은 압수 · 수색영장에 기재된 대상자의 공동정범이나 교사범 등 공범이나 간접정범은 물론 필요적 공범 등에 대한 피고사건에 대해서도 인정될 수 있다(대판 2017.1.25, 2016도13489).

Answer 1. ①

02 압수와 관련한 설명 중 가장 옳은 것은?

① 형사소송법이 인정하는 압수의 제한은 군사상 비밀, 업무상 비밀, 공무상 비밀, 통신상 비밀이 있다.

② 변호사, 감정인, 대서업자, 간호사 등은 업무상 비밀을 위하여 자기가 소지 또는 보관하는 물건의 압수를 거부할 수 있는 자에 해당한다.

③ 군사상 비밀에 관련한 서류는 그 책임자의 승낙이 없으면 압수·수색영장을 발부할 수 없다.

④ 공무상 비밀에 관한 것임을 신고한 때에는 그 소속 공무소 또는 당해 감독관공서의 승낙이 없이는 압수하지 못한다.

| 해설 ① 형사소송법이 인정하는 압수의 제한은 군사상 비밀, 업무상 비밀, 공무상 비밀이 있다(제110조, 제111조, 제112조, 제219조).

② 감정인은 해당이 없다(제112조).

③ 승낙이 없더라도 압수·수색영장의 발부는 허용되며 승낙이 없으면 집행을 할 수 없다.

④ 제111조, 제219조

▶ 공무소, 군사용의 항공기 또는 선차 내에서 압수·수색영장을 집행함에는 그 책임자에게 참여할 것을 통지하여야 한다(제123조, 제219조)와 구별을 요함.

Answer 2. ④

THEMA 03 압수 · 수색영장 발부

영장발부	수사기관	① 검사가 지방법원판사에게 청구하여 발부받은 영장에 의하여 압수, 수색 또는 검증을 할 수 있다(제215조 제1항). ② 사법경찰관은 검사에 신청하여 검사의 청구로 지방법원판사가 발부 ③ 압수 · 수색영장에는 피의자의 성명, 죄명, 압수할 물건, 수색할 장소 · 신체 · 물건, 영장 발부 연월일, 유효기간(영장유효기간은 7일, 초과기간을 정할 수 있음)과 그 기간이 지나면 집행에 착수할 수 없으며 영장을 반환하여야 한다는 취지, 압수 · 수색의 사유를 기재하고 지방법원판사가 서명날인하여야 한다(제219조, 제114조 제1항). 다만, 압수 · 수색할 물건이 전기통신에 관한 것인 경우에는 작성기간을 기재하여야 한다(제219조, 제114조 제1항 단서). 14. 경찰간부 ④ 피의자의 성명이 불분명한 때에는 인상 · 체격 등 피의자를 특정할 수 있는 사항으로 표시할 수 있다. ⑤ '피의사건과 관계있는 모든 물건'과 같은 식의 일반영장은 위법하다. ⑥ 별건압수나 별건수색 또한 허용되지 않는다. ▶ 동일한 영장으로 수회 같은 장소에서 압수 · 수색 · 검증 × 13. 순경, 15. 경찰승진 ▶ 동일한 장소나 물건을 대상으로 하는 처분인 때에도 영장에 기재된 피의사실과 별개의 사실에 대하여 영장을 유용 × ▶ 압수 · 수색의 대상을 예비적으로 기재 × ▶ 수개의 목적물이나 장소를 한 통의 영장에 기재 × ⑦ 지방법원판사의 압수영장 발부 재판에 대하여 준항고나 항고할 수 없다(대결 1997.9.29, 97모66). 08. 순경 1차, 18. 순경 3차 **관련판례** 1. 앞서 발부받은 압수 · 수색영장의 유효기간이 남아있다고 하여 이를 제시하고 다시 압수 · 수색을 할 수는 없다(대결 1999.12.1, 99모161). 10. 교정특채, 11 · 12. 순경, 13. 순경 1차 · 9급 법원직, 13 · 18. 순경 2차, 13 · 15 · 19. 경찰간부, 16 · 17 · 19 · 22. 변호사시험, 15 · 16 · 17 · 19 · 21 · 24. 경찰승진 2. 압수 · 수색영장에서 압수할 물건을 '압수장소에 보관 중인 물건'이라고 기재하고 있는 것을 '압수장소에 현존하는 물건'으로 해석할 수는 없다(대판 2009.3.12, 2008도763). 10 · 11 · 12. 순경, 12. 9급 법원직, 14 · 16. 순경 1차, 14 · 18. 경찰간부, 18. 순경 2차 · 3차, 10 · 14 · 17 · 19. 경찰승진 3. 법관의 서명날인란에 서명만 있고 날인이 없는 압수 · 수색영장은 법관의 진정한 의사에 따라 발부되었다는 점이 외관상 분명한 경우라도 적법하게 발부된 것으로 볼 수 없다. 다만, 적법하게 발부되지 못하였다고 하더라도, 그 영장에 따라 수집한 증거의 증거능력을 인정할 수 있다(대판 2019.7.11, 2018도20504). 20. 경찰승진, 22. 순경 1차
	법 원	① 공판정에서 법원이 행하는 압수 · 수색은 영장을 필요로 하지 아니한다. ② 공판정 외에서 압수 · 수색은 법원이 발부하는 영장에 의하며(제113조), 10. 순경 검사의 청구절차 없이 직권으로 발부한다. 13. 순경 ▶ 검사가 공소제기 후 형사소송법 제215조(수사절차에서 압수 · 수색 · 검증)에 따라 수소법원 이외의 지방법원판사에게 청구하여 발부받은 영장에 의하여 압수 · 수색을 하였다면, 그와 같이 수집된 증거는 유죄의 증거로 삼을 수 없다(대판 2011.4.28, 2009도10412). 12. 순경, 15. 순경 2차 · 9급 법원직, 16. 7급 국가직, 17 · 19. 경찰간부, 20. 경찰승진 ③ 영장의 기재사항은 수사절차의 경우와 동일하나, 영장의 서명날인은 재판장 또는 수명법관이 한다(제114조 제1항).

01 압수 · 수색에 관한 설명 중 가장 적절한 것은?(다툼이 있는 경우 판례에 의함) 17. 경찰승진

① 압수 · 수색영장에 압수할 물건을 압수장소에 보관 중인 물건이라고 기재되어 있는 경우에는 압수장소에 현존하는 물건도 포함되는 것으로 해석된다.

② 압수 · 수색장소의 관리책임자에게 영장을 제시한 경우에 그 장소에 있는 다른 사람으로부터 물건을 압수하더라도 별도로 영장을 제시할 필요는 없다.

③ 압수 · 수색영장 집행 당시 피처분자가 현장에 없거나 그를 발견할 수 없는 경우 등 영장제시가 현실적으로 불가능하여 영장을 제시하지 아니한 채 압수 · 수색을 한 경우 위법하다고 볼 수 있다.

④ 압수 · 수색을 실시하고 그 집행을 종료한 후, 그 압수 · 수색영장이 아직 유효기간 내에 있고 동일한 장소 또는 목적물에 대하여 다시 압수 · 수색할 필요가 있는 경우라도 그 영장으로 다시 압수 · 수색할 수 없다.

해설 ① 압수할 물건을 특정하기 위하여 기재한 문언은 엄격하게 해석하여야 하므로, 압수 · 수색영장에서 압수할 물건을 '압수장소에 보관 중인 물건'이라고 기재하고 있는 것을 '압수장소에 현존하는 물건'으로 해석할 수는 없다(대판 2009.3.12, 2008도763).
② 현장에서 압수 · 수색을 당하는 사람이 여러 명일 경우에는 그 사람들 모두에게 개별적으로 영장을 제시해야 하는 것이 원칙이다. 수사기관이 압수 · 수색에 착수하면서 그 장소의 관리책임자에게 영장을 제시하였다고 하더라도, 물건을 소지하고 있는 다른 사람으로부터 이를 압수하고자 하는 때에는 그 사람에게 따로 영장을 제시하여야 한다(대판 2009.3.12, 2008도763).
③ 형사소송법 제219조가 준용하는 제118조는 "압수 · 수색영장은 처분을 받는 자에게 반드시 제시하여야 한다."고 규정하고 있으나, 이는 영장제시가 현실적으로 가능한 상황을 전제로 한 규정으로 보아야 하고, 피처분자가 현장에 없거나 현장에서 그를 발견할 수 없는 경우 등 영장제시가 현실적으로 불가능한 경우에는 영장을 제시하지 아니한 채 압수 · 수색을 하더라도 위법하다고 볼 수 없다(대판 2015.1.22, 2014도10978 전원합의체).
④ 대결 1999.12.1, 99모161

02 압수 · 수색에 관한 설명 중 가장 적절하지 않은 것은?(다툼이 있는 경우 판례에 의함) 20. 경찰승진

① 검사가 공소제기 후 형사소송법 제215조에 따라 수소법원 이외의 지방법원판사에게 청구하여 발부받은 영장에 의하여 압수 · 수색을 하였다면, 그와 같이 수집된 증거는 기본적 인권보장을 위해 마련된 적법한 절차에 따르지 않은 것으로서 원칙적으로 유죄의 증거로 삼을 수 없다.

② 수사기관이 압수 · 수색에 착수하면서 그 장소의 관리책임자에게 영장을 제시하였더라도, 물건을 소지하고 있는 다른 사람으로부터 이를 압수하고자 하는 때에는 그 사람에게 따로 영장을 제시하여야 한다.

③ 법관의 서명날인란에 서명만 있고 날인이 없는 압수 · 수색영장이라 하더라도 야간집행을 허가하는 판사의 수기와 날인, 영장앞면과 별지 사이에 판사의 간인이 있어 법관의

Answer 1. ④ 2. ③

진정한 의사에 따라 발부되었다는 점이 외관상 분명한 경우라면 그 영장은 적법하게 발부된 것으로 볼 수 있다.

④ 검사, 사법경찰관은 피의자 기타인의 유류한 물건이나 소유자, 소지자 또는 보관자가 임의로 제출한 물건을 영장 없이 압수할 수 있다.

| 해설 ① 대판 2011.4.28, 2009도10412
② 대판 2017.9.21, 2015도12400
③ 법관의 서명날인란에 서명만 있고 날인이 없는 압수·수색영장은 야간집행을 허가하는 판사의 수기와 날인, 영장 앞면과 별지 사이에 판사의 간인이 있어 법관의 진정한 의사에 따라 발부되었다는 점이 외관상 분명한 경우라도 적법하게 발부된 것으로 볼 수 없다. 다만, 이 경우 영장이 형사소송법이 정한 요건을 갖추지 못하여 적법하게 발부되지 못하였다고 하더라도, 절차상의 결함이 있지만 법익 침해 방지와 관련성이 적고, 절차 조항 위반의 내용과 정도가 중대하지 않고 절차 조항이 보호하고자 하는 권리나 법익을 본질적으로 침해하였다고 볼 수 없다. 따라서 그 영장에 따라 수집한 이 사건 파일 출력물의 증거능력을 인정할 수 있다(대판 2019.7.11, 2018도20504).
④ 제218조

03 **압수·수색에 관한 기술 중 옳지 않은 것은 몇 개인가?**(다툼이 있는 경우 판례에 의함)

> ㉠ 현장에서 압수·수색을 당하는 사람이 여러 명일 경우에는 그 사람들 모두에게 개별적으로 영장을 제시해야 하는 것이 원칙이다.
> ㉡ 하나의 압수·수색영장으로 수회 같은 장소에서 압수·수색을 할 수 없다.
> ㉢ 영장에 기재된 피의사실과 별개의 사실에 대하여 영장을 유용할 수 없으며, 압수·수색의 대상을 예비적으로 기재하는 것은 허용되지 아니한다.
> ㉣ 법원이 행하는 압수·수색영장은 재판장이나 수명법관이 서명·날인하고, 검사의 청구로 지방법원판사가 발부한 수사상 압수·수색의 경우는 지방법원판사가 서명·날인한다.
> ㉤ 지방법원판사가 한 압수영장 발부의 재판에 대하여는 준항고로 불복할 수 없고, 법원의 결정에 대한 항고의 방법으로는 불복할 수 있다.
> ㉥ 압수·수색할 물건이 전기통신에 관한 것인 경우에는 작성기간을 기재하여야 한다.

① 1개 ② 2개 ③ 3개 ④ 4개

| 해설 ㉠ ○ : 대판 2009.3.12, 2008도763
㉡㉢ ○
㉣ ○ : 제114조, 제219조
㉤ × : 형사소송법 제416조는 재판장 또는 수명법관이 한 재판에 대한 준항고에 관하여 규정하고 있는바, 지방법원판사가 한 압수영장 발부의 재판에 대하여는 위 조항에서 정한 준항고로 불복할 수 없고, 나아가 항고는 법원이 한 결정을 그 대상으로 하는 것이므로 법원의 결정이 아닌 지방법원판사가 한 압수영장 발부의 재판에 대하여 그와 같은 항고의 방법으로도 불복할 수 없다(대결 1997.9.29, 97모66).
㉥ ○ : 제219조, 제114조 제1항 단서

Answer 3. ①

THEMA 04 압수 · 수색영장 집행

<table>
<tr><td>집 행</td><td colspan="3">① 검사의 지휘에 의하여 사법경찰관리가 집행한다(제219조, 제115조). 단, 법원의 압수 · 수색은 필요한 경우에 재판장은 법원사무관 등에게 그 집행을 명할 수 있다(제115조 제1항).
▶ 수사기관의 압수 · 수색의 경우에도 재판장이 법원사무관 등에게 집행을 명할 수 있다. (×)
▶ 검사가 피해자이거나 압수 · 수색영장의 집행에 참여한 검사가 다시 수사에 관여 ⇨ 위법 × (대판 2013.9.12, 2011도12918).
② 검사의 집행지휘나 사법경찰관리의 집행은 관할구역 외에서도 할 수 있고, 당해 관할구역의 검사나 사법경찰관리에게 촉탁할 수도 있다(제219조, 제83조, 제115조). 13. 경찰승진
③ 압수 · 수색영장은 처분을 받는 자에게 반드시 사전에 제시하여야 하고, 처분을 받는 자가 피의자(피고인)인 경우에는 그 사본을 교부하여야 한다. 다만, 처분을 받는 자가 현장에 없는 등 영장의 제시나 그 사본의 교부가 현실적으로 불가능한 경우 또는 처분을 받는 자가 영장의 제시나 사본의 교부를 거부한 때에는 예외로 한다(제219조, 제118조). 10 · 11 · 13. 순경, 14. 경찰승진, 15. 수사경과, 12 · 23. 9급 법원직
▶ 영장은 원본(정본)을 제시(대판 2017.9.7, 2015도10648) 21. 경찰간부, 23. 순경 1차
▶ 종래에는 압수 · 수색영장은 처분을 받는 자에게 반드시 사전에 제시할 것을 요하고, 예외규정은 없었다. 20. 수사경과 다만, 판례에 의하면 '영장제시가 현실적으로 불가능한 경우에는 영장을 제시하지 아니한 채 압수 · 수색을 하더라도 위법하다고 볼 수 없다(대판 2015.1.22, 2014도10978 전원합의체)'는 예외를 허용하는 입장이었으나, 15. 순경 2차, 17. 변호사시험, 17 · 21. 경찰승진 이제는 입법적으로 해결하였다.
▶ 압수 · 수색의 경우 구속의 긴급집행(제85조 제3항, 제209조)은 허용되지 않는다. 23. 순경 2차
④ 검사 · 피의자(피고인) · 변호인은 압수 · 수색영장의 집행에 참여할 수 있다(제219조, 제121조). 08. 순경, 14. 순경 2차 압수 · 수색영장을 집행할 때에는 미리 집행일시와 장소를 참여권자에게 통지하여야 한다. 13. 순경 1차 단, 참여하지 아니한다는 의사표시를 한 경우 또는 급속을 요하는 때에는 예외로 한다(제219조, 제122조). 11. 순경 2차, 12. 9급 법원직
▶ 영장 집행 과정에 대한 참여권이 충실히 보장될 수 있도록 사전에 피의자 등에 대하여 집행 일시와 장소를 통지하여야 함은 물론 피의자 등의 참여권이 형해화되지 않도록 그 통지의무의 예외로 규정된 '피의자 등이 참여하지 아니한다는 의사를 명시한 때 또는 급속을 요하는 때'라는 사유를 엄격하게 해석하여야 한다(대판 2023.10.18, 2023도8752).
⑤ 공무소, 군사용 항공기 또는 선박 · 차량 안에서 압수 · 수색영장을 집행하려면 그 책임자에게 참여할 것을 통지하여야 한다. 그 밖의 타인의 주거, 간수자 있는 가옥, 건조물, 항공기 또는 선박 · 차량 안에서 압수 · 수색영장을 집행할 때에는 주거주, 간수자 또는 이에 준하는 사람을 참여케 해야 하고, 그렇지 못한 경우에는 이웃 사람 또는 지방공공단체의 직원을 참여하게 하여야 한다(제219조, 제123조).
⑥ 야간집행은 영장에 별도의 기재를 요함(제219조, 제125조)
▶ 풍속에 유해한 장소나 야간에 공중이 출입할 수 있는 장소는 예외(제219조, 제126조) 10. 9급 법원직, 13. 순경, 21. 경찰승진</td></tr>
<tr><td>집행 후 절차</td><td>수사기관</td><td>압수조서 작성</td><td>압수한 경우에는 압수조서를 작성(제49조 제1항, 검찰사건 사무규칙 제52조, 수사준칙 제40조)
▶ 임의제출물, 유류물 : 압수조서 작성
▶ 압수조서에는 품종, 특징과 수량 기재(제49조 제3항)</td></tr>
</table>

			▶ 피의자신문조서를 작성하던 중 제출된 압수물 ⇨ 피의자신문조서에 그 내용을 기재하면 되고, 별도로 압수조서를 작성할 필요는 없다(수사준칙 제40조).
		압수목록 등 교부	수색한 후 압수물이 없을 경우 ⇨ 수색증명서 교부, 압수한 경우에는 압수목록을 작성하여 소유자·소지자·보관자, 기타 이에 준한 자에 교부(제219조, 제128조, 제129조) ▶ 압수조서 ⇨ 피압수자 등에 교부하지 않고 서류에 편철
	법 원	**압수목록 등 교부**	수색한 후 압수물이 없을 경우 ⇨ 수색증명서 교부, 압수한 경우에는 압수목록을 작성하여 소유자·소지자·보관자, 기타 이에 준한 자에 교부(제128조, 제129조) ▶ 수색증명서 또는 압수목록을 교부하거나 법 제130조의 규정에 의한 처분(압수물의 보관과 폐기)을 한 경우 ⇨ 압수·수색의 조서에 그 취지를 기재하여야 한다(규칙 제62조). ▶ 수색증명·압수목록의 교부자 : 법원이 압수·수색을 한 때는 참여한 법원사무관이, 압수·수색영장에 의하여 법원사무관 또는 사법경찰관리가 압수·수색을 한 때에는 그 집행을 한 자이다(규칙 제61조). ▶ 압수조서 ⇨ 피압수자 등에 교부하지 않고 서류에 편철
		압수물의 법원 제출	압수물은 압수·수색영장을 발부한 법원에 제출하여야 한다(규칙 제63조).

01 **압수·수색에 대한 설명으로 가장 적절하지 않은 것은?**(다툼이 있는 경우 판례에 의함)

21. 경찰승진

① 압수·수색영장의 유효기간 내에서 동일한 영장으로 동일한 장소에서 수회 압수·수색하는 것은 허용된다.

② 압수·수색영장의 집행 중에는 타인의 출입을 금지할 수 있고, 이를 위배한 자에게는 퇴거하게 하거나 집행종료시까지 간수자를 붙일 수 있다.

③ 압수·수색영장의 제시가 현실적으로 불가능한 경우, 영장을 제시하지 아니한 채 압수·수색을 하더라도 위법하다고 볼 수 없다.

④ 압수·수색영장의 집행은 주간에 하는 것이 원칙이고, 야간에 집행하기 위해서는 압수·수색영장에 야간집행을 할 수 있다는 기재가 있어야 하나, 도박 기타 풍속을 해하는 행위에 상용된다고 인정하는 장소에서 압수·수색영장을 집행함에는 그러한 제한을 받지 아니한다.

| 해설 ① 압수·수색영장의 유효기간 내에서 동일한 영장으로 동일한 장소에서 수회 압수·수색하는 것은 허용되지 아니한다(대결 1999.12.1, 99모161).
② 제119조, 제219조 ③ 대판 2015.1.22, 2014도10978 ④ 제125조, 제126조, 제219조

Answer 1. ①

02 압수 · 수색 집행 후의 절차에 관한 설명으로 옳은 것은?

① 법원의 압수 · 수색영장 집행에 관한 서류와 압수물은 영장을 발부한 법원에 제출하여야 한다.

② 증거물 또는 몰수 대상물이 아니라면 임의제출물 또는 유류물의 경우에도 압수가 불가능하다.

③ 임의제출물이나 유류물을 압수한 경우에는 압수조서를 작성할 필요가 없다.

④ 압수조서에는 물건의 특징을, 압수목록에는 압수경위를 각각 구체적으로 적어야 한다.

| 해설 ① 규칙 제63조

② 반드시 증거물 또는 몰수 대상물이 아니더라도 임의제출물 또는 유류물에 대한 압수가 가능하다.

③ 임의제출물이나 유류물을 압수한 경우에도 압수조서를 작성하여야 한다(검찰사건사무규칙 제16조 제1항).

④ 검사 또는 사법경찰관은 증거물 또는 몰수할 물건을 압수했을 때에는 압수의 일시 · 장소, 압수 경위 등을 적은 압수조서와 압수물건의 품종 · 수량 등을 적은 압수목록을 작성해야 한다. 다만, 피의자신문조서, 진술조서, 검증조서에 압수의 취지를 적은 경우에는 그렇지 않다(수사준칙 제40조).

03 압수 · 수색에 관한 다음 설명 중 가장 적절하지 않은 것은?(다툼이 있는 경우 판례에 의함)

① 압수 · 수색영장을 집행하는 수사기관은 피압수자로 하여금 법관이 발부한 영장에 의한 압수 · 수색이라는 사실을 확인함과 동시에 형사소송법이 압수 · 수색영장에 필요적으로 기재하도록 정한 사항이나 그와 일체를 이루는 사항을 충분히 알 수 있도록 압수 · 수색영장을 제시하여야 한다.

② 수사기관이 이메일에 대한 압수 · 수색영장을 집행할 당시 피압수자인 주식회사에 팩스로 영장 사본을 송신했더라도 이러한 방법으로 압수된 이메일은 절차를 위반하여 수집한 증거라고 볼 수 없다.

③ 피고인들과 변호인에게 압수 · 수색 일시와 장소를 통지하지 아니한 경우라도 피고인들은 일부 현장 압수 · 수색과정에는 직접 참여하기도 하였고, 직접 참여하지 아니한 압수 · 수색 절차에도 피고인들과 관련된 참여인들의 참여가 있었던 경우 등에는 위 압수 · 수색과정에서 수집된 디지털 관련 증거들은 유죄인정의 증거로 사용할 수 있는 예외적인 경우에 해당한다.

④ 압수영장의 '압수할 물건'란에는 범죄사실과 관련하여 甲이 소유하거나 보관 중인 물건들이 열거되어 있고, '법인의 설립 및 운영에 관련된 보고서류, 회계서류, 결재서류, 업무일지, 수첩, 메모지, 명함 등 관련 문서 일체'라고 기재되어 있는데, 이 사건 영장으로 압수한 전자정보인 '청와대 인사안', '청와대 및 행정 각부의 보고서', '대통령 일정 관련 자료', '대통령 말씀자료', '외교관계자료' 등은 영장 기재 범죄사실에 대한 직접 또는 간접증거로서의 가치가 있다고 보기 어렵다 할 것이므로 이 출력물은 위법수집증거에 해당한다.

Answer 2. ① 3. ②

| 해설 ① 대판 2017.9.21, 2015도12400
② 수사기관이 이메일에 대한 압수·수색영장을 집행할 당시 피압수자인 주식회사에 팩스로 영장 사본을 송신했을 뿐 그 원본을 제시하지 않았고, 압수조서와 압수물 목록을 작성하여 피압수·수색 당사자에게 교부하였다고 볼 수도 없다면, 이러한 방법으로 압수된 이메일은 절차를 위반하여 수집한 증거이다(대판 2017.9.7, 2015도10648).
③ 대판 2015.1.22, 2014도10978 전원합의체
④ 대판 2018.4.26, 2018도2624

04 다음은 압수·수색에 대한 설명이다. 적절하지 않은 것은 몇 개인가?(다툼이 있는 경우 판례에 의함)

㉠ 형사소송법 제217조 제2항, 제3항에 위반하여 압수·수색영장을 청구하여 이를 발부받지 아니하고도 즉시 반환하지 아니한 압수물은 이를 유죄 인정의 증거로 사용할 수 없는 것이나, 피고인이나 변호인이 이를 증거로 함에 동의하였다면 이를 달리 보아야 한다.
㉡ 피고인 아닌 자의 신체, 물건, 주거 기타 장소에 관하여는 압수할 물건이 있음을 인정할 수 있는 경우에 한하여 수색할 수 있다.
㉢ 압수·수색영장에는 압수 또는 수색할 대상이 명시적이고 개별적으로 표시되어야 한다. '피의사건과 관계있는 모든 물건'과 같은 식의 일반영장은 위법하다.
㉣ 압수·수색이 종료된 지 5개월이 지난 뒤 압수물 목록을 작성·교부하였어도 위법한 것은 아니다.
㉤ 피의자신문조서를 작성하던 중 제출된 압수물에 대하여는 피의자신문조서에 그 내용을 기재하면 되고 별도로 압수조서를 작성할 필요는 없다.

① 1개 ② 2개 ③ 3개 ④ 4개

| 해설 ㉠ × : 형사소송법 제217조 제2항, 제3항에 위반하여 압수·수색영장을 청구하여 이를 발부받지 아니하고도 즉시 반환하지 아니한 압수물은 이를 유죄 인정의 증거로 사용할 수 없는 것이고, 헌법과 형사소송법이 선언한 영장주의의 중요성에 비추어 볼 때 피고인이나 변호인이 이를 증거로 함에 동의하였다고 하더라도 달리 볼 것은 아니다(대판 2009.12.24, 2009도11401).
㉡ ○ : 제109조 제2항
㉢ ○ : 대판 2007.11.15, 2007도3061 전원합의체
㉣ × : 압수물 목록은 피압수자 등이 압수물에 대한 환부·가환부신청을 하거나 압수처분에 대한 준항고를 하는 등 권리행사절차를 밟는 가장 기초적인 자료가 되므로, 이러한 권리행사에 지장이 없도록 압수 직후 현장에서 바로 작성하여 교부해야 하는 것이 원칙이다. 작성월일을 누락한 채 일부 사실에 부합하지 않는 내용으로 작성하여 압수·수색이 종료된 지 5개월이나 지난 뒤에 이 사건 압수물 목록을 교부한 행위는 형사소송법이 정한 바에 따른 압수물 목록 작성·교부에 해당하지 않는다(대판 2009.3.12, 2008도763).
㉤ ○ : 피의자신문조서, 진술조서, 검증조서에 압수의 취지를 적은 경우에는 별도의 압수조서를 작성할 필요가 없다(수사준칙 제40조 단서).

Answer 4. ②

05 압수 · 수색영장을 집행하는 과정에 대한 설명이다. 잘못된 것은?

① 형사 A는 공무원 甲이 직무상 보관하고 있는 서류를 증거자료로 확보하기 위하여 압수 · 수색영장을 발부받았으나, 甲은 직무상 비밀로 신고된 것임을 이유로 제출을 거부하고 있을 경우 형사 A는 소속공무소 또는 감독관공서의 승낙을 얻어 동서류를 압수한다.

② 형사 A는 세무서직원 甲의 탈세혐의에 대하여 조사하던 중 증거자료를 확보하기 위해 직원 甲의 동료직원인 Q에게 참여통지를 하고 세무서 내 甲의 사무실에 대하여 압수 · 수색을 실시한 것은 적법하다.

③ 조사관 K는 피의자 Q의 집을 압수 · 수색하기 위하여 방문하였는데, 마침 집에는 아무도 없고 비어 있었다. K는 문이 시정되어 있지 않은 것을 확인하고 동료직원 S를 참여시키고 Q의 주택에 대한 압수 · 수색을 실시한 경우(급속을 요하는 상황은 아님) 이는 불법이다.

④ 체포 · 구속 목적의 피의자수색을 위한 타인의 주거수색시에도 참여인 없는 수색과 야간수색은 원칙적으로 제한된다.

| 해설 ① 소속공무소 또는 감독관공서의 승낙이 있어야 압수가 가능하다(제111조, 제219조).
② 공무소 안에서의 압수 · 수색은 그 책임자에게 참여할 것을 통지하여야 하므로, 동료직원에게 통지함은 부적법하다(제123조, 제219조).
③ 타인의 주거, 간수자 있는 가옥, 건조물, 항공기 또는 선박 · 차량 내에서의 압수 · 수색은 주거자, 간수자 또는 이에 준하는 자를 참여시켜야 하고, 그렇지 못한 경우에는 이웃 사람 또는 지방공공단체의 직원을 참여하게 하여야 한다. 따라서 경찰관의 참여만으로는 수색할 수 없다(제123조, 제219조).
④ 제123조, 제220조 참조

06 압수 · 수색에 관한 기술 중 옳지 않은 것은 몇 개인가?(다툼이 있는 경우 판례에 의함)

㉠ '압수 · 수색 · 검증할 장소 및 신체'란에 피고인의 주거지와 피고인의 신체 등이 기재되어 있는 압수 · 수색 · 검증영장이 제시되어 피고인의 신체에 대한 압수 · 수색이 종료되었다면 그 이후 피고인의 주거지에 대한 압수 · 수색을 집행한 조치는 위법한 것이다.

㉡ 이미 효력을 상실한 압수 · 수색영장에 기하여 다시 압수 · 수색을 실시하면서 몰수대상 물건을 압수한 경우, 압수 자체가 위법하므로, 위 물건의 몰수의 효력에도 영향을 미친다.

㉢ 30분가량 참여인 없이 수색절차를 진행하다가 곧바로 거소지의 임차인인 甲에게 연락하여 참여할 것을 고지하였고, 甲이 현장에 도착한 때부터는 甲과 변호인의 적극적이고 실질적인 참여가 있었다면 위 압수 · 수색과정에서 수집된 증거들은 유죄인정의 증거로 사용할 수 있는 예외적인 경우에 해당한다.

㉣ 수사관들은 건물에 진입한 이후 수색절차를 진행하지 않은 채 대기하다가 주민센터 직원 甲이 도착한 이후에야 본격적인 수색절차를 진행하였고, 압수 · 수색과정을 영상녹화하는 등 절차의 적정성을 담보하기 위해 상당한 조치를 취한 경우에 압수 · 수색과정에서 수집된 증거들도 유죄인정의 증거로 사용할 수 있는 예외적인 경우에 해당한다.

① 1개　② 2개　③ 3개　④ 4개

Answer 5. ② 6. ②

| 해설 ㉠ × : 압수 · 수색 · 검증영장의 '압수 · 수색 · 검증할 장소 및 신체'란에 피고인의 주거지와 피고인의 신체 등이 기재되어 있으므로, 비록 위 영장이 제시되어 피고인의 신체에 대한 압수 · 수색이 종료되었다고 하더라도 피고인의 주거지에 대한 압수 · 수색을 집행한 조치는 위법한 것이 아니다(대판 2013.7.26, 2013도2511).
㉡ × : 이미 그 집행을 종료함으로써 효력을 상실한 압수 · 수색영장에 기하여 다시 압수 · 수색을 실시하면서 몰수대상 물건을 압수한 경우, 압수 자체가 위법하게 됨은 별론으로 하더라도 그것이 위 물건의 몰수의 효력에는 영향을 미칠 수 없다(대판 2003.5.30, 2003도705).
㉢㉣ ○ : 대판 2015.1.22, 2014도10978 전원합의체

07 압수조서 및 압수목록에 관한 설명으로 틀린 것은 모두 몇 개인가?

㉠ 수사기관이 압수물목록을 작성하는 경우 압수된 정보의 상세목록에는 정보의 파일 명세를 특정하여야 하고, 이를 출력한 서면을 피의자 등에게 교부하여야 하되 전자파일 형태로 복사해 주는 방식으로 교부하는 것은 허용되지 않는다.
㉡ 압수목록의 작성 · 교부자는 법원이 압수한 때에는 이에 참여한 법원사무관이고, 압수 · 수색영장에 의하여 법원사무관 등 또는 사법경찰관리가 압수한 때에는 그 집행을 한 자이다.
㉢ 물건을 압수한 때에는 압수조서와 압수목록을 작성하여 소유자, 소지자, 보관자 기타 이에 준할 자에게 교부하여야 한다.
㉣ 압수조서에는 조사 또는 처분의 연월일시와 장소를 기재하고 그 조사 또는 처분을 행한 자와 참여한 사법경찰관 등이 기명날인 또는 서명하여야 한다.
㉤ 수사기관이 선별되지 않은 전자정보에 대해 구체적인 개별 파일 명세를 특정하여 상세목록을 작성하지 않고 그 내용을 파악할 수 없도록 되어 있는 포괄적인 압축파일만을 기재한 후 이를 전자정보 상세목록이라고 하면서 피압수자 등에게 교부함으로써 범죄 혐의사실과 관련성 없는 정보에 대한 삭제 · 폐기 · 반환 등의 조치도 취하지 아니하였다면, 영장주의와 적법절차의 원칙을 중대하게 위반한 것이다.
㉥ 휴대전화 압수집행 과정에서 압수조서 및 전자정보 상세목록이 작성 · 교부되지 않았지만, 그에 갈음하여 수사보고가 작성된 경우에 적법절차의 실질적인 내용을 침해하였다고 보기는 어렵다.

① 1개 ② 2개 ③ 3개 ④ 4개

| 해설 ㉠ × : 법원은 압수 · 수색영장의 집행에 관하여 범죄 혐의사실과 관련 있는 정보의 탐색 · 복제 · 출력이 완료된 때에는 지체 없이 압수된 정보의 상세목록을 피의자 등에게 교부할 것을 정할 수 있다. 압수물목록은 피압수자 등이 압수처분에 대한 준항고를 하는 등 권리행사절차를 밟는 가장 기초적인 자료가 되므로, 수사기관은 이러한 권리행사에 지장이 없도록 압수 직후 현장에서 압수물 목록을 바로 작성하여 교부해야 하는 것이 원칙이다. 압수된 정보의 상세목록에는 정보의 파일 명세가 특정되어 있어야 하고, 수사기관은 이를 출력한 서면을 교부하거나 전자파일 형태로 복사해 주거나 이메일을 전송하는 등의 방식으로도 할 수 있다(대판 2018.2.8, 2017도13263).
㉡ ○ : 규칙 제61조
㉢ × : 압수한 때에는 압수조서(제49조 제3항)와 압수목록을 작성하여야 하고, 압수목록은 소유자, 소지자, 보관자 기타 이에 준할 자에게 교부하여야 한다(제129조). – 압수조서는 피압수자 등에게 교부하지 아니한다.
㉣ ○ : 제50조
㉤ ○ : 대결 2022.1.14, 2021모1586
㉥ ○ : 대판 2023.6.1, 2020도12157

Answer 7. ②

08 **강제처분에 대한 설명으로 옳지 않은 것은?**(다툼이 있는 경우 판례에 의함)

22. 9급 검찰 · 마약 · 교정 · 보호 · 철도경찰

① 수사기관이 압수 · 수색에 착수하면서 그 장소의 관리책임자에게 영장을 제시하였더라도, 물건을 소지하고 있는 다른 사람으로부터 이를 압수하고자 하는 때에는 그 사람에게도 따로 영장을 제시하여야 한다.

② 우편물 통관검사절차에서 이루어지는 우편물의 개봉, 시료채취, 성분분석 등의 검사는 수출입물품에 대한 적정한 통관 등을 목적으로 한 행정조사의 성격을 가지는 것으로서 수사기관의 강제처분이라고 할 수 없으므로, 압수 · 수색영장 없이 우편물의 개봉, 시료채취, 성분분석 등 검사가 진행되었다 하더라도 특별한 사정이 없는 한 위법하다고 볼 수 없다.

③ 피처분자가 현장에 없거나 현장에서 그를 발견할 수 없는 경우 등 영장 제시가 현실적으로 불가능한 경우에는 영장을 제시하지 아니한 채 압수 · 수색을 하더라도 위법하다고 볼 수 없다.

④ 여자의 신체에 대하여 수색할 때에는 의사와 성년 여자를 참여하게 하여야 한다.

해설 ① 대판 2017.9.21, 2015도12400

② 대판 2017.7.18, 2014도8719

비교판례 : 피고인이 국제항공특송화물 속에 필로폰을 숨겨 수입할 것이라는 정보를 입수한 검사가, 이른바 '통제배달(적발한 금제품을 감시하에 배송함으로써 거래자를 밝혀 검거하는 수사기법)'을 하기 위해, 세관공무원의 협조를 받아 특송화물을 통관절차를 거치지 않고 가져와 개봉하여 그 속의 필로폰을 취득한 경우, 이는 구체적인 범죄사실에 대한 증거수집을 목적으로 한 압수 · 수색인데도 사전 또는 사후에 영장을 받지 않았으므로 압수물 등의 증거능력이 부정된다(대판 2017.7.18, 2014도8719).

③ 대판 2015.1.22, 2014도10978 전원합의체

④ 여자의 신체에 대하여 수색할 때에는 성년 여자를 참여하게 하여야 한다(제124조, 제219조).

▶ 여자의 신체검사 ⇨ 의사나 성년 여자 참여(제141조 제3항, 제219조)

09 **압수 · 수색 절차에 관한 설명으로 가장 적절하지 않은 것은?**(다툼이 있는 경우 판례에 의함)

23. 순경 2차

① 압수 · 수색영장은 원칙적으로 처분을 받는 자에게 반드시 제시하고, 처분을 받는 자가 피의자인 경우에는 그 사본을 교부해야 하는데, 이는 준항고 등 피압수자의 불복신청의 기회를 실질적으로 보장하기 위한 것이다.

② 압수 · 수색영장을 소지하지 아니한 경우에 급속을 요하는 때에는 피의자에 대하여 공소사실의 요지와 영장이 발부되었음을 고지하고 집행할 수 있다.

③ 압수 · 수색영장 통지의 예외 사유인 '급속을 요하는 때'란 압수 · 수색영장 집행 사실을 미리 알려주면 증거물을 은닉할 염려 등이 있어 압수 · 수색의 실효를 거두기 어려울 경우를 의미한다.

Answer 8. ④ 9. ②

④ 수사기관이 A회사에서 압수 · 수색영장을 집행하면서 A회사에 팩스로 영장 사본을 송신하기만 하고 영장 원본을 제시하지 않았고, 또한 압수조서와 압수물 목록을 작성하여 피압수 · 수색 당사자에게 교부하지 않은 채 피고인의 이메일을 압수한 후 이를 증거로 제출한 것은 적법절차원칙의 실질적인 내용을 침해한 것이다.

해설 ① 타당한 내용
② 체포 · 구속의 경우 급속을 요하는 때에 피의자에 대하여 피의사실의 요지와 영장이 발부되었음을 고지하고 집행할 수 있는 규정이 있으나(제85조 제3항, 제200조의 6), 압수 · 수색의 경우에는 이러한 규정이 없다
③ 대판 2012.10.11, 2012도7456
④ 대판 2017.9.7, 2015도10648

10 압수 · 수색영장의 집행에 관한 설명 중 가장 옳지 않은 것은?(다툼이 있는 경우 판례에 의함)

23. 9급 법원직

① 압수 · 수색영장은 처분을 받는 자에게 반드시 제시하여야 하나, 처분을 받는 자가 현장에 없는 등 영장의 제시나 그 사본의 교부가 현실적으로 불가능한 경우 또는 처분을 받는 자가 영장의 제시나 사본의 교부를 거부한 때에는 예외로 한다.
② 피압수자가 수사기관에 압수 · 수색영장의 집행에 참여하지 않는다는 의사를 명시하였다면, 특별한 사정이 없는 한 그 변호인에게는 미리 집행의 일시와 장소를 통지하지 아니한 채 압수 · 수색을 하더라도 위법하다고 볼 수 없다.
③ 압수 · 수색영장의 집행에 피압수자나 변호인의 참여 기회를 보장하여야 하나, 피압수자 측이 압수 · 수색영장의 집행 과정에 참여하지 않는다는 의사를 명시적으로 표시하였거나 절차 위반행위가 이루어진 과정의 성질과 내용 등에 비추어 피압수자에게 절차 참여를 보장한 취지가 실질적으로 침해되었다고 볼 수 없는 경우에는 압수 · 수색의 적법성을 부정할 수 없다.
④ 수사기관이 압수 · 수색에 착수하면서 그 장소의 관리책임자에게 영장을 제시하였다고 하더라도, 물건을 소지하고 있는 다른 사람으로부터 이를 압수하고자 하는 때에는 그 사람에게 따로 영장을 제시하여야 한다.

해설 ① 제118조, 제219조
② 변호인의 참여권은 피압수자의 보호를 위하여 변호인에게 주어진 고유권이다. 따라서 피압수자가 수사기관에 압수 · 수색영장의 집행에 참여하지 않는다는 의사를 명시하였다고 하더라도, 특별한 사정(피압수자에게 절차 참여를 보장한 취지가 실질적으로 침해되었다고 볼 수 없을 정도에 해당)이 없는 한 그 변호인에게는 미리 집행의 일시와 장소를 통지하는 등으로 압수 · 수색영장의 집행에 참여할 기회를 별도로 보장하여야 한다(대판 2020.11.26, 2020도10729).
③ 대판 2020.11.26, 2020도10729
④ 대판 2017.9.21, 2015도12400

Answer 10. ②

11 **압수 · 수색에 관한 설명으로 옳은 것은 모두 몇 개인가?**(다툼이 있는 경우 판례에 의함)

24. 경찰간부

㉠ 압수 · 수색영장의 집행 과정에서 피압수자의 지위가 참고인에서 피의자로 전환될 수 있는 증거가 발견되었더라도 그 증거가 압수 · 수색영장에 기재된 범죄사실과 객관적으로 관련되어 있다면 이는 압수 · 수색영장의 집행 범위 내에 있으므로 다시 피압수자에 대하여 영장을 발부받을 필요는 없다.
㉡ 수사기관이 압수 · 수색에 착수하면서 그 장소의 관리책임자에게 압수 · 수색영장을 제시하였더라도, 물건을 소지하고 있는 다른 사람으로부터 이를 압수하고자 하는 때에는 그 소지자에게 따로 영장을 제시하여야 한다.
㉢ 수사기관이 휴대전화 등을 압수할 당시 압수당한 피의자가 수사기관에게 압수 · 수색영장의 구체적인 확인을 요구하였으나 수사기관이 영장의 범죄사실 기재 부분을 보여주지 않고 겉표지만 보여 주었다 하더라도, 그 후 변호인이 피의자조사에 참여하면서 영장을 확인하였다면 위 압수처분의 위법성은 치유된다.
㉣ 수사기관이 압수 · 수색영장을 제시하고 집행에 착수하여 압수 · 수색을 실시하고 그 집행을 종료하였으나 동일한 장소 또는 목적물에 대하여 다시 압수 · 수색할 필요가 있는 경우, 앞서 발부받은 압수 · 수색영장의 유효기간이 남아있다면 그 영장을 제시하고 다시 압수 · 수색을 할 수 있다.

① 1개 ② 2개 ③ 3개 ④ 4개

| 해설 ㉠ ○ : 대판 2017.12.5, 2017도13458
㉡ ○ : 대판 2009.3.12, 2008도763
㉢ × : 수사기관이 휴대전화 등을 압수할 당시 압수당한 피의자가 수사기관에게 압수 · 수색영장의 구체적인 확인을 요구하였으나 수사기관이 영장의 범죄사실 기재 부분을 보여주지 않고 겉표지만 보여 주었다면, 그 후 변호인이 피의자조사에 참여하면서 영장을 확인하였더라도 위 압수처분은 위법하다(대결 2020.4.16, 2019모3526).
㉣ × : 앞서 발부 받은 압수 · 수색영장의 유효기간이 남아있다고 하여 이를 제시하고 다시 압수 · 수색을 할 수는 없다(대결 1999.12.1, 99모161).

Answer 11. ②

12 **압수 · 수색영장의 제시 및 교부에 관한 설명으로 가장 적절한 것은?**(다툼이 있는 경우 판례에 의함)

24. 경찰승진

① 압수 · 수색의 처분을 받는 자가 여럿인 경우에는 모두에게 개별적으로 영장을 제시해야 하고, 이 경우 압수할 물건의 소유자 · 소지자 · 보관자 기타 이에 준하는 자에게 개별적으로 해당 영장의 사본을 교부해야 한다.

② 사법경찰관이 피압수자에게 영장을 제시하면서 표지에 해당하는 첫 페이지와 혐의사실이 기재된 부분만을 보여 주고, 영장의 내용 중 압수 · 수색 · 검증할 물건, 압수 · 수색 · 검증할 장소, 압수 · 수색 · 검증을 필요로 하는 사유, 압수 대상 및 방법의 제한 등 필요적 기재 사항 및 그와 일체를 이루는 부분을 확인하지 못하게 한 경우에도 해당 영장 제시는 적법한 압수 · 수색영장의 제시라고 볼 수 있다.

③ 피의자가 영장의 사본을 수령하기를 거부하는 경우에는 검사 또는 사법경찰관이 영장 사본 교부 확인서 끝 부분에 그 사유를 적고 기명날인 또는 서명해야 한다.

④ 수사기관이 압수 · 수색영장을 제시하고 집행에 착수하여 압수 · 수색을 실시하고 그 집행을 종료한 후, 동일한 장소 또는 목적물에 대하여 다시 압수 · 수색할 필요가 있는 경우, 앞서 발부받은 압수 · 수색영장의 유효기간이 남아 있다면 이를 제시하고 다시 압수 · 수색을 할 수 있다.

| 해설 ① 압수 · 수색 또는 검증의 처분을 받는 자가 여럿인 경우에는 모두에게 개별적으로 영장을 제시해야 한다. 이 경우 피의자에게는 개별적으로 해당 영장의 사본을 교부해야 한다(수사준칙 제38조 제2항).
② 해당 영장 제시는 적법한 압수 · 수색영장의 제시라고 볼 수 없다(대판 2017.9.21, 2015도12400).
③ 수사준칙 제38조 제5항
④ 수사기관이 압수 · 수색영장을 제시하고 집행에 착수하여 압수 · 수색을 실시하고 그 집행을 종료한 후, 동일한 장소 또는 목적물에 대하여 다시 압수 · 수색할 필요가 있는 경우, 앞서 발부받은 압수 · 수색영장의 유효기간이 남아 있다고 하더라도 이를 제시하고 다시 압수 · 수색을 할 수 없다(대결 1999.12.1, 99모161).

최신판례

휴대전화 압수집행 과정에서 압수조서 및 전자정보 상세목록이 작성 · 교부되지 않았지만, **그에 갈음하여** 수사보고가 작성된 경우에 적법절차의 실질적인 내용을 침해하였다고 보기는 어렵다(**대판** 2023.6.1, 2020도12157).

Answer 12. ③

THEMA 05 압수 · 수색 · 검증과 영장주의 예외

구속 · 체포 목적의 피의자수색	검사 또는 사법경찰관은 체포영장에 의한 체포, 긴급체포, 구속영장에 의한 구속, 현행범을 체포하는 경우에 피의자의 발견을 위해 필요시 영장 없이 타인의 주거 또는 간수하는 가옥, 건조물, 항공기, 선차 내에서 피의자를 수색할 수 있다(제216조 제1항 제1호). 13. 9급 검찰 · 마약 · 교정 · 보호 · 철도경찰, 13 · 15. 경찰간부, 15. 순경 3차, 16. 순경 2차 ▶ 사후에도 영장을 요하지 않음. 11. 경찰승진 ▶ 피의자에 대한 추적이 계속되고 있는 경우는 해당 × ▶ 반드시 체포 전이어야 하며, 3자의 주거도 포함한다(다만, 피의자 소재의 개연성 필요). ▶ 일반인은 체포를 위해 타인의 주거 수색 × ▶ 체포영장을 집행하는 경우 필요한 때에는 타인의 주거 등에서 피의자 수색을 할 수 있도록 한 형사소송법 제216조 제1항 제1호 중 제200조의 2에 관한 부분은, 수색에 앞서 영장을 발부받기 어려운 긴급한 사정이 인정되지 않는 경우에도 영장 없이 피의자 수색을 할 수 있다는 것이므로, 헌법 제16조의 영장주의 예외 요건을 벗어나는 것으로서 영장주의에 위반된다(헌재결 2018.4.26, 2015헌바370). 18. 순경 2차 ▶ 위 헌법재판소의 결정에 따라, 형사소송법 제216조 제1항 제1호를 '체포영장이나 구속영장 집행을 위하여 영장 없이 타인의 주거 등을 수색하려는 경우에는 미리 수색영장을 발부받기 어려운 긴급한 사정이 있어야 하는 것'으로 개정하였다(2019. 12. 31. 시행).
체포현장에서의 압수 · 수색 · 검증	① 검사 또는 사법경찰관은 피의자를 체포영장에 의해 체포하거나 구속영장에 의해 구속하는 경우, 긴급체포 · 현행범체포를 하는 경우에 필요시 영장 없이 체포현장에서 압수 · 수색 · 검증을 할 수 있다(제216조 제1항 제2호). 10. 교정특채, 13. 9급 검찰 · 마약 · 교정 · 보호 · 철도경찰 · 경찰간부, 15. 순경 1차, 11 · 16. 경찰승진, 16. 순경 2차 ② 검사 또는 사법경찰관은 체포현장에서 압수한 물건을 계속 압수할 필요가 있는 경우에는 지체 없이 압수 · 수색영장을 청구하여야 한다. 이 경우 압수 · 수색영장의 청구는 체포한 때로부터 48시간 이내에 하여야 한다(제217조 제2항). 검사 또는 사법경찰관은 청구한 압수 · 수색영장을 발부받지 못한 때에는 압수한 물건을 즉시 반환하여야 한다(동조 제3항). 09. 교정특채
피고인 구속현장에서의 압수 · 수색 · 검증	검사 또는 사법경찰관이 피고인에 대한 구속영장을 집행하는 경우에 필요시 집행현장에서 영장 없이 압수 · 수색 · 검증을 할 수 있다(제216조 제2항). 14 · 15 · 16. 경찰승진 ▶ 피고인에 대한 구속영장의 집행현장에서의 압수 · 수색 · 검증 ⇨ 수사기관의 수사처분(∴ 법관에게 결과보고나 압수물을 제출할 필요 ×) 07. 7급 검찰, 11. 경찰승진
범죄장소에서의 압수 · 수색 · 검증	① 범행 중 또는 범행 직후의 범죄장소에서 긴급을 요하여 판사의 영장을 받을 수 없을 때에는 영장 없이 압수 · 수색 · 검증을 할 수 있다(제216조 제3항). 08. 순경, 09. 순경 2차, 15. 경찰승진 · 순경 1차 · 9급 법원직 · 경찰간부 ② 영장 없이 압수 · 수색 · 검증을 한 경우 사후에 지체 없이 압수 · 수색 · 검증영장을 발부받아야 한다(예 112 신고를 받고 현장에 출동하였으나 이미 도주해 버린 경우). 07. 7급 국가직, 13 · 15. 순경 1차, 15. 9급 법원직 · 경찰간부, 16. 순경 2차, 11 · 17. 경찰승진

긴급체포시의 압수 · 수색 · 검증	① 검사 또는 사법경찰관은 긴급체포에 따라 체포된 자가 소유, 소지 또는 보관하는 물건에 대하여 긴급히 압수할 필요가 있는 경우에는 체포한 때부터(압수한 때 ×) 24시간 내에 한하여 영장 없이 압수 · 수색 · 검증을 할 수 있다(제217조 제1항). 14. 9급 검찰 · 교정 · 보호 · 철도경찰, 15. 9급 법원직, 15 · 17. 경찰승진 ② 검사 또는 사법경찰관은 긴급체포 후 압수(제217조 제1항)한 압수물을 계속 압수할 필요가 있는 경우에는 지체 없이 압수 · 수색영장을 청구하여야 하며, 이 경우 압수 · 수색영장청구는 체포한 때로부터(압수한 때 ×) 48시간 이내에 하여야 한다(제217조 제2항). 17. 경찰승진 ▶ 압수 · 수색영장을 발부받지 못한 때는 즉시 반환(제217조 제2항)
유류물 또는 임의제출물의 영치	검사 또는 사법경찰관은 피의자, 기타인의 유류한 물건이나 소유자, 소지자 또는 보관자가 임의로 제출한 물건은 영장 없이 압수할 수 있다(제218조). 09. 9급 법원직, 13. 경찰간부, 15. 순경 1차, 15 · 16 · 17. 경찰승진 ▶ 임의제출물 제출자 ⇨ 소유자 · 소지자 · 보관자 ▶ 사후에도 영장 불필요 06. 순경, 11 · 15. 경찰승진, 17. 9급 교정 · 보호 · 철도경찰, 24. 해경승진 ▶ 피해자로부터 제출받은 물건 ⇨ 임의제출물 ×

01 검사 또는 사법경찰관이 다음과 같은 강제처분을 한 경우, 사후에도 영장을 요하지 않는 경우는 모두 몇 개인가?

> ㉠ 피의자를 체포하면서 필요에 의하여 영장 없이 체포현장에서 압수를 하고, 계속 압수할 필요가 있는 경우
> ㉡ 피의자를 체포 또는 구속하는 경우에 필요에 의하여 영장 없이 타인의 주거를 수색한 경우
> ㉢ 범행 중 또는 범행 직후의 범죄 장소에서 긴급을 요하여 영장 없이 압수를 한 경우
> ㉣ 피의자 기타인의 유류한 물건이나 소유자, 소지자 또는 보관자가 임의로 제출한 물건을 영장 없이 압수한 경우

① 없 음 ② 1개 ③ 2개 ④ 3개

해설 ㉡㉣이 사후영장을 요하지 아니한다.

02 영장 없이 압수 · 수색할 수 있는 경우에 관한 설명 중 가장 적절하지 않은 것은? 15. 경찰승진

① 경찰관이 강도 현행범 甲을 발견하고 그를 계속 추적하다가 甲이 제3자인 A의 주거에 숨어들어가자 A의 집에 들어가 甲을 찾기 위해 수색을 하는 경우

② 사람이 호프집에서 살해되었다는 112신고를 받고 현장에 출동하여 호프집에 대하여 압수 · 수색 · 검증을 하는 경우

Answer 1. ③ 2. ③

③ 살인 피의자 甲을 2014. 12. 1. 13 : 00경에 긴급체포한 후 2014. 12. 2. 16 : 00경에 甲의 집을 수색하여 甲이 범행 당시 사용했던 흉기를 압수하는 경우
④ 경찰관이 피고인에 대한 구속영장을 집행하는 경우 집행현장에서 압수·수색하는 경우

| 해설 ① 사법경찰관은 주거에 들어가 수색이 가능(제217조 제1항)하다.
② 범행 중 범행 직후의 범죄장소에서는 무영장 압수·수색 검증 가능(제216조 제3항)하다.
③ 검사 또는 사법경찰관은 긴급체포된 자가 소유·소지 또는 보관하는 물건에 대하여 긴급히 압수할 필요가 있는 경우에는 체포한 때부터 24시간 이내에 한하여 영장 없이 압수·수색 또는 검증을 할 수 있다(제217조 제1항). 지문의 경우, 체포한 때로부터 24시간이 지난 후에 압수했으므로 위법하다.
④ 제216조 제2항

03 영장에 의하지 아니한 압수·수색·검증에 대한 설명으로 가장 옳은 것은?(다툼이 있는 경우 판례에 의함)

① 체포영장을 집행하는 경우 필요한 때에는 타인의 주거 등에서 피의자 수사를 할 수 있도록 한 형사소송법 제216조 제1항 제1호 중 제200조의 2(영장에 의한 체포)에 관한 부분은 헌법 제16조의 영장주의 예외에 해당한다.
② 검사나 사법경찰관은 '체포영장이나 구속영장 집행을 위하여 영장 없이 타인의 주거 등을 수색할 수 있는데 이는 미리 수색영장을 발부받기 어려운 긴급한 사정이 있어야 할 필요는 없다.
③ 경찰관들이 노래연습장에서의 주류 판매에 대한 신고를 받고 노래연습장 내부를 수색하자, 영업주가 물리력을 행사해 저지한 행위를 공무집행방해죄로 기소한 사건에서, 경찰관들의 행위에 대하여, 형사소송법 제216조 제3항이 정한 '긴급을 요하여 법원 판사의 영장을 받을 수 없는 때'의 요건을 갖추지 못하였고, 현행범 체포에 착수하지 아니한 상태여서 '현행범 체포현장에서의 압수·수색' 요건을 갖추지 못하였으므로, 적법한 직무집행으로 볼 수 없다.
④ 형사소송법 제217조 제1항 규정(긴급체포된 자의 소유·소지·보관물 무영장 압수)에 따른 압수·수색 또는 검증은 체포현장이 아닌 장소에서 긴급체포된 자가 소유·소지 또는 보관하는 물건은 대상으로 할 수 없다.

| 해설 ① 체포영장을 집행하는 경우 필요한 때에는 타인의 주거 등에서 피의자 수사를 할 수 있도록 한 형사소송법 제216조 제1항 제1호 중 제200조의 2(영장에 의한 체포)에 관한 부분은 영장을 발부받기 어려운 긴급한 사정이 있는지 여부를 구별하지 아니하고 피의자가 소재할 개연성만 소명되면 영장 없이 타인의 주거 등을 수색할 수 있도록 허용하고 있다. 이는 체포영장이 발부된 피의자가 타인의 주거 등에 소재할 개연성은 소명되나, 수색에 앞서 영장을 발부받기 어려운 긴급한 사정이 인정되지 않는 경우에도 영장 없이 피의자 수색을 할 수 있다는 것이므로, 헌법 제16조의 영장주의 예외 요건을 벗어나는 것으로서 영장주의에 위반된다(헌재결 2018.4.26, 2015헌바370).
② 헌법재판소의 결정에 따라 형사소송법 제216조 제1항 제1호를 '체포영장이나 구속영장 집행을 위하여 영장 없이 타인의 주거 등을 수색하려는 경우에는 미리 수색영장을 발부받기 어려운 긴급한 사정이 있어야 하는 것'으로 개정되었다(제216조 제1항 제1호).

Answer 3. ③

③ 대판 2017.11.29, 2014도16080
④ 긴급체포된 자가 소유·소지 또는 보관하는 물건에 대하여는 긴급히 압수할 필요가 있는 경우에는 체포한 때부터 24시간 이내에 한하여 영장 없이 압수·수색 또는 검증을 할 수 있는데(형사소송법 제217조 제1항), 이 경우 체포현장이 아닌 장소에서도 긴급체포된 자가 소유·소지 또는 보관하는 물건을 대상으로 할 수 있다(대판 2017.9.12, 2017도10309).

04 **영장에 의하지 않는 강제처분**(제216조)**을 하는 경우 급속을 요할시 주거주 등의 참여를 필요로 하지 아니한다는 '요급처분'의 대상이 아닌 것은?**

① 공무소, 군사용의 항공기 또는 선차 내에서 압수·수색영장을 집행함에는 그 책임자에게 참여할 것을 통지하여야 한다.
② 공무소, 군사용의 항공기 또는 선차 이외의 타인의 주거, 간수자 있는 가옥, 건조물, 항공기 또는 선차 내에서 압수·수색영장을 집행함에는 주거주, 간수자 또는 이에 준하는 자를 참여하게 하여야 한다.
③ 타인의 주거 등에서 압수·수색영장을 집행함에 있어 주거주, 간수자 또는 이에 준하는 자를 참여하게 하지 못할 때에는 인거인 또는 지방공공단체의 직원을 참여하게 하여야 한다.
④ 일출 전, 일몰 후에는 압수·수색영장에 야간집행을 할 수 있는 기재가 없으면 그 영장을 집행하기 위하여 타인의 주거, 간수자 있는 가옥, 건조물, 항공기 또는 선차 내에 들어가지 못한다.

해설 제216조의 규정에 의한 처분을 하는 경우에 급속을 요하는 때에는 제123조 제2항, 제125조의 규정에 의하지 아니한다(제220조). ①의 경우는 긴급한 경우라도 그 책임자에게 참여 통지를 하여야 한다(제220조 참조).

참고
제123조【영장의 집행과 책임자의 참여】 ① 공무소, 군사용 항공기 또는 선박·차량 안에서 압수·수색영장을 집행하려면 그 책임자에게 참여할 것을 통지하여야 한다.
② 제1항에 규정한 장소 외에 타인의 주거, 간수자 있는 가옥, 건조물, 항공기 또는 선박·차량 안에서 압수·수색영장을 집행할 때에는 주거주, 간수자 또는 이에 준하는 사람을 참여하게 하여야 한다.
③ 제2항의 사람을 참여하게 하지 못할 때에는 이웃 사람 또는 지방공공단체의 직원을 참여하게 하여야 한다.
제125조【야간집행의 제한】 일출 전, 일몰 후에는 압수·수색영장에 야간집행을 할 수 있는 기재가 없으면 그 영장을 집행하기 위하여 타인의 주거, 간수자 있는 가옥, 건조물, 항공기 또는 선차 내에 들어가지 못한다.

05 **영장에 의하지 않는 강제처분**(제216조)**을 하는 경우 급속을 요한 때에도 압수·수색영장 집행 시 주거주 등의 참여가 필요한 경우는?**

① 피의자를 체포 또는 구속하는 경우에 타인의 주거나 타인이 간수하는 가옥, 건조물, 항공기, 선차 내에서의 피의자 수색
② 체포현장에서의 압수, 수색, 검증

Answer 4.① 5.④

③ 범행 중 또는 범행 직후의 범죄 장소에서 긴급을 요하여 법원판사의 영장을 받을 수 없는 때에는 영장 없이 압수·수색 또는 검증

④ 긴급체포된 자가 소유·소지 또는 보관하는 물건에 대하여 긴급히 압수할 필요가 있는 경우에는 체포한 때부터 24시간 이내에 한하여 영장 없이 압수·수색 또는 검증

| 해설 ④는 제217조 제1항의 내용이므로 긴급시 예외규정 적용이 없다(제220조 참조).

06 영장에 의하지 아니한 압수·수색·검증에 대한 설명으로 가장 적절하지 않은 것은?(다툼이 있는 경우 판례에 의함)

19. 경찰승진

① 주취운전이라는 범죄행위로 당해 음주운전자를 구속·체포하지 아니한 경우에도 필요하다면 주취운전 중 또는 주취운전 직후의 현장에 있던 차량열쇠는 형사소송법 제216조 제3항에 의하여 영장 없이 이를 압수할 수 있다.

② 사법경찰관이 형사소송법 제215조 제2항의 규정에 위반하여 영장 없이 물건을 압수한 경우에 추후 피의자로부터 그 압수물에 대한 임의제출동의서를 받았더라도 그 압수는 위법하다.

③ 음란물 유포의 범죄혐의를 이유로 압수·수색영장을 발부받은 사법경찰관이 피의자의 주거지를 수색하다가 대마를 발견하자 피의자를 마약류 관리에 관한 법률 위반죄의 현행범으로 체포하면서 대마를 압수하였다면, 다음 날 피의자 석방 후에 사후 압수·수색영장을 발부받지 않았더라도 압수는 위법하지 않다.

④ 긴급체포된 자가 소유하고 있는 물건에 대하여 긴급히 압수할 필요가 있는 경우에는 체포한 때부터 24시간 이내에 한하여 영장 없이 압수·수색 또는 검증을 할 수 있다.

| 해설 ① 대판 1998.5.8, 97다54482 ② 대판 2010.7.22, 2009도14376
③ 다음 날 피의자를 석방하였음에도 사후 압수·수색영장을 발부받지 않은 경우라면 영장주의에 위반하여 수집한 증거로서 증거능력이 부정된다(대판 2009.5.14, 2008도10914). – 체포현장에서 압수한 물건에 대하여 계속 압수할 필요가 있는 경우에는 지체 없이 압수영장을 청구하여야 하며, 영장을 발부받지 못한 경우에는 압수물을 즉시 반환하여야 한다(제217조 제2항). ④ 제217조 제1항

07 다음 글에서 사법경찰관 甲이 취한 행위로 위법한 것은?

08. 7급 국가직

사법경찰관 甲은 2008. 1. 18. 18 : 00경 乙이 丙을 칼로 위협하고 가방을 빼앗으려는 것을 목격하고 乙을 현장에서 체포하려고 하였으나 실패하였다. 그 직후 甲은 乙이 떨어뜨렸던 乙 소유의 지갑을 현장에서 발견하였다. ㉠ 甲은 乙이 현장에 떨어뜨리고 간 지갑을 검사에게 영장을 신청하지 않고 경찰서로 가져왔다. ㉡ 甲은 乙의 소재를 파악하기 위하여 2008. 1. 23. 14 : 00경까지 乙소유의 지갑과 지갑 속의 사진을 탐문수사에 적극 활용하였다. 그러던 중에 ㉢ 甲은 2008. 1. 23. 15 : 00경 범죄현장에서 배회하던 乙을 우연히 발견하고 도망가는 乙을 긴급체포하였다. ㉣ 甲은 乙을 긴급체포할 당시 체포현장에서 乙이 소지하고 있던 칼을 영장 없이 압수하였다.

Answer 6. ③ 7. ②

① ㉠ ② ㉡ ③ ㉢ ④ ㉣

해설 ㉠ 제216조 제3항에 의거 적법하다.
㉡ 지체 없이 사후영장을 발부받아야 하는데, 그러한 흔적이 보이지 않으므로 위법하다(제216조 제3항).
㉢ 긴급체포(제200조의 3)의 요건을 갖추었으므로 적법하다.
㉣ 체포현장에서의 무영장 압수에 해당하므로 적법하다(제216조 제1항 제2호).

08 형사소송법의 내용 중 '지체 없이'와 관련이 있는 것은 몇 개인가?

㉠ 긴급체포 후 구속영장 청구
㉡ 체포된 피의자에 대한 구속 전 피의자신문
㉢ 무영장 압수물에 대한 압수·수색영장 청구
㉣ 긴급체포된 자의 물건에 대한 무영장 압수·수색
㉤ 법원의 구속적부심사 결정 시기
㉥ 국민참여재판을 원하는지의 여부에 대한 의견서 제출

① 1개 ② 2개 ③ 3개 ④ 4개

해설 ㉠ ○ : 지체 없이(제200조의 4 제1항)
㉡ ○ : 지체 없이(제201조의 2 제1항), 체포되지 아니한 피의자에 대하여는 시한의 제한이 없다(동조 제1항, 제2항).
㉢ ○ : 지체 없이(제217조 제2항)
㉣ × : 24시간 내(제217조 제1항)
㉤ × : 심문종료된 때부터 24시간 내(규칙 제106조)
㉥ × : 공소장부본 송달받은 날로부터 7일 내(국민의 형사재판 참여에 관한 법률 제8조 제2항)

09 甲은 음주운전을 하다가 교통사고를 내어 사람을 다치게 하고 자신도 의식을 잃고 병원에 응급 후송되었다. 간호사 乙은 의사의 지시에 따라 치료를 위해 甲의 혈액을 채취하였고 이어 병원에 도착한 사법경찰관 丙의 요구에 따라 이미 채취한 甲의 혈액 중 일부를 丙에게 넘겨 주었다. 이 수사과정에 관한 설명 중 옳지 않은 것은?(판례에 의함)

01. 7급 검찰

① 丙의 혈액취득은 임의수사이다.
② 乙의 혈액제출은 임의제출이다.
③ 乙에게는 혈액의 제출을 거부할 권한이 있다.
④ 판례에 의하여 丙이 취득한 혈액을 감정한 감정서는 증거능력이 인정된다.

해설 ① 판례에 의하면 임의제출물로 보고 있으므로 강제수사에 해당한다.
② 혈액제출은 임의제출이라 할 것이고 임의제출에 의한 점유취득은 강제수사에 해당한다. 일단 제출된 물건은 강제적인 점유가 계속되어 상대방이 수인의무를 지기 때문이다.
③ 간호사는 제219조, 제112조에 의거 혈액제출을 거부할 권한이 있다.

Answer 8. ③ 9. ①

④ 경찰관이 간호사로부터 진료목적으로 이미 채혈되어 있던 피고인의 혈액 중 일부를 주취운전 여부에 대한 감정을 목적으로 임의로 제출받아 압수한 경우 그 압수절차가 피고인 또는 피고인의 가족의 동의 및 영장 없이 행하여졌다 하더라도 채혈에 따른 감정의뢰회보는 그 증거능력이 있다고 보아야 할 것이다(대판 1999.9.3, 98도968).

10 **다음 사례에서 P가 할 수 있는 조치에 대한 설명으로 옳은 것은?**(다툼이 있는 경우 판례에 의함)

22. 9급 검찰 · 마약 · 교정 · 보호 · 철도경찰

> 미성년자 甲은 음주운전을 하다가 교통사고를 내고 구급차에 실려 병원으로 이송되었다. 사법경찰관 P는 응급실에 누워있는 甲에게서 술냄새가 강하게 나는 것을 인지하고 甲을 도로교통법위반(음주운전)죄로 입건하기 위해 증거 수집의 목적으로 甲의 혈액을 취득 · 보관하려고 한다.

① P가 甲의 동의 없이 혈액을 강제로 취득하는 것은 형사소송법이 정한 압수의 방법으로 하여야 하고, 감정에 필요한 처분으로는 이를 할 수 없다.

② 甲이 응급실에서 의식을 잃지 않고 의사능력이 있는 경우라도 甲은 미성년자이므로 P는 甲의 법정대리인의 동의를 얻어야 그의 혈액을 압수할 수 있다.

③ 위 응급실은 형사소송법 제216조 제3항의 범죄 장소에 준한다고 볼 수 없으므로, P는 긴급체포시 압수의 방법으로 영장 없이 甲의 혈액을 취득할 수 있다.

④ P는 당시 간호사가 위 혈액의 소지자 겸 보관자인 의료기관 또는 담당의사를 대리하여 혈액을 경찰관에게 임의로 제출할 수 있는 권한이 없었다고 볼 특별한 사정이 없는 이상, 간호사로부터 진료 목적으로 채혈해 놓은 甲의 혈액을 임의로 제출받아 영장 없이 압수할 수 있다.

| 해설 ① 수사기관이 범죄 증거를 수집할 목적으로 피의자의 동의 없이 피의자의 소변을 채취하는 것은 법원으로부터 감정허가장을 받아 '감정에 필요한 처분'으로 할 수 있지만, 압수 · 수색의 방법으로도 할 수 있다. 이러한 압수 · 수색의 경우에 수사기관은 원칙적으로 형사소송법 제215조에 따라 판사로부터 압수 · 수색영장을 적법하게 발부받아 집행해야 한다(대판 2018.7.12, 2018도6219).
② 음주운전과 관련한 도로교통법위반죄의 범죄수사를 위하여 미성년자인 피의자의 혈액채취가 필요한 경우에도 피의자에게 의사능력이 있다면 피의자 본인만이 혈액채취에 관한 유효한 동의를 할 수 있고, 피의자에게 의사능력이 없는 경우에도 명문의 규정이 없는 이상 법정대리인이 피의자를 대리하여 동의할 수는 없다(대판 2014.11.13, 2013도1228).
③ 피의자의 생명 · 신체를 구조하기 위하여 사고현장으로부터 곧바로 후송된 병원 응급실 등의 장소는 형사소송법 제216조 제3항의 범죄 장소에 준한다 할 것이므로, 검사 또는 사법경찰관은 피의자의 혈중알코올농도 등 증거의 수집을 위하여 의료법상 의료인의 자격이 있는 자로 하여금 의료용 기구로 의학적인 방법에 따라 필요최소한의 한도 내에서 피의자의 혈액을 채취하게 한 후 그 혈액을 영장 없이 압수할 수 있다. 다만, 이 경우에도 사후에 지체 없이 법원으로부터 압수영장을 받아야 한다(대판 2012.11.15, 2011도15258).
④ 대판 1999.9.3, 98도968

Answer 10. ④

11 임의제출물의 압수에 대한 설명으로 옳지 않은 것은?(다툼이 있는 경우 판례에 의함)

23. 경찰간부

① 검사가 교도관으로부터 그가 보관하고 있던 재소자의 인격적 법익에 대한 침해와 무관한 비망록을 뇌물수수 등의 증거자료로 임의제출받은 경우 그 압수절차가 재소자의 승낙없이 행해졌더라도 위법하지 않다.

② 수사기관이 압수·수색 영장의 집행과정에서 영장발부의 사유인 범죄 혐의사실과 무관한 별개의 증거를 압수하였다가 피압수자 등에게 환부하고 후에 이를 다시 임의제출받아 압수한 경우 검사가 그 압수물 제출의 임의성을 합리적 의심을 배제할 수 있을 정도로 증명하면 이를 유죄 인정의 증거로 사용할 수 있다.

③ 甲이 골프채로 A를 상해한 사건에서, 사법경찰관이 甲 소유의 골프채를 甲의 집 앞마당에서 발견했음에도 그 소지자 또는 보관자가 아닌 피해자 A로부터 임의로 제출받는 형식으로 위 골프채를 압수하였다면, 이는 위법한 압수이다.

④ 사법경찰관이 절도죄의 피의자 A를 현행범으로 체포하면서 A로부터 절도를 위하여 소지하고 있던 드라이버를 임의제출받은 경우 사법경찰관은 형사소송법 제216조 제1항 제2호 및 같은 법 제217조 제2항에 따라서 사후에 압수영장을 발부받아야 한다.

| 해설 ① 대판 2008.5.15, 2008도1097

② 대판 2016.3.10, 2013도11233

③ 대판 2010.1.28, 2009도10092

④ 검사, 사법경찰관은 현행범 체포 현장이나 범죄 장소에서도 소지자 등이 임의로 제출하는 물건은 형사소송법 제218조에 의하여 영장 없이 압수할 수 있고, 이 경우에는 검사나 사법경찰관이 사후에 영장을 받을 필요가 없다(대판 2016.2.18, 2015도13726).

Answer 11. ④

THEMA 06 압수물의 처리(수사기관과 법원)

<table>
<tr><td rowspan="4">압수물의 보관 · 폐기</td><td>자청보관</td><td>압수물은 압수한 법원 또는 수사기관의 청사로 운반하여 직접 보관함이 원칙이다(제131조, 제219조).</td></tr>
<tr><td>위탁보관</td><td>운반 또는 보관에 불편한 압수물(제130조, 제219조)</td></tr>
<tr><td>대가보관</td><td>① 몰수해야 할 압수물로서 멸실 · 파손 · 부패 또는 현저한 가치감소의 염려가 있거나 보관하기 어려운 경우(제132조 제1항, 제219조) 11. 경찰승진, 12. 순경, 24. 9급 검찰 · 마약수사
▶ 몰수할 물건이 아니라도 멸실 · 파손 등의 염려가 있으면 환가처분이 허용된다. (×)
▶ 증거물은 존재 그 자체가 소송법상 중요하므로 대가보관 ×
▶ 몰수하여야 할 압수물 ⇨ 필요적 몰수나 임의적 몰수 모두 포함
② 환부하여야 할 압수물 중 환부를 받을 자가 누구인지 알 수 없거나 그 소재가 불명한 경우로서 그 압수물의 멸실, 파손, 부패 또는 현저한 가치감소의 염려가 있거나 보관하기 어려운 경우(제132조 제2항, 제219조) 11. 경찰승진
③ 환가처분을 함에는 미리 검사(법원이 행한 경우), 피해자, 피의자(피고인) 또는 변호인에게 통지하여야 한다(제135조, 제219조).</td></tr>
<tr><td>폐 기</td><td>① 위험발생의 염려가 있는 압수물은 폐기할 수 있다(제130조 제2항, 제219조). 10. 순경
▶ 동의(×)
▶ 위험발생 염려가 있는 압수물은 폐기하여야 한다. (×) 10. 순경
② 법령상 생산 · 제조 · 소지 · 소유 또는 유통이 금지된 압수물로서 부패의 염려가 있거나 보관하기 어려운 압수물은 소유자 등 권한 있는 자의 동의를 받아 폐기할 수 있다(동조 제3항, 제219조). 09. 9급 법원직
▶ 권한 있는 자의 동의를 받지 못하는 한 이를 폐기할 수 없고, 그러한 요건이 갖추어지지 않았음에도 폐기하였다면 이는 위법하다(대판 2022.1.14, 2019다282197).
③ 사법경찰관이 압수물을 폐기하는 경우에는 폐기조서를 작성하고 사진촬영을 하여 사건기록에 편철해야 한다(경찰수사규칙 제68조 제2항).</td></tr>
<tr><td>압수물의 환부 · 가환부</td><td>수사기관</td><td>① 검사는 사본을 확보한 경우 등 압수를 계속할 필요가 없다고 인정되는 압수물 및 증거에 사용할 압수물에 대하여 공소제기 전이라도 소유자, 소지자, 보관자 또는 제출인의 청구가 있는 때에는 환부 또는 가환부하여야 한다(제218조의 2 제1항). 16. 순경 2차
▶ 이해관계인에게 환부 · 가환부 신청권부여
② 수사기관이 환부나 가환부처분을 함에는 피해자, 피의자 또는 변호인에게 미리 통지하여야 한다(제219조, 제135조). 09. 순경, 16. 순경 2차
▶ 환부를 받을 자가 압수 후 소유권을 포기하는 등에 의하여 실체법상의 권리를 상실하더라도 수사기관의 환부의무가 면제된다고 볼 수 없다(대결 1996.8.16, 94모51 전원합의체). 11. 순경, 12 · 14. 9급 검찰 · 마약 · 교정 · 보호 · 철도경찰, 14 · 15. 경찰승진, 16. 순경 2차, 17. 변호사시험 · 9급 법원직, 24. 9급 검찰 · 마약수사</td></tr>
</table>

<table>
<tr><td rowspan="2"></td><td rowspan="2">법 원</td><td>환 부</td><td>① 압수를 계속할 필요가 없다고 인정되는 경우(예 증거물로 이용되지도 않고, 동시에 몰수의 대상도 아닌 물건)에는 피고사건 종결 전이라도 결정으로 환부하여야 한다(제133조 제1항). 17. 경찰승진
② 환부는 법원이 직권으로 행한다(청구권 인정 ×). 법원이 환부처분을 함에는 검사, 피해자, 피고인 또는 변호인에게 통지하여야 한다(제135조).
③ 환부 ⇨ 압수효력 상실(민사소송절차에 의하여 그 권리를 주장할 수 있음 : 제333조 제4항) 14. 경찰승진
④ 압수물에 대하여 몰수의 선고가 없는 때 ⇨ 압수 해제 간주(제332조)</td></tr>
<tr><td>가환부</td><td>① 임의적 가환부 : 증거로 사용할 압수물은 소유자, 소지자, 보관자 또는 제출인의 청구에 의하여 가환부할 수 있다(제133조 제1항). 11. 순경 1차, 17. 경찰승진
▶ 증거물＋임의적 몰수물 : 가환부가능(판례) 17. 9급 법원직
② 필요적 가환부 : 증거에만 공할 목적으로 압수한 물건으로서 소유자 또는 소지자가 계속 사용해야 할 물건은 사진촬영 기타 원형보존의 조치를 취하고 신속히 가환부하여야 한다(제133조 제2항). 24. 9급 검찰 · 마약수사
③ 가환부 장물에 대한 별도의 선고가 없으면 ⇨ 환부선고가 있는 것으로 간주(제333조 제3항) 08 · 15. 순경, 09. 9급 법원직, 11. 순경 2차, 14. 경찰간부, 15 · 16. 경찰승진</td></tr>
<tr><td>압수장물의 피해자환부</td><td colspan="3">① 압수한 장물이 피해자에게 환부할 이유가 명백한 때에는 법원 또는 수사기관은 피해자에게 환부결정을 할 수 있다(제134조, 제219조). 13. 순경, 14. 9급 검찰 · 교정 · 보호 · 철도경찰, 17. 경찰승진, 24. 9급 검찰 · 마약수사
② 피해자환부의 결정을 하는 경우에도 검사(법원이 행한 경우), 피해자, 피의자 · 피고인 또는 변호인에게 미리 통지하여야 한다(제219조, 제135조).
③ 피고사건에 대한 심리를 종결한 때에 피해자에게 환부할 이유가 명백한 때에는 판결로써 피해자에게 환부하는 선고를 해야 한다(제333조 제1항). 09. 순경 이 경우에 장물을 처분하였을 때에는 판결로써 그 대가로 취득한 것을 피해자에게 교부하는 선고를 하여야 한다(제333조 제2항). 04. 순경</td></tr>
</table>

▶ 사법경찰관의 압수물처분 ⇨ 검사지휘를 받아야 함(제219조).

01 압수물의 처리에 관한 설명 중 가장 옳지 않은 것은?(다툼이 있는 경우 판례에 의함)

20. 경찰간부

① 압수한 장물은 피해자에게 환부할 이유가 명백한 때에는 피고사건의 종결 전이라도 결정으로 피해자에게 환부할 수 있다.

② 형사소송법의 압수장물의 환부에 관한 규정은 이해관계인이 민사소송절차에 의하여 그 권리를 주장함에 영향을 미치지 아니한다.

③ 사법경찰관은 압수물을 환부 또는 가환부하려면 검사의 지휘를 받아야 한다.

④ 법령상 생산·제조·소지·소유 또는 유통이 금지된 압수물로서 부패의 염려가 있거나 보관하기 어려운 압수물은 소유자 등 권한 있는 자의 동의를 받아 폐기하여야 한다.

| 해설 ① 제134조 ② 제333조 제4항 ③ 제219조
④ 법령상 생산·제조·소지·소유 또는 유통이 금지된 압수물로서 부패의 염려가 있거나 보관하기 어려운 압수물은 소유자 등 권한 있는 자의 동의를 받아 폐기할 수 있다(제130조 제3항, 제219조)

02 압수물의 처리에 관한 설명 중 가장 적절하지 않은 것은?

17. 경찰승진

① 몰수하여야 할 압수물로서 멸실·파손·부패 또는 보관하기 어려운 압수물은 소유자 등 권한 있는 자의 동의를 받아 폐기하여야 한다.

② 운반 또는 보관에 불편한 압수물에 관하여는 간수자를 두거나 소유자 또는 적당한 자의 승낙을 얻어 보관하게 할 수 있다.

③ 압수한 장물은 피해자에게 환부할 이유가 명백한 때에는 피고사건의 종결 전이라도 결정으로 피해자에게 환부할 수 있다.

④ 압수를 계속할 필요가 없다고 인정되는 압수물은 피고사건 종결 전이라도 결정으로 환부하여야 하고 증거에 공할 압수물은 소유자, 소지자, 보관자 또는 제출인의 청구에 의하여 가환부할 수 있다.

| 해설 ① 몰수하여야 할 압수물로서 멸실·파손·부패 또는 현저한 가치감소가 있거나 보관하기 어려운 압수물은 매각하여 대가를 보관할 수 있다(제132조 제1항, 제219조).
② 제130조 제1항, 제219조 ③ 제134조 ④ 제133조 제1항

03 다음 중 폐기할 수 있는 압수물을 모두 고르면 몇 개인가?

㉠ 운반 또는 보관이 불편한 압수물
㉡ 위험발생의 염려가 있는 압수물
㉢ 법령상 생산이 금지된 압수물로서 부패의 염려가 있는 것
㉣ 법령상 유통이 금지된 압수물로서 보관하기 어려운 압수물
㉤ 몰수하여야 할 압수물로서 보관하기 어려운 압수물

Answer 1.④ 2.① 3.③

① 5개 ② 4개 ③ 3개 ④ 2개

해설 폐기할 수 있는 압수물은 ㉡㉢㉣이다.
㉠ 이는 간수자를 두거나 소유자 또는 적당한 자의 승낙을 얻어 보관하게 할 수 있다(제130조 제1항).
㉡ 위험발생의 염려가 있는 압수물은 폐기할 수 있다(동조 제2항).
㉢㉣ 법령상 생산·제조·소지·소유 또는 유통이 금지된 압수물로서 부패의 염려가 있거나 보관하기 어려운 압수물은 소유자 등 권한 있는 자의 동의를 받아 폐기할 수 있다(제130조 제3항).
㉤ 이는 대가보관을 하여야 하는 압수물이고 폐기처분을 할 수는 없다(제132조).

04 압수물과 몰수에 대한 설명으로 잘못된 것은?

① 수사단계에서 소유권을 포기한 압수물에 대하여 형사재판에서 몰수형이 선고되지 않은 경우, 피압수자는 국가에 대하여 민사소송으로 그 반환을 청구할 수 있다.
② 몰수할 수 있는 압수물에 환가처분으로 생긴 대금을 몰수하지 아니하게 되는 경우에는 국가기관은 사무관리에 관한 규정의 유추적용에 의하여 관리자로서 기 취득한 보증금을 물건소유자에게 인도할 의무가 있는 것이다.
③ 이미 그 집행을 종료함으로써 효력을 상실한 압수·수색영장에 기하여 다시 압수·수색을 실시하면서 몰수대상 물건을 압수한 경우, 압수 자체가 위법하게 됨은 물론이고, 위 물건의 몰수의 효력에 영향을 미칠 수 있다.
④ 현행 형사소송법은 압수물에 대하여 몰수재판에 의하지 않고도 국고에 귀속시킬 수 있는 예외적 근거규정을 두고 있다.

해설 ① 수사단계에서 소유권을 포기한 압수물에 대하여 형사재판에서 몰수형이 선고되지 않은 경우, 피압수자는 국가에 대하여 민사소송으로 그 반환을 청구할 수 있다(대판 2000.12.22, 2000다27725).
② 몰수할 수 있는 압수물에 환가처분으로 생긴 대금을 몰수하지 아니하게 되는 경우에는 국가기관은 사무관리에 관한 규정의 유추적용에 의하여 관리자로서 기 취득한 보증금을 물건소유자에게 인도할 의무가 있는 것이다(대판 1957.7.25, 4290민상290).
③ 범죄행위에 제공하려고 한 물건은 범인 이외의 자의 소유에 속하지 아니하거나 범죄 후 범인 이외의 자가 정을 알면서 취득한 경우 이를 몰수할 수 있고(형법 제48조 제1항), 한편 법원이나 수사기관은 필요한 때에는 증거물 또는 몰수할 것으로 사료하는 물건을 압수할 수 있으나(형사소송법 제106조 제1항, 제219조), 몰수는 반드시 압수되어 있는 물건에 대하여서만 하는 것이 아니므로, 몰수대상 물건이 압수되어 있는가 하는 점 및 적법한 절차에 의하여 압수되었는가 하는 점은 몰수의 요건이 아니라고 할 것이다. 따라서 이미 그 집행을 종료함으로써 효력을 상실한 압수·수색영장에 기하여 다시 압수·수색을 실시하면서 몰수대상 물건을 압수한 경우, 압수 자체가 위법하게 됨은 별론으로 하더라도 그것이 위 물건의 몰수의 효력에는 영향을 미칠 수 없다(대판 2003.5.30, 2003도705).
④ 압수물의 환부불능인 경우 관보에 공고하고 3월 이내에 환부청구가 없을 때에는 그 물건은 국고에 귀속된다(제486조 제1항).

조문보충

제486조【환부불능과 공고】 ① 압수물의 환부를 받을 자의 소재가 불명하거나 기타 사유로 인하여 환부를 할 수 없는 경우에는 검사는 그 사유를 관보에 공고하여야 한다.
② 공고한 후 3월 이내에 환부의 청구가 없는 때에는 그 물건은 국고에 귀속한다.
③ 전항의 기간 내에도 가치 없는 물건은 폐기할 수 있고 보관하기 어려운 물건은 공매하여 그 대가를 보관할 수 있다.

Answer 4. ③

05 다음 중 압수물을 환부하여야 하는 경우(압수를 계속할 필요가 없다고 인정되는 경우)는 모두 몇 개인가?

07. 순경

㉠ 압수된 금괴가 외국산이라고 하여도 언제, 누구에 의하여 관세포탈된 물건인지 알 수 없어 검사가 기소중지처분을 한 경우
㉡ 외국산 제품이라 하여도 그것이 언제, 누구에 의하여 관세포탈된 물건인지 알 수 없어 검사가 불기소처분을 한 경우
㉢ 세관이 외국산 시계를 관세장물의 혐의가 있다고 하여 압수하였던 것을 검사가 그것이 관세포탈물품인지를 확인할 수 없어 그 사건을 기소중지처분을 한 경우
㉣ 외국산 물품(다이아몬드)을 관세장물의 혐의가 있다고 보아 압수하였다 하더라도 그것이 언제, 누구에 의하여 관세포탈된 물건인지 알 수 없어 기소중지처분을 한 경우

① 1개 ② 2개 ③ 3개 ④ 4개

해설 ㉠㉡㉢㉣ 모두 환부사유로 보고 있다.
㉠ 대결 1991.4.22, 91모10
㉡ 대결 1984.12.21, 84모61
㉢ 대결 1988.12.14, 88모55
㉣ 대결 1996.8.16, 94모51

06 다음 중 사법경찰관이 검사의 지휘를 받아야 하는 것은 모두 몇 개인가?

㉠ 압수물의 위탁보관
㉡ 압수장물의 피해자 환부
㉢ 압수물의 가환부
㉣ 압수물의 환부
㉤ 체포한 현행범 석방
㉥ 압수물의 대가보관
㉦ 압수물의 폐기처분
㉧ 실황조사
㉨ 내사종결

① 6개 ② 5개 ③ 4개 ④ 3개

해설 검사의 지휘를 받아야 하는 것은 ㉠㉡㉢㉣㉥㉦ 모두 6개이다(제219조).

07 압수물의 환부 · 가환부에 관한 설명 중 가장 옳지 않은 것은?(다툼이 있는 경우 판례에 의함)

17. 9급 법원직

① 법원은 압수를 계속할 필요가 없다고 인정되는 압수물은 피고사건 종결 전이라도 결정으로 환부하여야 하고 증거에 공할 압수물은 소유자, 소지자, 보관자 또는 제출인의 청구에 의하여 가환부할 수 있다.
② 형사소송법 제133조 제1항의 '증거에 공할 압수물'에는 증거물로서의 성격과 몰수할 것으로 사료되는 물건으로서의 성격을 가진 압수물이 포함되어 있다고 해석함이 상당하다.

Answer 5. ④ 6. ① 7. ④

③ 몰수할 것이라고 사료되어 압수한 물건 중 법률의 특별한 규정에 의하여 필요적으로 몰수할 것에 해당하거나 누구의 소유도 허용되지 아니하여 몰수할 것에 해당하는 물건은 가환부의 대상이 되지 않는다.

④ 피압수자 등 환부를 받을 자가 압수 후 그 소유권을 포기하더라도 그 때문에 압수물을 환부하여야 하는 수사기관의 의무에 어떠한 영향을 미칠 수 없으나 만약 그가 수사기관에 대하여 형사소송법상의 환부청구권을 포기한다는 의사표시를 하였다면 수사기관은 환부의무를 면하게 된다.

| 해설 ① 제133조 제1항 ②③ 대결 1998.4.16, 97모25
④ 피압수자 등 환부를 받을 자가 압수 후 그 소유권을 포기하는 등에 의하여 실체법상의 권리를 상실하더라도 그 때문에 압수물을 환부하여야 하는 수사기관의 의무에 어떠한 영향을 미칠 수 없고, 또한 수사기관에 대하여 형사소송법상의 환부청구권을 포기한다는 의사표시를 하더라도 그 효력이 없어 그에 의하여 수사기관의 필요적 환부의무가 면제된다고 볼 수는 없으므로, 압수물의 소유권이나 그 환부청구권을 포기하는 의사표시로 인하여 위 환부의무에 대응하는 압수물에 대한 환부청구권이 소멸하는 것은 아니다(대결 1996.8.16, 94모51 전원합의체).

08 압수물 처리에 대한 설명으로 옳은 것은 모두 몇 개인가?(다툼이 있으면 판례에 의함)

㉠ 원고가 창고업자에게 보관시킨 물건을 조사기관이 압수하여 창고업자의 승낙을 받아 그대로 보관시킨 때라도 피고(국가)에게는 임치료지급의무가 있다.
㉡ 수사기관의 처분으로 환가, 폐기, 제출인 환부, 몰수 등을 할 수 있다.
㉢ 압수물의 대가보관의 경우 대가보관 후 그 대금은 피해자에게 환부한다.
㉣ 가환부 결정을 함에 있어 피고인에 대한 통지 없이 하였다 하여 위법한 것은 아니다.
㉤ 압수한 물건이 관세법위반사건의 필요적 몰수대상이 된다면 그 물건에 대한 압수는 몰수의 집행을 보전하기 위한 의미도 포함된 것이므로 압수물이 피고인 이외의 제3자의 소유인 경우라 할지라도 가환부 대상이 될 수 없다.
㉥ 장물을 처분하여 그 대가로 취득한 압수물은 피해자에게 교부해야 할 것이 아니라 피고인에게 몰수하여야 한다.
㉦ 범인으로부터 압수한 물품에 대하여 몰수의 선고가 없으면 그 압수가 해제된 것으로 간주되므로, 공범자에 대한 범죄수사를 위하여 여전히 그 물품의 압수가 필요하다고 하더라도 검사는 그 압수해제된 물품을 다시 압수할 수 없다.

① 1개 ② 2개 ③ 3개 ④ 4개

| 해설 ㉠ × : 원고가 창고업자에게 보관시킨 물건을 조사기관이 압수하여 창고업자의 승낙을 받아 그대로 보관시킨 때에는 조사기관이나 창고업자가 임치료의 수수에 관하여 전혀 고려한 바 없어 특별한 약정이 없는 경우에 해당하여 피고(국가)에게는 임치료지급의무가 없다(대판 1968.4.16, 68다285).
㉡ × : 몰수는 법원이 과하는 형벌의 일종이다.
㉢ × : 대가보관은 몰수와의 관계에서 압수물과 동일성이 인정되므로 법원은 대가를 추징하지 않고 그 대가를 몰수할 수 있다(대판 1966.9.20, 66도886). 추징하거나 몰수하지 않을 때에는 대가를 소유자에게 인도해야 한다(대판 1957.7.25, 4290민상290).

Answer 8. ①

㉣ × : 피고인에게 의견을 진술할 기회를 주지 아니한 채 한 가환부결정은 형사소송법 제135조에 위배하여 위법하고 이 위법은 재판의 결과에 영향을 미쳤다 할 것이다(대결 1980.2.5, 80모3).
㉤ ○ : 대결 1966.1.28, 65모21
㉥ × : 장물을 처분하여 그 대가로 취득한 압수물은 몰수할 것이 아니라 피해자에게 교부하여야 할 것이다(대판 1969.1.21, 68도1672).

비교판례(대가관련)

1. 몰수하여야 할 압수물이 멸실, 파손 또는 부패의 염려가 있거나 보관하기에 불편하여 이를 매각하여 그 대가를 보관하는 경우에는 몰수와의 관계에서는 그 대가보관금을 몰수 대상인 압수물과 동일시할 수 있으므로 그 대가보관금에 대한 몰수가 가능하다(대판 1996.11.12, 96도2477).
2. 압수물의 대가보관의 경우 그 대금을 추징하거나 몰수하지 않을 때에는 그 대가를 소유자에게 인도해야 한다(대판 1957.7.25, 4290민상290).

㉦ × : 범인으로부터 압수한 물품에 대하여 몰수의 선고가 없어 그 압수가 해제된 것으로 간주된다고 하더라도 공범자에 대한 범죄수사를 위하여 여전히 그 물품의 압수가 필요하다면 검사는 그 압수해제된 물품을 다시 압수할 수 있다(대결 1997.1.9, 96모34).

09 형사소송법상 압수물의 환부 및 가환부에 대한 설명으로 옳은 것을 모두 고른 것은?(다툼이 있는 경우 판례에 의함)

18. 순경 1차

㉠ 수사기관의 압수물의 환부에 관한 처분의 취소를 구하는 준항고는 소송 계속 중 준항고로써 달성하고자 하는 목적이 이미 이루어졌거나 시일의 경과 또는 그 밖의 사정으로 인하여 그 이익이 상실된 경우에도 적법하다.
㉡ 검사는 사본을 확보한 경우 등 압수를 계속할 필요가 없다고 인정되는 압수물 및 증거에 사용할 압수물에 대하여 공소제기 전이라도 소유자, 소지자, 보관자 또는 제출인의 청구가 있는 때에는 환부 또는 가환부할 수 있다.
㉢ 증거에만 공할 목적으로 압수한 물건으로서 그 소유자 또는 소지자가 계속 사용하여야 할 물건은 사진촬영 기타 원형보존의 조치를 취하고 신속히 가환부하여야 한다.
㉣ 압수한 장물로서 피해자에게 환부할 이유가 명백한 것은 판결로써 피해자에게 환부하는 선고를 하여야 한다.

① ㉠, ㉡ ② ㉡, ㉣ ③ ㉢, ㉣ ④ ㉠, ㉡, ㉢

| 해설 ㉠ × : 그 이익이 상실된 경우에는 준항고는 그 이익이 없어 부적법하게 된다(대결 2015.10.15, 2013모1970).
㉡ × : 검사는 사본을 확보한 경우 등 압수를 계속할 필요가 없다고 인정되는 압수물 및 증거에 사용할 압수물에 대하여 공소제기 전이라도 소유자, 소지자, 보관자 또는 제출인의 청구가 있는 때에는 환부 또는 가환부하여야 한다(제218조의 2 제1항).
㉢ ○ : 제133조 제2항
㉣ ○ : 제333조 제1항

Answer 9. ③

종합문제

01 **대물적 강제수사에 대한 설명으로 옳지 않은 것은?**(다툼이 있는 경우 판례에 의함) 21. 7급 국가직

① 검사는 증거에 사용할 압수물에 대하여 가환부 청구가 있는 경우, 이를 거부할 수 있는 특별한 사정이 없는 한 가환부에 응하여야 한다.

② 피고인 이외 제3자의 소유에 속하는 압수물에 대하여 몰수를 선고한 판결이 있는 경우, 그 판결의 효력은 유죄판결을 받은 피고인에 대하여 미치는 것뿐만 아니라 제3자의 소유권에도 영향을 미친다.

③ 압수물 목록 교부 취지에 비추어 볼 때, 압수된 정보의 상세 목록에는 정보의 파일 명세가 특정되어 있어야 하고, 수사기관은 이를 출력한 서면을 교부하거나 전자파일 형태로 복사해 주거나 이메일을 전송하는 등의 방식으로도 할 수 있다.

④ 세관공무원이 마약류 수사에 관한 마약류 불법거래 방지에 관한 특례법 제4조 제1항에 따른 조치의 일환으로 검사의 요청에 따라 특정한 수출입물품을 개봉하여 검사하고 그 내용물의 점유를 취득한 행위는 통상의 수출입물품에 대한 적정한 통관 등을 목적으로 조사를 하는 경우와는 달리 사전 또는 사후에 영장을 받아야 한다.

| 해설 ① 대결 2017.9.29, 2017모236

② 피고인 이외의 제3자의 소유에 속하는 물건의 경우, 몰수를 선고한 판결의 효력은 원칙적으로 몰수의 원인이 된 사실에 관하여 유죄의 판결을 받은 피고인에 대한 관계에서 그 물건을 소지하지 못하게 하는 데 그치고, 그 사건에서 재판을 받지 아니한 제3자의 소유권에 어떤 영향을 미치는 것은 아니다(대결 2017.9.29, 2017모236).

③ 대판 2018.2.8, 2017도13263

④ 대판 2017.7.18, 2014도8719

02 **압수·수색에 관한 설명으로 가장 적절하지 않은 것은?**(다툼이 있는 경우 판례에 의함) 21. 순경 2차

① 사법경찰관은 긴급체포된 자가 소유·소지 또는 보관하는 물건에 대하여 긴급히 압수할 필요가 있는 경우에는 체포한 때부터 24시간 이내에 한하여 영장 없이 압수·수색 또는 검증을 할 수 있으며, 이 경우 압수·수색 또는 검증은 체포영장이 아닌 장소에서도 할 수 있다.

② 경찰관이 현행범인 체포 당시 임의제출방식으로 피의자로부터 압수한 휴대전화기에 대하여 작성한 압수조서 중 압수경위란에 피의자의 범행을 직접 목격한 사람의 진술이 기재된 경우, 이는 형사소송법 제312조 제5항에서 정한 '피고인이 아닌 자가 수사 과정에서 작성한 진술서'에 준하며, 휴대전화기에 대한 임의제출절차가 적법하지 않다면 압수조서에 기재된 진술은 증거로 할 수 없다.

Answer 1.② 2.②

③ 사법경찰관은 소유자·소지자 또는 보관자가 임의로 제출한 물건을 영장 없이 압수할 수 있으므로, 현행범 체포현장이나 범죄 현장에서도 소지자들이 임의로 제출하는 물건을 영장 없이 압수하는 것이 허용되고, 이 경우 별도로 사후에 영장을 받을 필요가 없다.

④ 사법경찰관은 피의사실이 중대하고 범죄혐의가 명백함에도 불구하고 피의자가 장시간의 설득에도 소변의 임의제출을 거부하면서 영장집행에 저항하여 다른 방법으로 수사 목적을 달성하기 곤란하다고 판단한 때에는, '압수·수색영장의 집행에 필요한 처분'으로 필요최소한의 한도 내에서 피의자를 강제로 인근 병원으로 데리고 가서 의사로 하여금 피의자의 신체에서 소변을 채취하는 것이 허용된다.

| 해설 ① 대판 2017.9.12, 2017도10309

② 휴대전화기에 대한 압수조서 중 '압수경위'란에 기재된 내용은, 피고인이 이 부분 공소사실과 같은 범행을 저지르는 현장을 직접 목격한 사람의 진술이 담긴 것으로서 형사소송법 제312조 제5항에서 정한 '피고인이 아닌 자가 수사과정에서 작성한 진술서'에 준하는 것으로 볼 수 있고, 이에 따라 이 사건 휴대전화기에 대한 임의제출절차가 적법하였는지 여부에 영향을 받지 않는 별개의 독립적인 증거에 해당하므로, 피고인이 증거로 함에 동의한 이상 유죄를 인정하기 위한 증거로 사용할 수 있을 뿐 아니라 이 부분 공소사실에 대한 피고인의 자백을 보강하는 증거가 된다(대판 2019.11.14, 2019도13290).

③ 대판 2020.4.9, 2019도17142

④ 대판 2018.7.12, 2018도6219

03 압수·수색 절차에 관한 설명 중 옳은 것을 모두 고른 것은?(다툼이 있는 경우 판례에 의함)

21. 변호사시험

㉠ 압수·수색영장은 처분을 받는 자에게 반드시 제시하여야 하지만, 피처분자가 현장에 없거나 현장에서 그를 발견할 수 없는 경우 등 영장 제시가 현실적으로 불가능한 경우에는 영장을 제시하지 아니한 채 압수·수색을 하더라도 위법하지 아니하다.

㉡ 수사기관이 휴대전화 등을 압수할 당시 압수당한 피의자가 수사관에게 압수·수색영장의 내용을 보여 달라고 요구하였으나 수사관이 영장의 겉표지만 보여 주고 내용은 확인시켜 주지 않았더라도, 그 후 변호인이 피의자조사에 참여하면서 영장을 확인하였다면 압수처분은 위법하지 아니하다.

㉢ 수사기관이 압수·수색에 착수하면서 그 장소의 관리책임자에게 영장을 제시하였더라도 물건을 소지하고 있는 다른 사람으로부터 이를 압수하고자 하는 때에는 그 사람에게 따로 영장을 제시하여야 한다.

㉣ 수사기관이 피의자 참여하에 정보저장매체에 기억된 정보 중에서 키워드 또는 확장자 검색 등을 통해 범죄 혐의 사실과 관련 있는 정보를 선별한 다음 정보저장매체와 동일하게 비트열 방식으로 복제하여 생성한 파일을 제출받아 압수한 경우, 수사기관에서 위와 같이 압수된 파일을 탐색·복제·출력하는 과정에서도 피의자 등에게 참여의 기회를 보장하여야 한다.

㉤ 환부를 받을 피압수자가 수사기관에 압수물의 환부청구권을 포기한다는 의사표시를 한 경우에도 수사기관의 필요적 환부의무는 면제되지 않는다.

Answer 3. ②

① ㉠, ㉡, ㉤ ② ㉠, ㉢, ㉤ ③ ㉠, ㉡, ㉢, ㉣
④ ㉠, ㉢, ㉣, ㉤ ⑤ ㉡, ㉢, ㉣, ㉤

해설 ① ㉠ ○ : 대판 2015.1.22, 2014도10978 전원합의체
㉡ × : 수사기관이 휴대전화 등을 압수할 당시 압수당한 피의자가 수사관에게 압수·수색영장의 내용을 보여 달라고 요구하였으나 수사관이 영장의 겉표지만 보여 주고 내용은 확인시켜 주지 않았다면, 그 후 변호인이 피의자조사에 참여하면서 영장을 확인하였다 하더라도 압수처분은 위법하다(대판 2017.9.21, 2015도12400).
㉢ ○ : 대판 2009.3.12, 2008도763
㉣ × : 수사기관이 피의자 참여하에 정보저장매체에 기억된 정보 중에서 키워드 또는 확장자 검색 등을 통해 범죄 혐의 사실과 관련 있는 정보를 선별한 다음 정보저장매체와 동일하게 비트열 방식으로 복제하여 생성한 파일을 제출받아 압수하였다면, 이로써 압수목적물에 대한 압수·수색절차는 종료된 것이므로, 수사기관이 위와 같이 수사기관 사무실에서 압수된 파일을 탐색·복제·출력하는 과정에서는 피의자 등에게 참여의 기회를 보장하여야 하는 것은 아니다(대판 2018.2.8, 2017도13263).
㉤ ○ : 대결 1996.8.16, 94모51 전원합의체

04 압수·수색에 대한 설명으로 옳은 것은?(다툼이 있는 경우 판례에 의함)

① 경찰관이 이른바 전화사기죄 범행의 혐의자를 긴급체포하면서 그가 보관하고 있던 다른 사람의 주민등록증, 운전면허증 등을 압수한 경우 이를 위 혐의자의 점유이탈물횡령죄 범행에 대한 증거로 사용할 수 없다.
② 법관이 압수·수색영장을 발부하면서 '압수할 물건'을 특정하기 위하여 기재한 문언의 해석에 있어서 압수·수색영장에서 압수할 물건을 '압수장소에 보관 중인 물건'이라고 기재하고 있는 것을 '압수장소에 현존하는 물건'으로도 해석할 수 있다.
③ 범죄의 피해자인 검사가 그 사건의 수사에 관여하거나, 압수·수색영장의 집행에 참여한 검사가 다시 수사에 관여하였다는 이유만으로 바로 그 수사가 위법하다거나 그에 따른 참고인이나 피의자의 진술에 임의성이 없다고 볼 수는 없다.
④ 준현행범인의 요건이 갖추어져 있고 교통사고 발생 시각으로부터 범행 직후라고 볼 수 있는 시간 내라면, 사법경찰관은 의료인으로 하여금 의학적인 방법에 따라 필요최소한의 한도 내에서 甲의 혈액을 채취하게 한 후 그 혈액을 영장 없이 압수할 수 있다. 이 경우에는 사후영장을 받을 필요는 없다.

해설 ① 경찰관이 이른바 전화사기죄 범행의 혐의자를 긴급체포하면서 그가 보관하고 있던 다른 사람의 주민등록증, 운전면허증 등을 압수한 경우 이를 위 혐의자의 점유이탈물횡령죄 범행에 대한 증거로 사용할 수 있다(대판 2008.7.10, 2008도2245).
② 압수장소에 현존하는 물건으로 해석할 수는 없다(대판 2009.3.12, 2008도763).
③ 대판 2013.9.12, 2011도12918
④ 범죄의 증적이 현저한 준현행범인으로서의 요건이 갖추어져 있고 교통사고 발생 시각으로부터 사회통념상 범행 직후라고 볼 수 있는 시간 내라면, 교통 사고현장으로부터 곧바로 후송된 병원 응급실 등의 장소는 형사소송법 제216조 제3항의 범죄 장소에 준한다 할 것이므로, 검사 또는 사법경찰관은 피의자의 혈중알코올농도 등 증거의 수집을 위하여 의료인의 자격이 있는 자로 하여금 피의자의 혈액을 채취하게 한 후 그 혈액을 영장 없이 압수할 수 있다고 할 것이다. 다만, 이 경우에도 사후에 지체 없이 압수영장을 받아야 함은 물론이다(대판 2012.11.15, 2011도15258).

Answer 4. ③

05 **압수 · 수색에 대한 설명으로 가장 적절하지 않은 것은?**(다툼이 있는 경우 판례에 의함)

21. 순경 1차

① 설령 피압수자가 수사기관에 압수 · 수색영장의 집행에 참여하지 않는다는 의사를 명시하였다고 하더라도, 특별한 사정이 없는 한 그 변호인에게는 미리 집행의 일시와 장소를 통지하는 등으로 압수 · 수색영장의 집행에 참여할 기회를 별도로 보장하여야 한다.

② 압수 · 수색영장을 집행하는 수사기관은 원칙적으로 피압수자로 하여금 법관이 발부한 영장에 의한 압수 · 수색이라는 사실을 확인함과 동시에 형사소송법이 압수 · 수색영장에 필요적으로 기재하도록 정한 사항이나 그와 일체를 이루는 사항을 충분히 알 수 있도록 압수 · 수색영장을 제시하여야 한다.

③ 저장매체에 대한 압수 · 수색 과정에서 압수의 목적을 달성하기에 현저히 곤란한 예외적인 사정이 인정되어 전자정보가 담긴 저장매체 등을 수사기관 사무실 등으로 옮겨 복제 · 탐색 · 출력하는 경우에도 피압수자나 변호인에게 참여 기회를 보장하여야 하는데, 이는 수사기관이 저장매체 등에서 혐의사실과 관련된 전자정보만을 복제 · 출력하는 경우에도 마찬가지이다.

④ 검사나 사법경찰관에게는 현행범 체포현장에서 소지자 등이 임의로 제출하는 물건을 형사소송법 제218조에 의하여 영장 없이 압수하는 것이 허용되는데, 이후 검사나 사법경찰관이 압수한 물건을 계속 압수할 필요가 있는 경우에는 지체 없이 영장을 청구하여야 한다.

| 해설 ① 대판 2020.11.26, 2020도10729
② 대결 2020.4.16, 2019모3526
③ 대결 2015.7.16, 2011모1839 전원합의체
④ 임의제출물은 영장 없이 압수하는 것이 허용되고, 이후 검사나 사법경찰관은 별도로 사후에 영장을 받을 필요가 없다(대판 2020.4.9, 2019도17142).

06 **압수 · 수색에 대한 설명으로 옳은 것은?**(다툼이 있는 경우 판례에 의함)

21. 9급 교정 · 보호 · 철도경찰

① 증거물을 압수하였을 때에는 압수조서 및 압수목록을 작성하여야 하지만, 수색한 결과 증거물이 없는 경우에는 그 취지의 증명서를 교부할 필요는 없다.

② 수사기관이 압수 · 수색영장을 제시하고 압수 · 수색을 실시하여 그 집행을 종료하였다 하더라도 영장의 유효기간이 남아 있다면 아직 그 영장의 효력이 상실되지 않았으므로, 동일한 장소에 대하여 다시 압수 · 수색할 수 있다.

③ 수사기관이 압수 · 수색영장 집행과정에서 영장발부의 사유인 범죄혐의사실과 무관한 별개의 증거를 압수하였다가 피압수자에게 환부하고 후에 이를 다시 임의제출받아 압수한 경우, 검사가 위 압수물 제출의 임의성을 합리적인 의심을 배제할 수 있을 정도로 증명하여 임의성이 인정된다면 이를 유죄 인정의 증거로 사용할 수 있다.

Answer 5. ④ 6. ③

④ 압수 · 수색할 전자정보가 영장에 기재된 수색장소에 있는 정보처리장치에 있지 않고 그 정보처리장치와 정보통신망으로 연결되어 제3자가 관리하고 있는 원격지의 저장매체에 저장되어 있는 경우, 수사기관이 압수 · 수색영장에 기재되어 있는 압수할 물건을 적법한 절차와 집행방법에 따라 수색장소의 정보처리장치를 이용하여 원격지의 저장매체에 접속하였다 하더라도 이와 같은 압수 · 수색은 형사소송법에 위반된다.

| 해설 ① 증거물을 압수하였을 때에는 압수조서 및 압수목록을 작성하여야 하며(제129조, 제219조, 제49조 제1항), 수색한 결과 증거물이 없는 경우에는 그 취지의 증명서를 교부하여야 한다(제128조).
② 영장의 유효기간이 남아 있다고 하여 이를 제시하고 다시 압수 · 수색할 수는 없다(대결 1999.12.1, 99모161). ③ 대판 2016.3.10, 2013도11233
④ 제3자가 관리하고 있는 원격지의 저장매체에 저장되어 있는 경우에도 그 전자정보에 대한 압수 · 수색도 허용되고, 이는 원격지의 저장매체가 외국에 있는 경우라도 달리볼 것은 아니다(대판 2017.11.29, 2017도9747).

07 **압수 · 수색에 대한 설명으로 가장 적절한 것은?**(다툼이 있는 경우 판례에 의함) 22. 경찰승진

① 사법경찰관은 긴급체포된 자가 소유 · 소지 또는 보관하는 물건에 대하여 긴급히 압수할 필요가 있는 경우에는 체포한 때부터 48시간 이내에 한하여 영장 없이 압수 · 수색 또는 검증을 할 수 있다.
② 범행 직후의 범죄장소에서 수사상 필요가 있는 때에는 긴급한 경우가 아니더라도 수사기관은 영장 없이 압수 · 수색 또는 검증을 할 수 있으나, 사후에 지체 없이 영장을 받아야 한다.
③ 경찰관이 현행범인 체포 당시 피의자로부터 임의제출방식으로 압수한 휴대전화기에 대하여 작성한 압수조서 중 압수경위란에 피의자의 범행을 목격한 사람의 진술이 기재된 경우, 이는 형사소송법 제312조 제5항에서 정한 '피고인이 아닌 자가 수사과정에서 작성한 진술서'에 준하는 것으로 볼 수 있지만, 휴대전화기에 대한 임의제출절차가 적법하지 않다면 위 압수조서에 기재된 피의자의 범행을 목격한 사람의 진술 역시 피의자가 증거로 함에 동의하더라도 유죄를 인정하기 위한 증거로 사용할 수 없다.
④ 형사소송법 제218조를 위반하여 소유자, 소지자 또는 보관자가 아닌 자로부터 제출받은 물건을 영장없이 압수한 경우 그 '압수물' 및 '압수물을 찍은 사진'은 이를 유죄 인정의 증거로 사용할 수 없는 것이고, 헌법과 형사소송법이 선언한 영장주의의 중요성에 비추어 볼 때 피고인이나 변호인이 이를 증거로 함에 동의하였다고 하더라도 달리 볼 것은 아니다.

| 해설 ① 사법경찰관은 긴급체포된 자가 소유 · 소지 또는 보관하는 물건에 대하여 긴급히 압수할 필요가 있는 경우에는 체포한 때부터 24시간 이내에 한하여 영장 없이 압수 · 수색 또는 검증을 할 수 있다(제217조 제1항).
② 범행 직후의 범죄장소에서 긴급을 요하여 법원판사의 영장을 받을 수 없는 때에는 수사기관은 영장 없이 압수 · 수색 또는 검증을 할 수 있다. 이 경우에는 사후에 지체 없이 영장을 받아야 한다(제216조 제3항).

Answer 7. ④

③ 체포 당시 임의제출 방식으로 압수된 피고인 소유 휴대전화기에 대한 압수조서 중 '압수경위'란에 기재된 내용은 피고인이 범행을 저지르는 현장을 직접 목격한 사람의 진술이 담긴 것으로서 형사소송법 제312조 제5항에서 정한 '피고인이 아닌 자가 수사과정에서 작성한 진술서'에 준하는 것으로 볼 수 있고, 이에 따라 휴대전화기에 대한 임의제출절차가 적법하였는지에 영향을 받지 않는 별개의 독립적인 증거에 해당한다. 따라서 피고인이 증거로 함에 동의한 이상 유죄를 인정하기 위한 증거로 사용할 수 있다(대판 2019.11.14, 2019도13290).
④ 대판 2010.1.28, 2009도10092

08 압수 · 수색에 관한 설명 중 옳지 않은 것은?(다툼이 있는 경우 판례에 의함) 22. 변호사시험

① 수사기관이 압수 · 수색영장을 제시하고 집행에 착수하여 압수 · 수색을 실시하고 그 집행을 종료하였다면 이미 그 영장은 목적을 달성하여 효력이 상실되는 것이므로, 동일한 장소 또는 목적물에 대하여 다시 압수 · 수색할 필요가 있는 경우라도 그 영장을 제시하고 다시 압수 · 수색을 할 수 없다.
② 압수 · 수색할 전자정보가 영장에 기재된 수색장소에 있는 컴퓨터에 있지 않고 그 컴퓨터와 정보통신망으로 연결되어 제3자가 관리하는 원격지의 서버에 저장되어 있는 경우, 영장에 기재된 수색장소의 컴퓨터를 이용하여 원격지의 저장매체에 접속하는 것은 피의자가 접근하는 통상적인 방법에 따라 한 것이라도 허용된 집행의 장소적 범위를 벗어난 것으로 위법하다.
③ 압수 · 수색영장에 기재된 혐의사실과의 객관적 관련성은 압수 · 수색영장에 기재된 혐의사실 자체 또는 그와 기본적 사실 관계가 동일한 범행과 직접 관련되어 있는 경우는 물론 범행 동기와 경위 등을 증명하기 위한 간접증거나 정황증거 등으로 사용될 수 있는 경우에도 인정될 수 있다.
④ 압수 · 수색영장은 처분을 받는 자에게 반드시 제시하여야 하지만, 피처분자가 현장에 없거나 현장에서 그를 발견할 수 없는 경우 등 영장제시가 현실적으로 불가능한 경우에는 영장을 제시하지 아니한 채 압수 · 수색을 하더라도 위법하다고 볼 수 없다.
⑤ 형사소송법 제215조는 검사가 압수 · 수색영장을 청구할 수 있는 시기를 공소제기 전으로 한정하고 있지 않지만, 그럼에도 일단 공소가 제기된 후에는 피고사건에 관하여 검사로서는 형사소송법 제215조에 의하여 압수 · 수색을 할 수 없다.

해설 ① 대결 1999.12.1, 99모161
② 압수 · 수색할 전자정보가 압수 · 수색영장에 기재된 수색장소에 있는 컴퓨터 등 정보처리장치 내에 있지 아니하고 그 정보처리장치와 정보통신망으로 연결되어 제3자가 관리하는 원격지의 서버 등 저장매체에 저장되어 있는 경우에도, 영장 기재 수색장소에 있는 컴퓨터 등 정보처리장치를 이용하여 적법하게 취득한 피의자의 이메일 계정 아이디와 비밀번호를 입력하는 등 피의자가 접근하는 통상적인 방법에 따라 그 원격지의 저장매체에 접속하고 그곳에 저장되어 있는 피의자의 이메일 관련 전자정보를 수색장소의 정보처리장치로 내려받거나 그 화면에 현출시키는 것 역시 적법하다. 이러한 법리는 원격지의 저장매체가 국외에 있는 경우라 하더라도 달리 볼 것은 아니다(대판 2017.11.29, 2017도9747).
③ 대판 2017.12.5, 2017도13458 ④ 대판 2015.1.22, 2014도10978 전원합의체, 제118조, 제219조
⑤ 대판 2011.4.28, 2009도10412

Answer 8. ②

09 압수 · 수색에 대한 설명으로 옳은 것은?(다툼이 있는 경우 판례에 의함)

① 재소자가 법령에 근거하여 위탁한 비망록을 교도관이 수사기관에 임의로 제출하였다면, 재소자의 사생활의 비밀 기타 인격적 법익이 침해되는 등의 특별한 사정이 없더라도 그 비망록의 증거사용에 대하여 반드시 재소자의 동의를 받아야 한다.

② 압수 · 수색영장에 기재한 혐의사실과 범죄와의 객관적 관련성은 압수 · 수색영장에 기재된 혐의사실의 내용과 수사의 대상, 수사 경위 등을 종합하여 구체적 · 개별적 연관관계가 있는 경우에는 인정되므로, 혐의사실과 단순히 동종 또는 유사 범행이라는 사유가 있으면 그 관련성이 있다고 할 것이다.

③ 법관의 서명날인란에 서명만 있고 날인이 없는 압수 · 수색영장이라 하더라도 야간집행을 허가하는 판사의 수기와 날인, 영장 앞면과 별지 사이에 판사의 간인이 있어 법관의 진정한 의사에 따라 발부되었다는 점이 외관상 분명한 경우라면 그 영장은 적법하게 발부된 것으로 볼 수 있다.

④ 검사가 피의자를 적법하게 체포하는 경우 그 체포현장에서 영장 없이 압수 · 수색을 할 수 있고, 이때 압수한 물건을 계속 압수할 필요가 있는 경우에는 늦어도 피의자를 체포한 때로부터 48시간 이내에 압수 · 수색영장을 청구하여야 한다.

| 해설 ① 재소자가 법령에 근거하여 위탁한 비망록을 교도관이 수사기관에 임의로 제출하였다면, 재소자의 사생활의 비밀 기타 인격적 법익이 침해되는 등의 특별한 사정이 없는 한 그 비망록의 증거사용에 대하여 반드시 재소자의 동의를 받아야 하는 것은 아니다(대판 2008.5.15, 2008도1097).

② 압수 · 수색영장의 범죄 혐의사실과 관계있는 범죄라는 것은 압수 · 수색영장에 기재한 혐의사실과 객관적 관련성이 있고 압수 · 수색영장 대상자와 피의자 사이에 인적 관련성이 있는 범죄를 의미한다. 그중 객관적 관련성은 압수 · 수색영장에 기재된 혐의사실의 내용과 수사의 대상, 수사 경위 등을 종합하여 구체적 · 개별적 연관관계가 있는 경우에만 인정된다고 보아야 하고, 혐의사실과 단순히 동종 또는 유사 범행이라는 사유만으로 관련성이 있다고 할 것은 아니다. 인적 관련성은 압수 · 수색영장에 기재된 대상자의 공동정범이나 교사범 등 공범이나 간접정범은 물론 필요적 공범 등에 대한 피고사건에 대해서도 인정될 수 있다(대판 2017.1.25, 2016도13489).

③ 법관의 서명날인란에 서명만 있고 날인이 없는 압수 · 수색영장은 야간집행을 허가하는 판사의 수기와 날인, 영장 앞면과 별지 사이에 판사의 간인이 있어 법관의 진정한 의사에 따라 발부되었다는 점이 외관상 분명한 경우라도 적법하게 발부된 것으로 볼 수 없다. 다만, 이 경우 영장이 형사소송법이 정한 요건을 갖추지 못하여 적법하게 발부되지 못하였다고 하더라도, 절차상의 결함이 있지만 법익 침해 방지와 관련성이 적고, 절차 조항 위반의 내용과 정도가 중대하지 않고 절차 조항이 보호하고자 하는 권리나 법익을 본질적으로 침해하였다고 볼 수 없다. 따라서 그 영장에 따라 수집한 이 사건 파일 출력물의 증거능력을 인정할 수 있다(대판 2019.7.11, 2018도20504).

④ 제216조 제1항 제2호, 제217조 제2항

Answer 9. ④

10 **압수 · 수색 절차에 관한 설명으로 가장 적절하지 않은 것은?**(다툼이 있는 경우 판례에 의함)

23. 순경 2차

① 압수 · 수색영장은 원칙적으로 처분을 받는 자에게 반드시 제시하고, 처분을 받는 자가 피의자인 경우에는 그 사본을 교부해야 하는데, 이는 준항고 등 피압수자의 불복신청의 기회를 실질적으로 보장하기 위한 것이다.

② 압수 · 수색영장을 소지하지 아니한 경우에 급속을 요하는 때에는 피의자에 대하여 공소사실의 요지와 영장이 발부되었음을 고지하고 집행할 수 있다.

③ 압수 · 수색영장 통지의 예외 사유인 '급속을 요하는 때'란 압수 · 수색영장 집행 사실을 미리 알려주면 증거물을 은닉할 염려 등이 있어 압수 · 수색의 실효를 거두기 어려울 경우를 의미한다.

④ 수사기관이 A회사에서 압수 · 수색영장을 집행하면서 A회사에 팩스로 영장 사본을 송신하기만 하고 영장 원본을 제시하지 않았고 또한 압수조서와 압수물 목록을 작성하여 피압수 · 수색 당사자에게 교부하지 않은 채 피고인의 이메일을 압수한 후 이를 증거로 제출한 것은 적법절차 원칙의 실질적인 내용을 침해한 것이다.

해설 ① 타당한 내용

② 체포 · 구속의 경우 급속을 요하는 때에 피의자에 대하여 피의사실의 요지와 영장이 발부되었음을 고지하고 집행할 수 있는 규정이 있으나(제85조 제3항, 제200조의 6), 압수 · 수색의 경우에는 이러한 규정이 없다.

③ 대판 2012.10.11, 2012도7456

④ 대판 2017.9.7, 2015도10648

11 **다음 중 압수 · 수색에 관한 설명으로 가장 옳은 것은?**(다툼이 있는 경우 판례에 의함)

24. 해경승진

① 수사기관이 피의자 참여 하에 정보저장매체에 기억된 정보 중에서 키워드 또는 확장자 검색 등을 통해 범죄혐의 사실과 관련 있는 정보를 선별한 다음 정보저장매체와 동일하게 비트열방식으로 복제하여 생성한 파일을 제출받아 압수한 경우, 수사기관에서 위와 같이 압수된 파일을 탐색 · 복제 · 출력하는 과정에서도 피의자 등에게 참여의 기회를 보장하여야 한다.

② 수사기관이 휴대전화 등을 압수할 당시 압수당한 피의자가 수사관에게 압수 · 수색영장의 내용을 보여달라고 요구하였으나 수사관이 영장의 겉표지만 보여 주고 내용은 확인시켜 주지 않았더라도, 그 후 변호인이 피의자조사에 참여하면서 영장을 확인하였다면 압수처분은 위법하지 아니하다.

③ 사법경찰관은 소유자 · 소지자 또는 보관자가 임의로 제출한 물건을 영장 없이 압수할 수 있으므로, 현행범 체포현장이나 범죄 현장에서도 소지자들이 임의로 제출하는 물건을 영장 없이 압수하는 것이 허용되고, 이 경우 별도로 사후영장을 받을 필요가 없다.

Answer 10. ② 11. ③

④ 경찰관이 현행범인 체포 당시 임의제출 방식으로 피의자로부터 압수한 휴대전화기에 대하여 작성한 압수조서 중 압수경위란에 피의자의 범행을 직접 목격한 사람의 진술이 기재된 경우, 이는 형사소송법 제312조 제5항에서 정한 '피고인이 아닌 자가 수사 과정에서 작성한 진술서'에 준하며, 휴대전화기에 대한 임의제출 절차가 적법하지 않다면 압수조서에 기재된 진술은 증거로 할 수 없다.

해설 ① 범죄 혐의사실과 관련 있는 정보를 선별한 다음 정보저장매체와 동일하게 비트열 방식으로 복제하여 생성한 파일을 제출받아 압수하였다면 이로써 압수의 목적물에 대한 압수 · 수색 절차는 종료된 것이므로, 수사기관이 수사기관 사무실에서 위와 같이 압수된 이미지 파일을 탐색 · 복제 · 출력하는 과정에서도 피의자 등에게 참여의 기회를 보장하여야 하는 것은 아니다(대판 2018.2.8, 2017도13263).
② 수사기관이 휴대전화 등을 압수할 당시 압수당한 피의자가 수사관에게 압수 · 수색영장의 내용을 보여달라고 요구하였으나 수사관이 영장의 겉표지만 보여 주고 내용은 확인시켜 주지 않았다면, 그 후 변호인이 피의자조사에 참여하면서 영장을 확인하였더라도 압수처분은 위법하다(대결 2020.4.16, 2019모3526).
③ 대판 2016.2.18, 2015도13726
④ 이는 형사소송법 제312조 제5항에서 정한 '피고인이 아닌 자가 수사 과정에서 작성한 진술서'에 준하며, 휴대전화기에 대한 임의제출절차가 적법하였는지에 영향을 받지 않는 별개의 독립적인 증거에 해당하여, 피고인이 증거로 함에 동의한 이상 유죄를 인정하기 위한 증거로 사용할 수 있다(대판 2019.11.14, 2019도13290).

12 압수 · 수색에 관한 설명으로 가장 적절하지 않은 것은?(다툼이 있는 경우 판례에 의함)

24. 경찰승진

① 사법경찰관은 사본을 확보한 경우 등 압수를 계속할 필요가 없다고 인정되는 압수물 및 증거에 사용할 압수물에 대하여 공소제기 전이라도 소유자, 소지자, 보관자 또는 제출인의 청구가 있는 때에는 검사의 지휘를 받아 환부 또는 가환부하여야 한다.

② 정보저장매체의 외형적 · 객관적 지배 · 관리 등 상태와 별도로 단지 피의자나 그 밖의 제3자가 과거 그 정보저장매체의 이용 내지 개별 전자정보의 생성 · 이용 등에 관여한 사실이 있다는 사정만으로 그들을 실질적으로 압수 · 수색을 받는 당사자로 취급하여야 하는 것은 아니다.

③ 피처분자가 현장에 없거나 현장에서 그를 발견할 수 없는 경우 등 영장제시가 현실적으로 불가능한 경우에는 영장을 제시하지 아니한 채 압수 · 수색을 하더라도 위법하다고 볼 수 없다.

④ 정보저장매체를 임의제출한 피압수자에 더하여 임의제출자 아닌 피의자에게도 참여권이 보장되어야 하는 '피의자의 소유 · 관리에 속하는 정보저장매체'에 해당하는지 여부는 민사법상 권리의 귀속에 따른 법률적 판단을 기준으로 종합적으로 판단하여야 한다.

해설 ① 제218조의 2 제1항 ② 대판 2022.1.27, 2021도11170 ③ 대판 2015.1.22, 2014도10978
④ 이에 해당하는지 여부는 민사법상 권리의 귀속에 따른 법률적 · 사후적 판단이 아니라 압수 · 수색 당시 외형적 · 객관적으로 인식 가능한 사실상의 상태를 기준으로 판단하여야 한다(대판 2022.1.27, 2021도11170).

Answer 12. ④

13 **압수 · 수색에 관한 설명으로 가장 적절하지 않은 것은?**(다툼이 있는 경우 판례에 의함)

24. 순경 1차

① 수사기관이 압수 · 수색영장의 집행에 착수하여 압수 · 수색을 실시하고 그 집행을 종료하였다면, 동일한 장소 또는 목적물에 대하여 다시 압수 · 수색할 필요가 있고 그 영장의 유효기간이 남아있다고 하더라도 그 영장에 의하여 다시 압수 · 수색할 수는 없다.

② 피압수자가 수사기관에 압수 · 수색영장의 집행에 참여하지 않는다는 의사를 명시하였더라도, 특별한 사정이 없는 한 그 변호인에게는 미리 집행의 일시와 장소를 통지하는 등 압수 · 수색영장의 집행에 참여할 기회를 별도로 보장하여야 한다.

③ 수사기관이 압수 · 수색영장을 집행함에 있어 그 처분을 받는 자가 여러 명일 경우, 그 장소의 관리책임자에게 영장을 제시하였다면, 그곳에서 물건을 소지하고 있는 다른 사람에게 따로 영장을 제시하지 않고 그 물건을 압수할 수 있다.

④ 甲이 사법경찰관에게 휴대전화를 임의제출하면서 클라우드 등 제3자가 관리하는 원격지에 저장되어 있는 전자정보를 제출한다는 의사로 사법경찰관에게 클라우드 등에 접속하기 위한 아이디와 비밀번호를 임의로 제공한 경우, 위 클라우드 등에 저장된 전자정보를 임의제출하는 것으로 볼 수 있다.

| 해설 ① 대결 1999.12.1, 99모161

② 대판 2020.11.26, 2020도10729

③ 현장에서 압수 · 수색을 당하는 사람이 여러 명일 경우에는 그 사람들 모두에게 개별적으로 영장을 제시해야 하는 것이 원칙이고, 수사기관이 압수 · 수색에 착수하면서 그 장소의 관리책임자에게 영장을 제시하였다고 하더라도, 물건을 소지하고 있는 다른 사람으로부터 이를 압수하고자 하는 때에는 그 사람에게 따로 영장을 제시하여야 한다(대판 2009.3.12, 2008도763).

④ 대판 2021.7.29, 2020도14654

Answer 13. ③

Ⅱ. 검 증

THEMA 07 수사상 검증

의 의	① 검증이라 함은 오관의 작용에 의하여 물건(신체도 포함) 또는 장소의 존재 및 상태를 직접 실험, 인식하는 강제처분을 말한다. 검증에는 주체에 따라 수사기관에 의한 검증(제215조 내지 제217조, 제222조 제1항), 수소법원의 검증(제139조), 증거보전을 위해 판사가 행하는 검증(제184조)이 있다. ② 법원이나 법관에 의한 검증은 증거조사방법의 일종으로 별도의 영장이 필요하지 않으나 수사기관의 검증은 증거확보를 위한 강제처분이므로 원칙적으로 법관의 검증영장을 필요로 한다(제215조). 형사소송법은 수사기관의 검증에 관하여 압수・수색과 같이 규정하면서 법원의 검증에 관한 규정을 준용하고 있다(제219조).
절 차	수사기관이 검증을 하는 경우에 검증영장의 청구, 영장발부, 영장의 집행방법 등은 압수・수색의 경우와 동일하다. 다만, 검증을 함에는 신체의 검사, 사체해부, 분묘발굴, 물건의 파괴 기타 필요한 처분을 할 수 있다(제140조, 제219조).
신체 검사	① 신체검사란 신체 자체를 검사의 대상으로 하는 강제처분을 말하며, 신체 외부와 착의에 대해 증거물을 수색하는 신체수색과 구별된다. 따라서 신체검사는 검증으로서의 성질을 가진다. ▶ 신체검사도 원칙적으로 검증영장에 의하여야 한다. 피의자를 대상으로 함이 원칙이나, 피의자 아닌 자라도 증적의 존재를 확인할 수 있는 현저한 사유가 있는 때에 한하여 신체검사를 할 수 있다. 수사기관이 여자의 신체를 검사하는 경우에는 의사나 성년 여자를 참여하게 하여야 한다(제219조, 제141조 제3항). ▶ 여자의 신체수색 ⇨ 성년 여자 참여(제124조, 제219조) ② 수사기관은 체포 또는 구속된 피의자에 대하여 체포현장에서 영장 없이 지문 또는 족형을 채취하고 신장과 체중 등 신체상의 특징을 측정할 수 있다(제216조 제1항 제2호).

01 **다음 중 수사상 검증에 대한 설명으로 타당하지 않은 것은?**

① 여자의 신체를 검사하는 경우에는 의사나 성년의 여자를 참여하게 하여야 한다.
② 수사기관이 사체를 해부하고자 할 때 법관의 검증영장이 필요하다.
③ 수사기관은 비록 체포현장일지라도 지문 또는 족형을 채취하고 신장・체중 등 신체상의 특징을 측정하기 위해서는 영장이 필요하다.
④ 수사기관의 검증에 관하여 압수・수색과 같이 규정하면서 법원의 검증에 관한 규정을 준용하고 있다.

Answer 1. ③

| 해설 ① 수사기관이 여자의 신체를 검사하는 경우에는 의사나 성년의 여자를 참여하게 하여야 한다(제219조, 제141조 제3항). ② 검증을 함에는 신체의 검사, 사체해부, 분묘발굴, 물건의 파괴 기타 필요한 처분을 할 수 있다(제140조, 제219조). ③ 수사기관은 체포현장에서 필요시 영장 없이 압수・수색・검증을 할 수 있다(제216조 제1항 제2호). ④ 제219조

02 검증에 관한 내용으로 틀린 것은?

① 피고인이 아닌 자에 대한 신체검사를 하기 위한 소환장에는 그 성명 및 주거, 피고인의 성명, 죄명, 출석일시 및 장소와 신체검사를 하기 위하여 소환한다는 취지를 기재하고 재판장 또는 수명법관이 기명날인하여야 한다.

② 피고인이 아닌 자에 대한 신체검사와 피고인의 신체검사는 모두 소환장에 의하여야 하고 그 요건에서 동일하다.

③ 일출 전, 일몰 후에는 가주, 간수자 또는 이에 준하는 자의 승낙이 없으면 검증을 하기 위하여 타인의 주거, 간수자 있는 가옥, 건조물, 항공기, 선차 내에 들어가지 못한다. 단, 일출 후에는 검증의 목적을 달성할 수 없을 염려가 있는 경우에는 예외로 한다.

④ 일몰 전에 검증에 착수한 때에는 일몰 후라도 검증을 계속할 수 있다.

| 해설 ① 규칙 제65조 ② 피고인 아닌 자의 신체검사는 증적의 존재를 확인할 수 있는 현저한 사유가 있는 경우에 한하여 할 수 있다(제141조 제2항). ③ 제143조 제1항 ④ 제143조 제2항

03 수사기관의 검증에 관한 설명으로 가장 옳지 않은 것은?

① 법원의 검증뿐만 아니라 수사기관의 검증에도 당사자의 참여권이 인정된다는 것이 일반적 견해이다.

② 법원의 검증조서는 당연히 증거능력이 있으나 수사기관의 검증조서는 작성자의 진술에 의하여 성립의 진정이 인정되는 등 일정한 조건이 있어야 증거능력이 있다.

③ 실황조사서의 증거능력 인정 여부에 대하여 학설이 대립하고 있다.

④ 피의자에 대한 구속영장집행시 그 현장에서 검증을 한 경우에는 사후영장을 요하지 아니한다.

| 해설 ① 법원 또는 법관의 검증에는 형사소송법의 명문의 규정에 의하여 당사자의 참여권이 인정(제145조, 제121조)되는 반면, 수사기관의 검증과 관련하여서는 당사자의 참여권이 인정되지 않는다는 견해와 당사자의 참여권이 인정된다는 견해가 대립되고 있다(제219조, 제121조, 제122조, 제145조 참조).
② 제311조, 제312조 제6항 ③ 실황조사서란 수사기관이 임의수사의 일종으로 행하여진 실황조사의 결과를 기재한 서면을 말한다(경찰수사규칙 제41조). 실황조사서가 제312조 제6항의 검증조서에 의하여 증거능력이 인정될 수 있는가에 대해서는 견해가 대립되고 있다. 판례는 '실황조사서가 사고발생 직후 사고 장소에서 긴급을 요하여 판사의 영장 없이 시행된 것으로서 제216조 제3항에 의한 검증에 따라 작성된 것이라면 사후영장을 받지 않는 한 유죄의 증거로 삼을 수 없다.'고 판시(대판 1989.3.14, 88도1399)하여, 실황조사서가 검증의 형태를 취한 경우에는 사후영장을 받아야 한다는 입장이다.
④ 구속영장을 집행하면서 그 체포현장에서 영장 없이 검증을 한 경우에는 사후에도 영장이 필요 없다.

Answer 2.② 3.①

04 **수사기관에서 사체의 해부를 할 때에는 다음 중 어느 것이 필요한가?**

① 법관의 압수·수색영장
② 검사의 허가서
③ 검사의 수사지휘서
④ 가족의 동의서

| 해설 수사기관의 검증은 원칙적으로 검증영장에 의하며(제215조), 검증을 함에는 신체검사, 사체해부, 분묘발굴, 물건의 파괴 기타 필요한 처분을 할 수 있다(제140조, 제219조). 따라서 수사기관이 사체를 해부할 때에는 검증영장에 의하여야 하나, 실무상 압수·수색·검증영장의 신청은 동일서식에 의해 이루어질 뿐 아니라 특히 수사기관의 검증은 일반적으로 압수·수색영장에 의해 행해지므로 검증영장이 지문에 없는 시험에서는 ①을 정답으로 하여야 한다.

05 **수사기관의 체내검사에 관한 설명으로 틀린 것은?**

① 증거물을 찾기 위한 외과수술은 어떠한 경우에도 허용되지 않으며, 수사기관이 별도의 도구와 전문지식 없이 항문, 질 등의 상태를 인식함으로써 증거를 수집하는 경우에는 검증영장을 발부받아 이루어질 수 있으나, 그곳에 숨겨 놓은 증거물을 수색하여 압수하는 경우에는 어떠한 영장이 필요한지에 대하여는 견해의 대립이 있다.

② 대법원은 강제채혈은 감정처분허가장을 받아 '감정에 필요한 처분'으로도 할 수 있고, '압수영장에 의한 압수의 방법으로도 할 수 있다.'라고 판시한바 있으나, 강제채뇨에 대하여는 판례의 입장이 무엇인지 분명하지 않다.

③ 압수·수색의 방법으로 소변을 채취하는 경우 압수대상물인 피의자의 소변을 확보하기 위한 수사기관의 노력에도 불구하고, 피의자가 인근 병원 응급실 등 소변 채취에 적합한 장소로 이동하는 것에 동의하지 않거나 저항하는 등 임의동행을 기대할 수 없는 사정이 있는 때에는 수사기관으로서는 소변 채취에 적합한 장소로 피의자를 데려가기 위해서 필요 최소한의 유형력을 행사하는 것이 허용된다.

④ 강제채뇨는 강제채뇨가 부득이하다고 인정되는 경우에 최후의 수단으로 적법한 절차에 따라 허용된다고 보아야 한다. 이때 의사, 간호사, 그 밖의 숙련된 의료인 등으로 하여금 소변 채취에 적합한 의료장비와 시설을 갖춘 곳에서 피의자의 신체와 건강을 해칠 위험이 적고 피의자의 굴욕감 등을 최소화하는 방법으로 소변을 채취하여야 한다.

| 해설 ① 옳은 설명이다.
② 대법원은 강제채혈은 감정처분허가장을 받아 '감정에 필요한 처분'으로도 할 수 있고, '압수영장에 의한 압수의 방법으로도 할 수 있다.'라고 판시하고 있으며(대판 2012.11.15, 2011도15258), 최근에는 강제채뇨에 대하여도 동일한 입장을 취하고 있다(대판 2018.7.12, 2018도6219).
③④ 대판 2018.7.12, 2018도6219

Answer 4.① 5.②

Ⅲ. 수사상 감정유치

THEMA 08 **수사상 감정 · 감정유치**

의 의	1. 수사상 감정 : 수사기관이 수사에 필요한 전문지식이나 경험의 부족을 보충하기 위하여 제3자로 하여금 조사시키거나 전문지식을 적용하여 얻은 판단을 보고하게 하는 것을 말한다(수사기관으로부터 감정을 위촉받은 자를 감정수탁자라고 한다). ▶ 법원으로부터 감정을 명 받은 자를 감정인이라 하는데 감정수탁자는 감정인과는 달리 선서의무가 없고, 허위감정죄의 적용을 받지 않으며, 소송관계인의 반대신문도 허용되지 않는다. 2. 감정유치란 피고인이나 피의자의 정신 또는 신체를 감정하기 위하여 일정기간 동안 병원 기타 적당한 장소에 피고인 또는 피의자를 유치하는 강제처분을 말한다. ▶ 감정유치는 공소제기 전에 수사기관의 청구에 의하여 판사가 행하는 경우(제221조의 3)와 공소제기 후 수소법원이 행하는 경우(제172조 제3항)가 있다.
대상과 요건	1. 대상 : 피의자(제3자에 대해서는 불가). 피의자인 이상 구속 중임을 요하지 않는다. 2. 요건 : 감정유치의 필요성이 인정될 것
절 차	1. 감정유치의 청구 : 감정유치의 청구권자는 검사에 한한다(제221조의 3 제1항). 2. 감정유치장의 발부 : 판사는 청구가 상당하다고 인정한 때에는 유치처분을 하여야 한다(제221조의 3 제2항). 감정유치를 기각하는 결정에 대해서는 물론이고 유치결정에 대해서도 준항고가 허용되지 않는다(허용을 인정하는 견해도 있음). ▶ 법원의 피고인에 대한 감정유치는 불복 가능(제403조 제2항) 3. 감정유치장의 집행 : 감정유치장의 집행에 관하여는 구속영장의 집행에 관한 규정이 준용된다. 4. 감정유치기간 : 감정유치에 필요한 유치기간에는 제한이 없다(제221조의 3 제2항, 제172조 제6항).
감정 유치와 구속	1. 감정유치는 감정을 목적으로 하는 것이라 할지라도 실질적으로는 구속에 해당하므로 유치에 관하여는 구속에 관한 규정이 준용된다(다만, 보석에 관한 규정은 제외되므로 감정유치기간 중 보석은 인정되지 않는다 : 제172조 제7항). 따라서 미결구금일수의 산입에 있어서 유치기간은 구속으로 간주한다(제221조의 3 제2항, 제172조 제8항). 2. 구속 중인 피의자에 대하여 감정유치장이 집행되었을 때에는 유치되어 있는 기간동안은 구속의 집행을 정지한 것으로 간주한다(제221조의 3 제2항, 제172조의 2 제1항). 따라서 감정유치기간은 제202조, 제203조의 구속기간에는 포함되지 않는다. 3. 감정유치처분이 취소되거나 유치기간이 만료된 때에는 구속의 집행정지가 취소된 것으로 간주한다(제221조의 3 제2항, 제172조의 2 제2항). 감정유치는 신체의 자유에 대한 제한 이외의 어떠한 강제도 감정유치를 근거로 행해질 수 없다. 따라서 감정유치된 자라 할지라도 감정을 위해 별도의 강제처분이 필요한 때(예 감정유치된 자에 대한 체내 신체검사)에는 감정처분허가장(제221조의 4) 또는 검증영장에 의하여야 한다. 4. 유치기간 중이라도 감정에 지장을 초래하지 아니하는 범위 내에서 피의자신문이 가능하다.
감정에 필요한 처분	수사기관으로부터 감정의 위촉을 받은 자는 감정에 관하여 필요한 때에는 판사의 허가를 얻어 타인의 주거, 간수자 있는 가옥, 건조물, 항공기, 선차 내에 들어갈 수 있고 신체의 검사, 사체의 해부, 분묘의 발굴, 물건의 파괴 등 필요한 처분을 할 수 있다(제221조의 4 제1항). 필요한 처분에 대한 허가는 검사가 청구하여야 하며(동조 제2항), 판사는 청구가 상당하다고 인정한 때에는 허가장을 발부하여야 한다(동조 제3항).

01 수사상 감정유치에 관한 설명 중 가장 적절하지 않은 것은?

16. 경찰승진

① 피의자에 대한 감정유치기간은 피의자의 구속기간에 산입한다.
② 검사는 감정을 위촉하는 경우에 피의자의 정신 또는 신체에 관한 감정을 위하여 유치처분이 필요한 때에는 판사에게 이를 청구하여야 한다.
③ 불구속 피고인에 대하여 감정유치장을 발부하여 구속할 때에는 범죄사실의 요지와 변호인을 선임할 수 있음을 알려주어야 한다.
④ 감정유치는 감정을 목적으로 신체의 자유를 구속하는 강제처분이므로 법관이 발부하는 영장, 즉 감정유치장을 요한다.

| 해설 ① 감정유치기간은 구속집행이 정지된 것으로 간주한다(제172조의 2 제1항, 제221조의 3 제2항). 따라서 감정유치기간은 피의자의 구속기간에 산입하지 아니한다.
②④ 제172조, 제221조의 3
③ 제172조 제7항, 제72조

02 수사상 감정유치에 관한 설명 중 옳은 것은 모두 몇 개인가?(다툼이 있는 경우 판례에 의함)

13. 경찰승진

㉠ 피의자에 대한 감정유치기간은 피의자의 구속기간에 산입한다.
㉡ 구속의 취소에 관한 규정도 준용되므로 감정유치의 취소를 청구할 수 있다.
㉢ 보석에 관한 규정도 수사상 감정유치에 준용된다.
㉣ 검사는 감정을 위촉하는 경우에 피의자의 정신 또는 신체에 관한 감정을 위하여 유치처분이 필요한 때에는 판사에게 이를 청구하여야 한다.
㉤ 판사는 청구가 상당하다고 인정할 때에는 유치처분을 하여야 하며, 이 경우에는 감정유치장을 발부하여야 한다.

① 2개 ② 3개
③ 4개 ④ 5개

| 해설 ㉠ × : 유치되어 있는 기간 구속은 그 집행이 정지된 것으로 간주한다(제172조의 2 제1항, 제221조의 3 제2항). 따라서 감정유치기간은 구속기간에 산입하지 아니한다.
㉡ ○ : 구속에 관한 규정은 형사소송법에 특별한 규정이 없는 한 감정유치에 관하여도 이를 준용한다(제172조 제7항, 제221조의 3 제2항). 따라서 피의자는 감정유치의 취소를 청구할 수 있다고 보아야 한다.
㉢ × : 보석에 관한 규정은 감정유치에 준용하지 아니한다(제172조 제7항, 제221조의 3 제2항).
㉣㉤ ○ : 제221조의 3

Answer 1. ① 2. ②

03 수사상 감정유치에 관한 설명 중 가장 적절하지 않은 것은?

15. 경찰승진

① 수사상 감정유치는 피의자의 정신 또는 신체를 감정하기 위하여 일정한 기간 동안 병원 등에 피의자를 유치하는 강제처분을 말한다.

② 감정유치는 감정을 목적으로 신체의 자유를 구속하는 강제처분이므로 법관이 발부하는 영장, 즉 감정유치장을 요한다.

③ 감정유치기간은 미결구금일수 산입에 있어서 이를 구속으로 간주하여 산입한다.

④ 구속 중인 피의자에 대하여는 감정유치를 할 수 없다.

해설 ④ 구속 중인 피의자에 대해서도 감정유치가 가능하다(제172조의 2, 제221조의 3).

04 감정과 관련한 내용으로 올바른 것은 몇 개인가?

㉠ 수사상의 감정유치의 대상은 피의자에 한하지 않으며 제3자에 대해서도 가능하다.
㉡ 감정유치기간은 법률상 30일 내로 제한되어 있다.
㉢ 항문 내의 수색은 감정처분허가장이 필요하다.
㉣ 검사나 사법경찰관으로부터 감정을 위촉받은 자가 사체를 해부함에 있어서 필요한 것은 법관의 감정처분허가장이다.
㉤ 거짓말탐지기의 검사는 현행법상 검증에 해당한다고 본다.

① 1개 ② 2개
③ 3개 ④ 4개

해설 ㉠ × : 감정유치의 대상은 피의자나 피고인에 한하고 제3자는 대상이 될 수 없다.
㉡ × : 기간의 제한이 없다.
㉢ × : 항문 내의 수색은 전문가의 감정을 통해 이루어져야 하는 체내 검사가 아니므로 감정처분허가장은 불필요하다.
㉣ ○ : 제221조의 4, 제173조
㉤ × : 거짓말탐지기의 검사는 거짓말탐지 전문가에 의해 검사하는 것이므로 현행법상 감정에 해당한다고 본다.

Answer 3. ④ 4. ①

제4절 판사가 행하는 강제처분

I. 증거보전

THEMA 09 증거보전제도

의 의	수소법원이 공판정에서 증거를 조사할 때까지 기다릴 경우 그 증거의 사용이 불가능하거나 현저하게 곤란할 염려가 있는 경우에 검사나 피고인·피의자 또는 변호인의 청구로 판사가 미리 증거조사를 하여 그 결과를 보전하여 두는 제도를 말한다(제184조).
요 건	1. 증거보전의 필요성 : 미리 증거를 보전하지 않으면 그 증거를 사용하기 곤란한 사정이 있어야 한다. 2. 제1회 공판기일 전 : 증거보전은 제1회 공판기일 전에 한하여 할 수 있고 공소제기 전후를 불문한다. 06. 순경, 08. 7급 국가직, 11. 9급 법원직, 14·16. 순경 2차, 15·16·17. 경찰승진 ▶ 제1회 공판기일 전의 의미 ⇨ 증거조사 개시 전(모두절차가 종료될 때까지)
절 차	1. 청구권자 : 검사·피고인·피의자 또는 변호인이다(변호인의 청구권은 피의자·피고인의 청구권을 전제로 하는 독립대리권이다. 따라서 피의자나 피고인의 명시적 의사에 반해서도 청구권을 행사할 수 있다). 13. 9급 검찰·마약수사, 14. 순경 1차, 08·09·15. 7급 국가직, 16. 순경 2차, 17. 경찰승진 ▶ 입건되기 전의 자는 피의자가 아니므로 청구권(×) 2. 증거보전청구 : 수소법원에 대하여 청구하는 것이 아니라, 11. 9급 법원직 압수한 물건의 소재지, 11. 경찰승진 수색 또는 검증할 장소·신체 또는 물건의 소재지, 증인의 주거지 또는 현재지, 감정대상의 소재지 또는 현재지를 관할하는 지방법원판사에게 하여야 한다(규칙 제91조). 04. 경찰승진 3. 증거보전 청구방법 : 서면으로 청구하며, 11. 경찰승진 증거보전을 필요로 하는 사유에 대해서는 서면으로 소명을 요한다(제184조 제3항). 10. 교정특채, 13. 순경 1차·9급 검찰·마약수사, 15. 순경 3차, 11·14·15·16·17. 경찰승진, 12·13·16. 순경 2차 4. 증거보전 청구내용 : 압수·수색·검증·증인신문 또는 감정에 한한다(제184조 제1항). 02. 행시, 15. 순경 3차, 16. 순경 2차 따라서 검사는 증거보전절차에서 피의자·피고인의 신문을 청구할 수 없다. 13. 9급 검찰·마약수사, 13·14. 순경 2차, 14. 경찰간부, 08·09·15. 7급 국가직, 09·10·11·12·14·15. 경찰승진, 15. 순경 3차 그러나 증거보전절차를 이용하여 공동피고인 또는 공범자를 증인으로 신문하는 것은 가능하다(판례). 12. 순경 3차, 11·13. 순경 1차·9급 검찰·마약수사, 14. 순경 2차, 13·15. 7급 국가직, 09·10·11·16·22. 경찰승진, 16. 경찰간부, 22. 소방간부 5. 증거보전의 처분 : 청구를 받은 지방법원판사는 청구가 적법하고 필요성이 있다고 인정할 때에는 증거보전을 하여야 한다. 이 경우에는 청구에 대한 재판은 요하지 않는다. ▶ 증거보전의 청구를 기각하는 결정 ⇨ 3일 이내에 항고 가능(제184조 제4항) 11. 순경 1차, 13. 9급 검찰·마약수사, 12·13·14. 순경 2차, 12·15. 순경 3차, 11·12·14·16·17. 경찰승진 6. 판사의 권한 : 증거보전청구를 받은 판사는 처분에 관해 법원 또는 재판장과 동일한 권한이 있다(제184조 제2항). 14. 순경 1차, 10·16·20. 경찰승진

증거보전 처분 후의 절차	1. 증거물의 처리 : 증거보전절차에 의하여 압수한 물건 또는 작성한 조서는 증거보전을 한 판사가 소속한 법원에서 보관한다. 11. 9급 법원직 2. 증거물 등 열람 · 등사 : 검사 · 피의자 · 피고인 또는 변호인은 판사의 허가를 얻어 서류와 증거물을 열람 또는 등사할 수 있으며(제185조), 04 · 06. 순경, 08. 9급 법원직, 11. 순경 1차, 15. 순경 3차, 16. 순경 2차 열람 · 등사를 청구할 수 있는 시기는 제한이 없다(제1회 공판기일 전후 불문). ▶ 증거보전청구 상대방에게도 인정, 피고인에는 증거보전을 청구한 피고인뿐만 아니라 공동피고인도 포함 3. 조서의 증거능력 : 증거보전절차에서 작성된 각종 조서는 당연히 증거능력을 갖는다(증거조사 필요). 08. 9급 법원직, 14. 순경 2차

01 **형사소송법 제184조에 의한 증거보전에 대한 설명 중 가장 적절하지 않은 것은?**(다툼이 있는 경우 판례에 의함) 18. 경찰승진

① 증거보전절차에서 작성된 증인신문조서 중 증인에 대한 반대신문과정에서 피의자였던 피고인이 당사자로 참여하여 자신의 범행사실을 시인하는 전제하에 증인에게 반대신문한 내용이 기재되어 있는 경우, 그 조서 중 피의자 진술부분에 대하여는 형사소송법 제311조에 의한 증거능력을 인정할 수 있다.

② 증거보전절차에서는 증인신문 뿐만 아니라 압수, 수색, 검증 및 감정도 할 수 있으나 증거보전의 방법으로 피의자신문, 피고인신문을 청구할 수는 없다.

③ 검사는 일정한 경우 제1회 공판기일 전이라도 판사에게 증거보전을 청구할 수 있으며, 증거보전의 청구를 기각하는 결정에 대하여는 3일 이내에 항고할 수 있다.

④ 증거보전의 청구를 받은 판사는 그 처분에 관하여 법원 또는 재판장과 동일한 권한이 있다.

| 해설 ① 증거보전절차에서 작성된 증인신문조서 중 증인에 대한 반대신문과정에서 피의자였던 피고인이 당사자로 참여하여 자신의 범행사실을 시인하는 전제하에 증인에게 반대신문한 내용이 기재되어 있는 경우, 그 조서 중 피의자 진술부분에 대하여는 공판준비 또는 공판기일에 피고인 등의 진술을 기재한 조서도 아니고, 반대신문과정에서 피의자가 한 진술에 관한 한 형사소송법 제184조에 의한 증인신문조서도 아니므로 위 조서 중 피의자의 진술기재부분에 대하여는 형사소송법 제311조에 의한 증거능력을 인정할 수 없다(대판 1984.5.15, 84도508).

② 제184조 제1항

③ 제184조 제4항

④ 제184조 제2항

Answer 1. ①

02 다음 중 관할의 표시가 잘못된 것은?

① 재심사건 – 원심법원
② 재정신청사건 – 고등법원
③ 비약상고 – 대법원
④ 증거보전청구사건 – 지방법원

| 해설 ① 제423조
② 제260조
③ 제441조
④ 증거보전청구사건은 지방법원판사가 한다(제184조, 규칙 제91조).

03 증거보전제도에 관한 설명으로 타당한 것은 몇 개인가?

㉠ 증거보전의 청구시 감정을 청구할 수 있는데, 이는 감정대상의 소재지를 관할하는 지방법원판사에게 해야 하고 감정함에 편리한 지방법원판사에게 할 수는 없다.
㉡ 증거보전의 청구를 한 자는 판사의 허가를 얻어 증거보전의 처분에 관한 서류와 증거물을 열람 또는 등사할 수 있으나, 그 상대방에게는 동일한 권한이 인정되지 않는다.
㉢ 검사, 피고인, 피의자 또는 변호인은 미리 증거를 보전하지 아니하면 그 증거를 사용하기 곤란한 사정이 있는 때에는 제1회 공판기일 전이라도 판사에게 압수·수색·검증·증인신문 또는 감정을 청구할 수 있다. 그러나 피해자는 이러한 청구권이 없다.
㉣ 수사단계에서는 물론 기소 후에도 제1회 공판기일 전이면 가능하고 제1회 공판기일이라 함은 증거조사가 가능한 단계를 의미한다고 볼 수 있다.
㉤ 파기환송 후의 절차에서도 증거보전은 인정된다.
㉥ 증거보전절차에서 증인신문을 하면서, 증인신문의 일시와 장소를 피의자 및 변호인에게 미리 통지하지 아니하여 증인신문에 참여할 수 있는 기회를 주지 아니하였고, 또 변호인이 제1심 공판기일에 위 증인신문조서의 증거조사에 관하여 이의신청을 하였다면, 위 증인신문조서는 증거능력이 없다 할 것이나, 그 증인이 후에 법정에서 그 조서의 진정 성립을 인정한 경우에는 다시 증거능력을 취득한다.

① 1개　② 2개　③ 3개　④ 4개

| 해설 ㉠ × : 감정함에 편리한 지방법원판사에게도 할 수 있다(규칙 제91조 제2항).
㉡ × : 상대방에게도 동일한 권한이 인정된다(제185조).
㉢ ○ : 제184조 제1항
㉣ ○ : 견해의 대립이 있으나, 수소법원에서 증거조사가 가능한 단계가 되면 증거보전청구를 인정할 실익이 없다 할 것이므로 제1회 공판기일이란 증거조사가 가능한 단계로 보는 것이 타당하다고 하겠다.
㉤ × : 제1회 공판기일 전에 한하므로 파기환송절차에서는 증거보전을 청구할 수 없다.
㉥ × : 그 증인이 후에 법정에서 그 조서의 진정 성립을 인정한다 하여 다시 증거능력을 취득한다고 볼 수도 없다(대판 1992.2.28, 91도2337).

Answer 2. ④ 3. ②

04 **증거보전절차에 관한 설명으로 옳지 않은 것은?**(다툼이 있는 경우 판례에 의함) 22. 소방간부

① 검사는 제1회 공판기일 전이라도 판사에게 증인신문 뿐만 아니라 압수·수색·검증·감정을 내용으로 하는 증거보전을 청구할 수 있다.

② 증거보전은 제1심 제1회 공판기일 전에 한하여 허용되는 것이므로 재심청구사건에서는 증거보전절차는 허용되지 않는다.

③ 피고인뿐만 아니라 피의자도 미리 증거를 보전하지 아니하면 그 증거를 사용하기 곤란한 사정이 있는 때에는 제1회 공판기일 전이라도 판사에게 압수·수색·검증·증인신문 또는 감정을 청구할 수 있다.

④ 공동피고인과 피고인이 뇌물을 주고 받은 사이로 필요적 공범관계인 경우에는 검사는 수사단계에서 피고인에 대한 증거를 미리 보전하기 위해 필요한 경우라도 판사에게 공동피고인을 증인으로 신문할 것을 청구할 수 없다.

⑤ 증거보전을 청구하는 경우에는 서면으로 그 사유를 소명하여야 하며 증거보전청구를 기각하는 결정에 대하여는 항고할 수 있다.

해설 ①③ 제184조 제1항

② 대결 1984.3.29, 84모15

④ 공동피고인과 피고인이 뇌물을 주고 받은 사이로 필요적 공범관계에 있다고 하더라도 검사는 수사단계에서 피고인에 대한 증거를 미리 보전하기 위하여 필요한 경우에는 판사에게 공동피고인을 증인으로 신문할 것을 청구할 수 있다(대판 1988.11.8, 86도1646).

⑤ 제184조 제3항·제4항

Answer 4. ④

Ⅱ. 참고인에 대한 증인신문청구

THEMA 10 증인신문청구

의 의	증인신문청구라 함은 참고인이 출석 또는 진술을 거부하는 경우에 제1회 공판기일 전까지 검사의 청구에 의하여 판사가 그를 증인으로 신문하는 제도를 말한다(제221조의 2).
증인신문 청구의 요건	1. 출석을 거부하거나 출석 후 진술을 거부한 경우에 참고인에 대한 증인신문이 허용된다(제221조의 2 제1항). ▶ 진술번복 우려 : 요건 ×(위헌결정으로 삭제됨) 12. 순경 2차 2. 참고인에 대한 증인신문은 제1회 공판기일 전에 한하여 허용된다(제1회 공판기일 전이란 증거조사가 개시되기 전을 의미).
증인신문의 절차	1. 판사에 대한 증인신문청구는 검사만이 할 수 있다. 09. 전의경특채 증인신문을 청구할 때에는 서면으로 그 사유를 소명해야 한다(제221조의 2 제3항). 12. 경찰간부 2. 청구기각결정에 대하여는 불복할 수 없다. 10 · 12 · 16. 경찰승진 요건을 구비한 경우에는 별도의 결정 없이 바로 증인신문에 들어가야 한다. 3. 증인신문을 하는 판사는 법원 또는 재판장과 동일한 권한이 있다(제221조의 2 제4항). 4. 피고인 · 피의자 또는 변호인에게 이를 통지하여 증인신문에 참여할 수 있도록 하여야 한다(제221조의 2 제5항).
증인신문 후의 조치	1. 판사가 검사의 청구에 의하여 증인신문을 할 때에는 참여한 서기에게 증인신문조서를 작성하도록 하여야 하며, 증인신문에 관한 서류를 지체 없이 검사에게 송부하여야 한다(제221조의 2 제6항). 12 · 20. 경찰승진 2. 증인신문의 경우는 증거보전과는 달리 피의자 등에게 서류의 열람 · 등사권이 없다. 09 · 23. 순경 2차 또한 증인신문조서는 법관 면전조서로서 당연히 증거능력이 인정된다(대판 1976.9.28, 76도2143).

01 참고인에 대한 증인신문에 관한 설명으로 틀린 것은?

① 제1회 공판기일 전에 한하여 허용된다.
② 증인신문참여를 통지받은 피의자 · 피고인 또는 변호인의 출석은 증인신문의 요건이다.
③ 청구의 사유는 서면으로 소명하여야 한다.
④ 참고인에 대한 증인신문조서는 당연히 증거능력이 있다.

| 해설 ① 제221조의 2 제1항 ② 개정법에서 종래 수사에 지장이 있는 경우 참여권을 배제할 수 있도록 한 규정은 삭제되고 판사는 증인신문기일을 정한 때 피고인 · 피의자 또는 변호인에게 이를 통지하여 증인신문에 참여할 수 있도록 하여야 한다고 규정하여 참여권을 보장하고 있으나 이는 통지받은 자의 출석을 증인신문의 요건으로 한다는 의미는 아니다. ③ 동조 제3항 ④ 제311조

Answer 1. ②

THEMA 11 증거보전과 증인신문청구

구 분	증거보전	증인신문청구
청구권자	피의자, 피고인, 변호인, 검사	검 사
신청기간	제1회 공판기일 전	좌 동
요 건	증거멸실, 증거가치변화 위험	참고인의 출석거부 · 진술거부
내 용	압수 · 수색 · 검증 · 증인신문 · 감정	증인신문
판사권한	수소법원 또는 재판장과 동일한 권한	좌 동
절 차	당사자참여권 인정	당사자참여권 인정
보전증거이용	보전을 행한 판사소속 법원에서 보관, 당사자 열람 · 등사권 인정	검사에게 증인신문조서송부, 당사자 열람 · 등사권 없음.

01 **다음은 수사상 증거보전과 증인신문에 대한 설명이다. 가장 적절한 것은?**

① 증거보전의 경우와 제221조의 2 판사에 의한 증인신문 모두 피의자 · 피고인측에서 서류 및 증거물에 대한 열람 · 등사가 가능하다.

② 검사는 증인신문 청구권을 가지나, 증거보전 청구권은 가지고 있지 않다.

③ 증거보전 청구와 증인신문 청구에 대한 기각결정은 모두 항고로서 불복이 가능하다.

④ 증거보전은 물론 증인신문의 청구를 받은 판사도 그 처분에 관하여 법원 또는 재판장과 동일한 권한이 있다.

| 해설 ① 증거보전의 경우에는 피의자 · 피고인측에서 서류 및 증거물에 대한 열람 · 등사가 가능하나(제185조), 제221조의 2 판사에 의한 증인신문의 경우에는 그렇지 않다.
② 검사는 증인신문, 증거보전 모두 청구권을 가진다(제184조 제1항, 제221조의 2 제1항).
③ 증거보전청구를 기각하는 결정에 대해서는 3일 내에 항고할 수 있으나(제184조 제4항), 증인신문청구를 기각하는 결정에 대해서는 불복할 수 없다.
④ 제184조 제2항, 제221조의 2 제4항

02 **형사소송법상 증거보전**(제184조)**과 증인신문**(제221조의 2)**에 관한 설명으로 적절하지 않은 것은 모두 몇 개인가?**(다툼이 있으면 판례에 의함)

㉠ 증거보전절차에서 작성된 증인신문조서 중 증인에 대한 반대신문과정에서 피의자였던 피고인이 당사자로 참여하여 자신의 범행사실을 시인하는 전제하에 증인에게 반대신문한 내용이 기재되어 있는 경우, 그 조서 중 피의자진술부분에 대하여는 형사소송법 제311조에 의한 증거능력을 인정할 수 있다.

㉡ 증인신문(제221조의 2)을 한 때에는 판사는 지체 없이 이에 관한 서류를 검사에게 송부하여야 한다. 증거보전의 경우와는 이 점에서 구별된다.

Answer 1. ④ 2. ②

> ㉢ 증인신문(제221조의 2)청구를 위한 피의사실은 수사기관이 어떤 자에 대하여 내심으로 혐의를 품고 있는 정도의 상태만으로도 족하다.
> ㉣ 검사 또는 사법경찰관에게 임의의 진술을 한 자가 공판기일에 전의 진술과 다른 진술을 할 염려가 있다는 이유만으로는 검사는 판사에게 그에 대한 증인신문을 청구할 수 없다.
> ㉤ 두 제도의 청구권자는 상이하지만 신청기간은 동일하다.

① 1개　② 2개　③ 3개　④ 4개

| 해설 ㉠ × : 증인신문조서가 증거보전절차에서 피고인이 증인으로서 증언한 내용을 기재한 것이 아니라 증인(甲)의 증언내용을 기재한 것이고, 다만 피의자였던 피고인이 당사자로 참여하여 자신의 범행사실을 시인하는 전제하에 위 증인에게 반대신문한 내용이 기재되어 있을 뿐이라면, 위 조서는 공판준비 또는 공판기일에 피고인 등의 진술을 기재한 조서도 아니고, 반대신문과정에서 피의자가 한 진술에 관한 한 형사소송법 제184조에 의한 증인신문조서도 아니므로 위 조서 중 피의자의 진술기재부분에 대하여는 형사소송법 제311조에 의한 증거능력을 인정할 수 없다(대판 1984.5.15, 84도508).

㉡ ○ : 제221조의 2 제6항

▶ 증거보전에서 압수한 물건 또는 작성한 조서는 증거보전을 한 판사가 소속한 법원에서 보관한다(제185조 참조). 당사자가 이를 증거로 이용하기 위해서는 수소법원에 증거조사를 신청하여야 하며, 수소법원은 증거보전을 한 법원으로부터 증거를 송부받아 증거조사를 하게 된다.

㉢ × : 형사소송법 제221조의 2 제2항에 의한 증인신문청구를 하려면 증인의 진술로서 증명할 대상인 피의사실이 존재하여야 하고, 피의사실은 수사기관이 어떤 자에 대하여 내심으로 혐의를 품고 있는 정도의 상태만으로는 존재한다고 할 수 없고 고소, 고발 또는 자수를 받거나 또는 수사기관 스스로 범죄의 혐의가 있다고 보아 수사를 개시하는 범죄의 인지 등 수사의 대상으로 삼고 있음을 외부적으로 표현한 때에 비로소 그 존재를 인정할 수 있다(대판 1989.6.20, 89도648).

㉣ ○ : 제221조의 2 제1항

㉤ ○ : 제184조 제1항, 제221조의 2 제1항

03 수사상의 증거보전절차에 관한 설명 중 가장 적절하지 않은 것은?

20. 경찰승진

① 피고인, 피의자 또는 변호인뿐만 아니라 검사도 미리 증거를 보전하지 아니하면 그 증거를 사용하기 곤란한 사정이 있는 때에는 형사소송법 제184조에 따라 제1회 공판기일 전이라도 판사에게 압수, 수색, 검증, 증인신문 또는 감정을 청구할 수 있다. 이때 청구를 받은 판사는 그 처분에 관하여 법원 또는 재판장과 동일한 권한이 있다.

② 범죄의 수사에 없어서는 아니 될 사실을 안다고 명백히 인정되는 자가 형사소송법 제221조에 의한 출석 또는 진술을 거부한 경우에는 검사는 제1회 공판기일 전에 한하여 판사에게 그에 대한 증인신문을 청구할 수 있다.

③ 판사는 형사소송법 제221조의 2에 의한 검사의 증인신문청구에 따라 증인신문기일을 정한 때에는 피고인·피의자 또는 변호인에게 이를 통지하여 증인신문에 참여할 수 있도록 하여야 하며, 증인신문을 한 후에는 이에 관한 서류를 판사 소속법원에 보관하여야 한다.

④ 증거보전 또는 증인신문을 청구하는 자는 그 사유를 서면으로 소명하여야 한다.

| 해설 ① 제184조 제1항·제2항 ② 제221조의 2 제1항
③ 서류를 검사에게 송부하여야 한다(제221조의 2 제6항). ④ 제184조 제3항, 제221조의 2 제3항

Answer 3. ③

04 **형사소송법 제184조의 수사상 증거보전과 형사소송법 제221조의 2의 증인신문에 관한 설명으로 가장 적절하지 않은 것은?**(다툼이 있는 경우 판례에 의함) 23. 순경 2차

① 증거보전은 수사단계뿐 아니라 공소제기 이후에도 제1심 제1회 공판기일 전에 한하여 허용되지만, 재심청구사건에서는 증거보전절차가 허용되지 않는다.

② 형사소송법 제221조의 2의 증인신문청구를 하려면 증인의 진술로서 증명할 대상인 피의사실이 존재해야 하는데, 피의사실은 수사기관 내심의 혐의만으로는 존재한다고 할 수 없고, 고소・고발 또는 자수를 받는 등 수사의 대상으로 삼고 있음을 외부로 표현한 때에 비로소 그 존재를 인정할 수 있다.

③ 증거보전을 청구할 수 있는 것은 압수・수색・검증・증인신문・감정이어서 피의자의 신문을 구하는 청구는 할 수 없지만, 필요적 공범관계에 있는 공동피고인을 증인으로 신문할 것을 청구할 수 있다.

④ 형사소송법 제221조의 2의 증인신문에 관한 서류는 증인신문을 한 법원이 보관하므로, 공소제기 이전에도 피의자 또는 변호인은 판사의 허가를 얻어 서류와 증거물을 열람 또는 등사할 수 있다.

| 해설 | ① 대결 1984.3.29, 84모15
② 대판 1989.6.20, 89도648
③ 대판 1988.11.8, 86도1646
④ 판사는 형사소송법 제221조의 2의 증인신문에 관한 서류를 검사에게 송부하여야 한다(제221조의 2 제6항). 이 서류애 대하여 피의자 또는 변호인은 열람 또는 등사할 수 없다. 판사의 허가를 얻어 열람・등사할 수 있는 증거보전절차와 다른 점이다(제85조).

Answer 4. ④

CHAPTER

03 수사의 종결

THEMA 12 수사종결

수사절차를 종결하는 처분을 수사종결처분이라고 한다. 종래 수사종결처분은 검사만이 가능하였으나 (다만, 즉결심판절차에 의하여 처리되는 사건은 경찰서장이 수사종결), 최근 개정법에 의하면, 수사종결은 검사뿐만 아니라 경찰공무원인 사법경찰관, 공수처 검사 등도 가능하게 되었다.

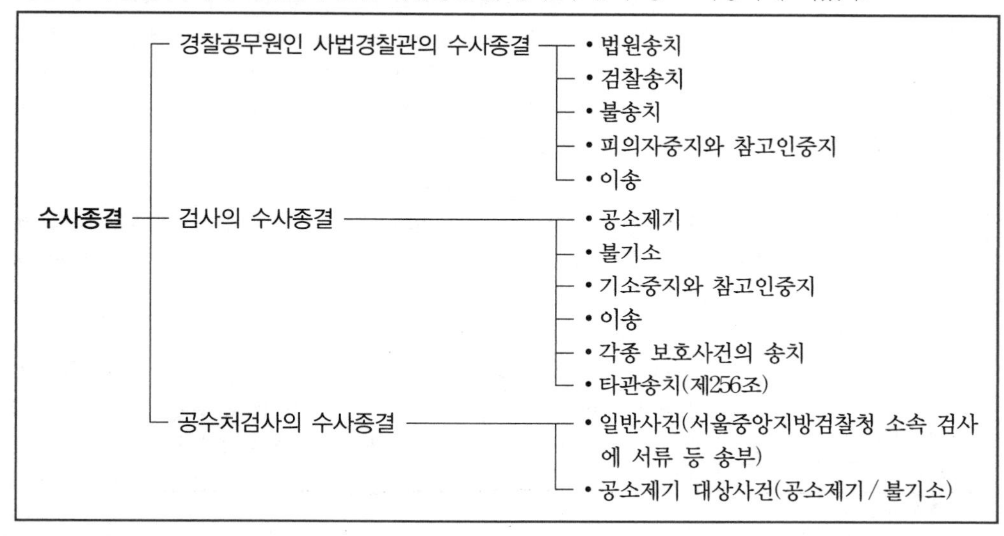

01 **수사의 종결에 관한 설명 중 가장 적절한 것은?**

① 공소의 제기, 타관송치, 무혐의처분, 고발 · 고소의 취소 등은 수사종결처분에 해당한다.

② 피의자중지와 참고인중지, 타관송치 등은 종국처리의 성격을 지닌다.

③ 고위공직자범죄수사처 검사는 공소제기 대상사건의 경우 종국처리에 해당하는 수사종결을 할 수 있다.

④ 수사종결처분은 검사만이 가능하며, 즉결심판절차에 의하여 처리되는 사건은 경찰서장이 수사종결권을 가진다.

| 해설 ① 공소의 제기, 타관송치, 무혐의처분은 수사종결처분에 해당하나 고발 · 고소의 취소는 수사종결처분이 아니다. ② 피의자중지와 참고인중지, 타관송치 등은 중간처리의 성격을 지닌다. ③ 공수처검사는 공소제기 대상사건의 경우에는 공소제기 또는 불기소의 결정과 같은 종국적인 수사종결을 할 수 있으나(공수처법 제20조 제1항), 그 이외의 사건에 대해서는 관계 서류와 증거물 등을 서울중앙지방검찰청 소속 검사에게 송부하도록 규정하고 있는데(동법 제26조 제1항), 이는 중간처리성격의 수사종결에 해당한다. ④ 종래 수사종결처분은 검사만이 가능하였으나(다만, 즉결심판절차에 의하여 처리되는 사건은 경찰서장이 수사종결), 최근 개정법에 의하면, 수사종결은 검사뿐만 아니라 경찰공무원인 사법경찰관, 공수처 검사 등도 가능하게 되었다.

Answer 1. ③

THEMA 13 경찰단계에서 수사종결

구분			내용
사법 경찰관의 수사종결	유 형	법원송치	촉법소년(형벌법령에 저촉된 행위를 한 10세 이상 14세 미만의 소년)과 우범소년(형벌법령에 저촉된 행위를 할 우려가 있는 10세 이상인 소년)에 대하여 경찰서장은 소년부에 사건을 송치하여야 한다(소년법 제4조 제2항).
		검찰송치	사법경찰관은 범죄혐의가 인정된 경우 지체 없이 사건을 검사에게 송치하고 관계 서류와 증거물을 송부하여야 한다(제245조의 5 제1호). 22. 경찰승진
		불송치	① 사법경찰관은 송치할 필요가 없는 경우에는 그 이유를 명시한 서면과 함께 서류와 증거물을 지체 없이 검사에 송부하여야 하고 검사는 송부 받은 날부터 90일 이내에 사법경찰관에게 반환하여야 한다(제245조의 5 제2호). ② 불송치는 혐의 없음(범죄구성요건에 해당하지 않는 경우, 증거 불충분), 죄 안됨(위법성조각사유나 책임조각사유의 존재), 공소권 없음(피의자 사망, 공소시효완성 등), 각하
		수사중지	사법경찰관은 수사준칙 제51조 제1항 제4호에 따른 수사중지(피의자중지, 참고인중지) 결정을 한 경우 7일 이내에 사건기록을 검사에게 송부해야 한다. 이 경우 검사는 사건기록을 송부받은 날부터 30일 이내에 반환해야 하며, 그 기간 내에 법 제197조의 3에 따라 시정조치요구를 할 수 있다(수사준칙 제51조 제4항).
		이 송	'죄 안됨', '공소권 없음에'에 해당하는 사건이 형법 제10조 제1항(심신상실)에 따라 벌할 수 없는 경우, 기소되어 사실심계속 중인 사건과 포괄일죄를 구성하는 관계에 있거나 형법 제40조에 따른 상상적 경합관계에 있는 경우의 어느 하나에 해당할 때에는 사건을 검사에 이송한다(수사준칙 제51조 제3항). 22. 순경 1차
	수사 결과 통지와 이의 신청		① 사법경찰관은 불송치(제245조의 5 제2호)의 경우에는 서류와 증거물을 검사에 송부한 날부터 7일 이내에 서면으로 고소인·고발인·피해자 또는 그 법정대리인(피해자가 사망한 경우에는 그 배우자·직계친족·형제자매를 포함한다)에게 사건을 검사에게 송치하지 아니하는 취지와 그 이유를 통지하여야 한다(제245조의 6). 22. 경찰승진 ② 사법경찰관은 수사종결(수사준칙 제51조)을 한 경우에는 그 내용을 고소인·고발인·피해자 또는 그 법정대리인(피해자가 사망한 경우에는 그 배우자·직계친족·형제자매를 포함한다. 이하 '고소인 등'이라 한다)과 피의자에게 통지해야 한다. 다만, 피의자중지결정(수사준칙 제51조 제1항 제4호 가목)을 한 경우이거나, 수사준칙 제51조 제1항 제5호에 따른 사법결찰관의 이송결정을 한 경우로서 사법경찰관이 해당 피의자에 대해 출석요구 또는 수사준칙 제16조 제1항(수사개시사유) 각호의 어느 하나에 해당하는 행위를 하지 않는 경우에는 고소인 등에게만 통지한다(수사준칙 제53조 제1항). ③ 사법경찰관으로부터 수사준칙 제51조 제1항 제4호에 따른 수사중지결정의 통지를 받은 사람은 해당 사법경찰관이 소속된 바로 위 상급경찰관서의 장에게 이의를 제기할 수 있다(수사준칙 제54조 제1항). 22. 순경 1차 ④ 사법경찰관은 수사중지 결정(피의자중지, 참고인중지)의 통지를 할 때에는 수사중지 결정이 법령위반, 인권침해 또는 현저한 수사권남용이라고 의심이 되는 경우 검사에게 신고할 수 있다는 사실을 함께 고지하여야 한다(수사준칙 제54조 제3항·제4항).

		⑤ 사건불송치 통지를 받은 사람(고발인 제외)은 해당 사법경찰관의 소속 관서의 장에게 이의를 신청할 수 있다(제245조의 7 제1항). 22. 경찰승진, 24. 경찰간부 ▶ 고발인 제외규정(제245조의 7 제1항)은 2022. 9. 10. 시행되며, 개정규정은 이 법 시행 후 해당 개정규정에 따른 이의신청을 하는 경우부터 적용(부칙 제2조) ⑥ 사법경찰관은 이의신청이 있는 때에는 지체 없이 검사에게 사건을 송치하고 관계 서류와 증거물을 송부하여야 하며, 처리결과와 그 이유를 신청인에게 통지하여야 한다(제245조의 7 제2항).

01 경찰단계에서 수사종결처분에 대한 설명으로 가장 적절하지 아니한 것은?

① 사법경찰관은 송치할 필요가 없는 경우에는 그 이유를 명시한 서면과 함께 서류와 증거물을 지체 없이 검사에 송부하여야 하고 검사는 송부 받은 날부터 60일 이내에 사법경찰관에게 반환하여야 한다.

② 불송치의 유형으로는 혐의 없음, 죄 안됨, 공소권 없음, 각하 등을 들 수 있다.

③ 사법경찰관은 범죄혐의가 인정된 경우 지체 없이 사건을 검사에게 송치하고 관계 서류와 증거물을 송부하여야 한다.

④ 촉법소년과 우범소년에 대하여 경찰서장은 소년부에 사건을 송치하여야 한다.

| 해설 ① 사법경찰관은 송치할 필요가 없는 경우에는 그 이유를 명시한 서면과 함께 서류와 증거물을 지체 없이 검사에 송부하여야 하고 검사는 송부 받은 날부터 90일 이내에 사법경찰관에게 반환하여야 한다(제245조의 5 제2호). ② 수사준칙 제51조 제1항 제3호 ③ 제245조의 5 제1호 ④ 소년법 제4조 제2항

02 사법경찰관의 수사결과 통지에 관한 내용으로 올바른 것은 모두 몇 개인가?

㉠ 사법경찰관은 불송치(제245조의 5 제2호)의 경우에는 서류와 증거물을 검사에 송부한 날부터 10일 이내에 서면으로 고소인·고발인·피해자 또는 그 법정대리인에게 사건을 검사에게 송치하지 아니하는 취지와 그 이유를 통지하여야 한다.

㉡ 사법경찰관은 수사종결(피의자중지 결정 포함)을 한 경우에는 그 내용을 고소인·고발인·피해자 또는 그 법정대리인과 피의자에게 통지해야 한다.

㉢ 사법경찰관은 수사중지 결정의 통지를 할 때에는 수사중지 결정이 법령위반, 인권침해 또는 현저한 수사권남용이라고 의심이 되는 경우 검사에게 신고할 수 있다는 사실을 함께 고지하여야 한다.

㉣ 사건불송치 통지를 받은 사람은 해당 관할 지방검찰청검사장에게 이의를 신청할 수 있으며, 사법경찰관은 이의신청이 있는 때에는 지체 없이 검사에게 사건을 송치하고 관계 서류와 증거물을 송부하여야 하며, 처리결과와 그 이유를 신청인에게 통지하여야 한다.

㉤ 고소인과 고발인은 사법경찰관으로부터 사건불송치 통지를 받은 경우에 이의신청을 할 수 있는 사람이다.

Answer 1. ① 2. ①

① 1개 ② 2개 ③ 3개 ④ 4개

해설 ㉠ × : 사법경찰관은 불송치(제245조의 5 제2호)의 경우에는 서류와 증거물을 검사에 송부한 날부터 7일 이내에 서면으로 고소인·고발인·피해자 또는 그 법정대리인(피해자가 사망한 경우에는 그 배우자·직계친족·형제자매를 포함한다)에게 사건을 검사에게 송치하지 아니하는 취지와 그 이유를 통지하여야 한다(제245조의 6).
㉡ × : 사법경찰관은 제51조에 따른 결정을 한 경우에는 그 내용을 고소인·고발인·피해자 또는 그 법정대리인(피해자가 사망한 경우에는 그 배우자·직계친족·형제자매를 포함한다. 이하 고소인 등이라 한다)과 피의자에게 통지해야 한다. 다만, 피의자중지결정(수사준칙 제51조 제1항 제4호 가목)을 한 경우이거나, 수사준칙 제51조 제1항 제5호에 따른 사법결찰관의 이송결정을 한 경우로서 사법경찰관이 해당 피의자에 대해 출석요구 또는 수사준칙 제16조 제1항(수사개시사유) 각호의 어느 하나에 해당하는 행위를 하지 않는 경우에는 고소인 등에게만 통지한다(수사준칙 제53조 제1항).
㉢ ○ : 수사준칙 제54조 제3항·제4항
㉣ × : 사법경찰관으로부터 사건불송치 통지를 받은 사람(고발인 제외)은 해당 사법경찰관의 소속 관서의 장에게 이의를 신청할 수 있다(제245조의 7 제1항). 사법경찰관은 이의신청이 있는 때에는 지체 없이 검사에게 사건을 송치하고 관계 서류와 증거물을 송부하여야 하며, 처리결과와 그 이유를 신청인에게 통지하여야 한다(제245조의 7 제2항).
㉤ × : 개정법에서 고발인은 제외되었다(제245조의 7 제1항).

03 **사법경찰관의 수사종결에 대한 설명으로 가장 적절하지 않은 것은?** 22. 경찰승진

① 사법경찰관은 고소·고발 사건을 포함하여 범죄를 수사한 때에는 범죄의 혐의가 있다고 인정되는 경우에는 지체 없이 검사에게 사건을 송치하고, 관계 서류와 증거물을 검사에게 송부하여야 한다.
② 사법경찰관은 고소·고발 사건을 포함하여 범죄를 수사한 때에는 범죄의 혐의가 있다고 인정되는 경우를 제외한 그 밖의 경우에는 그 이유를 명시한 서면과 함께 관계 서류와 증거물을 지체 없이 검사에게 송부하여야 한다.
③ 사법경찰관은 고소·고발 사건을 포함하여 범죄를 수사한 때에는 범죄의 혐의가 있다고 인정되는 경우를 제외한 그 밖의 경우에는 그 이유를 명시한 서면과 함께 관계 서류와 증거물을 지체 없이 검사에게 송부하여야 하고, 그 송부한 날부터 7일 이내에 서면으로 고소인·고발인·피해자 또는 그 법정대리인(피해자가 사망한 경우에는 그 배우자·직계친족·형제자매를 포함한다)에게 사건을 검사에게 송치하지 아니하는 취지와 그 이유를 통지하여야 한다.
④ 사법경찰관으로부터 사건을 검사에게 송치하지 아니하는 취지와 그 이유를 통지받은 사람은 통지를 받은 날로부터 30일 이내에 해당 사법경찰관의 소속 관서의 장에게 이의를 신청하여야 한다.

해설 ① 제245조의 5 제1호 ② 제245조의 5 제2호 ③ 제245조의 6
④ 사법경찰관으로부터 사건을 검사에게 송치하지 아니하는 취지와 그 이유를 통지받은 사람(고발인 제외)은 해당 사법경찰관의 소속 관서의 장에게 이의를 신청할 수 있다(제245조의 7 제1항). – 특별히 기간의 제한은 없다.

Answer 3. ④

THEMA 14 검찰단계에서 수사종결

검사의 수사 종결	유 형	공소제기	범죄혐의가 충분하고 소송조건이 구비되어 법원의 유죄판결이 기대되는 경우
		불기소	기소유예(피의사실은 인정되지만 정상을 참작하여 공소를 제기하지 않은 경우), 혐의 없음(범죄구성요건에 해당하지 않는 경우, 증거 불충분), 죄 안됨(위법성조각사유나 책임조각사유의 존재), 공소권 없음(피의자 사망, 공소시효완성 등), 각하
		기소중지 · 참고인중지	기소중지 : 피의자소재불명시 그 사유가 해소될 때까지 일시적 수사종결 (참고인중지 ⇨ 참고인의 소재불명시 그 사유가 해소될 때까지 일시적 수사종결)
		보완수사 요구	검사는 사법경찰관으로부터 송치받은 사건이나 사법경찰관이 영장 신청한 사건에 관하여 필요한 경우 보완수사를 요구할 수 있다(제197조의 2 제1항).
		공소보류	검사는 국가보안법위반죄를 범한 자에 대하여 정상을 참작하여 공소제기를 보류할 수 있다(공소보류를 받은 자가 공소의 제기 없이 2년을 경과한 때에는 소추할 수 없음)(국가보안법 제20조 제1항).
		이 송	① 검사는 직접수사가 가능한 범죄(검찰청법 제4조 제1항 제1호 각 목)에 해당되지 않는 범죄에 대한 고소 · 고발 · 진정 등이 접수된 때에는 사건을 검찰청 외의 수사기관에 이송해야 한다(수사준칙 제18조 제1항). ② 검사는 법 제197조의 4 제2항 단서에 따라 사법경찰관이 범죄사실을 계속 수사할 수 있게 된 때(수사준칙 제18조 제2항 제1호) 또는 그 밖에 다른 수사기관에서 수사하는 것이 적절하다고 판단되는 때(수사준칙 제18조 제2항 제2호)에는 사건을 검찰청 외의 수사기관에 이송할 수 있다(수사준칙 제18조 제2항). ③ 검사는 수사준칙 제18조 제1항 또는 제2항에 따라 사건을 이송하는 경우에는 관계 서류와 증거물을 해당 수사기관에 함께 송부해야 하며(수사준칙 제18조 제3항), 수사준칙 제18조 제2항 제2호에 따른 이송을 하는 경우에는 특별한 사정이 없으면 사건을 수리한 날부터 1개월 이내에 이송해야 한다(수사준칙 제18조 제4항).
		각종 보호사건의 송치	소년보호사건의 송치(수사준칙 제52조 제1항) 제8호, 소년법 제49조 제1항), 가정보호사건(수사준칙 제52조 제1항 제9호, 가정폭력처벌법 제9조 · 제11조) 등
		타관송치	검사는 사건이 그 소속검찰청에 대응한 법원의 관할에 속하지 아니한 때에는 사건을 서류와 증거물과 함께 관할법원에 대응한 검찰청검사에게 송치하여야 한다(제256조).
	수사 결과의 통지	① 검사는 제52조(수사종결)에 따른 결정을 한 경우에는 그 내용을 고소인 · 고발인 · 피해자 또는 그 법정대리인(피해자가 사망한 경우에는 그 배우자 · 직계친족 · 형제자매를 포함한다. 이하 고소인 등이라 한다)과 피의자에게 통지해야 한다. 다만, 수사준칙 제52조 제1항 제3호에 따른 기소중지 결정을 한 경우이거나, 수사준칙 제52조 제1항 제7호에 따른 검사이송(법 제256조에 따른 송치는 제외한다) 결정을 한 경우로	

		서 검사 검사가 피의자에 대해 출석요구 또는 수사개시 사유(수사준칙 제16조 제1항 각 호)에 해당하는 행위를 하지 않은 경우에는 고소인 등에게만 통지한다(수사준칙 제53조 제1항). ② 검사는 고소 또는 고발 있는 사건에 관하여 공소를 제기하거나 제기하지 아니하는 처분, 공소의 취소 또는 타관송치를 한 때에는 그 처분한 날로부터 7일 이내에 서면으로 고소인 또는 고발인에게 그 취지를 통지하여야 한다(제258조 제1항). ③ 검사는 고소 또는 고발 있는 사건에 관하여 공소를 제기하지 아니하는 처분을 한 경우에 고소인 또는 고발인의 청구가 있는 때에는 7일 이내에 고소인 또는 고발인에게 그 이유를 서면으로 설명하여야 한다(제259조). ④ 검사는 범죄로 인한 피해자 또는 그 법정대리인(피해자가 사망한 경우에는 그 배우자 · 직계친족 · 형제자매를 포함한다)의 신청이 있는 때에는 당해 사건의 공소제기 여부, 공판의 일시 · 장소, 재판결과, 피의자 · 피고인의 구속 · 석방 등 구금에 관한 사실 등을 신속하게 통지하여야 한다(제259조의 2). ⑤ 검사는 불기소 또는 타관송치의 처분을 한 때에는 피의자에게 즉시 그 취지를 통지하여야 한다(제258조 제2항). – 공소제기의 경우는 통지 불요(공소제기가 되면 법원으로부터 피고인에게 공소장부본이 송달되기 때문)

01 검사의 수사의 종결처분에 대한 설명 중 가장 적절하지 않은 것은?(다툼이 있는 경우 판례에 의함)

18. 경찰승진

① 검사는 고소 또는 고발 있는 사건에 관하여 공소제기, 불기소, 공소취소 또는 타관송치의 처분을 한 때에는 그 처분한 날로부터 7일 이내에 서면으로 고소인 또는 고발인에게 그 취지를 통지하여야 한다.

② 검사는 고소 또는 고발 있는 사건에 관하여 공소를 제기하지 아니하는 처분을 한 경우에 고소인 또는 고발인의 청구가 있는 때에는 7일 이내 고소인 또는 고발인에게 그 이유를 서면으로 설명하여야 한다.

③ 검사는 범죄로 인한 피해자 또는 그 법정대리인의 신청이 있는 때에는 당해 사건의 공소제기여부, 공판의 일시 · 장소, 재판결과, 피의자 · 피고인의 구속 · 석방 등 구금에 관한 사실 등을 신속하게 통지하여야 한다.

④ 검사의 불기소처분이 있는 경우 일사부재리의 원칙이 적용되므로 다시 공소를 제기할 수 없다.

해설 ① 제258조 제1항
② 제259조
③ 제259조의 2
④ 검사의 불기소처분이 있는 경우 일사부재리의 원칙이 적용되지 않으므로 불기소처분을 한 후에도 공소시효가 완성되기 전이면 언제라도 공소를 제기할 수 있다(대판 2009.10.29, 2009도6614).

Answer 1. ④

02 수사의 종결에 관한 설명으로 가장 적절하지 않은 것은?(다툼이 있는 경우 판례에 의함)

22. 순경 1차

① 사법경찰관은 사건을 수사한 경우에는 혐의 없음, 죄가 안됨, 공소권 없음, 각하와 같은 불송치 결정을 할 수 있지만 기소유예는 할 수 없다.

② 검사와 사법경찰관의 상호협력과 일반적 수사준칙에 관한 규정 제53조 및 제54조에 의하면 사법경찰관은 수사종결 후 그 내용을 고소인 등과 피의자에게 통지해야 하는데, 특히 수사중지 결정 통지를 받은 사람은 해당 사법경찰관이 소속된 경찰관서의 장에게 이의를 제기할 수 있다.

③ 검사가 수사를 종결하고 공소제기한 이후 형사소송법 제215조에 따라 수소법원 이외의 지방법원 판사에게 청구하여 발부받은 영장에 의하여 압수・수색을 하였다면 이는 위법한 압수・수색에 해당한다.

④ 검사의 무혐의 불기소처분에 대해 재정신청을 받은 법원은 당해 불기소처분이 위법하다 하더라도 기록에 나타난 제반사정을 고려하여 기소유예의 불기소처분을 할 만한 사건이라고 인정되는 경우에는 재정신청을 기각할 수 있다.

| 해설 ① 수사준칙 제51조

② 수사중지 결정 통지를 받은 사람은 해당 사법경찰관이 소속된 바로 위 상급경찰관서의 장에게 이의를 제기할 수 있다(수사준칙 제54조 제1항).

③ 대판 2011.4.28, 2009도10412

④ 대결 1997.4.22, 97모30

03 불기소결정의 사유와 그 유형을 바르게 연결한 것은?

① 피의사실이 인정되지만 형법 제51조의 사항을 고려하여 소추하지 않는 경우 – 공소권 없음

② 피의사실이 범죄구성요건에 해당하지만 법률상 범죄의 성립을 조각하는 사유가 있어 범죄를 구성하지 않는 경우 – 죄가 안됨

③ 피의사실이 인정되고 수사기관의 추적을 받고 있지만 행방이 묘연하여 당장 기소하기 어려운 경우 – 기소유예

④ 범죄행위시에 처벌되던 행위가 범죄 후 법령의 개폐로 형이 폐지된 경우 – 혐의 없음

| 해설 ① 기소유예의 불기소사유이다(검찰사건사무규칙 제115조 제3항 제1호).

② 동 규칙 제115조 제3항 제3호

③ 기소중지의 불기소사유이다(동 규칙 제120조, 제121조).

④ 공소권 없음의 불기소사유이다(동 규칙 제115조 제3항 제4호).

Answer 2.② 3.②

04 **다음 중 공소권 없음을 주문으로 불기소처분을 하는 경우에 해당하는 것은 모두 몇 개인가?**

22. 해경간부

> ㉠ 통고처분이 이행된 경우
> ㉡ 고소사건에서 동일사건에 관하여 이미 검사의 불기소처분이 있는 경우
> ㉢ 고소가 형사소송법 제224조 소정의 '고소의 제한'에 위반한 경우
> ㉣ 소년법에 의한 보호처분이 확정된 경우
> ㉤ 친고죄의 경우에 고소가 없거나 무효인 경우
> ㉥ 고소권자가 아닌 자가 고소한 경우

① 3개 ② 4개 ③ 5개 ④ 6개

| 해설 ㉠㉣㉤이 공소권 없음의 대상(검찰사건사무규칙 제115조 제3항 제4호, 경찰수사규칙 제108조 제1항 제3호)이고, ㉡㉢㉥은 '각하' 주문의 불기소처분을 하여야 한다(검찰사건사무규칙 제115조 제3항 제5호, 경찰수사규칙 제108조 제1항 제4호).

공소권 없음을 이유로 불기소처분을 하는 경우(경찰수사규칙 108조 제1항 제3호, 검찰사건사무규칙 제115조 제3항 제4호)

> 1. 확정판결이 있는 경우
> 2. 통고처분이 이행된 경우 13. 경찰간부
> 3. 소년법에 의한 보호처분이 확정된 경우
> 4. 사면이 있는 경우
> 5. 공소의 시효가 완성된 경우
> 6. 범죄 후 법령의 개폐로 형이 폐지된 경우 13. 7급 국가직
> 7. 법률의 규정에 의하여 형이 면제된 경우
> 8. 피의자에 관하여 재판권이 없는 경우
> 9. 동일사건에 관하여 이미 공소가 제기된 경우(공소를 취소한 경우를 포함한다. 다만, 다른 중요한 증거를 발견한 경우에는 그러하지 아니하다.)
> 10. 친고죄 및 공무원의 고발이 있어야 논하는 죄의 경우에 고소 13. 경찰간부 또는 고발이 없거나 그 고소 또는 고발이 무효 또는 취소된 때
> 11. 반의사불벌죄의 경우 처벌을 희망하지 아니하는 의사표시가 있거나 처벌을 희망하는 의사표시가 철회된 경우
> 12. 피의자가 사망하거나 피의자인 법인이 존속하지 아니하게 된 경우 15 · 16. 경찰승진

05 **수사종결에 대한 설명으로 적절하지 않은 것은?**(다툼이 있는 경우 판례에 의함) 22. 경찰간부

① 검사는 사법경찰관이 사건을 송치하지 아니한 것이 위법 또는 부당한 때에는 그 이유를 명시한 서면과 함께 관계 서류와 증거물을 송부받은 날부터 원칙적으로 90일 이내에 사법경찰관에게 재수사를 요청할 수 있다.

② 사법경찰관의 불송치결정 통지를 받은 고소인 · 고발인 · 피해자 또는 그 법정대리인은 해당 사법경찰관의 소속 관서의 장에게 이의를 신청할 수 있다.

Answer 4. ① 5. ②③

③ 검사의 재수사요청에도 사법경찰관이 불송치결정을 유지하는 경우, 검사가 사법경찰관의 재차 불송치결정이 위법·부당하다고 판단하면 1회에 한하여 다시 재수사요청을 할 수 있다.

④ 검사의 불기소처분에는 확정력과 같은 효력이 없어 일단 불기소처분을 한 후에도 공소시효가 완성되기 전이며 공소를 제기할 수 있다.

해설 ① 제245조의 8 제1항, 수사준칙 제63조 제1항
② 고발인 제외(제245조의 7 제1항 : 2022. 5. 9. 개정)
③ 검사는 사법경찰관이 재수사 결과를 통보한 사건에 대해서 다시 재수사를 요청하거나 송치 요구를 할 수 없다. 다만, 검사는 사법경찰관이 사건을 송치하지 않은 위법 또는 부당이 시정되지 않아 사건을 송치받아 수사할 필요가 있는 다음 각 호의 경우에는 법 제197조의 3에 따라 사건송치를 요구할 수 있다(수사준칙 제64조 제2항).

1. 관련 법령 또는 법리에 위반된 경우
2. 범죄 혐의의 유무를 명확히 하기 위해 재수사를 요청한 사항에 관하여 그 이행이 이루어지지 않은 경우. 다만, 불송치 결정의 유지에 영향을 미치지 않음이 명백한 경우는 제외한다.
3. 송부받은 관계 서류 및 증거물과 재수사 결과만으로도 범죄의 혐의가 명백히 인정되는 경우
4. 공소시효 또는 형사소추의 요건을 판단하는 데 오류가 있는 경우

④ 대판 2009.10.29, 2009도6614

06 **수사의 종결에 관한 설명 중 가장 적절하지 않은 것은?**(다툼이 있는 경우 판례에 의함)

20. 경찰승진

① 검사가 고소 또는 고발에 의하여 범죄를 수사할 때에는 고소 또는 고발을 수리한 날로부터 3월 이내에 수사를 완료하여 공소제기 여부를 결정하여야 한다.

② 검사가 불기소처분을 한 후에도 공소시효가 완성되기 전이면 언제라도 공소를 제기할 수 있으나, 세무공무원 등의 고발이 있어야 공소를 제기할 수 있는 조세범처벌법위반죄에 관하여 종전 세무공무원 등의 고발에 대한 불기소처분이 있었던 경우는 세무공무원 등의 새로운 고발이 있어야 공소를 제기할 수 있다.

③ 고소장의 기재만으로는 고소 사실이 불분명함에도 고소장 제출 후 고소인이 출석요구에 불응하거나 소재불명이 되어 고소 사실에 대한 진술을 청취할 수 없는 경우는 불기소처분 중 각하 사유에 해당한다.

④ 반의사불벌죄의 경우 처벌을 희망하지 아니하는 의사표시가 있거나 처벌을 희망하는 의사표시가 철회된 경우는 불기소처분 중 공소권 없음 사유에 해당한다.

해설 ① 제257조
② 종전의 고발은 여전히 유효하므로, 새로운 고발이 있어야 하는 것은 아니다(대판 2009. 10.29, 2009도6614).
③ 검찰사건사무규칙 제115조 제3항 제5호
④ 검찰사건사무규칙 제115조 제3항 제4호

Answer 6. ②

07 **검사와 사법경찰관의 상호협력과 일반적 수사준칙에 관한 규정에 따른 수사의 종결에 대한 설명으로 가장 적절하지 않은 것은?** 23. 경찰승진

① 사법경찰관은 사건을 수사한 경우에는 피의자중지, 참고인중지와 같은 수사중지 결정을 할 수 있으며, 이 경우 7일 이내에 사건기록을 검사에게 송부해야 한다.
② 사법경찰관은 피의자중지 결정 후 그 내용을 고소인 · 고발인 · 피해자 또는 그 법정대리인(피해자가 사망한 경우에는 그 배우자 · 직계친족 · 형제자매를 포함한다)에게 통지해야 한다.
③ 사법경찰관으로부터 수사중지 결정의 통지를 받은 사람은 해당 사법경찰관이 소속된 바로 위 상급경찰관서의 장에게 이의를 제기할 수 있다.
④ 사법경찰관으로부터 수사중지 결정의 통지를 받은 사람은 해당 수사중지 결정이 법령에 위반되는 경우에 한하여 검사에게 형사소송법 제197조의 3 제1항에 따른 신고를 할 수 있다.

| 해설 ① 수사준칙 제51조 제1항 제4호, 제4항 ② 수사준칙 제53조 제1항 ③ 수사준칙 제54조 제1항
④ 사법경찰관으로부터 수사중지 결정의 통지를 받은 사람은 해당 수사중지 결정이 법령위반, 인권침해 또는 현저한 수사권 남용이라고 의심되는 경우 검사에게 형사소송법 제197조의 3 제1항에 따른 신고를 할 수 있다(수사준칙 제54조 제3항).

08 **수사의 종결에 관한 설명으로 옳고 그름의 표시(○, ×)가 바르게 된 것은?**(다툼이 있는 경우 판례에 의함) 24. 경찰간부

> ㉠ 고소인과 고발인은 사법경찰관으로부터 사건불송치 통지를 받은 경우에 해당 사법경찰관의 소속 관서의 장에게 이의를 신청할 수 있다.
> ㉡ 사법경찰관은 범죄혐의가 인정되지 않는다고 판단하는 경우 검사에게 사건을 송치할 필요는 없으나, 불송치결정서와 함께 압수물 총목록, 기록목록 등 관계서류와 증거물을 검사에게 송부하여야 한다.
> ㉢ 검사의 불기소처분에 의해 기본권을 침해받은 자는 헌법소원을 제기할 수 있으므로 고소하지 않은 피해자 및 기소유예 처분을 받은 피의자는 헌법소원을 제기할 수 있으나 고발인은 특별한 사정이 없는 한 자기관련성이 없으므로 헌법소원심판을 청구할 수 없다.
> ㉣ 검사의 불기소처분에 대한 헌법소원에 있어서 그 대상이 된 범죄에 대하여 공소시효가 완성되었더라도 헌법소원을 제기할 수 있다.

① ㉠(○), ㉡(×), ㉢(○), ㉣(○)
② ㉠(○), ㉡(×), ㉢(×), ㉣(×)
③ ㉠(×), ㉡(○), ㉢(○), ㉣(×)
④ ㉠(×), ㉡(○), ㉢(×), ㉣(○)

| 해설 ㉠ × : 제245조의 6의 통지를 받은 사람(고발인을 제외한다)은 해당 사법경찰관의 소속 관서의 장에게 이의를 신청할 수 있다(제245조의 7 제1항).
㉡ ○ : 수사준칙 제62조 제1항 ㉢ ○ : 헌재결 2003.3.27, 2003헌마21, 헌재결 1992.10.1, 91헌마169
㉣ × : 검사의 불기소처분에 대한 헌법소원에 있어서 그 대상이 된 범죄에 대한 공소시효가 완성되었을 때에는 권리보호의 이익이 없어 헌법소원을 제기할 수 없다(헌재결 2010.5.27, 2010헌마71).

Answer 7.④ 8.③

THEMA 15 검사 불기소처분에 대한 불복

검사의 수사종결처분에 대한 불복방법으로는 불기소처분에 대한 검찰항고, 재정신청, 헌법소원 등이 있으며, 부당한 공소제기에 대해서는 불복방법이 없다(다만, 공소권남용이 있는 경우 형식재판으로 종결해야 한다는 공소권남용이론이 있을 뿐이다).

검찰항고	항 고	고소인 또는 고발인(불기소처분통지를 받은 날부터 30일 이내) ⇨ 고등검찰청 검사장(검찰청법 제10조 제1항) 09. 9급 국가직
	재항고	항고 기각 ⇨ 검찰총장에게 재항고(검찰청법 제10조 제3항) ▶ 검찰재항고는 재정신청(제260조)할 수 있는 자는 제외된다(검찰청법 제10조 제3항). 고소인은 모두 재정신청권자이므로 재항고는 고발인에 대해서만 인정되는 결과가 된다.
재정신청	의 의	고소를 한 자(형법 제123조 내지 제126조의 죄에 대하여는 고발을 한 자를 포함한다.)가 불기소처분 통지를 받은 때에 고등법원에 신청하여 고등법원의 결정으로 검찰에 공소제기를 강제시키는 제도를 말한다(제260조 제1항). 13. 경찰승진
	신청권자	불기소처분의 통지를 받은 고소인이며, 형법 제123조(직권남용), 제124조(불법체포, 감금), 제125조(폭행가혹행위), 제126조(피의사실공표)의 죄에 대해서는 고발을 한 자도 신청권이 있다(제260조 제1항). 08. 7급·9급 국가직, 10. 순경 1차, 11·15. 순경 2차, 14·15. 경찰간부, 14·16. 경찰승진 ▶ 다만, 형법 제126조(피의사실공표)의 죄에 대하여는 피공표자의 명시한 의사에 반하여 재정신청을 할 수 없다(제260조 본문 단서).
	대 상	불기소처분이 내려진 모든 범죄(고발의 경우는 형법 제123조~제126조) ▶ 기소유예처분에 대해서도 가능 16. 경찰승진·9급 교정·보호·철도경찰
	방 법	1. 재정신청을 하려면 검찰항고를 거쳐야 한다(제260조 제2항). ⇨ 검찰항고전치주의 16. 경찰간부 2. 검찰항고 전치주의 예외(제260조 제2항 단서) 12. 경찰승진, 14. 9급 검찰·마약수사 3. 항고기각결정을 통보 받은 날 또는 검찰항고를 거치지 않고 재정신청을 할 수 있는 사유가 발생한 날부터 10일 이내08·12. 9급 법원직에 지방검찰청 검사장 또는 지청장에게 재정신청서를 제출하여야 한다(제260조 제3항 본문). 10. 9급 법원직 다만, 공소시효 만료일 30일 전까지 공소제기를 하지 아니하여 재정신청을 하는 경우에는 공소시효 만료일 전날까지 재정신청서를 제출할 수 있다(동조 제3항 단서). 10. 순경 1차, 12. 9급 법원직, 12·14. 순경 2차, 14. 경찰승진 4. 재정신청은 대리인에 의하여도 할 수 있다(제264조 제1항). 12. 순경 3차, 14. 순경 2차, 16. 경찰승진
	효 력	1. 공동신청권자 중 1인의 신청은 그 전원을 위하여 효력을 발생한다(제264조 제1항). 12. 순경 3차, 14. 순경 2차, 16. 경찰승진·9급 교정·보호·철도경찰 2. 재정신청이 있으면 결정이 확정될 때까지 공소시효의 진행이 정지된다(제262조의4 제1항).

	취 소	1. 재정신청은 고등법원의 결정이 있을 때까지 취소할 수 있다. 취소한 자는 다시 재정신청을 할 수 없다(제264조 제2항). 07. 9급 법원직, 12. 7급 국가직, 16. 경찰승진 2. 재정신청의 취소는 다른 공동신청권자에게 효력을 미치지 아니한다(동조 제3항). 11. 경찰승진, 12. 7급 국가직, 15. 경찰간부, 16·19. 9급 교정·보호·철도경찰, 19. 9급 검찰·마약수사
	지방검찰청 검사장의 처리	1. 검찰항고를 거친 경우 : 지방검찰청 검사장(지청장)은 재정신청서를 제출받은 날로부터 7일 이내에 관할고등검찰청을 거쳐 고등법원에 송부하여야 한다(제261조). 12. 9급 법원직, 14. 순경 2차·9급 교정·보호·철도경찰 2. 검찰항고를 거치지 아니한 경우 : 지방검찰청 검사장(지청장) – 신청이 이유 ┌ ○ ⇨ 즉시 공소를 제기, 취지를 관할고등법원과 재정신청인에게 통지 └ × ⇨ 30일 이내에 관할고등법원에 송부(동조 제1호·제2호)
	고등법원의 심리와 결정	1. 관할 : 불기소처분을 한 검사 소속의 지방검찰청 소재지를 관할하는 고등법원의 관할에 속한다(제260조 제1항). 13·17. 경찰승진 2. 법원은 재정신청서를 송부받은 날로부터 10일 이내에 피의자와 재정신청인에게 그 사실을 통지하여야 한다(제262조 제1항, 규칙 제120조). 12. 순경 3차·9급 법원직, 13. 순경 1차, 16. 9급 교정·보호·철도경찰 3. 고등법원은 재정신청을 송부받은 날로부터 3개월 이내에 항고의 절차에 준하여 결정하여야 하며, 필요한 때에는 증거조사를 할 수 있다(제262조 제2항). 11. 순경 2차 4. 특별한 사정이 없는 한 심리 비공개(제262조 제3항) 08. 순경·9급 법원직, 12. 순경 3차, 11·13. 경찰승진 5. 재정신청사건의 심리 중에는 관련서류 및 증거물을 열람 또는 등사할 수 없다. 08·10. 9급 법원직, 11. 순경 2차, 11·12. 경찰승진 다만, 법원은 직권으로 증거조사 과정에서 작성된 서류의 전부 또는 일부의 열람 또는 등사를 허가할 수 있다(제262조의 2). 10. 경찰승진·9급 법원직 6. 고등법원은 재정신청을 송부받은 날로부터 3개월 이내에 항고절차에 준하여 결정 ① 기각결정 : 방식에 위배되거나 이유 없는 때(제262조 제2항 제1호) ▶ 기각결정이 확정되면 다른 중요한 증거를 발견하는 경우를 제외하고는 소추할 수 없다(동조 제4항). 02. 행시, 12. 순경, 14. 9급 검찰·마약수사, 17. 경찰간부 ② 공소제기결정 : 재정신청이 이유 있는 때(동조 제2항 제2호) 7. 고등법원이 신청기각 내지 공소제기결정을 한 때에는 즉시 그 정본을 재정신청인, 피의자와 관할 지방검찰청 검사장(지청장)에게 송부(제262조 제5항) 8. 재정결정서를 송부받은 지방검찰청의 검사장(지청장)은 지체 없이 담당검사를 지정하고, 11. 순경 2차, 14. 9급 검찰·마약수사 지정받은 검사는 공소를 제기하여야 한다(제262조 제6항). 14. 9급 검찰·마약수사 9. 고등법원은 재정신청의 기각결정이나 재정신청의 취소가 있는 경우에는 재정신청인에게 비용의 전부 또는 일부를 부담하게 할 수 있다(제262조의 3 제1항). 08. 순경, 10. 순경 1차, 12. 순경 2차, 17. 경찰승진 위의 결정에 대하여 즉시항고 가능(동조 제3항) 12. 순경 3차·7급 국가직, 13. 경찰승진

		10. 고등법원의 재정신청기각결정(제262조 제2항 제1호)에 대하여는 제415조에 따른 즉시항고를 할 수 있고, 공소제기결정(제262조 제2항 제2호)에 대하여는 불복할 수 없다(제262조 제4항). <2016. 1. 6. 개정> 08. 9급 법원직, 10. 경찰승진, 12. 순경 1차 11. 재정신청이 있으면 재정결정 확정될 때까지 공소시효정지(제262조의 4 제1항). 공소제기결정이 있는 경우에는 공소시효에 관하여 그 결정이 있는 날에 공소제기된 것으로 본다(제262조의 4). 10. 경찰승진, 12 · 15. 순경 1차 12. 고등법원의 공소제기결정에 따라 공소를 제기한 때 ⇨ 공소취소 ×(제264조의 2) 12. 순경 2차 · 3차, 14 · 16. 9급 교정 · 보호 · 철도경찰, 12 · 17. 경찰승진
헌법소원	의 의	공권력의 행사 또는 불행사로 인하여 기본권을 침해받은 자가 헌법재판소에 권리구제를 청구하는 제도(헌법 제111조 제1항)
	대 상	협의의 불기소처분과 기소유예, 기소중지 및 참고인중지의 처분도 포함된다. ▶ 공소제기 ⇨ 대상 ×, 법원의 재판 ⇨ 대상 ×, 수사 중 사건 ⇨ 대상 ×
	요 건	1. 자기의 기본권이 직접적 · 현실적으로 침해(자기관련성, 직접성, 현재성) ▶ 고발인 ⇨ 헌법소원 ×(사건과 자기관련성 없으므로) 2. 다른 구제절차를 모두 거친 후가 아니면 청구 불가(보충성)

01 **재정신청에 관한 설명이다. 다음 중 옳은 것은 모두 몇 개인가?** 21. 해경

> ㉠ 법원은 재정신청서를 송부받은 때에는 송부받은 날부터 10일 이내에 피의자에게 그 사실을 통지하여야 한다.
> ㉡ 재정신청사건의 심리는 특별한 사정이 없는 한 공개한다.
> ㉢ 재정신청사건의 심리 중에는 관련 서류 및 증거물을 열람 또는 등사할 수 없다. 다만, 법원은 형사소송법 제262조 제2항 후단의 증거조사 과정에서 작성된 서류의 전부 또는 일부의 열람 또는 등사를 허가할 수 있다.
> ㉣ 재정신청은 대리인에 의하여 할 수 있으며 공동 신청권자 중 1인의 신청은 그 전원을 위하여 효력을 발생한다.

① 1개 ② 2개 ③ 3개 ④ 4개

해설 ㉠ ○ : 제262조 제1항
㉡ × : 재정신청사건의 심리는 특별한 사정이 없는 한 공개하지 아니한다(제262조 제3항).
㉢ ○ : 제262조의 2
㉣ ○ : 제264조 제1항

Answer ⇨ 1. ③

02 재정신청에 대한 설명으로 가장 적절하지 않은 것은?(다툼이 있는 경우 판례에 의함)

22. 경찰승진

① 법원은 재정신청의 기각결정 또는 재정신청의 취소가 있는 경우에는 결정으로 재정신청인에게 신청절차에 의하여 생긴 비용의 전부 또는 일부를 부담하게 할 수 있다.

② 구금 중인 고소인이 재정신청서를 재정신청이 허용되는 기간 내에 교도소장에게 제출하였다면, 재정신청서가 이 기간 내에 불기소 처분을 한 검사가 소속한 지방검찰청 검사장 또는 지청장에게 도달하지 않았더라도 적법한 재정신청서의 제출이라고 할 수 있다.

③ 재정신청이 있으면 재정결정이 확정될 때까지 공소시효의 진행이 정지되고 공소제기결정이 있는 때에는 공소시효에 관하여 그 결정이 있는 날에 공소가 제기된 것으로 본다.

④ 형사소송법 제262조 제4항 후문은 재정신청 기각결정이 확정된 사건에 대하여는 다른 중요한 증거를 발견한 경우를 제외하고는 소추할 수 없다고 규정하고 있는데, 여기에서 '다른 중요한 증거를 발견한 경우'란 재정신청 기각결정 당시에 제출된 증거에 새로 발견된 증거를 추가하면 충분히 유죄의 확신을 가지게 될 정도의 증거가 있는 경우를 말한다.

| 해설 ① 제262조의 3 제1항

② 재정신청서는 같은 법 제260조 제2항이 정하는 기간 안에 불기소 처분을 한 검사가 소속한 지방검찰청의 검사장 또는 지청장에게 도달하여야 하고, 설령 구금 중인 고소인이 재정신청서를 그 기간 안에 교도소장 또는 그 직무를 대리하는 사람에게 제출하였다 하더라도 재정신청서가 위의 기간 안에 불기소 처분을 한 검사가 소속한 지방검찰청의 검사장 또는 지청장에게 도달하지 아니한 이상 이를 적법한 재정신청서의 제출이라고 할 수 없다(대결 1998.12.14, 98모127).

③ 제262조의 4 제1항 · 제2항

④ 대판 2018.12.28, 2014도17182

03 재정신청에 관한 다음 설명 중 가장 옳지 않은 것은?(다툼이 있는 경우 판례에 의하고, 전원합의체 판결의 경우 다수의견에 의함)

22. 9급 법원직

① 검사가 공소시효 만료일 30일 전까지 공소를 제기하지 아니하는 경우에는 검사의 불기소 처분에 대한 항고를 거치지 않고도 재정신청을 할 수 있다.

② 법원이 재정신청서를 송부받은 날부터 10일 이내에 피의자에게 그 사실을 통지하지 않았는데 재정신청이 이유 있다고 보아 공소제기결정을 하였고 그에 따라 공소가 제기되어 본안사건의 절차가 개시되었다면, 피고인은 본안사건에서 그와 같은 잘못을 다툴 수 있다.

③ 재정신청은 그에 대한 결정이 있을 때까지 취소할 수 있으나, 이를 취소한 자는 다시 재정신청을 할 수 없다.

④ 재정신청에 따른 공소제기의 결정에 대하여는 형사소송법 제415조의 재항고가 허용되지 않으며, 그러한 재항고가 제기된 경우에 원심법원은 결정으로 이를 기각하여야 한다.

Answer 2.② 3.②

| 해설 ① 제260조 제2항 제3호
② 법원이 재정신청서를 송부받았음에도 송부받은 날부터 형사소송법 제262조 제1항에서 정한 기간 안에 피의자에게 그 사실을 통지하지 아니한 채 형사소송법 제262조 제2항 제2호에서 정한 공소제기결정을 하였더라도, 그에 따른 공소가 제기되어 본안사건의 절차가 개시된 후에는 다른 특별한 사정이 없는 한 본안사건에서 위와 같은 잘못을 다툴 수 없다(대판 2017.3.9, 2013도16162).
③ 제264조 제2항
④ 대결 2012.10.29, 2012모1090

04 **다음 중 검찰항고 전치주의의 예외가 아닌 것은?**

① 항고 이후 재기수사가 이루어진 다음에 다시 공소제기를 하지 아니한다는 통지를 받은 경우
② 항고신청 후 항고처분이 행하여지지 아니하고 3개월이 경과한 경우
③ 검사가 공소시효 만료일 30일 전까지 공소를 제기하지 아니한 경우
④ 다액 500만원 이하의 벌금 또는 과료에 해당하는 경미사건의 경우

| 해설 ①②③ 제260조 제2항에 따라 검찰항고 전치주의의 예외에 해당한다.

05 **다음 ( ) 안에 들어갈 수를 모두 더한 것은?**

> ㉠ 검사가 공소시효 만료일 ( )일 전까지 공소를 제기하지 아니하는 경우에는 항고를 거치지 않고도 재정신청을 할 수 있다.
> ㉡ 재정신청을 하려면 항고기각결정을 받은 날부터 ( )일 이내에 지방검찰청 검사장 또는 지청장에게 재정신청서를 제출하여야 한다.
> ㉢ 검찰항고는 불기소처분의 통지를 받은 날부터 ( )일 이내에 하여야 한다.
> ㉣ 항고를 거치지 않아도 재정신청이 가능한 경우 재정신청서를 받은 지방검찰청 검사장은 그 신청이 이유 없는 것으로 인정하는 때에는 ( )일 이내에 관할고등법원에 송부한다.

① 80일 ② 97일 ③ 100일 ④ 120일

| 해설 ㉠ 30일(제260조 제2항 제3호)
㉡ 10일(제260조 제3항)
㉢ 30일(검찰청법 제10조)
㉣ 30일(제261조 제2호)

Answer 4. ④ 5. ③

06 재정신청에 대한 설명으로 적절한 것은 모두 몇 개인가?(다툼이 있는 경우 판례에 의함)

㉠ 재정신청사건의 심리결과 혐의 없음을 이유로 한 검사의 불기소처분이 위법하지만 여러 정상들을 참작하여 기소유예의 불기소처분을 할 만한 사건이라고 인정되는 경우에는 재정신청을 기각할 수 없다.
㉡ 고소권자로서 고소를 한 자는 검사로부터 공소를 제기하지 아니한다는 통지를 받은 때에는 그 검사 소속의 지방검찰청 소재지를 관할하는 고등법원에 그 당부에 관한 재정을 신청할 수 있으나, 검찰항고 전치주의가 적용되어 반드시 검찰항고를 먼저 거쳐야 한다.
㉢ 법원의 공소제기 결정에 따라 검사가 공소를 제기한 경우, 공판과정에서 무죄가 예상된다면 검사는 피고인의 이익을 위하여 공소를 취소할 수 있다.
㉣ 재정신청절차는 고소·고발인이 검찰의 불기소처분에 불복하여 법원에 그 당부에 관한 판단을 구하는 절차로서 검사가 공소를 제기하여 공판절차가 진행되는 형사재판절차와는 다르며, 또한 고소·고발인인 재정신청인은 검사에 의하여 공소가 제기되어 형사재판을 받는 피고인과는 지위가 본질적으로 다르다.
㉤ 재정신청 제기기간이 경과된 후에 재정신청보충서를 제출하면서 원래의 재정신청에 재정신청 대상으로 포함되어 있지 않은 고발사실을 재정신청의 대상으로 추가한 경우, 그 재정신청보충서에서 추가한 부분에 관한 재정신청은 법률상 방식에 어긋난 것으로서 부적법하다.

① 1개 ② 2개 ③ 3개 ④ 4개

| 해설 ㉠ ×: 재정신청을 기각할 수 있다(대결 1997.4.22, 97모30).
㉡ ×: 재정신청을 하려면 검찰항고를 거쳐야 한다. 그러나 항고 이후 재기수사가 이루어진 다음에 다시 공소를 제기하지 아니한다는 통지를 받은 경우, 항고신청 후 항고에 대한 처분이 행하여지지 아니하고 3개월이 경과한 경우, 검사가 공소시효 만료일 30일 전까지 공소를 제기하지 아니하는 경우 등은 검찰항고를 거치지 않고 재정신청을 할 수 있다(제260조 제2항).
㉢ ×: 공소취소를 할 수 없다(제264조의 2).
㉣ ○: 대결 2015.7.16, 2013모2347 전원합의체
㉤ ○: 대결 1997.4.22, 97모30

07 재정신청에 대한 설명으로 옳은 것은?

23. 9급 검찰·마약·교정·보호·철도경찰

① 법원은 재정신청서를 송부받은 때에는 송부받은 날부터 7일 이내에 피의자에게 그 사실을 통지하여야 하고, 재정신청서를 송부받은 날부터 3개월 이내에 항고의 절차에 준하여 결정한다.
② 검사의 불기소처분은 물론 진정사건에 대한 입건 전 조사(내사) 종결처분도 재정신청의 대상이 된다.
③ 재정신청인이 자기 또는 대리인이 책임질 수 없는 사유로 인하여 재정신청 기각결정에 대한 재항고 제기기간을 준수하지 못한 경우, 형사소송법 제345조(상소권회복청구권자)에 따라 재항고권 회복을 청구할 수 있다.

Answer 6. ② 7. ③

④ 재정신청의 대상은 검사의 불기소처분이 내려진 모든 범죄(고발의 경우는 대상범죄에 제한이 있음)이며, 불기소처분의 이유는 불문한다. 따라서 기소유예처분에 대해서도 가능하다. 재소자인 재정신청인이 재정신청 기각결정에 불복하여 재항고를 제기하는 경우, 그 제기기간 내에 교도소장이나 구치소장 또는 그 직무를 대리하는 사람에게 재항고장을 제출한 때에 재항고를 한 것으로 간주한다.

| 해설 ① 법원은 재정신청서를 송부받은 때에는 송부받은 날부터 10일 이내에 피의자에게 그 사실을 통지하여야 하고(제262조 제1항), 재정신청서를 송부받은 날부터 3개월 이내에 항고의 절차에 준하여 결정한다(제262조 제2항).

② 재정신청의 대상은 검사의 불기소처분이 내려진 모든 범죄(고발의 경우는 대상범죄에 제한이 있음)이며, 불기소처분의 이유는 불문한다. 따라서 기소유예처분에 대해서도 가능하다. 그러나 진정사건에 대한 입건 전 조사(내사) 종결처분은 재정신청의 대상이 되지 아니한다(대결 1991.11.5, 91모68).

③ 제339조,제345조

④ 재정신청 기각결정에 대한 재항고나 그 재항고 기각결정에 대한 즉시항고로서의 재항고에 대한 법정기간의 준수 여부는 도달주의 원칙에 따라 재항고장이나 즉시항고장이 법원에 도달한 시점을 기준으로 판단하여야 하고, 거기에 재소자 피고인 특칙은 준용되지 아니한다(대결 2015.7.16, 2013모2347 전원합의체).

08 **재정신청이 기각되거나 재정신청을 취소한 경우 법원은 결정으로 재정신청인에게 신청절차에 의해 생긴 비용 또는 피의자가 부담한 비용을 부담하게 할 수 있다**(제262조의 3). **다음 중 이와 관련된 지문으로 옳은 것을 모두 고르면 몇 개인가?**

> ㉠ 증인 등에게 지급되는 일당·여비 기타 비용과 현장검증 등을 위한 출장비, 법원이 지출한 송달료 등은 재정신청인이 국가에 대해 부담하는 비용이다.
> ㉡ 국가에 대한 비용부담의 재판에서 그 금액을 표시하지 아니한 때에는 재판장이 산정한다.
> ㉢ 피의자의 변호인의 선임료 등 피의자의 방어권행사에 필요한 비용은 피의자의 신청이 있을 경우에만 재정신청인에게 부담하게 할 수 있다.
> ㉣ 피의자에 대한 비용지급명령에는 피의자 및 재정신청인, 지급을 명하는 금액과 비용지급명령의 이유를 표시하여야 한다.
> ㉤ 비용지급 명령에 대해서는 즉시항고할 수 있는데, 즉시항고기간은 피의자 또는 재정신청인이 비용지급명령서를 송달받은 날의 익일부터 진행한다.

① 없 음 ② 1개 ③ 2개 ④ 3개

| 해설 ㉠ ○ : 규칙 제122조의 2

국가에 대한 비용부담의 범위(규칙 제122조의 2)

1. 증인·감정인·통역인(듣거나 말하는 데 장애가 있는 사람을 위한 통역인 제외)·번역인에게 지급되는 일당·여비·숙박료·감정료·통역료·번역료
2. 현장검증 등을 위한 법관, 법원사무관 등의 출장경비
3. 그 밖에 재정신청사건의 심리를 위하여 법원이 지출한 송달료 등 절차진행에 필요한 비용

㉡ × : 비용의 부담을 명하는 재판에 그 금액을 표시하지 아니한 때에는 집행을 지휘하는 검사가 산정한다(규칙 제122조의 3).

Answer 8. ②

ⓒ × : 신청 또는 직권에 의해 부담하게 할 수 있다(제262조의 3 제2항).
ⓓ × : 비용지급명령에는 피의자 및 재정신청인, 지급을 명하는 금액을 표시하여야 한다. 그러나 비용지급명령의 이유는 특히 필요하다고 인정되는 경우가 아니면 이를 기재하지 아니한다(규칙 제122조의 5 제5항).
ⓔ × : 즉시항고할 수 있고(제262조의 3 제3항), 그 기간은 비용지급명령서를 송달받은 당일부터 진행한다(규칙 제122조의 5 제6항).

09 재정신청에 대한 설명으로 옳지 않은 것은?

23. 7급 국가직

① 법원이 재정신청 대상사건이 아님에도 이를 간과한 채 형사소송법 제262조 제2항 제2호에 따라 공소제기결정을 하였더라도 그에 따른 공소가 제기되어 본안사건의 절차가 개시된 후에는 다른 특별한 사정이 없는 한 본안사건에서 위와 같은 잘못을 다툴 수 없다.
② 재정신청 기각결정에 대한 재항고나 그 재항고 기각결정에 대한 즉시항고로서의 재항고에 대한 법정기간의 준수 여부는 도달주의 원칙에 따라 재항고장이나 즉시항고장이 법원에 도달한 시점을 기준으로 판단하여야 하고, 거기에 재소자에 대한 특칙(형사소송법 제344조 제1항)은 준용되지 아니한다.
③ 공소를 제기하지 아니하는 검사의 처분의 당부에 관한 재정신청이 있는 경우, 법원은 검사의 무혐의 불기소처분이 위법하면 기소유예의 불기소처분을 할 만한 사건으로 인정되더라도 재정신청을 기각할 수 없다.
④ 형사소송법 제262조 제4항 후문의 '다른 중요한 증거를 발견한 경우'란 재정신청 기각결정 당시에 제출된 증거에 새로 발견된 증거를 추가하면 충분히 유죄의 확신을 가지게 될 정도의 증거가 있는 경우를 말하고, 단순히 재정신청 기각결정의 정당성에 의문이 제기되거나 범죄피해자의 권리를 보호하기 위하여 형사재판절차를 진행할 필요가 있는 정도의 증거가 있는 경우는 여기에 해당하지 않는다.

| 해설 ① 대판 2017.11.14, 2017도13465
② 대결 2015.7.16, 2013모2347 전원합의체
③ 법원은 검사의 무혐의 불기소처분이 위법하다 하더라도 기록에 나타난 여러 가지 사정을 고려하여 기소유예의 불기소처분을 할 만한 사건이라고 인정되는 경우에는 재정신청을 기각할 수 있다(대결 1997.4.22, 97모30).
④ 대판 2018.12.28, 2014도17182

Answer 9. ③

10 **다음 중 헌법재판소 판례의 내용과 부합하지 않는 것은?**

① 자신은 결백하다고 주장하는 형사미성년자에 대하여 검사가 책임무능력을 이유로 죄가 안 된다는 결정을 내린 경우 이는 기본권을 침해하는 공권력의 행사에 해당하므로 헌법소원의 대상이 된다.

② 수사 중인 사건이라면 특단의 사정이 없는 한 구체적인 공권력의 행사 또는 불행사가 있다고 볼 수 없으므로 헌법소원을 제기할 수 없다.

③ 검사가 충분한 수사를 근거로 공소제기나 불기소처분으로 사건을 종결해야 함에도 불구하고 기소중지라는 중간결정을 한 경우 헌법소원이 가능하다.

④ 검사의 공소제기에 대해서는 헌법소원의 심판대상이 될 수 없다.

| 해설 ① 이는 기본권을 침해하는 공권력의 행사에 해당하지 아니하므로 헌법소원의 대상이 되지 아니한다(헌재결 1996.11.28, 93헌마229).

② 헌재결 1989.9.11, 89헌마169

③ 검사가 충분한 수사를 근거로 공소제기나 불기소처분으로 수사를 종결해야 함에도 불구하고 또 기소중지라는 중간결정을 한 경우 또는 기소중지 이후 기소중지사유가 해제되었음에도 불구하고 제기불요처분을 하는 경우 헌법소원이 가능하다(헌재결 1997.2.20, 95헌마362).

④ 검사의 공소제기에 대해서는 형사재판절차에 의하여 권리구제가 가능하므로 독립하여 헌법소원심판의 청구대상이 될 수 없는바, 검사의 약식명령청구도 공소제기의 일종인 것은 법률상 분명하므로 이에 대한 헌법소원심판청구는 부적법하다(헌재결 1993.6.2, 93헌마104).

11 **다음 중 불기소처분과 관련한 판례의 내용으로 옳지 않은 것은 모두 몇 개인가?**

㉠ 검사의 불기소처분이나 그에 대한 항고 또는 재항고 결정에 대하여는 행정소송을 제기할 수 없다.

㉡ '혐의 없음' 처분을 하였어야 함에도 불구하고, '기소유예' 처분을 하였더라도 이는 재판청구권과 평등권을 침해한 것이 아니다.

㉢ 벌금형미납자를 노역장에 유치할 수 있도록 규정한 형법 규정은 기본권을 직접 침해한 것이므로 위 법률조항들에 대한 헌법소원은 적법하다.

㉣ 검사의 불기소처분에 대한 헌법소원에 있어서 그 대상이 된 범죄에 대하여 공소시효가 완성되었더라도 헌법소원을 제기할 수 있다.

㉤ 재정신청에 대하여 고등법원의 기각결정 및 그에 대한 대법원의 재항고 기각결정은 법원의 재판에 해당하므로 이에 대한 헌법소원은 인정되지 않는다.

㉥ 내사종결처리는 수사기관의 내부적 사건처리 방식에 지나지 아니하므로 헌법소원의 대상이 되지 아니한다.

① 1개 ② 2개 ③ 3개 ④ 4개

Answer 10. ① 11. ③

| 해설 | ㉠ ○ : 대판 1989.10.10, 89누2271
㉡ × : '혐의 없음' 처분을 하였어야 함에도 불구하고, '기소유예' 처분을 한 것은 재판청구권과 평등권을 침해한 것이다(헌재결 1996.3.28, 95헌마170 전원재판부).
▶ '혐의 없음' ⇨ '죄 안됨' 결정 : 기본권 침해 ×(∴ 헌법소원 대상 ×)(헌재결 1996.11.28, 93헌마229)
㉢ × : 벌금형미납자를 노역장에 유치할 수 있도록 규정한 형법 제69조 제2항 및 제70조가 청구인의 기본권을 직접 침해하지 않아(벌금 등을 납부하면 기본권 제한의 여지가 없으므로) 위 법률조항들에 대한 헌법소원은 부적법하다(헌재결 2012.10.25, 2012헌마107).
㉣ × : 검사의 불기소처분에 대한 헌법소원에 있어서 그 대상이 된 범죄에 대한 공소시효가 완성되었을 때에는 권리보호의 이익이 없어 헌법소원을 제기할 수 없으며, 불기소처분에 대한 헌법소원에서 그 대상이 된 범죄가 형사소송법 제326조 제1호 소정의 "확정판결이 있은 때"에 해당하는 경우에는 이 사건 피의사실에 대하여 따로 공소를 제기할 수 없으므로, 불기소처분의 취소를 구할 권리보호이익이 인정되지 아니한다(헌재결 2010.5.27, 2010헌마71).
㉤ ○ : 헌재결 1994.2.24, 93헌마82
㉥ ○ : 헌재결 1990.12.26, 89헌마277

12 헌법소원과 관련한 내용으로 타당한 것은 모두 몇 개인가?(다툼이 있으면 판례에 의함)

㉠ 피의자는 검사의 기소유예처분에 대하여 헌법소원을 제기할 수 있다.
㉡ 고소하지 않은 범죄의 피해자는 검사의 불기소처분에 대하여 헌법소원을 제기할 수 있다.
㉢ 검사는 고소·고발사건 이외의 사건에 대해 불기소처분을 한 경우에도 피의자에게 불기소처분의 취지를 통지하여야 한다.
㉣ 검사의 불기소처분에 대한 고소인의 헌법소원의 청구는 검찰항고·재정신청 등 다른 구제절차를 모두 거친 후에야 가능하다.
㉤ 헌법소원은 그 사유가 있음을 안 날로부터 180일 이내에 청구하여야 한다.

① 1개 ② 2개 ③ 3개 ④ 4개

| 해설 | ㉠ ○ : 피의자는 본래 불기소처분으로 인하여 기본권이 침해된 자에 해당하지 않지만, 검사가 범죄의 혐의가 없다는 이유로 불기소처분을 해야 하는데도 기소유예처분을 하는 경우에는 피의자도 헌법소원을 청구할 수 있다.
㉡ ○ : 고소하지 않은 피해자는 헌법소원을 제기할 수 있다.
㉢ ○ : 고소·고발사건 이외의 다른 사건의 피의자도 기소유예처분의 취지를 통지받을 필요와 실익이 있으므로 검사는 불기소처분을 하는 경우 모든 피의자에게 불기소처분의 취지를 통지하여야 할 것이다(헌재결 2001.12.20, 2001헌마39).
㉣ × : 고소인은 재정신청권자이므로 재정신청을 거쳤다면 법원의 재판에 해당되어 헌법소원을 할 수가 없다. 따라서 고소인은 헌법소원이 불가능하다.
㉤ × : 사유를 안 날로부터 90일, 사유 있는 날부터 1년 이내에 청구하여야 한다(헌법재판소법 제69조 제1항).

Answer 12. ③

13 헌법재판소 판례와 부합하지 않는 것은 모두 몇 개인가?

㉠ 교도소장으로 하여금 수용자가 주고받는 서신에 금지 물품이 들어 있는지를 확인할 수 있도록 규정하고 있는 형의 집행 및 수용자의 처우에 관한 법률 제43조 제3항이 청구인의 기본권을 직접 침해한다고 볼 수 있다.

㉡ 구속 중 모친상을 당하여 2009. 11. 10.부터 2009. 11. 13.까지 구속집행정지결정을 받아 일시 석방된 사실이 있는데, 검사는 2010. 12. 23. 형집행지휘를 함에 있어 구속집행정지기간 2일을 형기에 산입하지 아니하였다. 위와 같은 검사의 형집행처분에 대하여 형사소송법에 의한 구제방법인 이의신청을 함이 없이 곧바로 제기된 이 사건 헌법소원은 보충성의 요건에 반하는 것으로서 부적법하다.

㉢ 한의원에서 피해자들에게 "의료기기인 초음파 골밀도 측정기를 이용하여 성장판 검사를 한 후, 그 결과를 토대로 한약 등을 지어주고 그 대가로 금원을 교부받는 등 영리를 목적으로 의료행위를 업으로 하였다."는 이유로 기소유예처분이 내려진 사건에 대하여 그 취소를 구하는 헌법소원을 청구하는 한편, 사단법인 대한의사협회, 영상의학과 전문의 등은 피청구인을 위한 제3자 참가를 신청하였다. 이에 대하여 헌법재판소는 이 사건 참가신청은 부적법하며, 기소유예처분은 청구인들의 직업수행의 자유, 행복추구권, 평등권 등이 침해되었다고 볼 수 없다고 판시하였다.

㉣ 형의 집행 및 수용자의 처우에 관한 법률 제32조 제2항, 교도관 직무규칙 제33조 제1항들은 두발을 단정하게 유지하여야 한다는 내용일 뿐이므로, 청구인의 주장과 같은 강제적 두발규제에 의하여 기본권이 제한되려면, 구체적이고 개별적인 집행행위가 매개되어야 한다. 따라서 위 조항들은 기본권 침해의 직접성이 인정되지 아니한다.

㉤ 수사기관 등에 의한 통신자료 제공요청은 임의수사에 해당하는 것으로, 전기통신사업자가 이에 응하지 아니한 경우에도 어떠한 법적 불이익을 받는다고 볼 수 없다. 따라서 이 사건 통신자료 취득행위는 헌법소원의 대상이 되는 공권력의 행사에 해당하지 않는다.

① 1개　② 2개　③ 3개　④ 4개

해설 ㉠ × : 교도소장으로 하여금 수용자가 주고받는 서신에 금지 물품이 들어 있는지를 확인할 수 있도록 규정하고 있는 형의 집행 및 수용자의 처우에 관한 법률 제43조 제3항이 청구인의 기본권을 직접 침해한다고 볼 수는 없다(헌재결 2012.2.23, 2009헌마333).

㉡ ○ : 구속 중 모친상을 당하여 2009. 11. 10.부터 2009. 11. 13.까지 구속집행정지결정을 받아 일시 석방된 사실이 있는데, 검사는 2010. 12. 23. 형집행지휘를 함에 있어 구속집행정지기간 2일을 형기에 산입하지 아니하였다. 위와 같은 검사의 형집행처분에 대하여 형사소송법에 의한 구제방법인 이의신청을 함이 없이 곧바로 제기된 이 사건 헌법소원은 보충성의 요건에 반하는 것으로서 부적법하다(헌재결 2012.2.23, 2011헌마125).

㉢ ○ : 이에 대하여 헌법재판소는 참가 신청인들은 행정소송법 제16조상의 '권리 또는 이익의 침해를 받을 제3자'에 포함된다고 볼 수 없으므로, 이 사건 참가신청은 부적법하며, 기소유예처분은 청구인들의 직업수행의 자유, 행복추구권, 평등권 등이 침해되었다고 볼 수 없다고 판시하였다(헌재결 2012.2.23, 2009헌마623).

㉣ ○ : 헌재결 2012.4.24, 2010헌마751

㉤ ○ : 헌재결 2022.7.21, 2016헌마388

Answer 13. ①

THEMA 16 공소제기 후의 수사

공소제기 후의 강제수사	1. ┌ 원칙 : 허용 × └ 예외 : 허용 ○ 공소제기 후 검사 또는 사법경찰관이 피고인에 대한 구속영장을 집행함에 있어서 체포·구속현장에서 수사상 압수·수색·검증은 허용된다(제216조 제2항). 2. 공소제기 후 피고인 구속, 압수·수색은 법원의 권한(검사 청구 ×) 3. 검사가 공소제기 후 수소법원 이외의 지방법원판사에 청구하여 발부받은 영장에 의하여 구속이나 압수·수색 불가(대결 1996.8.12, 96모46 ; 대판 2011.4.28, 2009도10412) 21. 경찰승진
공소제기 후의 임의수사	1. 허용 여부 : 기본적으로는 허용 ○, 무제한적으로 허용 × 2. 피고인신문 : 공소제기 후에 수사기관이 피고인을 신문할 수 있는가에 대하여 적극설(판례)과 소극설(다수설)의 대립이 있다. ▶ 검사작성의 피고인에 대한 진술조서가 공소제기 후에 작성된 것이라는 이유만으로 곧 증거능력이 없다고 할 수는 없다(대판 1984.9.25, 84도1646). 21. 경찰승진·9급 검찰·마약·교정·보호·철도경찰 3. 참고인조사 : 허용 ○(무제한적 허용 ×) ① 공판준비 또는 공판기일에서 이미 증언을 마친 증인을 검사가 소환한 후 피고인에게 유리한 그 증언 내용을 추궁하여 이를 일방적으로 번복시키는 방식으로 작성한 진술조서는 피고인이 증거로 할 수 있음에 동의하지 아니하는 한 그 증거능력이 없다. 증인이 다시 법정에 출석하여 증언을 하면서 그 진술조서의 성립의 진정함을 인정하고 피고인측에 반대신문의 기회가 부여되었다고 하더라도 진술조서의 증거능력을 인정할 수 없다(대판 2000.6.15, 99도1108 전원합의체). ② 검사가 공판준비 또는 공판기일에서 이미 증언을 마친 증인에게 수사기관에 출석할 것을 요구하여 그 증인을 상대로 위증의 혐의를 조사한 내용을 담은 피의자신문조서의 경우도 마찬가지로 동의가 없는한 증거능력이 없다(대판 2013.8.14, 2012도13665). ③ 제1심에서 무죄판결이 선고되어 검사가 항소한 후, 수사기관이 항소심 공판기일에 증인으로 신청하여 신문할 수 있는 사람을 미리 수사기관에 소환하여 작성한 진술조서는 피고인이 증거로 할 수 있음에 동의하지 않는 한 증거능력이 없다(대판 2019.11.28, 2013도6825). 4. 감정·통역·번역의 위촉, 공무소 조회 : 허용 ○(무제한적 허용 ×) ▶ 그러나 감정유치(제221의 3)나 감정처분(제221의 4)은 강제처분이므로 허용 ×

01 **다음 중 공소제기 후 수사에 관한 내용으로 옳은 것은 모두 몇 개인가?**(다툼이 있는 경우 판례에 따름)

22. 해경승진

> ㉠ 공소제기된 피고인의 구속상태를 계속 유지할 것인지 여부에 관한 판단은 전적으로 당해 수소법원의 전권에 속한다.
> ㉡ 공소제기 후에도 수사기관은 피고사건에 관하여 수소법원이 아닌 지방법원 판사로부터 구속영장을 발부받아 피고인을 구속할 수 있다.
> ㉢ 피고인에게 유리한 증언을 한 증인을 수사기관이 법정 외에서 다시 참고인으로 조사하면서 그 증언을 번복하게 하여 작성한 참고인 진술조서는 피고인이 동의하더라도 증거로 사용할 수 없다.
> ㉣ 검사는 공소를 제기한 피고사건에 대하여 판결이 확정될 때까지 그 공소를 취소할 수 있다.

① 없 음　② 1개　③ 2개　④ 3개

| 해설 ㉠ ○ : 대결 1997.11.27, 97모88
㉡ × : 공소가 제기된 후에는 그 피고사건에 관하여 검사로서는 법 제215조에 의하여 압수·수색을 할 수 없다고 보아야 하며, 그럼에도 검사가 공소제기 후 법 제215조에 따라 수소법원 이외의 지방법원 판사에게 청구하여 발부받은 영장에 의하여 압수·수색을 하였다면, 그와 같이 수집된 증거는 기본적 인권 보장을 위해 마련된 적법한 절차에 따르지 않은 것으로서 원칙적으로 유죄의 증거로 삼을 수 없다(대판 2011.4.28, 2009도10412).
㉢ × : 피고인이 동의를 한 경우라면 증거로 사용할 수 있다(대판 2000.6.15, 99도1108 전원합의체).
㉣ × : 공소는 제1심판결의 선고 전까지 취소할 수 있다(제255조 제1항).

02 **공소제기 후의 수사에 대한 설명으로 가장 적절하지 않은 것은?**(다툼이 있는 경우 판례에 의함)

22. 경찰승진

① 검사 작성의 피고인에 대한 진술조서가 공소제기 후에 작성된 것이라는 이유만으로는 곧 그 증거능력이 없다고 할 수 없다.
② 제1심에서 피고인에 대하여 무죄판결이 선고되어 검사가 항소한 후, 수사기관이 항소심 공판기일에 증인으로 신청하여 신문할 수 있는 사람을 특별한 사정없이 미리 수사기관에 소환하여 작성한 진술조서는 피고인이 증거로 할 수 있음에 동의하지 않는 한 증거능력이 없다.
③ 공판준비 또는 공판기일에서 이미 증언을 마친 증인을 검사가 소환한 후 피고인에게 유리한 증언 내용을 추궁하여 이를 일방적으로 번복시키는 방식으로 작성한 진술조서는 피고인이 증거로 할 수 있음에 동의하더라도 증거능력이 없다.
④ 검사 또는 사법경찰관이 피고인에 대한 구속영장을 집행하는 경우에 필요한 때에는 영장없이 구속현장에서 압수·수색·검증을 할 수 있다.

| 해설 ① 대판 1984.9.25, 84도1646
② 대판 2019.11.28, 2013도6825

Answer 1. ② 2. ③

③ 공판준비 또는 공판기일에서 이미 증언을 마친 증인을 검사가 소환한 후 피고인에게 유리한 증언 내용을 추궁하여 이를 일방적으로 번복시키는 방식으로 작성한 진술조서는 피고인이 증거로 할 수 있음에 동의하지 아니하는 한 증거능력이 없다(대판 2000.6.15, 99도1108 전원합의체).
④ 제216조 제2항

03 공소제기 후의 수사에 대한 설명으로 가장 적절한 것은?(다툼이 있는 경우 판례에 의함)

23. 경찰승진

① 검사가 공소제기 후 형사소송법 제215조에 따라 수소법원 이외의 지방법원 판사에게 청구하여 발부받은 영장에 의하여 압수·수색을 하였다면, 원칙적으로 유죄의 증거로 삼을 수 있다.
② 형사소송법 제215조는 검사가 압수·수색 영장을 청구할 수 있는 시기를 공소제기 전으로 명시적으로 한정하고 있다.
③ 제1심에서 피고인에 대하여 무죄판결이 선고되어 검사가 항소한 후 수사기관이 항소심 공판기일에 증인으로 신청하여 신문할 수 있는 사람을 특별한 사정 없이 미리 수사기관에 소환하여 작성한 진술조서는 피고인이 증거로 할 수 있음에 동의하지 않는 한 증거능력이 없지만, 참고인이 나중에 법정에 증인으로 출석하여 진술조서의 성립의 진정을 인정하고 피고인측에 반대신문의 기회가 부여된 경우에는 그 진술조서를 증거로 할 수 있다.
④ 검사작성의 피고인에 대한 진술조서가 공소제기 후에 작성된 것이라는 이유만으로는 곧 그 증거능력이 없다고 할 수 없다.

해설 ① 검사가 공소제기 후 형사소송법 제215조에 따라 수소법원이외의 지방법원 판사에게 청구하여 발부받은 영장에 의하여 압수·수색을 하였다면, 원칙적으로 유죄의 증거로 삼을 수 없다(대판 2011.4.28, 2009도10412).
② 형사소송법 제215조는 검사가 압수·수색 영장을 청구할 수 있는 시기를 공소제기 전으로 명시적으로 한정하고 있지 않다.
③ 제1심에서 피고인에 대하여 무죄판결이 선고되어 검사가 항소한 후, 수사기관이 항소심 공판기일에 증인으로 신청하여 신문할 수 있는 사람을 특별한 사정 없이 미리 수사기관에 소환하여 작성한 진술조서는 피고인이 증거로 할 수 있음에 동의하지 않는 한 증거능력이 없다. 위 참고인이 나중에 법정에 증인으로 출석하여 위 진술조서의 성립의 진정을 인정하고 피고인 측에 반대신문의 기회가 부여된다 하더라도 위 진술조서의 증거능력을 인정할 수 없음은 마찬가지이다(대판 2019.11.28, 2013도6825).
④ 대판 1984.9.25, 84도1646

Answer 3. ④

CHAPTER

04 고위공직자에 대한 범죄수사

THEMA 17 고위공직자에 대한 범죄수사

고위공직자와 그 가족의 직무 관련 부정부패를 독립된 위치에서 엄정수사하고 판사, 검사, 경무관급 이상 경찰에 대해서는 기소할 수 있는 기관인 고위공직자범죄수사처를 설치하여 고위공직자의 범죄 및 비리행위를 감시하고 이를 척결함으로써 투명성과 공직사회의 신뢰성을 높이기 위하여 고위공직자범죄수사처 설치 및 운영에 관한 법률(이하 '공수처법')이 제정 · 공포(2020. 1. 14)되어 시행되고 있다(2020. 7. 15. 시행).

1. 고위공직자 및 그 가족

고위공직자	"고위공직자"란 다음의 어느 하나의 직(職)에 재직 중인 사람 또는 그 직에서 퇴직한 사람을 말한다. 다만, 장성급 장교는 현역을 면한 이후도 포함된다(제2조 제1호). ① 대통령 ② 국회의장 및 국회의원 ③ 대법원장 및 대법관 ④ 헌법재판소장 및 헌법재판관 ⑤ 국무총리와 국무총리비서실 소속의 정무직공무원 ⑥ 중앙선거관리위원회의 정무직공무원 ⑦ 공공감사에 관한 법률 제2조 제2호에 따른 중앙행정기관의 정무직공무원 ⑧ 대통령비서실 · 국가안보실 · 대통령경호처 · 국가정보원 소속의 3급 이상 공무원 ⑨ 국회사무처, 국회도서관, 국회예산정책처, 국회입법조사처의 정무직공무원 ⑩ 대법원장비서실, 사법정책연구원, 법원공무원교육원, 헌법재판소 사무처의 정무직공무원 ⑪ 검찰총장 ⑫ 특별시장 · 광역시장 · 특별자치시장 · 도지사 · 특별자치도지사 및 교육감 ⑬ 판사 및 검사 ⑭ 경무관 이상 경찰공무원 ⑮ 장성급 장교 ⑯ 금융감독원 원장 · 부원장 · 감사 ⑰ 감사원 · 국세청 · 공정거래위원회 · 금융위원회 3급 이상 공무원
가 족	"가족"이란 배우자, 직계존비속을 말한다. 다만, 대통령의 경우 배우자와 4촌 이내의 친족을 말한다(제2조 제2호).

2. 고위공직자범죄 및 관련범죄

고위공직자범죄	"고위공직자범죄"란 고위공직자로 재직 중에 본인 또는 본인의 가족이 범한 다음의 어느 하나에 해당하는 죄를 말한다. 다만, 가족의 경우에는 고위공직자의 직무와 관련하여 범한 죄에 한정한다(제2조 제3호).

	① 형법 제122조부터 제133조까지의 죄(다른 법률에 따라 가중처벌되는 경우를 포함한다.) 예 직무유기, 직권남용, 불법체포감금, 폭행가혹행위, 피의사실공표, 공무상 비밀누설, 선거방해, 뇌물죄, 알선수뢰 등 ② 직무와 관련되는 형법 제141조, 제225조, 제227조, 제227조의 2, 제229조(제225조, 제227조 및 제227조의 2의 행사죄에 한정한다.), 제355조부터 제357조까지 및 제359조의 죄(다른 법률에 따라 가중처벌되는 경우를 포함한다.) 예 공용서류 등 무효, 공용물파괴, 공문서위조, 공전자기록위작·변작, 허위공문서작성, 위조 등 공문서행사, 횡령·배임, 배임수증재 등 ③ 알선수재(특정범죄 가중처벌 등에 관한 법률 제3조의 죄) ④ 알선수재(변호사법 제111조의 죄) ⑤ 정치자금법 제45조의 죄 ⑥ 국가정보원법 제21조, 제22조의 죄 ⑦ 국회에서의 증언·감정 등에 관한 법률 제14조 제1항의 죄 ⑧ ①부터 ⑤까지의 죄에 해당하는 범죄행위로 인한 범죄수익은닉의 규제 및 처벌 등에 관한 법률 제2조 제4호의 범죄수익 등과 관련된 같은 법 제3조 및 제4조의 죄
관련범죄	"관련범죄"란 다음의 어느 하나에 해당하는 죄를 말한다(제2조 제4호). ① 고위공직자와 형법 제30조부터 제32조까지의 관계에 있는 자가 범한 제3호의 어느 하나에 해당하는 죄 ② 고위공직자를 상대로 한 자의 형법 제133조, 제357조 제2항의 죄 ③ 고위공직자범죄와 관련된 형법 제151조 제1항, 제152조, 제154조부터 제156조까지의 죄 및 국회에서의 증언·감정 등에 관한 법률 제14조 제1항의 죄 ④ 고위공직자범죄 수사 과정에서 인지한 그 고위공직자범죄와 직접 관련성이 있는 죄로서 해당 고위공직자가 범한 죄

3. 수사처조직과 독립성

조 직	처장, 차장 등	① 수사처에 처장 1명과 차장 1명을 두고, 각각 특정직공무원으로 보한다(제4조 제1항). ② 수사처에 수사처검사와 수사처수사관 및 그 밖에 필요한 직원을 둔다(제4조 제2항).
	처장의 자격과 임명	① 처장은 다음의 직에 15년 이상 있던 사람 중에서 고위공직자범죄수사처장후보추천위원회가 2명을 추천하고, 대통령이 그중 1명을 지명한 후 인사청문회를 거쳐 임명한다(제5조 제1항). ㉠ 판사, 검사 또는 변호사 ㉡ 변호사 자격이 있는 사람으로서 국가기관, 지방자치단체, 공공기관의 운영에 관한 법률 제4조에 따른 공공기관 또는 그 밖의 법인에서 법률에 관한 사무에 종사한 사람 ㉢ 변호사 자격이 있는 사람으로서 대학의 법률학 조교수 이상으로 재직하였던 사람 ② 처장의 임기는 3년으로 하고 중임할 수 없으며, 정년은 65세로 한다(제5조 제3항).

	처장추천 위원회	① 처장후보자의 추천을 위하여 국회에 고위공직자범죄수사처장후보추천위원회를 둔다(제6조 제1항). ② 추천위원회는 위원장 1명을 포함하여 7명의 위원으로 구성한다(제6조 제2항). ③ 위원장은 ④의 위원 중에서 호선한다(제6조 제3항). ④ 국회의장은 다음의 사람을 위원으로 임명하거나 위촉한다(제6조 제4항). ㉠ 법무부장관 ㉡ 법원행정처장 ㉢ 대한변호사협회장 ㉣ 대통령이 소속되거나 소속되었던 정당의 교섭단체가 추천한 2명 ㉤ ㉣의 교섭단체 외 교섭단체가 추천한 2명 ⑤ 추천위원회는 국회의장의 요청 또는 위원 3분의 1 이상의 요청이 있거나 위원장이 필요하다고 인정할 때 위원장이 소집하고, 재적위원 3분의 2 이상의 찬성으로 의결한다(제6조 제7항). <개정 2020.12.15>
	수사처 검사	① 수사처검사는 7년 이상 변호사의 자격이 있는 사람 중에서 제9조에 따른 인사위원회의 추천을 거쳐 대통령이 임명한다. 이 경우 검사의 직에 있었던 사람은 제2항에 따른 수사처검사 정원의 2분의 1을 넘을 수 없다(제8조 제1항). <개정 2020.12.15> ② 수사처검사는 특정직공무원으로 보하고, 처장과 차장을 포함하여 25명 이내로 한다(제8조 제2항). ③ 수사처검사의 임기는 3년으로 하고, 3회에 한하여 연임할 수 있으며, 정년은 63세로 한다(제8조 제3항). ④ 수사처검사는 직무를 수행함에 있어서 검찰청법 제4조에 따른 검사의 직무 및 군사법원법 제37조에 따른 군검사의 직무를 수행할 수 있다(제8조 제4항).
	인사 위원회	① 처장과 차장을 제외한 수사처검사의 임용, 전보, 그 밖에 인사에 관한 중요 사항을 심의·의결하기 위하여 수사처에 인사위원회를 둔다(제9조 제1항). ② 인사위원회는 위원장 1명을 포함한 7명의 위원으로 구성하고, 인사위원회의 위원장은 처장이 된다(제9조 제2항).
	수사처 수사관	① 수사처수사관은 다음의 어느 하나에 해당하는 사람 중에서 처장이 임명한다(제10조 제1항). ㉠ 변호사 자격을 보유한 사람 ㉡ 7급 이상 공무원으로서 조사, 수사업무에 종사하였던 사람 ㉢ 수사처규칙으로 정하는 조사업무의 실무를 5년 이상 수행한 경력이 있는 사람 ② 수사처수사관의 임기는 6년으로 하고, 연임할 수 있으며, 정년은 60세로 한다(제10조 제3항).
독립성	독립수행	수사처는 그 권한에 속하는 직무를 독립하여 수행한다(제3조 제2항).
	관여금지	대통령, 대통령비서실의 공무원은 수사처의 사무에 관하여 업무보고나 자료제출 요구, 지시, 의견제시, 협의, 그 밖에 직무수행에 관여하는 일체의 행위를 하여서는 아니 된다(제3조 제3항).

4. 직무와 권한

수사처장	① 처장은 수사처의 사무를 통할하고 소속 직원을 지휘・감독한다(제17조 제1항). ② 처장은 제8조에 따른 수사처검사의 직을 겸한다(제17조 제5항). ③ 처장은 수사처검사로 하여금 그 권한에 속하는 직무의 일부를 처리하게 할 수 있다(제19조 제1항). ④ 처장은 수사처검사의 직무를 자신이 처리하거나 다른 수사처검사로 하여금 처리하게 할 수 있다(제19조 제2항).
수사처차장	① 차장은 처장을 보좌하며, 처장이 부득이한 사유로 그 직무를 수행할 수 없는 때에는 그 직무를 대행한다(제18조 제1항). ② 차장은 제8조에 따른 수사처검사의 직을 겸한다(제18조 제2항).
수사처검사	① 수사처검사는 제3조 제1항 각 호(고위공직자범죄)에 따른 수사와 공소의 제기 및 유지에 필요한 행위를 한다(제20조 제1항). ▶ 판사(대법원장・대법관 포함), 검사(검찰총장 포함), 경무관 이상 경찰관 ⇨ 수사처검사가 공소제기 및 유지까지 가능(제3조 제1항 제2호) ② 수사처검사는 처장의 지휘・감독에 따르며, 수사처수사관을 지휘・감독한다(제20조 제2항). ③ 수사처검사는 구체적 사건과 관련된 제2항의 지휘・감독의 적법성 또는 정당성에 대하여 이견이 있을 때에는 이의를 제기할 수 있다(제20조 제3항).
수사처수사관	① 수사처수사관은 수사처검사의 지휘・감독을 받아 직무를 수행한다(제21조 제1항). ② 수사처수사관은 고위공직자범죄 등에 대한 수사에 관하여 형사소송법 제197조 제1항에 따른 사법경찰관의 직무를 수행한다(제21조 제2항).

5. 수사처검사의 수사와 공소제기 및 유지

수사검사의 수사	수사처검사는 고위공직자범죄의 혐의가 있다고 사료하는 때에는 범인, 범죄사실과 증거를 수사하여야 한다(제23조).
다른 수사기관과의 관계	① 수사처의 범죄수사와 중복되는 다른 수사기관의 범죄수사는 처장이 수사의 진행 정도 및 공정성 논란 등에 비추어 수사처에서 수사하는 것이 적절하다고 판단하여 이첩을 요청하는 경우 해당 수사기관은 이에 응하여야 한다(제24조 제1항). ② 다른 수사기관이 범죄를 수사하는 과정에서 고위공직자범죄 등을 인지한 경우 그 사실을 즉시 수사처에 통보하여야 한다(제24조 제2항). ③ 처장은 피의자, 피해자, 사건의 내용과 규모 등에 비추어 다른 수사기관이 고위공직자범죄 등을 수사하는 것이 적절하다고 판단될 때에는 해당 수사기관에 사건을 이첩할 수 있다(제24조 제3항). ④ 제2항에 따라 고위공직자범죄 등 사실의 통보를 받은 처장은 통보를 한 다른 수사기관의 장에게 수사처규칙으로 정한 기간과 방법으로 수사개시 여부를 회신하여야 한다(제24조 제4항).
수사처검사 및 검사범죄에 대한 수사	① 처장은 수사처검사의 범죄 혐의를 발견한 경우에 관련 자료와 함께 이를 대검찰청에 통보하여야 한다(제25조 제1항). ② 수사처 외의 다른 수사기관이 검사의 고위공직자범죄 혐의를 발견한 경우 그 수사기관의 장은 사건을 수사처에 이첩하여야 한다(제25조 제2항).

수사처검사의 관계 서류와 증거물송부	① 수사처검사는 제3조 제1항 제2호에서 정하는 사건(수사처검사가 공소제기 가능사건)을 제외한 고위공직자범죄 등에 관한 수사를 한 때에는 관계 서류와 증거물을 지체 없이 서울중앙지방검찰청 소속 검사에게 송부하여야 한다(제26조 제1항). ② 제1항에 따라 관계 서류와 증거물을 송부받아 사건을 처리하는 검사는 처장에게 해당 사건의 공소제기 여부를 신속하게 통보하여야 한다(제26조 제2항).
인지사건 이첩	처장은 고위공직자범죄에 대하여 불기소 결정을 하는 때에는 해당 범죄의 수사과정에서 알게 된 관련범죄 사건을 대검찰청에 이첩하여야 한다(제27조).
형의 집행	① 수사처검사가 공소를 제기하는 고위공직자범죄 등 사건에 관한 재판이 확정된 경우 제1심 관할 지방법원에 대응하는 검찰청 소속 검사가 그 형을 집행한다(제28조 제1항). ② 제1항의 경우 처장은 원활한 형의 집행을 위하여 해당 사건 및 기록 일체를 관할 검찰청의 장에게 인계한다(제28조 제2항).
재판관할	수사처검사가 공소를 제기하는 고위공직자범죄 등 사건의 제1심 재판은 서울중앙지방법원의 관할로 한다. 다만, 범죄지, 증거의 소재지, 피고인의 특별한 사정 등을 고려하여 수사처검사는 형사소송법에 따른 관할 법원에 공소를 제기할 수 있다(제31조).

6. 재정신청에 대한 특례

고소 · 고발인의 재정신청	① 고소 · 고발인은 수사처검사로부터 공소를 제기하지 아니한다는 통지를 받은 때에는 서울고등법원에 그 당부에 관한 재정을 신청할 수 있다(공수처법 제29조 제1항). ▶ 형사소송법상 재정신청의 관할 ⇨ 불기소처분을 한 검사소속의 지방검찰청소재지를 관할하는 고등법원 ② 제1항에 따른 재정신청을 하려는 사람은 공소를 제기하지 아니한다는 통지를 받은 날부터 30일 이내에 처장에게 재정신청서를 제출하여야 한다(동조 제2항). ③ 재정신청서에는 재정신청의 대상이 되는 사건의 범죄사실 및 증거 등 재정신청을 이유 있게 하는 사유를 기재하여야 한다(동조 제3항). ④ 재정신청서를 제출받은 처장은 재정신청서를 제출받은 날부터 7일 이내에 재정신청서 · 의견서 · 수사관계 서류 및 증거물을 서울고등법원에 송부하여야 한다. 다만, 신청이 이유 있는 것으로 인정하는 때에는 즉시 공소를 제기하고 그 취지를 서울고등법원과 재정신청인에게 통지한다(동조 제4항). ⑤ 이 법에서 정한 사항 외에 재정신청에 관하여는 형사소송법 제262조 및 제262조의 2부터 제262조의 4까지의 규정을 준용한다(동조 제5항).

01 **고위공직자범죄수사처 설치 및 운영에 관한 법률에 관한 내용으로 옳지 않은 것은 모두 몇 개인가?**

> ㉠ 감사원·국세청·공정거래위원회·금융위원회 소속의 5급 이상 공무원은 고위공직자범죄수사처 설치 및 운영에 관한 법률의 적용대상인 고위공직자에 해당한다.
> ㉡ 수사처검사는 수사처에서 공소제기 가능사건을 제외한 고위공직자범죄 등에 관한 수사를 한 때에는 관계 서류와 증거물을 지체 없이 서울중앙지방검찰청 소속 검사에게 송부하여야 한다.
> ㉢ 고위공직자범죄수사처 설치 및 운영에 관한 법률의 적용대상인 고위공직자의 가족이란 배우자, 직계존비속을 말하며, 대통령의 경우 배우자와 8촌 이내의 친족을 말한다.
> ㉣ 수사처검사가 공소를 제기하는 고위공직자범죄 등 사건에 관한 재판이 확정된 경우, 수사처 소속검사가 그 형을 집행한다.
> ㉤ 공수처장 추천위원회는 위원장 1명을 포함하여 7명의 위원으로 구성하며, 재적위원 3분의 2 이상의 찬성으로 의결한다.

① 1개 ② 2개 ③ 3개 ④ 4개

해설 ㉠ ×: 감사원·국세청·공정거래위원회·금융위원회 소속의 3급 이상 공무원이 그 대상이다(공수처법 제2조 참조). ㉡ ○: 동법 제26조 제1항
㉢ ×: "가족"이란 배우자, 직계존비속을 말한다. 다만, 대통령의 경우 배우자와 4촌 이내의 친족을 말한다(동법 제2조 제2호).
㉣ ×: 수사처검사가 공소를 제기하는 고위공직자범죄 등 사건에 관한 재판이 확정된 경우 제1심 관할지방법원에 대응하는 검찰청 소속 검사가 그 형을 집행한다(동법 제28조 제1항). ㉤ ○: 동법 제6조

02 **'고위공직자범죄수사처 설치 및 운영에 관한 법률'과 관련한 내용으로 옳은 것을 모두 고르면?**

> ㉠ 판사, 검사, 경정 이상 경찰관은 고위공직자범죄수사처 설치 및 운영에 관한 법률의 적용대상인 고위공직자에 해당한다.
> ㉡ 직무유기, 직권남용, 알선수뢰, 공용서류 등 무효, 공문서 등의 부정행사, 횡령·배임죄 등은 고위공직자범죄에 해당한다.
> ㉢ 수사처수사관은 수사처검사의 지휘·감독을 받아 직무를 수행한다.
> ㉣ 다른 수사기관이 범죄를 수사하는 과정에서 고위공직자범죄 등을 인지한 경우 그 사실을 즉시 수사처에 통보하여야 한다.
> ㉤ 수사처검사가 공소를 제기하는 고위공직자범죄 사건에 관한 재판이 확정된 경우 그 집행은 수사처검사가 담당한다.
> ㉥ 수사처검사가 공소를 제기하는 고위공직자범죄 사건의 제1심 재판은 서울중앙지방법원의 관할로 한다.

① ㉠, ㉡ ② ㉢, ㉣ ③ ㉢, ㉣, ㉥ ④ ㉣, ㉤, ㉥

해설 ㉠ ×: 판사, 검사, 경무관 이상의 경찰관이 공수처법의 적용대상이며, 이들의 범죄에 대하여는 수사처검사가 공소제기 및 유지까지 가능하다(공수처법 제3조 제1항 제2호).

Answer 1.③ 2.③

㉡ × : 직무유기, 직권남용, 알선수뢰, 공용서류 등 무효, 횡령·배임죄 등은 고위공직자범죄에 해당하나 공문서 등의 부정행사죄는 그 대상이 아니다(동법 제2조).
㉢ ○ : 동법 제21조 제1항 ㉣ ○ : 동법 제24조 제2항
㉤ × : 수사처 검사가 공소를 제기하는 고위공직자범죄 등 사건에 관한 재판이 확정된 경우 제1심 관할 지방법원에 대응하는 검찰청 소속검사가 그 형을 집행한다(제28조 제1항). ㉥ ○ : 동법 제31조

03 고위공직자 범죄의 재정신청절차와 관련한 내용으로 틀린 것은?

① 고소·고발인은 수사처검사로부터 공소를 제기하지 아니한다는 통지를 받은 때에는 서울고등법원에 그 당부에 관한 재정을 신청할 수 있다.
② 재정신청을 하려는 고소·고발인은 수사처검사로부터 공소를 제기하지 아니한다는 통지를 받은 날부터 30일 이내에 처장에게 재정신청서를 제출하여야 한다.
③ 수사처검사는 공소제기가 가능한 사건(판사, 검사, 경무관 이상 경찰)을 제외하고는 고위공직자범죄 등을 수사한 때에는 관계 서류와 증거물 등을 지체 없이 서울중앙지방검찰청 소속 검사에게 송부하여야 한다.
④ 처장은 검사로부터 공소를 제기하지 아니한다는 통보를 받은 때에는 서울고등법원에 그 당부에 관한 재정을 신청할 수 있다.

해설 ① 공수처법 제29조 제1항 ② 동법 제29조 제2항 ③ 동법 제26조 제1항
④ 처장은 검사로부터 공소를 제기하지 아니한다는 통보를 받은 때에는 그 검사 소속의 지방검찰청 소재지를 관할하는 고등법원에 그 당부에 관한 재정을 신청할 수 있었으나(제30조 제1항), 개정법에서 삭제되었다.

04 고위공직자범죄수사처에 관한 설명으로 옳지 않은 것은? 24. 소방간부

① 고위공직자범죄수사처는 대법원장 및 대법관, 검찰총장, 판사 및 검사, 경무관 이상 경찰공무원이 재직 중에 본인 또는 본인의 가족이 범한 고위공직자범죄 및 관련 범죄의 공소제기와 그 유지를 수행한다.
② 고위공직자범죄수사처장은 고위공직자범죄수사처장후보추천위원회가 2명을 추천하고, 대통령이 그중 1명을 지명한 후 인사청문회를 거쳐 임명한다.
③ 고위공직자범죄수사처검사의 임기는 3년으로 하고, 3회에 한정하여 연임할 수 있다.
④ 고소·고발인은 고위공직자범죄수사처검사로부터 공소를 제기하지 아니한다는 통지를 받은 때에는 서울중앙지방법원에 그 당부에 관한 재정을 신청할 수 있다.
⑤ 고위공직자범죄수사처검사는 수사처에 공소권이 부여된 사건을 제외한 고위공직자범죄 등 사건의 수사를 한 때에는 관계 서류와 증거물을 지체 없이 서울중앙지방검찰청 소속 검사에게 송부하여야 한다.

해설 ① 공수처법 제2조, 제3조 ② 동법 제5조 제1항 ③ 동법 제5조 제3항
④ 고소·고발인은 수사처검사로부터 공소를 제기하지 아니한다는 통지를 받은 때에는 서울고등법원에 그 당부에 관한 재정을 신청할 수 있다(동법 제29조 제1항). ⑤ 동법 제26조 제1항

Answer 3. ④ 4. ④

CHAPTER

05 공소의 제기

제1절 공소와 공소권

THEMA 18 공소권 남용이론

의 의	공소권남용이 있는 경우에 공소기각재판이나 면소판결과 같은 형식재판으로 소송을 종결시켜야 한다는 이론을 공소권남용이론이라 한다(판례 : 긍정). ▶ 공소권남용 ⇨ 형식적으로는 적법한 공소제기가 이루어졌으나 실질적으로는 공소권 행사가 재량범위를 일탈한 경우
공소권 남용의 유형별 고찰	1. 혐의 없는 사건의 공소제기 : 무죄판결(다수설) 2. 소추재량을 일탈한 공소제기(기소유예처분을 함이 상당한 사건을 공소제기) : 공소기각판결(판례), 유죄판결(다수설) 3. 선별적 공소제기(여러 피의자들 가운데 일부만을 선별하여 공소제기하고 나머지는 불기소) : 실체판결설(다수설 · 판례) 4. 누락 공소제기(동시에 기소해야 할 사건 가운데 일부를 누락시켜 나중에 기소) ▶ 검사가 자의적으로 공소권을 행사하여 피고인에게 실질적인 불이익을 줌으로써 소추재량권을 현저히 일탈하였다고 보여지는 경우에 공소권남용을 인정하여 공소제기의 효력을 부인할 수 있다고 하면서 단순히 직무상 과실로는 부족하고 적어도 미필적 고의가 있어야 한다고 판시하고 있다(대판 1999.12.10, 99도577). 06. 9급 법원직, 10 · 14. 경찰승진

01 **공소권남용에 관한 설명 중 틀린 것은?**(다툼이 있으면 판례에 의함)

① 공소권의 불행사가 실질적으로 부당한 경우도 공소권의 남용이다.

② 甲 사건에 대한 공소의 제기가 늦어진 이유가 피고인이 그 공소사실을 부인함으로 말미암아 검사가 증거를 확보하느라고 상당한 시간이 경과되었기 때문인 경우, 甲 사건보다 늦게 범하여진 별개의 乙 사건에 대한 항소심판결이 선고된 후에야 甲 사건이 기소됨으로써 피고인이 두 개의 사건을 한꺼번에 재판받을 수 있는 기회를 상실하게 되었다고 하여, 甲 사건 공소가 공소권을 남용하여 제기된 것이라고 볼 수는 없다.

③ 피고인의 범죄사실 중 일부에 대한 검사의 1차 무혐의 결정에 대해 고소인이 이의를 제기하지 않다가 그로부터 약 3년이 지난 뒤에 다시 피고인을 동일한 혐의로 고소함에 따라 검사가 새로이 수사를 재기하여 그 수사결과에 터잡아 공소를 제기한 것은 위법하다고 볼 수 없다.

Answer 1. ①

④ 어떤 사람에 대하여 공소가 제기된 경우 그 공소가 제기된 사람과 동일하거나 다소 중한 범죄구성요건에 해당하는 행위를 하였음에도 불기소된 사람이 있다는 사유만으로는 그 공소의 제기가 평등권 내지 조리에 반하는 것으로서 공소권남용에 해당한다고 할 수 없다.

| 해설 ① 공소권의 부당한 불행사는 공소권남용과 거리가 멀다. 공소권의 남용이란 형식적으로는 적법한 공소제기가 이루어졌으나 실질적으로는 공소권행사가 재량범위를 일탈한 경우를 말하기 때문이다.
② 대판 1996.9.24, 96도1730 ③ 대판 1995.3.10, 94도2598 ④ 대판 1990.6.8, 90도646

02 공소권남용에 관한 설명 중 적절한 것으로만 배열된 것은?(다툼이 있는 경우 판례에 의함)

㉠ 검사가 자의적으로 공소권을 행사하여 피고인에게 실질적인 불이익을 줌으로써 소추재량권을 현저히 일탈한 것으로 보이는 경우에는 이를 공소권의 남용으로 판단하여 공소제기의 효력을 부인할 수 있고 여기서 자의적인 공소권의 행사라 함은 단순히 직무상의 과실에 의한 것으로 족하고 미필적으로나마 어떤 의도가 있어야 하는 것은 아니다.
㉡ 검사가 피고인의 여러 범죄행위를 일괄 기소하지 아니하고 수사진행 상황에 따라 여러 번에 걸쳐 나누어 분리기소한 경우 공소권남용이라 볼 수 있다.
㉢ 공소장에 공소범죄사실 이외의 사실을 불필요하게 자세하게 기재한 경우 공소권을 남용한 것이라고 할 수 있다.
㉣ 검사가 선행사건으로 피고인을 신문할 당시 피고인이 후행사건도 자백하였으나 경찰에서 후행사건의 수사관계로 선행사건과 분리하여 뒤늦게 따로 송치한 관계로 선행사건의 기소 당시에는 후행사건은 검찰에 송치되기 전이었고 불구속으로 송치된 후행사건에 대하여 검사가 제1회 피의자신문을 할 당시 선행사건의 유죄판결이 의외로 빨리 확정된 경우, 검사의 후행사건에 대한 기소가 공소권남용에 해당하지 않는다.
㉤ 검사는 종전에 기소유예 처분을 하였다가 4년여가 지난 시점에 다시 기소하였고, 종전 피의사실과 공소사실 사이에 이를 번복할 만한 사정변경이 없는 점 등 여러 사정을 종합하면, 위 공소제기는 검사가 공소권을 자의적으로 행사한 것으로서 소추재량권을 현저히 일탈하였다고 보아 공소기각판결을 하여야 한다.
㉥ 불법연행 등 위법사유가 사실이라고 하더라도 그 위법한 절차에 의하여 수집된 증거를 배제할 이유는 될지언정 공소제기의 절차자체가 위법하여 무효인 경우에 해당한다고 볼 수 없다.

① ㉠, ㉡, ㉢ ② ㉡, ㉢, ㉣ ③ ㉢, ㉣, ㉥ ④ ㉣, ㉤, ㉥

| 해설 ㉠ ×: 검사가 자의적으로 공소권을 행사하여 피고인에게 실질적인 불이익을 줌으로써 소추재량권을 현저히 일탈하였다고 보여지는 경우에 이를 공소권의 남용으로 보아 공소제기의 효력을 부인할 수 있는 것이고, 여기서 자의적인 공소권의 행사라 함은 단순히 직무상의 과실에 의한 것만으로는 부족하고 적어도 미필적이나마 어떤 의도가 있어야 한다(대판 1999.12.10, 99도577).
㉡ ×: 검사가 피고인의 여러 범죄행위를 일괄하여 기소하지 아니하고 수사진행 상황에 따라 여러 번에 걸쳐 나누어 분리기소하였다고 하여 검사의 공소제기가 소추재량권을 현저히 일탈한 것으로 보이지는 아니한다(대판 2007.12.27, 2007도5313).
㉢ ×: 범죄사실에 대한 공소사실은 간첩한 것이라는 것이고, 공소장에 간첩의 전단계 사실에 관하여 불필요하게 자세하게 기재하였다고 하여도 공소권을 남용한 것이라고 할 수는 없다(대판 1988.11.8, 88도1630).
㉣ ○: 대판 1999.12.10, 99도577 ㉤ ○: 대판 2021.10.14, 2016도14772 ㉥ ○: 대판 1990.9.25, 90도1586

Answer 2. ④

제2절 공소제기의 기본원칙

THEMA 19 공소제기의 기본원칙

<table>
<tr><td>국가소추주의</td><td colspan="2">국가소추주의란 법원의 심판을 구하는 주체를 국가기관으로 한정하는 원칙을 말한다. 공소는 검사가 제기하여 수행하며(형사소송법 제246조), 즉결심판청구는 경찰서장이 행하고(즉결심판절차법 제3조 제1항), 판사・검사・경무관 이상의 경찰공무원의 고위공직자범죄에 대한 공소제기는 공수처검사가 수행하도록 규정(공수처법 제20조 제1항)하여 엄격한 국가소추주의를 채택하고 있다.</td></tr>
<tr><td rowspan="3">기소독점주의</td><td>의 의</td><td>검사만이 공소를 제기하고 수행할 권한을 갖는 것을 기소독점주의라 하며, 형사소송법 제246조는 국가소추주의와 함께 기소독점주의를 규정하고 있다.
기소독점주의의 장・단점 ┌ 장점 : 공소권 행사의 공정성 보장
└ 단점 : 검사의 자의와 독선 우려</td></tr>
<tr><td>규 제</td><td>재정신청제도, 불기소처분에 대한 항고제도, 불기소처분 고지제도(제258조, 제259조), 헌법소원, 기타(친고죄, 반의사불벌죄 인정)</td></tr>
<tr><td>예 외</td><td>1. 경찰서장의 즉결심판청구 13. 경찰간부
2. 공수처검사의 공소제기(공수처법 제20조 제1항)
▶ 법정경찰권에 의한 감치나 과태료의 부과(법원조직법 제61조 제1항)도 검사의 소추 없이 법원의 직권으로 이루어지는 것이나, 이는 형벌이 아니라 질서벌의 성질을 가지므로 형벌을 전제로 하는 기소독점주의에 대한 예외로 보기는 어렵다.</td></tr>
<tr><td rowspan="2">기소편의주의</td><td>의 의</td><td>범죄의 혐의가 존재하고 소송조건을 갖추고 있음에도 검사의 재량으로 불기소처분을 할 수 있도록 하는 제도를 말하며, 현행 형사소송법 제247조에서 이를 채택하고 있다.
▶ 기소법정주의 : 범죄의 혐의가 충분하고 소송조건을 갖추고 있는 경우에는 검사는 반드시 공소를 제기하여야 한다는 원칙</td></tr>
<tr><td>내 용</td><td>1. 기소유예제도(범죄혐의가 충분하고 소송조건이 구비되어 있음에도 검사가 재량으로 공소제기를 하지 않은 처분)
▶ 공소보류(국가보안법 위반의 경우 공소보류 처분 후 공소제기 없이 2년 경과하면 소추할 수 없는 제도)는 기소유예와 유사한 제도
2. 기소변경주의(공소를 제기한 후에 공소의 취소를 인정하는 주의)
▶ 기소법정주의하에서는 기소유예제도, 기소변경주의 모두 불인정</td></tr>
</table>

01 **공소제기의 기본원칙에 관한 설명으로 가장 옳은 것은?**(다툼이 있으면 판례에 의함) 13. 경찰간부

① 경찰서장에 의한 즉결심판의 청구는 기소독점주의에 대한 예외이다.

② 기소유예는 불기소처분의 일종으로 기소편의주의 표현이며, 기소유예처분에는 확정판결과 같은 확정력이 인정되므로 검사가 기소유예처분한 사건을 다시 공소제기한 경우에 대하여 법원이 유죄판결을 선고하게 되면 일사부재리의 원칙에 반한다.

③ 기소편의주의는 검사의 공소제기에 대한 재량권을 박탈하여 공소제기에 대한 검사의 자의와 정치적 영향을 배제할 수 있고, 형사법의 획일적인 운영을 위하여 법적 안정성을 유지할 수 있는 장점이 있다.

④ 공소취소는 검사가 공소제기를 철회하는 법률적 소송행위를 말하며, 공소취소를 인정하는 기소변경주의는 기소편의주의와는 무관하다.

| 해설 ① 경찰서장에게 즉결심판청구권이 인정되는 이유는 사안이 가볍고 현실적으로 빈발하는 경미사건을 신속하게 처리함으로써 소송경제를 도모하고 정규의 형사절차에 의할 경우 거쳐야 하는 번거로운 절차로부터 피의자를 보호한다는 점에 있다. 따라서 즉결심판청구권을 경찰서장에게 인정함은 기소독점주의의 예외에 해당한다고 볼 수 있다. ② 검사가 절도죄에 관하여 일단 기소유예의 처분을 한 것을 그 후 다시 재기하여 기소하였다 하여도 기소의 효력에 아무런 영향이 없는 것이고, 법원이 그 기소사실에 대하여 유죄판결을 선고하였다 하여 그것이 일사부재리의 원칙에 반하는 것이라 할 수 없다(대판 1983.12.27, 83도2686). ③ 기소법정주의 장점이다. ④ 일단 공소를 제기한 후에 공소의 취소를 인정하는 기소변경주의는 기소편의주의의 논리적 귀결이라고 해석함이 다수설의 입장이다(따라서 기소법정주의하에서는 공소취소 불인정).

02 **기소독점주의, 기소편의주의에 대한 기술이다. 잘못된 것은 모두 몇 개인가?**

㉠ 약식명령청구는 기소독점주의에 대한 제한이다. ㉡ 공소취소는 기소편의주의와 밀접한 관련을 갖는 제도이다. ㉢ 검사동일체원칙은 기소편의주의 폐단을 방지하기 위한 제도이다. ㉣ 검사의 자의와 독선을 방지하기 위함은 기소독점주의 장점에 해당한다. ㉤ 경찰서장의 즉결심판청구는 기소독점주의에 대한 규제수단에 해당한다.

① 1개 ② 2개 ③ 3개 ④ 4개

| 해설 ㉠ × : 약식명령청구도 검사가 하는 것이며 공소제기와 동시에 행하여지므로 기소독점주의에 대한 제한이 아니다. ㉡ ○ : 기소편의주의의 내용으로 기소유예제도의 인정과 기소변경주의를 들 수 있는데 기소변경주의는 일단 공소를 제기한 후에 공소의 취소를 인정하는 것으로서 기소편의주의의 논리적 귀결이라고 해석한다(다수설). 기소법정주의하에서는 공소취소를 불인정한다.
㉢ × : 검사동일체의 원칙이란 모든 검사들은 검찰총장을 정점으로 피라미드형의 계층적 조직체를 형성하고, 일체불가분의 유기적 통일체로서 활동하는 것을 말한다. 이 원칙은 범죄수사 · 공소권행사 · 재판의 집행 등 검찰사무의 처리에 있어 기동성 · 신속성에 대처하고 통일성 · 공정성을 기하려는 데 그 존재이유가 있는 것으로서 기소편의주의의 폐단을 방지하기 위한 제도로 볼 수는 없다.
㉣ × : 기소독점주의는 검사의 자의와 독선이 우려되는 단점이 있다.
㉤ × : 경찰서장에게 즉결심판청구권이 인정되는 이유는 경미사건을 신속하게 처리함으로써 소송경제를 도모하고 번거로운 절차로부터 피의자를 보호한다는 점에 있으므로 즉결심판청구권을 경찰서장에게 인정함은 기소독점주의를 규제하기 위함은 아니다.

Answer 1.① 2.④

THEMA 20 공소의 취소

의 의

공소의 취소란 일단 제기한 공소를 검사 스스로 철회하는 법률행위적 소송행위를 말한다. 형사소송법은 제255조 제1항에서 "공소는 제1심판결 선고 전까지 취소할 수 있다."고 규정하여 기소변경주의를 선언하고 있다.

공소사실의 철회와 구별

구 분	공소의 취소	공소사실의 철회
개 념	공소장에 기재된 수개의 공소사실이 서로 동일성이 없는 경우에 수개의 공소사실의 전부 또는 일부의 철회	동일성이 인정되는 하나의 범죄사실의 일부에 대한 철회
시 기	제1심판결 선고 전	명문규정 ×(항소심에서도 가능)
방 식	서면 또는 구술	서면(원칙)
소송계속	종 결	유 지
법원조치	공소기각결정	법원의 허가 要

절 차

1. 취소사유 : 공소취소사유는 법률상 제한은 없다. 그러나 전형적인 예를 들면 다음과 같다.
   예 • 공소제기 후 사정변화로 가벌성 희박(재산죄의 경우 예상과는 달리 피해액 소액으로 확인)
   • 공소제기 후 소송조건 흠결(피고인 사망, 반의사불벌죄에 있어 합의서 제출)
   • 기소유예를 해야 할 사유가 드러난 경우(피해자와 합의 등)
   • 증거불충분으로 공소유지 곤란
2. 주체 : 공소취소는 검사만이 할 수 있다.
3. 방법 : 공소취소는 이유를 기재한 서면으로 하여야 한다. 다만, 공판정에서는 구술로도 할 수 있다(제255조 제2항).
4. 시기 : 공소취소는 제1심판결 선고 전까지 가능하다. 여기서 제1심판결 선고는 실체판결인가 형식판결인가를 묻지 않는다.
   예 • 면소판결이나 공소기각판결이 선고된 경우에도 공소취소 불가
   • 약식명령 발부 후에도 공소취소 불가(단, 정식재판청구로 공판절차가 개시된 경우에는 공소취소 가능)
   • 재심절차 중 공소취소 ×(대판 1976.12.28, 76도3203) 21. 경찰승진, 22. 경찰간부

효 과

1. 공소기각결정 : 공소취소가 된 경우 결정으로 공소를 기각하여야 한다(제328조 제1항 제1호).
2. 재기소의 제한 : 공소취소에 의한 공소기각결정이 확정된 때에는 공소취소 후 그 범죄사실에 대한 다른 중요한 증거를 발견한 경우에 한하여 다시 공소를 제기할 수 있다.

01 **공소취소에 대한 다음 설명 중 적절한 것은 모두 몇 개인가?**(다툼이 있는 경우 판례에 의함)

㉠ 공소를 취소한 후 유죄입증에 충분한 다른 증거가 발견되지 아니하였음에도 불구하고 동일한 범죄사실로 다시 공소가 제기된 경우에는 법원은 공소기각결정을 하여야 한다.
㉡ 공소취소를 이유로 하는 공소기각결정에 대하여 즉시항고로서 다툴 수 있다.
㉢ 면소판결이나 공소기각판결이 선고된 경우에 공소취소는 가능하다.
㉣ 공소취소사유는 법률상 제한이 없다. 공소제기 후에 변경된 사정으로 불기소처분을 하는 것이 상당하다고 인정되는 경우이면 된다. 따라서 증거불충분이나 소송조건의 결여 등 어떤 사유로도 공소취소는 가능하다.
㉤ 포괄일죄로 기소된 공소사실 중 일부에 대하여 공소장변경의 방식으로 이루어지는 공소사실의 일부 철회의 경우에 다른 중요한 증거가 발견되어야만 재기소가 허용된다.
㉥ 공소취소는 이유를 기재한 서면으로 하여야 하나, 공판정에서는 구술로써 할 수 있다.
㉦ 공소취소에 의한 공소기각의 결정이 확정된 때에는 공소취소 후 그 범죄사실에 대한 다른 중요한 증거를 발견한 경우에 한하여 다시 공소를 제기할 수 있으나, 범죄의 태양, 수단, 피해의 정도, 범죄로 얻은 이익 등 범죄사실의 내용을 추가 변경하여 재기소하는 경우에는 변경된 범죄사실에 대하여 다른 중요한 증거가 발견되지 않아도 재기소 할 수 있다.
㉧ 약식명령이 고지된 후 정식재판의 청구에 의하여 공판절차가 개시된 경우에는 공소취소를 할 수 없다.

① 1개 ② 2개 ③ 3개 ④ 없 음

| 해설 | ㉠ ×：공소취소 후 다른 중요한 증거가 발견되지 않으면 다시 공소를 제기할 수 없도록 규정(제329조)하고 있는바, 이에 위반하여 제기된 제327조 제4호에 의거 공소기각판결을 당하게 된다.
㉡ ○：제328조 제2항
㉢ ×：제1심판결선고 전까지 가능한데, 여기서 제1심판결이란 실체판결인가 형식판결인가를 불문한다. 따라서, 면소판결이나 공소기각판결이 선고된 경우에는 공소취소는 불가능하다.
㉣ ○：공소취소사유는 법률상 제한이 없다.
㉤ ×：공소사실의 동일성이 인정되지 아니하고 실체적 경합관계에 있는 수개의 공소사실의 전부 또는 일부를 철회하는 공소취소의 경우 그에 따라 공소기각의 결정이 확정된 때에는 그 범죄사실에 대하여는 형사소송법 제329조의 규정에 의하여 다른 중요한 증거가 발견되지 않는 한 재기소가 허용되지 아니하지만, 이와 달리 포괄일죄로 기소된 공소사실 중 일부에 대하여 형사소송법 제298조 소정의 공소장변경의 방식으로 이루어지는 공소사실의 일부 철회의 경우에는 그러한 제한이 적용되지 아니한다(대판 2004.9.23, 2004도3203).
㉥ ○：제255조 제2항
㉦ ×：형사소송법 제329조는 공소취소에 의한 공소기각의 결정이 확정된 때에는 공소취소 후 그 범죄사실에 대한 다른 중요한 증거를 발견한 경우에 한하여 다시 공소를 제기할 수 있다고 규정하고 있는바, 이는 단순일죄인 범죄사실에 대하여 공소가 제기되었다가 공소취소에 의한 공소기각결정이 확정된 후 다시 종전 범죄사실 그대로 재기소하는 경우뿐만 아니라 범죄의 태양, 수단, 피해의 정도, 범죄로 얻은 이익 등 범죄사실의 내용을 추가 변경하여 재기소하는 경우에도 마찬가지로 적용된다. 따라서 단순일죄인 범죄사실에 대하여 공소취소로 인한 공소기각결정이 확정된 후에 종전의 범죄사실을 변경하여 재기소하기 위하여는 변경된 범죄사실에 대한 다른 중요한 증거가 발견되어야 한다(대판 2009.8.20, 2008도9634).
㉧ ×：약식명령발부 후에는 공소취소가 불가능하나, 정식재판청구로 공판절차가 개시된 경우에는 제1심판결 선고 전이므로 공소취소가 가능하다.

Answer 1. ③

02 공소의 취소에 대한 설명으로 가장 적절하지 않은 것은?(다툼이 있는 경우 판례에 의함)

22. 경찰간부

① 공소장에 기재된 수개의 공소사실이 서로 동일성이 없고 실체적 경합관계에 있는 경우에 그 일부를 소추대상에서 철회하려면 공소장변경의 방식에 의할 것이 아니라 공소의 일부 취소절차에 의하여야 한다.

② 재정신청이 이유 있는 때에 해당하여 사건에 대한 공소를 제기하는 결정에 따라 공소가 제기된 경우에는 공소를 취소할 수 없다.

③ 공소사실에 대하여 제1심 판결이 선고되고 동 판결이 확정되었지만, 이에 대한 재심소송절차가 진행 중인 경우에는 공소취소를 할 수 있다.

④ 공소취소에 의한 공소기각의 결정이 확정된 때 다시 공소를 제기하는 요건으로서 '다른 중요한 증거를 발견한 경우'라 함은 공소취소 전의 증거만으로는 증거 불충분으로 무죄가 선고될 가능성이 있으나 새로 발견된 증거를 추가하면 충분히 유죄의 확신을 가지게 될 정도의 증거가 있는 경우를 말한다.

| 해설 ① 대판 1992.4.24, 91도1438

② 제264조의 2

③ 제1심판결이 확정된 이상 이에 대한 재심소송절차가 진행 중에 있다 하여도 공소취소를 할 수 없다(대판 1976.12.28, 76도3203).

④ 대판 1977.12.27, 77도1308

Answer 2. ③

제3절 공소제기의 방식

THEMA 21

공소제기의 방식에 대한 내용으로 옳은 것은?(다툼이 있으면 판례에 의함)

① 공소를 제기할 때에는 공소장을 관할법원에 제출하여야 하나, 급속을 요하는 경우에는 구두나 전보 또는 팩시밀리에 의한 공소제기도 허용된다.

② 공소장에는 피고인 수에 상응하는 부본을 첨부하여야 하고 공소장 부본은 늦어도 제1회 공판기일 5일 전까지 피고인 또는 변호인에게 송달하여야 한다.

③ 형사소송법은 수사의 신속한 종결을 위해 체포 또는 구속된 날로부터 30일 이내에 공소장을 제출하도록 규정하고 있다.

④ 공소장에는 반드시 검사의 서명날인이 있어야 한다.

| 해설

① 공소를 제기할 때에는 공소장을 관할법원에 제출하여야 한다(제254조 제1항). 따라서 아무리 급속을 요하는 경우라도 구두나 전보 또는 팩시밀리에 의한 공소제기는 허용되지 않는다.
② 제254조의 제2항, 제266조
③ 공소장제출기한 규정은 두고 있지 않다.
④ 형사소송법 제57조 제1항은 "공무원이 작성하는 서류에는 법률에 다른 규정이 없는 때에는 작성연월일과 소속공무소를 기재하고 기명날인 또는 서명하여야 한다."고 정하고 있다. 여기서 '공무원이 작성하는 서류'에는 검사가 작성하는 공소장이 포함되므로, 검사의 기명날인 또는 서명이 있어야 한다. 이와 같이 법률이 정한 형식을 갖추지 못한 공소장 제출에 의한 공소의 제기는 특별한 사정이 없는 한 그 절차가 법률의 규정에 위반하여 무효인 때(형사소송법 제327조 제2호)에 해당한다. 다만, 이 경우 공소를 제기한 검사가 공소장에 기명날인 또는 서명을 추완하는 등의 방법에 의하여 공소의 제기가 유효하게 될 수 있다(대판 2012.9.27, 2010도17052). »②

01 공소제기의 방식에 대한 내용으로 틀린 것은 모두 몇 개인가?(다툼이 있으면 판례에 의함)

㉠ 공소장의 제출일자와 법원직원이 접수인을 찍은 날짜가 다르다면, 공소장 제출일자가 공소제기일로 추정된다.
㉡ 전자적 형태의 문서가 저장된 저장매체 자체를 서면인 공소장에 첨부하여 제출한 경우에는, 서면인 공소장에 기재된 부분에 한하여 공소가 제기된 것으로 볼 수 있으나, 문서의 양이 방대하여 그와 같은 방식의 공소제기를 허용해야 할 현실적인 필요가 있다거나 피고인과 변호인이 이의를 제기하지 않고 변론에 응하였다면 전자적 형태의 문서부분까지 공소제기된 것으로 볼 수 있다.
㉢ 검사에 의한 공소장의 제출이 없는 이상 기록을 법원에 송부한 사실만으로 공소제기가 성립되었다고 볼 수 없다 할 것이고, 소송행위로서의 공소제기가 있었으나 공소제기의 절차가 법률의 규정에 위반하여 무효인 경우에 해당한다고 할 수 없다.
㉣ 검사의 기명날인 또는 서명이 없는 상태로 관할법원에 제출된 공소장은 법률의 규정에 위반하여 무효인 때(형사소송법 제327조 제2호)에 해당한다. 다만, 이 경우 공소를 제기한 검사가 공소장에 기명날인 또는 서명을 추완하는 등의 방법에 의하여 공소의 제기가 유효하게 될 수 있다.
㉤ 공소장에 검사의 간인이 없더라도 그 공소장의 형식과 내용이 연속된 것으로 일체성이 인정되고 동일한 검사가 작성하였다고 인정되는 한 그 공소장을 형사소송법 제57조 제2항에 위반되어 효력이 없는 서류라고 할 수 없다. 이러한 공소장 제출에 의한 공소제기는 그 절차가 법률의 규정에 위반하여 무효인 때에 해당한다고 할 수 없다.

① 1개 ② 2개 ③ 3개 ④ 4개

해설 ㉠ × : 공소장의 제출일자와 법원직원이 접수인을 찍은 날짜가 다르다면, 공소장에 접수일로 찍혀 있는 날짜는 공소제기일로 추정된다(대판 2002.4.12, 2002도690).

㉡ × : 검사가 공소사실의 일부가 되는 범죄일람표를 컴퓨터 프로그램을 통하여 열어보거나 출력할 수 있는 전자적 형태의 문서로 작성한 후, 종이문서로 출력하여 제출하지 아니하고 전자적 형태의 문서가 저장된 저장매체 자체를 서면인 공소장에 첨부하여 제출한 경우에는, 서면인 공소장에 기재된 부분에 한하여 공소가 제기된 것으로 볼 수 있을 뿐이고, 저장매체에 저장된 전자적 형태의 문서 부분까지 공소가 제기된 것이라고 할 수는 없다. 이는 전자적 형태의 문서의 양이 방대하여 그와 같은 방식의 공소제기를 허용해야 할 현실적인 필요가 있다거나 피고인과 변호인이 이의를 제기하지 않고 변론에 응하였다고 하여 달리 볼 것도 아니다. 그리고 앞서 본 법리는 검사가 공소장변경허가신청서에 의한 공소장변경허가를 구하면서 변경하려는 공소사실을 전자적 형태의 문서로 작성하여 그 문서가 저장된 저장매체를 첨부한 경우에도 마찬가지로 적용된다. 나아가 검사가 위와 같은 방식으로 공소를 제기하거나 공소장변경허가신청서를 제출한 경우, 법원은 저장매체에 저장된 전자적 형태의 문서 부분을 고려함이 없이 서면인 공소장이나 공소장변경신청서에 기재된 부분만을 가지고 공소사실 특정 여부를 판단하여야 한다(대판 2016.12.15, 2015도3682).

유사판례 : 피고인이 재정하는 공판정에서 피고인에게 이익이 되거나 피고인이 동의하는 예외적인 경우에 한하여 법원은 구술에 의한 공소장변경을 허가할 수 있다(형사소송규칙 제142조 제1항, 제5항). 따라서 검사가 구술로 공소장변경허가신청을 하면서 변경하려는 공소사실의 일부만 진술하고 나머지는 전자적 형태의 문서로 저장한 저장매체를 제출하였다면, 공소사실의 내용을 구체적으로 진술한 부분에 한하여 공소장변경허가신청이 된 것으로 볼 수 있을 뿐이다(대판 2016.12.29, 2016도11138).

㉢ ○ : 검사에 의한 공소장의 제출이 없는 이상 기록을 법원에 송부한 사실만으로 공소제기가 성립되었다고 볼 수 없다 할 것이고, 소송행위로서의 공소제기가 있었으나 공소제기의 절차가 법률의 규정에 위반하여

Answer 1. ②

무효인 경우에 해당한다고 할 수 없다. 이와 같이 소송행위로서 요구되는 본질적인 개념요소가 결여되어 소송행위로 성립되지 아니한 경우에는 하자의 치유문제는 발생하지 않는다. 추후 당해 소송행위가 적법하게 이루어진 경우에는 그때부터 소송행위가 성립된 것으로 볼 수 있다(대판 2003.11.14, 2003도2735).

비교판례 : 필로폰 판매행위에 대하여 공소가 제기되었으나 검사는 제1심 계속 중 필로폰 매매 알선행위를 예비적으로 추가하는 내용의 공소장변경 허가신청서를 제출하여 법원으로부터 변경허가를 받았으나, 법원이 동일성이 없다는 이유로 공소장변경허가결정을 취소함에 따라 검사는 그 자리에서 공소장변경신청서로 필로폰 매매 알선행위에 대한 공소장을 갈음한다고 하자 피고인과 변호인은 이의 없다고 진술하여 제1심판결이 선고된 경우 알선행위에 대한 공소의 제기는 법 제254조에 규정된 형식적 요건을 갖추지 못한 이 사건 변경신청서에 기하여 이루어졌을 뿐만 아니라, 공소장부본 송달 등의 절차 없이 공판기일에서 변경신청서로 공소장을 갈음한다는 검사의 구두진술에 의한 것이라서, 그 공소제기의 절차에는 법률의 규정에 위반하여 무효라고 볼 정도의 현저한 방식위반이 있다고 봄이 상당하고, 피고인과 변호인이 그에 대하여 이의를 제기하지 않았다고 하여 그 하자가 치유된다고 볼 수는 없으므로, 알선행위 부분에 대한 공소사실에 대하여는 판결로써 공소기각의 선고를 하여야 한다(대판 2009.2.26, 2008도11813).

㉣ ○ : 대판 2012.9.27, 2010도17052

㉤ ○ : 대판 2021.12.30, 2019도16259

02 공소제기에 관한 다음 설명 중 가장 옳지 않은 것은?

19. 9급 법원직

① 검사의 기명날인 또는 서명이 없는 공소장제출에 의한 공소의 제기는 법률의 규정에 위반하여 무효인 때에 해당한다. 다만, 공소를 제기한 검사가 공소장에 기명날인 또는 서명을 추완하는 등의 방법에 의하여 공소의 제기가 유효하게 될 수 있다.

② 공소를 제기할 때 공소장에 수개의 범죄사실과 적용법조를 예비적 또는 택일적으로 기재할 수 있다 함은 수개의 범죄사실 상호간에 범죄사실의 동일성이 인정되는 범위 내에서만 범죄의 일시, 장소, 방법, 객체 등의 사실면의 어느 점에 있어 상위한 사실을 예비적 또는 택일적으로 기재할 수 있음을 규정한 것이다.

③ 검사가 공소사실의 일부인 범죄일람표를 전자문서로 작성한 다음 종이문서로 출력하지 않은 채 저장매체 자체를 서면인 공소장에 첨부하여 제출한 경우에는, 법원은 저장매체에 저장된 전자문서 부분을 제외하고, 서면에 기재된 부분에 한하여 적법하게 공소가 제기된 것으로 보아야 한다.

④ 단순일죄인 범죄사실에 대하여 공소취소로 인한 공소기각 결정이 확정된 후에 종전의 범죄사실을 변경하여 재기소하기 위하여는 변경된 범죄사실에 대한 다른 중요한 증거가 발견되어야 한다.

| 해설 ① 대판 2012.9.27, 2010도17052

② 형사소송법 제254조 제5항에 수개의 범죄사실과 적용법조를 예비적 또는 택일적으로 기재할 수 있다 함은 수개의 범죄사실 간에 범죄사실의 동일성이 인정되는 범위 내에서는 물론 그들 범죄사실 상호간에 범죄의 일시, 장소, 수단 및 객체 등이 달라서 수개의 범죄사실로 인정되는 경우에도 이들 수개의 범죄사실을 예비적 또는 택일적으로 기재할 수 있다는 취지다(대판 1966.3.24, 65도114 전원합의체).

③ 대판 2016.12.15, 2015도3682

④ 대판 2009.8.20, 2008도9634

Answer 2. ②

03 **공소제기에 대한 설명으로 옳지 않은 것은?**(다툼이 있는 경우 판례에 의함) 21. 7급 국가직

① 검사가 절도죄에 관하여 일단 기소유예의 처분을 한 것을 그 후 다시 재기하여 기소하였다 하여도 기소의 효력에 아무런 영향이 없는 것이고, 법원이 그 기소사실에 대하여 유죄판결을 선고하였다 하여 그것이 일사부재리의 원칙에 반하는 것은 아니다.

② 검사의 기명날인 또는 서명이 없는 상태로 관할법원에 제출된 공소장에 의한 공소제기는 특별한 사정이 없는 한 그 절차가 법률의 규정에 위반하여 무효인 때에 해당하지만, 공소를 제기한 검사가 공소장에 기명날인 또는 서명을 추완하는 등의 방법에 의하여 공소제기가 유효하게 될 수 있다.

③ 하나의 행위가 여러 범죄의 구성요건을 동시에 충족하는 경우 공소제기권자는 자의적으로 공소권을 행사하여 소추재량을 현저히 벗어났다는 등의 특별한 사정이 없는 한, 증명의 난이 등 여러 사정을 고려하여 그중 일부 범죄에 관해서만 공소를 제기할 수도 있다.

④ 포괄일죄와 같이 공소범죄의 특성에 비추어 개괄적인 기재가 불가피한 경우에는 사실상 피고인의 방어권 행사에 지장을 가져오는 경우에도 구체적인 기재가 있는 공소장이라고 할 수 있다.

해설 ① 대판 1983.12.27, 83도2686
② 대판 2012.9.27, 2010도17052
③ 대판 2017.12.5, 2017도13458
④ 포괄일죄와 같이 공소범죄의 특성에 비추어 개괄적인 기재가 불가피한 경우가 있다 하더라도, 사실상 피고인의 방어권행사에 지장을 가져오는 경우에는 형사소송법 제254조 제4항에서 정하고 있는 구체적인 범죄사실의 기재가 있는 공소장이라고 할 수 없다(대판 2007.8.23, 2006도5041).

04 **공소제기에 관한 설명으로 가장 적절한 것은?**(다툼이 있는 경우 판례에 의함) 24. 경찰승진

① 공소사실의 특정은 공소제기의 유효조건이므로 공소장의 기재가 불명확한 경우는 공소제기의 절차가 법률의 규정을 위반하여 무효일 때에 해당하여 법원은 즉시 공소기각의 판결을 선고해야 한다.

② 동일한 사실관계에 대하여 서로 양립할 수 없는 적용법조의 적용을 주위적·예비적으로 구하는 경우 예비적 공소사실만 유죄로 인정되고 그 부분에 대하여 피고인만 상소하였다면 예비적 공소사실만 상소심의 심판대상에 포함되고 주위적 공소사실은 상소심의 심판대상에 포함되지 않는다.

③ 공소장에 적용법조의 오기나 누락이 피고인의 방어에 실질적인 불이익을 주더라도 법원은 공소장 변경 없이 공소장에 기재되어 있지 않은 법조를 적용할 수 있다.

④ 공소장에 검사의 간인이 없더라도 그 공소장의 형식과 내용이 연속된 것으로 일체성이 인정되고 동일한 검사가 작성하였다고 인정되는 한, 이러한 공소장 제출에 의한 공소제기는 그 절차가 법률의 규정에 위반하여 무효인 때에 해당한다고 할 수 없다.

Answer 3. ④ 4. ④

| 해설 ① 공소장에 피고인인 계주가 조직한 낙찰계의 조직일자, 구좌 · 계금과 계원들에게 분배하여야 할 계금이 특정되어 있고 피해자인 계원들의 성명과, 피해자별 피해액만이 명확하지 아니한 경우에는, 법원은 검사에게 석명을 구하여 만약 이를 명확하게 하지 아니한 경우에 공소사실의 불특정을 이유로 공소기각을 할 것이고 이에 이르지 않고 바로 공소기각의 판결을 하였음은 심리미진의 위법이 있다(대판 1983.6.14, 83도293).
② 주위적 · 예비적 공소사실의 일부에 대한 상소제기의 효력은 나머지 공소사실 부분에 대하여도 미치는 것이고, 동일한 사실관계에 대하여 서로 양립할 수 없는 적용법조의 적용을 주위적 · 예비적으로 구하는 경우에는 예비적 공소사실만 유죄로 인정되고 그 부분에 대하여 피고인만 상소하였다고 하더라도 주위적 공소사실까지 함께 상소심의 심판대상에 포함된다고 볼 것이다(대판 2006.5.25, 2006도1146).
③ 적용법조의 기재에 오기나 누락이 있는 경우라 할지라도 이로 인하여 피고인의 방어에 실질적인 불이익을 주지 않는 한 공소제기의 효력에는 영향이 없고, 법원으로서도 공소장 변경의 절차를 거치지 않고 곧바로 공소장에 기재되어 있지 않은 법조를 적용할 수 있다(대판 2006.4.28, 2005도4085).
④ 대판 2021.12.30, 2019도16259

THEMA 22 공소장의 기재사항

필요적 기재사항	공소장에는 피고인, 죄명, 범죄사실, 적용법조를 기재하여야 하며(제254조 제3항), 피고인의 구속 여부도 기재하여야 한다(규칙 제117조 제1항 제2호). 1. 공소장에는 피고인을 특정해야 한다. 피고인을 특정할 수 있는 사항으로는 피고인의 성명 이외에 생년월일 · 주민등록번호 등 · 직업 · 주거 및 등록기준지를 기재하여야 하며, 피고인이 법인인 때에는 사무소 및 대표자의 성명과 주소를 기재하여야 한다(규칙 제117조 제1항 제1호). 다만, 이러한 사항이 명백하지 아니한 때에는 그 취지를 기재하고 인상 · 체격의 묘사나 사진의 첨부에 의하여도 특정할 수 있다. ▶ 불특정 ⇨ 공소기각판결(제327조 제2호) 2. 공소장에는 죄명을 기재하여야 한다. 죄명의 표시가 틀린 경우에도 피고인의 방어권행사에 실질적인 불이익을 초래하지 않는 한, 공소제기의 효력에는 영향이 없다. ▶ 다수의 공소사실에 대하여 일괄하여 죄명을 표시하였다 하여 죄명이 특정되지 않았다고 할 수는 없다(대판 1969.9.23, 69도1219). 뿐만 아니라 죄명이 기재되지 않았더라도 공소사실을 통해 그것을 확인할 수 있는 경우에는 공소제기는 유효하다(대판 1984.2.14, 83도2897). 3. 공소장에는 공소사실을 기재하여야 한다. 공소사실이 특정되지 아니한 공소제기는 무효이므로 법원은 공소기각판결을 하여야 한다(제327조 제2호). 4. 공소장에는 적용법조를 기재하여야 한다.
임의적 기재사항	1. 공소장에는 수개의 범죄사실과 적용법조를 예비적 또는 택일적으로 기재할 수 있다(제254조 제5항). – 동일성이 인정되는 범위 뿐만 아니라 실체적 경합관계에 있는 범죄들 사이에도 허용(대판 1966.3.24, 65도114 전원합의체) 2. 예비적 기재 : 예비적 기재란 수개의 범죄사실 또는 적용법조에 대하여 심판순서를 정하여 선순위의 사실 또는 법조의 존재가 인정되지 않으면 후순위의 사실 또는 법조의 존재의 인정을 구하는 공소장 기재방식을 말한다(예비적 기재사실을 먼저 판단하면 위법). ▶ 1차적으로 살인, 2차적으로 과실치사의 심판을 구하는 방식 3. 택일적 기재 : 택일적 기재란 수개의 범죄사실 또는 적용법조에 대하여 심판순서를 정하지 않고 그 가운데 어느 것이라도 하나만 인정되면 충분하다고 하는 취지를 기재하는 공소장 기재방식을 말한다(법원의 심판순서에 제한 없음). 예 절도나 횡령 중 택일

01 **공소장의 기재사항에 관한 설명으로 옳지 않은 것은?**

① 공소장의 공소사실 첫머리에 피고인이 전에 받은 소년부송치처분과 직업 없음을 기재하였다 하더라도 이는 형사소송법 제254조 제3항 제1호에서 말하는 피고인을 특정할 수 있는 사항에 속하는 것이어서 그와 같은 내용의 기재가 있다 하여 공소제기의 절차가 법률의 규정에 위반된 것이라고 할 수 없다.

② 공소장에 누범이나 상습범을 구성하지 않는 전과사실을 기재하였다 하더라도 이는 피고인을 특정할 수 있는 사항에 속한다 할 것으로서 그 공소장기재는 적법하다 할 것이다.

③ 적용법조의 기재에 오기가 있거나 그것이 누락된 경우에는 이로 인하여 피고인의 방어에 불이익이 있다 할 것이므로 공소제기의 효력에 영향이 있다.

④ 공소장변경에 의하여 공소사실과 적용법조를 예비적・택일적으로 변경할 수 있다.

| 해설 ① 대판 1990.10.16, 90도1813

② 대판 1966.7.19, 66도793

③ 적용법조의 기재는 공소의 범위를 확정하는 데 보조기능을 가짐에 불과하므로 적용법조의 기재에 오기가 있거나 그것이 누락된 경우라 할지라도 이로 인하여 피고인의 방어에 실질적 불이익이 없는 한 공소제기의 효력에는 영향이 없다(대판 2001.2.23, 2000도6113).

④ 제298조

02 **다음 중 공소장의 필요적 기재사항으로 올바른 것을 모두 고르면?**

㉠ 피고인의 성명 기타 피고인을 특정할 수 있는 사항
㉡ 죄 명
㉢ 공소사실
㉣ 적용법조
㉤ 피고인이 구속되어 있는지 여부

① ㉠, ㉡　　② ㉠, ㉡, ㉢

③ ㉠, ㉡, ㉢, ㉣　　④ ㉠, ㉡, ㉢, ㉣, ㉤

| 해설 **공소장의 필요적 기재사항**(제254조 제3항, 규칙 제117조)

1. 피고인의 성명 기타 피고인을 특정할 수 있는 사항(피고인의 주민등록번호 등, 직업, 주거 및 등록기준지, 다만 피고인이 법인인 때에는 사무소 및 대표자의 성명과 주소)
2. 죄 명
3. 공소사실
4. 적용법조
5. 피고인이 구속되어 있는지 여부

Answer 1.③ 2.④

03 **공소장의 임의적 기재와 관련한 판례의 내용으로 부합하지 않는 것은?**

① 법원이 본위적 공소사실을 판단하지 아니하고 예비적 공소사실만을 판단하는 것은 위법한 것이라고 해야 한다.

② 공소사실과 동일성이 인정되는 범위 내에서만 예비적·택일적 기재가 허용된다.

③ 항소심에서도 예비적 공소사실을 유죄로 인정할 수 있고 택일적 공소사실 가운데 하나의 사실을 인정한 원심판결을 파기하고 다른 사실을 인정할 수 있다.

④ 예비적 기재의 경우에 후위적 공소사실로 유죄를 인정한 경우에는 판결이유에서 본위적 공소사실에 대한 판단을 밝혀야 한다.

| 해설 ① 대판 1975.12.23, 75도3238

② 동일성이 인정되지 아니한 범죄사실에 대해서도 예비적·택일적 기재가 가능하다(대판 1966.3.24, 65도114).

③ 대판 1975.6.24, 70도2660

④ 대판 1976.5.26, 76도1126

Answer 3. ②

THEMA 23 공소사실의 특정

의 의	공소장에는 공소사실을 기재하여야 한다. 공소사실이라 함은 법원에 심판을 청구한 범죄사실을 말하며, 공소사실의 기재는 범죄의 일시・장소・방법 등을 명시하여 사실을 특정할 수 있도록 하여야 한다(제254조 제4항). 이는 심판의 대상을 명확히 하여 심판의 능률과 신속을 기하는 동시에 피고인의 방어권 행사를 용이하게 하려는 데 주된 이유가 있다.
특정 정도	공소사실의 특정은 다른 공소사실과 구별할 수 있을 정도로 구체적인 기재가 있어야 한다.
특정 방법	1. 일시・장소・방법 : 범행일시는 이중기소나 시효에 저촉되지 않는 정도로, 범행장소도 토지관할을 가늠할 수 있을 정도로, 범행의 방법은 구성요건을 밝히는 정도로 기재하면 족하다(판례). 따라서 범죄일시와 장소가 불명확한 경우 '몇 시경', '어디 부근'이라는 식으로 개괄적으로 기재해도 상관없다. 2. 교사범・방조범 : 교사범과 방조범의 공소사실에는 교사・방조사실뿐만 아니라 정범의 범죄사실도 특정하여야 한다. 공범(교사범, 방조범)이 성립하려면 정범이 실행행위에 나아가야 하기 때문이다. 09. 9급 국가직, 14. 순경 1차・변호사시험, 16. 9급 법원직 3. 포괄1죄 : 포괄1죄에 대해서는 1죄의 일부를 구성하는 개별행위에 대해 구체적으로 특정하지 않더라도 그 전체범행의 시기와 종기, 범행방법, 범행횟수 또는 피해액의 합계 및 피해자나 상대방을 명시하면 족하다. 15. 9급 검찰・교정・보호・철도경찰 4. 경합범 : 경합범의 경우에는 개별범죄사실을 각기 구체적으로 기재하여야 한다. 동종의 범행을 반복한 경우라도 경합범 관계에 있는 때에는 개별범죄사실을 특정하여야 한다.
불특정의 효과	공소사실이 특정되지 아니한 경우에 그 공소제기는 무효이므로 공소기각판결을 하여야 한다. ▶ ┌ 공소사실이 전혀 특정되지 아니한 때 ⇨ 공소제기의 하자가 치유 × └ 구체적 범죄구성요건사실이 표시되어 있는 때 ⇨ 법원은 검사에게 석명을 구한 후, 보정 안되면 공소사실의 불특정을 이유로 공소기각판결함이 상당(대판 2006.5.11, 2004도5972)

특정에 관한 판례 총정리

• **포괄일죄**

특정을 인정한 판례	특정을 부정한 판례
1. 2006. 12. 14.경부터 2007. 2. 15.경까지 2회에 걸쳐 합계 5천만원을 받았다는 공소사실은 피고인이 수회에 걸쳐 돈을 받은 행위를 포괄일죄로 하여 공소제기된 것임이 명백하고, 포괄일죄에 있어서는 그 일죄를 구성하는 개개의 행위에 대하여 구체적으로 특정하지 아니하더라도 그 전체 범행의 시기와 종기, 범행방법과 장소, 상대방, 범행횟수나 피해액의 합계 등을 명시하면 이로써 그 범죄사실은 특정되었다고 할 것이므로, 이 사건 공소장에 피고인이 위 각 일시에 받은 구체적 금액을 기재하지 않았다 할지라도 공소사실특정이 인정된다(대판 2008.12.24, 2008도9414). 15. 9급 검찰 · 교정 · 보호 · 철도경찰 2. 포괄일죄인 상습사기의 공소사실에 있어서 그 범행의 모든 피해자들의 성명이 명시되지 않았다 하여 범죄사실이 특정되지 아니하였다고 볼 수 없다(대판 1990.6.26, 90도833). 10. 경찰승진 3. 포괄1죄에 있어서는 1죄의 일부를 구성하는 개개의 행위에 대하여 구체적으로 사실을 특정할 필요는 없고, "1971년 말경부터 1972년 말경까지 사이에 비밀요정 등지에서 금 1,200,000원 상당의 향응을 제공받았다."는 공소사실과 같이 범행의 시기, 장소, 방법 등이 기재된 이상 공소사실은 특정되었다 할 것이다(대판 1975.7.22, 75도1680). 03. 경찰승진 4. 보건범죄단속에 관한 특별조치법위반죄의 공소사실은 일정기간 계속된 피고인의 각 의료행위를 포괄하여 일죄를 구성하는 것으로 공소를 제기하면서 전체 범행의 시기와 종기, 범행방법, 성명 불상 다수의 환자들을 상대한 범행내용 등을 명시함으로써 공소사실을 특정하였다고 할 것이고, 이 부분 공소사실 중 일죄의 일부를 구성하는 개개의 행위에 관하여 그 범행대상이 되는 다수의 환자들을 구체적으로 특정하지 않았다고 하더라도 심판의 대상이 불분명해진다거나 피고인에게 방어의 어려움을 초래한다고 볼 수 없다(대판 2002.6.20, 2002도807 전원합의체). 5. 포괄일죄에 해당하는 구 공직선거 및 선거부정방지법상 기부행위제한위반죄의 범죄사실은 그 죄의 일부를 구성하는 개개의 기부행위에 대하여 구체적으로 특정하지 아니하더라도 그 기부행위의 전제가 된	1. 포괄일죄로 기소된 이 사건 공소사실에는 '피고인이 일정 기간 동안 손님들에게 눈썹문신, 아이라인, 입술문신을 시술해주고 해당 시술료를 받는 영업을 하였다.'는 피고인의 영업 내용이 기재되어 있을 뿐, 보건범죄단속에 관한 특별조치법 제5조의 '의료행위'에 해당하는 구성요건사실로서 특정인에 대한 특정 치료행위 등이 전혀 기재되어 있지 않고, 전체 범행의 범행횟수나 수입액수 등 범행규모의 대강을 짐작할 수 있는 사항도 기재되어 있지 않다. 따라서 이 사건 공소사실은 구성요건을 충족하는 사실이 특정되었다고 볼 수 없다(대판 2009.7.23, 2008도5930). 2. 피고인은 '甲의 집에 침입하여 라디오 1대를 훔친 것을 비롯하여 그 후 4회에 걸쳐 상습적으로 타인의 재물을 절취하였다.'라는 공소사실 기재는 추상적인 범죄구성요건의 문구만이 적시되고 그 내용을 이루는 구체적인 범죄사실의 기재가 없으므로 범죄사실을 특정하였다고 볼 수 없다(대판 1971.10.12, 71도1615).

선거, 전체 기부행위의 시기와 종기, 기부행위의 장소, 방법, 그 대상이 된 대략의 선거구민을 명시하면 이로써 특정되는 것이다(대판 1999.10.12, 99도3335).

6. "1995. 8. 11.경부터 1995. 9. 6.까지 전국 연근해에서 근해선망어선 제62 세길호를 타고 다니며 선망의 주요 부분의 망목내경이 법령이 정한 제한기준에 미달하는 25mm짜리 어망을 사용 조업하였다."는 공소사실은 단일의사로 계속하여 반복된 것으로서 포괄하여 직업범으로서 1죄를 구성한다고 볼 것이고, 어구 사용의 장소를 일일이 특정하지 아니하고 그 범행장소를 개괄적으로 표시하였다고 할지라도 그로 인하여 피고인의 방어권행사에 지장이 없다(대판 1997. 5.30, 97도414).
7. 포괄1죄에 있어서는 그 1죄의 일부를 구성하는 개개의 행위에 대하여 구체적으로 특정되지 아니하더라도 그 전체 범행의 시기와 종기, 범행방법, 범행횟수 또는 피해액의 합계 및 피해자나 상대방을 명시하면 이로써 그 범죄사실은 특정된다(대판 1995.2.17, 94도3297).
8. 무면허 의료행위는 그 범죄의 구성요건의 성질상 동범행의 반복이 예상되는 것이므로 반복된 수개의 행위는 포괄적으로 한개의 범죄로 처단되는 것으로 공소사실도 포괄적으로 기재하는 것으로 족하다(대판 1984.2.28, 83도3313).
9. "피고인은 성동등기소 조사계장으로 재임 중이던 1977. 4. 15.경 동 등기소 사무실에서 등기 신청사건을 접수처리함에 있어서 신속히 처리하여 달라는 부탁조로 1건당 금 1,000원씩 도합 금 111,000원을 속칭 급행료라는 명목으로 교부받은 것을 비롯하여 같은해 9. 10.경까지 사이에 전후 7회에 걸쳐 각종 등기사건을 접수처리하면서 공동피고인으로부터 같은 명목으로 도합 금 828,000원을 교부받아 그 직무에 관하여 뇌물을 수수하였다."는 공소사실은 포괄1죄를 구성한다고 할 것이므로, 개개의 행위에 대하여 구체적으로 사실을 특정하지 아니하더라도 위 공소장의 기재와 같이 범행의 시기와 종기, 범행장소, 범행방법 등을 기재하면 공소사실은 특정된다 할 것이다(대판 1982.10.26, 81도1409).
10. 피고인이 2017. 10. 10.부터 2017. 10. 12.까지 자신이 운영하던 성매매업소에서 성매매 광고를 보고 방문한 손님들에게 대금 10만원을 받고 종업원인 태국

국적 여성 6명과의 성매매를 알선하였다는 공소사실에 대하여 모두 동일한 죄명과 법조에 해당하는 것으로 단일하고 계속된 범의하에 시간적으로 근접하여 동일한 장소에서 동일한 방법으로 이루어졌고 피해법익 역시 동일하여 포괄하여 일죄에 해당할 뿐, 실체적 경합 관계에 있다고 보기 어렵다. 구체적인 성매수자, 범행횟수 등이 기재되지 않았더라도 이 부분 공소사실은 특정되었다고 볼 수 있다(대판 2023.6.29, 2020도3626).	

• **마약류 관련**

대법원은 마약류 사건에 대하여 공소사실 특정을 인정함에 있어서 2000년 이전에는 일반사건보다는 비교적 관대한 편이었으나, 2000년 이후부터서는 구체적인 기재를 요구하고 있어 불특정판례가 주류를 이룬다. 마약류 범죄는 투약시마다 성립하는 범죄이므로, 특정을 위해서는 범행일시(너무 길면 그 사이에 다른 투약행위가 있을 수 있기 때문에 불특정)와 횟수와 관련한 기재('수회'라고 기재하는 것은 구체적 사실의 기재가 아님)가 중요하다.

특정을 인정한 판례	특정을 부정한 판례
범죄의 일시를 1998. 9. 초순 어느 날로, 장소를 서울시내 불상지로, 방법은 불상의 방법으로 메스암페타민을 투약하였다고 기재한 공소사실은 이중기소나 시효, 토지관할의 구분이 가능할 정도로 특정되었다(대판 1999.9.3, 99도2666).	1. "피고인은 2000. 11. 2.경부터 2001. 7. 2.경까지 사이에 인천 이하 불상지에서 향정신성의약품인 메스암페타민 불상량을 불상의 방법으로 수회 투약하였다."는 공소사실의 경우, 투약량은 물론 투약방법을 불상으로 기재하면서, 그 투약의 일시와 장소마저 위와 같이 기재한 것만으로는 구체적 사실의 기재라고 볼 수 없다(대판 2002.9.27, 2002도3194). 03. 경찰승진, 08. 순경 2차 2. 피고인이 '2010. 2. 초순경부터 2010. 4. 18.경 사이에 향정신성의약품인 메스암페타민 약 0.03g을 투약하였다.'는 내용으로 기소된 사안에서, 투약시기에 관한 위와 같은 기재만으로는 마약류관리에 관한 법률 위반공소사실이 특정되었다고 볼 수 없다(대판 2011.6.9, 2011도3801). 3. "2008년 1월경부터 같은 해 2월 일자 불상 15 : 00경까지 사이에 인천 남구 용현동 물텀벙사거리에 있는 상호불상의 오락실 앞 노상에서 甲으로부터 1회용 주사기에 담긴 메스암페타민 약 0.7g을 매수한 외에, 그때부터 2009년 2월 내지 3월 일자 불상 07 : 00경까지 총 21회에 걸쳐 매수·투약하였다."는 공소사실의 경우, 메스암페타민의 매수 및 투약시기에 관한 위와 같은 개괄적인 기재만으로는 공소사실이 특정되었다고 볼 수 없다(대판 2010.10.14, 2010도9835).

4. '2009년 3월 말경부터 같은 해 6월 말경까지 진주시 이하 장소를 알 수 없는 곳에서, 메스암페타민불상양을 불상의 방법으로 1회 투약하였다.'는 공소사실의 경우, 투약시기에 관한 위와 같은 기재만으로는 공소사실이 특정되었다고 볼 수 없다(대판 2010.4.29, 2010도2857).
5. "2009. 2. 13.경부터 같은 해 4. 10.경까지 사이에 서울 내지 의정부시 일대에서 메스암페타민 불상량을 불상의 방법으로 투약하였다."는 기재만으로는 피고인의 방어권 행사에 지장을 초래할 위험성이 크고, 단기간 내에 반복되는 공소 범죄사실의 특성에 비추어 볼 때 위 투약시기로 기재된 위 기간 내에 복수의 투약 가능성이 높아 심판대상이 한정되었다고 보기도 어렵다(대판 2010.2.25, 2009도13872).
6. 메스암페타민 투약시기에 관하여 "2009. 2. 13.경부터 같은 해 4. 10.경까지 사이"라는 기재만으로는 피고인의 방어권 행사에 지장을 초래할 위험성이 크고, 심판대상이 한정되었다고 보기도 어려워, 공소사실이 특정되었다고 볼 수 없다(대판 2010.2.25, 2009도13872).
7. "2007. 4.경 내지 6.경 사이에 알 수 없는 곳에서, 향정신성의약품인 엠디엠에이(MDMA, 일명 '엑스타시')를 알 수 없는 방법으로 투약하였다."는 것인바, 엠디엠에이의 투약시기, 투약장소, 투약방법에 관한 위와 같은 기재만으로는 피고인의 방어권의 행사에 지장을 초래할 위험성이 크고, 위 투약시기로 기재된 위 기간 내에 복수의 투약가능성도 충분히 있으므로 위 공소사실에 대하여는 특정되었다고 볼 수 없다(대판 2009.5.14, 2008도10914).
8. "2005. 3. 15.경부터 같은 해 4. 10.경까지 사이 일시 불상경 진해시내 일원에서 필로폰 불상량을 불상의 방법으로 수회 투약하였다."는 것인바, 이는 필로폰의 투약회수와 투약방법이 특정되지 아니한 것이고, 그 투약의 일시와 장소를 위와 같은 정도로 기재한 것만으로는 공소사실이 특정되었다고 할 수 없다(대판 2006.4.28, 2006도391).
9. "피고인이 1999년 5월 중순경부터 같은 해 11월 19일경까지 사이에 부산 이하 불상지에서 향정신성의약품인 메스암페타민 약 0.03g을 1회용 주사기를 이용하여 팔 등의 혈관에 주사하거나 음료수 등에 타 마시는 방법으로 이를 투약하였다."는 공소사실의 경우,

그 투약량은 메스암페타민 투약자들이 보통 1회에 투약하는 최소한의 단위로 알려진 것이고, 그 투약방법 역시 어느 것이나 메스암페타민 투약자들이 일반적으로 사용하는 방법에 지나지 않는 것을 막연히 기재한 것에 불과할뿐더러 그 투약의 일시와 장소마저 위와 같은 정도로 기재한 것만으로는 공소사실이 특정되었다고 할 수 없다(대판 2000.10.27, 2000도3082).

10. "피고인은 1996. 7. 내지 10. 일자 불상경 장소 불상에서 불상의 방법으로 메스암페타민 불상량을 투약하였다."라는 것인바, 여기서 '불상…' 부분은 내용이 공허한, 아무런 의미가 없는 기재이므로 이를 빼고 공소사실을 다시 적으면, 단순히 "피고인은 1996. 7.에서 1996. 10. 사이에 메스암페타민을 투약하였다."라는 것으로 된다. 위와 같은 기재만으로는 공소사실이 특정된 것이 아니다(대판 1999.6.11, 98도3293).
11. "1988. 6. 중순 일자 불상경부터 1989. 2. 일자 불상경까지 사이에 수회에 걸쳐 향정신성의약품인 메스암페타민을 투약하였다."라고 기재한 것은 추상적인 범죄구성요건 문구만이 적시되었을 뿐 개개의 범죄행위의 내용을 이루는 구체적인 범죄사실의 기재가 없어 적법한 공소사실기재로 볼 수 없다(대판 1989.12.12, 89도2020).
12. 검사는 2021. 6. 10. 메트암페타민을 투약하여 유죄 확정판결을 받은 피고인에 대하여 "2021. 3.부터 2021. 6.경까지 위 확정판결의 범죄사실과 같은 장소에서 같은 방법으로 메트암페타민을 2회 투약하였다"는 범죄사실로 기소하였다. 확정판결의 범죄사실과 이 사건 공소사실의 범행 장소와 방법이 동일하고 공소사실의 '일시' 기재만으로는 이 사건 공소사실이 확정판결의 범죄사실과 동일한지 판단할 수 없어 심판의 대상이나 방어의 범위가 특정되었다고 볼 수 없다(대판 2023.4.27, 2023도2102).

▶ 모발 및 소변감정결과에 의한 투약추정기간

마약류 투약범죄의 투약시기를 모발감정결과에 기한 투약가능기간 범위 내로 기재한 경우에 대법원은 2000년 이전에는 대체로 특정을 인정하였으나, 그 이후에는 대부분 특정을 부정하고 있다. 그러나 소변감정에 기한 투약추정기간에 대하여 대체로 공소사실의 특정을 인정하고 있는데 이는 공소장기재 범행일자가 10일 이내의 단기라는 점을 고려한 결과로 보인다.

감정결과에만 기초한 경우	감정결과에만 기초하지 아니한 경우
1. 모발감정결과가 있는 경우 검사가 투약행위의 일시를 모발감정에서 메스암페타민성분이 검출될 수 있는 기간의 범위 내로 하는 한 그 장소나 방법 및 투약량을 불상으로 기재하더라도 마약범죄의 특성상 공소사실이 특정되었다고 보아야 한다(대판 1998.2.24, 97도1376). 2. 뚜렷한 증거가 확보되지 않았음에도 모발감정결과에 기초하여 그 투약가능 기간을 추정한 다음 개괄적으로만 그 범행시기를 적시하여 공소사실을 기재한 경우에 그 공소내용이 특정되었다고 볼 것인지는 매우 신중히 판단하여야 할 것이다(공소사실에 기재된 범행일시인 '2010. 11.경'은 4~5cm 가량 길이의 피고인의 모발에서 필로폰 양성반응이 나왔다는 모발감정결과에 기초하여 투약가능 기간을 역으로 추산해서 그 범행시기를 정한 것이고, 투약장소도 '부산 사하구 이하 불상지'라고 기재하였을 뿐이라면, 구체적 사실의 기재라고 보기 어렵다 : 대판 2012.4.26, 2011도11817). 15. 9급 검찰·교정·보호·철도경찰 3. 길이 4~5cm 가량의 피고인의 모발을 대상으로 메스암페타민 검출실험을 한 결과 양성반응이 나왔다는 감정결과가 나오자 메스암페타민 성분이 위 모발의 어느 부위에서 검출된 것인지, 더 짧은 길이로 분할 분석은 할 수 없는지, 검출된 양은 어느 정도인지 등에 관한 구체적인 확인이나 조사도 없이 단지 위 길이 정도의 모발에서 메스암페타민 성분이 검출된 경우 그 검출가능한 기간을 모발 채취일인 2008. 1. 10.로부터 역으로 추산한 2008. 1. 초순경부터 2007. 8. 초순경까지 사이의 전 기간을 범행일시로 하고, 범행장소는 그 기간 동안 주로 생활한 곳 일원으로 하며, 투약량 및 투약방법은 불상으로 하여 이 부분 공소를 제기한 것으로서 이러한 공소사실의 기재는 특정한 구체적 사실의 기재에 해당된다고 볼 수 없다(대판 2009.5.14, 2008도10885). 4. 검사가 단지 4~7cm인 피고인의 모발을 대상으로 실험을 한 결과 메스암페타민 양성반응이 나왔다는 국립과학수사연구소의 감정결과만에 기초하여 위 정도 길이의 모발에서 메스암페타민이 검출된 경우 그 사용가능한 기간을 역으로 추산한 다음 그 전 기간을 범행일시로 하고, 위 기간 중의 피고인의 행적에 대해서도 별다른 조사를 하지 아니한 채 피고인의	1. 피고인이 마약류취급자가 아니면서 2010년 1월에서 3월 사이 일자 불상 03 : 00경 서산시 소재 상호불상의 모텔에서, 甲과 공모하여 여자 청소년 乙에게 메스암페타민을 투약하였다고 하여 구 마약류 관리에 관한 법률위반으로 기소된 사안의 경우, 위 공소사실은 투약 대상인 乙의 진술에 기초한 것이라는 점에서 피고인에 대한 모발 등의 감정결과에만 기초하여 공소사실을 기재한 경우와는 달리 볼 필요가 있는 점 등 제반 사정에 비추어 볼 때, 위 공소사실에서 일시나 장소가 다소 개괄적으로 기재되었더라도 그 기재가 다른 사실과 식별이 곤란하다거나 피고인의 방어권 행사에 지장을 초래할 정도라고 보기 어려워 공소사실이 특정되었다고 볼 수 있다(대판 2014.10.30, 2014도6107). 16. 경찰간부 2. 검사가 모발을 성장기간별로 구분하여 투약시기를 세분하여 감정한 모발감정 결과에 기초하거나 피고인의 행적 등 다른 증거들에 의하여 모발감정에서 성분이 검출될 수 있는 기간의 범위 내에서 투약시기를 가능한 한 최단기간으로 특정하고, 장소도 토지관할의 구분이 가능할 정도로 특정하고 있다면, 그 시기·장소·방법·투약량 등을 불상으로 기재하더라도 공소사실이 특정되었다고 보아야 할 것이다(대판 2005.5.13, 2005도1765). 3. 모발에 대한 감정을 실시한 결과 모발에서 메스암페타민 성분이 검출되어 피고인이 메스암페타민을 투약한 사실이 판명된 경우에 검사가 기소 당시의 증거에 의하여 가능한 한 특정한 것이라면, 위와 같이 시일을 일정 범위의 기간내로 기재하고 장소를 '인천 또는 불상지'라고 기재하였다고 하더라도, 범죄의 특성상 공소사실이 특정되어 있다고 보아야 할 것이다(대판 1994.12.9, 94도1680).

주거지인 의왕시를 범행장소로 하여 공소를 제기한 경우 공소사실의 특정이라고 볼 수 없다(대판 2000.11.24, 2000도2119). 5. 메스암페타민의 양성반응이 나온 소변감정결과에 의하여 그 투약일시를 '2009. 8. 10.부터 2009. 8. 19.까지 사이'로, 투약장소를 '서울 또는 부산 이하 불상'으로 공소장에 기재한 사안에서, 공소사실이 향정신성의약품투약 범죄의 특성을 고려하여 합리적인 정도로 특정된 것으로 볼 수 있다(대판 2010.8.26, 2010도4671).	

• 기타 범죄 관련

특정을 인정한 판례	특정을 부정한 판례
1. 공모공동정범에 있어서 실행정범의 인적사항이 적시되지 아니하고 범행일시나 장소가 명백히 표시되지 아니하였으나 그 공모관계, 실행정범의 실행행위가 모두 표시되어 공소사실이 특정되었다고 보아야 한다(대판 1997.7.8, 97도632). 11. 경찰승진 2. 당첨이 된 손님들에게 위조상품권을 직접 교부한 것이 아니라, 미리 오락기에 일련번호가 모두 같은 위조된 상품권을 여러 장 투입해 두고 그후 오락기 이용자가 게임에서 당첨이 되면 오락기에서 자동으로 그 당첨액수에 상응하는 상품권이 배출되는 방식의 위조유가증권을 행사한 죄에 있어서, 각각의 상품권 사용시에 몇 매가 함께 사용되었는지, 행사상대방이 누구인지 등의 특정은 불가능하다고 보아야 하므로, 이에 관한 공소사실은 상품권 사용일자의 범위와 장소, '경품용으로 지급'하였다는 용도 정도가 기재되어 있으면 특정된 것으로 보아야 한다(대판 2007.4.12, 2007도796). 11. 9급 교정·보호 ▶ 구체적 사안 : "위조된 문화상품권 30,000장을 2006. 7. 일자 불상경부터 같은 해 9. 5.경까지 불특정 다수의 손님에게 경품용으로 지급함으로써 행사하였다."는 이 부분 공소사실은 구체적인 범죄사실을 특정하여 기재한 것이라고 볼 수 있다. 3. 뇌물수수의 공소사실 중 수뢰금액을 '2억원 상당'으로 기재하였더라도 공소사실을 특정할 수 있어 공소제기의 효력에 영향이 없다(대판 2010.4.29, 2010도2556). 11. 9급 교정·보호 4. 문서의 위조 여부가 문제되는 사건에서 그 위조된 문서가 압수되어 현존하고 있는 이상, 그 범죄 일시	1. 사문서변조의 공소사실에는 그 변조의 대상이 된 예금잔액증명서의 발급경위와 이미 금액란의 변조가 마쳐진 상태의 예금잔액증명서가 피고인에게 전달된 과정이 기재되어 있을 뿐 사문서변조의 범죄구성요건에 해당하는 구체적 사실에 관해서는 그 일시·장소와 방법의 기재가 모두 빠져 있고, 변조의 실행행위를 한 사람도 전혀 나타나 있지 않으며(공범자도 성명불상자로만 기재되어 있을 뿐이다), 그 외에 이 사건 공소장 내에 적시된 여타 사항들만으로는 다른 사실과 구별될 수 있는 사문서변조에 관한 구체적 공소사실을 파악하기 어려운 경우, 이와 같은 공소사실은 범죄구성요건의 특정요소에 관한 기재 자체가 누락된 것이어서, 공소사실이 특정되었다고 볼 수 없다(대판 2009.1.15, 2008도9327). 11. 경찰승진 2. 피고인들이 불특정 다수 인터넷 이용자들의 컴퓨터에 자신들의 프로그램을 설치하여 경쟁업체 프로그램이 정상적으로 사용되거나 설치되지 못하도록 함으로써 인터넷 이용자들의 인터넷 이용에 관한 업무를 방해하였다고 하여 '컴퓨터 등 장애 업무방해'로 기소된 사안의 경우, 공소장 기재만으로는 업무 주체인 피해자와 방해된 업무 내용을 알 수 없으므로, 공소사실이 특정되지 않았다고 보아야 한다(대판 2011.5.13, 2008도10116). 3. 컴퓨터 등 장애 업무방해죄에 관한 공소사실에 '컴퓨터 사용자들의 컴퓨터 사용에 관한 업무'라고 기재한 것만으로는 피해자나 방해된 업무의 내용을 알 수 없어 그 공소사실이 특정되지 않았다(대판 2009.3.12, 2008도11187).

와 장소, 방법 등은 범죄의 동일성 인정과 이중기소의 방지, 시효저촉 여부 등을 가름할 수 있는 범위에서 사문서의 위조사실을 뒷받침할 수 있는 정도로만 기재되어 있으면 충분하다(대판 2009.1.30, 2008도6950). 10. 경찰승진

▶ 구체적 사안 : 외국 유명대학교의 박사학위를 위조・행사하였다는 공소사실에 대하여 박사학위기 위조 부분은 피고인이 위조하였다는 문서의 내용 및 그 명의자가 특정되었을 뿐 아니라 위조 일시, 방법이 개괄적으로 기재되어 있으며, 위조박사학위기 행사 부분은 위조문서의 내용, 행사 일시, 장소, 행사 방법 등이 특정되어 기재되어 있고, 기록상 위조되었다는 예일대학교 박사학위기와 동일하다고 하는 박사학위기 사본이 현출되어 있으므로 이로써 공소사실은 특정되었다고 볼 것이다(대판 2009.1.30, 2008도6950). 11. 경찰승진

※ 원심은 박사학위기 원본이 제출되지 않았으므로, 존재하지 않는 문서에 대한 것으로서 범죄의 일시, 장소, 방법, 위조 내용을 전혀 알 수 없어 공소사실이 특정되지 아니한 때에 해당한다고 판시하였다.

5. 주식회사 맥시칸의 맥시칸 양념통닭에 관한 상품표지와 유사한 것을 사용한 사실로 기소하면서 공소장에 "위 주식회사 맥시칸에서 제작하여 각종 광고 매체를 통해 국내에서 소비자들에게 널리 인식시킨 자신의 상품임을 표시한 표지"라고만 기재하고 그 표지가 별도로 특정되지 않았다 하더라도 다른 사실과 구별하기에 충분하니 위 공소사실은 특정된 것이라 할 것이다(대판 1996.5.31, 96도197). 08. 순경 2차
6. 문서위조죄는 피고인들이 그 범행을 자백하지 아니한 이상 언제 어디에서 문서를 위조한 것인지 알기가 어려우며 그 범죄일시를 일정한 시점으로 특정하기 곤란하여 부득이하게 개괄적으로 표시할 수밖에 없다고 보아 유가증권위조의 점에 관한 공소사실의 범죄의 일시를 '2000. 초경부터 2003. 3.경 사이에'로 비교적 장기간으로 기재하였으나 공소사실이 불특정된 것으로 볼 수 없다(대판 2006.6.2, 2006도48). 11. 9급 국가직
7. "피고인은 파일 공유 사이트를 운영하면서 성명불상의 이용자들로 하여금 피해자 성명불상자가 저작권을 가지고 있는 영상저작물을 업로드하게 한 후 불특정 다수의 이용자들로 하여금 이를 언제든지

4. "피고인이 2001. 2.부터 2002. 6.까지 보따리상을 통하여 장뇌삼 9,398뿌리 외 7종 시가 1억 99,928,460원 상당품을 밀수입하고, 2002. 9.경부터 2003. 2.경까지 보따리상을 통하여 중국산 장뇌삼 9,529뿌리 외 3종 시가 1억 60,673,000원 상당의 물품을 밀수입하였다."는 공소사실은 그 수입의 일시, 방법, 품목, 수량 등이 기재되어 있지 않는 등으로 공소사실이 특정되지 아니하여 공소제기의 절차가 법률에 위반하여 무효인 때에 해당한다(대판 2007.1.11, 2004도3870).
5. 유사석유제품 원료의 판매자인 피고인이 원료를 혼합하는 구매자와 함께 유사석유제품 제조의 공동정범으로 기소된 사안에서, 피고인의 상대방 공모공동정범이 누구인지, 몇 명인지, 그 상대방이 언제, 어디서 원료혼합행위를 하였는지를 밝히지 않았다면 공소사실이 특정되지 않았다고 할 것이다(대판 2006.6.15, 2005도3777).
6. '1992. 2.경부터 1996. 6. 7.경까지 수회에 걸쳐 밀수품을 취득하였다.'는 방식으로 공소사실을 기재하는 것은 범행의 회수조차 특정되지 아니하여 적법한 공소사실의 기재로 볼 수 없다(대판 1999.1.26, 98도1480).
7. 음화가 게재된 도서의 판매에 관한 죄의 공소사실에 있어서는 우선 행위의 객체인 당해 도서가 특정되어야 하고 나아가 그 도서에 게재된 도화가 음란성 있는 도화에 해당한다는 구체적 사실도 특정하여 기재되어야 하는 것이다. 10. 경찰승진 따라서 피고인이 1990. 10. 9. 그가 경영하는 서점에서 거창 공동정류소 서점을 경영하는 성명 불상자에게 여자가 나체로 성교하는 자세로 누워 있는 사진으로 구성된 월간지인 "걸", "포토스타" 등 22종 500권을 금 562,500원에 판매한 것을 비롯하여 같은 해 1. 1.경부터 12. 6.경까지 사이에 그곳에서 음란도화가 첨부된 월간지를 공급받아 김천, 구미, 상주, 문경, 거창 등지의 서점에 권당 1,200원 내지 1,300원의 가격으로 매월 2,400권 가량을 공급함으로써 음화를 판매하였다는 것인바, 위 공소사실 중 "걸", "포토스타" 두 월간지에 관하여는 도서의 특정과 함께 음란성의 요건 사실도 비교적 구체적으로 특정하여 기재하고 있으나, 다른 월간지들에 관하여는 음란성의 요건사실에 관한 기재는 물론 그 도서를 특정할 수 있는 명칭조차 기재되어 있지 아니하다(대판 1991.12.27, 91도2492).

쉽게 복제·전송받아 사용할 수 있게 하여 저작권 침해행위를 방조하였다."라는 공소사실에 대하여 비록 피해자인 저작재산권자의 성명 등이 특정되어 있지 않으나, 정범의 범죄 구성요건적 행위에 해당하는 사이트 이용자들의 영상저작물 업로드 행위에 관하여 그 행위자의 아이디, 업로드 파일의 파일명, 저작권침해 확인일시, 검색어 등이 기재되어 있어서 침해 대상 저작물과 침해 방법을 특정할 수 있으므로, 구성요건 해당사실을 다른 사실과 구별할 수 있을 정도로 공소사실이 특정되었다고 볼 수 있다(대판 2016.12.15, 2014도1196).

▶ 저작재산권 침해행위에 관한 공소사실의 특정은 침해 대상인 저작물 및 침해 방법의 종류, 형태 등 침해행위의 내용이 명확하게 기재되어 있어 피고인의 방어권 행사에 지장이 없는 정도이면 되고, 각 저작물의 저작재산권자가 누구인지 특정되어 있지 않다고 하여 공소사실이 특정되지 않았다고 볼 것은 아니다(대판 2016.12.15, 2014도1196).

8. 부정경쟁방지 및 영업비밀보호에 관한 법률 위반 사건의 공소사실에 '영업비밀'이라고 주장된 정보가 상세하게 기재되어 있지 않다고 하더라도, 다른 정보와 구별될 수 있고 그와 함께 적시된 다른 사항들에 의하여 어떤 내용에 관한 정보인지 알 수 있으며, 또한 피고인의 방어권 행사에도 지장이 없다면, 그 공소제기의 효력에는 영향이 없다(대판 2009.7.9, 2006도7916).

▶ 구체적 사안 : 이 사건 공소사실에는 피고인이 누설하고, 나머지 피고인들이 사용한 영업비밀에 관하여 "경부선 전동차 160량의 설계도면 캐드파일"로 기재되어 있는바, 이 사건 캐드파일은 다른 정보와 구별될 수 있고 어떤 내용에 관한 정보인지 충분히 알 수 있으며, 피고인들의 방어권 행사에도 지장이 있는 것으로 보이지 않는다. 따라서 이 사건 캐드파일에 관한 기재가 영업비밀로서 특정되었다고 판단한 것은 정당하다(대판 2009.7.9, 2006도7916).

9. 무거래 세금계산서 교부죄의 공소사실에 기재된 공급가액이 피고인이 실제 교부한 세금계산서에 기재된 공급가액이 아니라 주류판매계산서에 기재된 공급가액이라 하더라도 공소사실이 특정되었다(대판 2009.2.12, 2008도10577).

10. 유가증권변조의 공소사실이 범행일자를 "2005. 1. 말경에서 같은 해 2. 4. 사이"로, 범행장소를 "서울 불상지"로, 범행방법을 "불상의 방법의 수취인의 기재를

8. "피고인이 甲과 공모하여 1987. 9. 20. 14 : 00경 경남 창녕읍 교동 280 경일교통사 사무실에서 같은 날 09 : 00경 발생된 교통사고 피의사건과 아무런 관련이 없는 경남 1바1229호 택시를 이용하여 그것이 범죄사실과 관계가 있는 것처럼 꾸며 증거를 위조하였다."는 공소사실의 기재로써는 피고인이 무슨 증거를 어떻게 위조하였다는 것인지 구체적인 범죄사실이 특정되어 있지 않다(대판 1990.3.13, 89도1688).

9. 만연히 "사위의 방법으로 … 포탈한 것이다."라고 기재하였다면 구체적인 사실의 기재가 특정되어 있지 않다(대판 1984.5.22, 84도471).

10. 사문서위조 공소사실을 기재함에 있어서 2인의 명의만 특정하였을 뿐 나머지 채권자 4명에 대하여는 그 명의를 구체적으로 특정하지 않은 채 만연히 채권자들이라고만 지적하였다면 공소사실이 특정되었다고 할 수 없다(대판 1983.9.13, 82도2063).

11. 피고인이 절취하였다는 물품이 "품명불상의 재물"이라고만 표현되었음은 그것이 과연 재물성을 가진 것인지 조차 알 길이 없어 이 사건 범죄의 특별구성요건을 충족하는 구체적 사실이라고 할 수 없고 또 피고인이 "성명불상자들과 합동하여 통행중인 성명불상 여자로부터 품명불상의 재물을 절취하였다."는 공소장의 기재는 공소의 원인 사실이 다른 사실과 구별될 수 있도록 특정된 것이라고 볼 수도 없다(대판 1975.11.25, 75도2946).

12. 피고인은 '甲의 집에 침입하여 라디오 1대를 훔친 것을 비롯하여 그 후 4회에 걸쳐 상습적으로 타인의 재물을 절취하였다.'라는 공소사실 기재는 추상적인 범죄구성요건의 문구만이 적시되고 그 내용을 이루는 구체적인 범죄사실의 기재가 없으므로 범죄사실을 특정하였다고 볼 수 없다(대판 1971.10.12, 71도1615).

13. 공소사실 중 "피고인들은 공모하여, 甲이 의약품을 판매할 수 없음에도 염산날부핀을 일반인들을 상대로 판매한다는 정을 알면서 甲에게 염산날부핀을 판매함으로써, 甲이 염산날부핀을 일반인들을 상대로 판매할 수 있도록 공급하여 이를 방조하였다."라는 점에 관하여 보면, 위 공소사실 부분은 정범인 甲의 염산날부핀 판매행위라는 범죄사실이 전혀 특정되지 않았으므로 방조범인 피고인들의 위 공소사실 부분 역시 특정되었다고 할 수 없다(대판 2001.12.28, 2001도5158).

삭제"한 것으로 된 경우, 변조된 유가증권이 압수되어 현존하고 있는 이상 위 공소사실이 특정되었다(대판 2008.3.27, 2007도11000).

11. "피고인이 2005. 2. 하순경 피해자 운영의 유황오리 식당 내부 천장에 감시용 CCTV 카메라 3대 및 계산대 위 천장 틈새에 도청마이크 1개를 은닉하여 설치하고 피고인의 개인 사무실에 CCTV 녹화기 및 녹음기를 설치한 다음, 2005. 5. 초순경부터 같은 해 9. 29.경까지 위 식당 내에서 행하여지는 피해자 등의 대화에 관하여 위 마이크를 통하여 녹음을 시도하거나, 청취함으로써 공개되지 아니한 타인 간의 대화를 녹음하려다 그 뜻을 이루지 못하고 미수에 그치거나, 이를 청취하였다."는 공소범죄사실은 피고인의 방어권 행사에 지장이 없을 정도로 특정되었다고 할 것이다(대판 2007.12.27, 2007도9053).

12. 공모의 시간·장소·내용 등을 구체적으로 명시하지 아니하였다거나 그 일부가 다소 불명확하더라도 그와 함께 적시된 다른 사항들에 의하여 그 공소사실을 특정할 수 있고, 그리하여 피고인의 방어권 행사에 지장이 없다면 그와 같은 이유만으로 공소사실이 특정되지 아니하였다고 할 수 없다(대판 2007.6.14, 2004도5561).

13. 노동조합 및 노동관계조정법 위반죄의 구성요건인 '노동조합의 운영에 개입'에 해당하는 공소사실에 대하여 일시, 방법(현장관리자들의 조합원 설득을 위한 구체적인 지시 사항) 등을 구체적으로 적시하고 있고 위 구성요건 해당사실을 다른 사실과 충분히 구별할 수 있으며, 피고인들의 지시에 따라 이후에 이루어진 현장관리자들의 설득의 내용과 그 대상자 등이 공소사실에 일일이 적시되지 않았다고 하더라도 피고인들의 방어권 행사에 지장이 없어 이 부분 공소사실이 특정되었다(대판 2006.9.8, 2006도388).

14. 유가증권위조의 점에 관한 공소사실의 범죄의 일시를 '2000. 초경부터 2003. 3.경 사이에'로 비교적 장기간으로 기재하였더라도 공소사실이 불특정된 것으로 볼 수 없다(대판 2006.6.2, 2006도48).

15. 범죄를 목적으로 단체 등을 구성하는 범죄(폭력행위 등 처벌에 관한 법률 제4조)에서 규정하는 단체는 그 범죄를 한다는 공동의 목적 아래 최소한의 통솔체계를 갖추면 되는 것이고, 폭력행위의 방법에

14. "판매할 목적으로 납사와 벤젠을 섞어 소위 가짜 휘발유를 제조하여 이를 정상 휘발유와 혼합하여 그들이 경영하는 각 주유소를 통하여 그 정을 모르는 고객들에게 판매하려고 한다는 정을 알면서도 범행을 도울 목적으로, 1979. 4. 28~1979. 6. 7.경 및 1980. 1. 3.부터 동월 26. 사이에 경인에너지로부터 매입한 납사와 벤젠 각 525드럼을 甲에게 1979. 2.부터 1980. 9. 25. 사이에 납사 1,480드럼 벤젠 및 토루엔 합계 1,480드럼을 乙에게, 1979. 4. 28.~1980. 9. 25. 사이에 납사 1,980드럼과 벤젠, 토루엔, 커시덴 합계 1,980드럼을 丙에게 각 공급하여, 그들이 자신들 소유의 공소장기재 각 주유소의 휘발유탱크에 부어넣어 그 안에 있는 수량미상의 휘발유와 혼합시켜 판매의 목적으로 휘발유의 품질을 저하시키고, 위 기간 중 위 각 주유소에서 저질 휘발유를 마치 정상품인 것처럼 가장하여 그 정을 모르는 주유소 고객 성명미상 다수인에게 각 요구량을 판매하여 각 휘발유 대금을 편취하는 것을 각 용이하게 하여 방조하였다."고 기재한 사실은 특정되었다고 할 수 없다(대판 1982.5.25, 82도715). - 정범의 구체적 범죄사실이 기재되지 않았다는 이유

15. "솔벤트 4,696드럼을 공급하여 줌으로써, 甲(정범)이 판매의 목적으로 휘발유의 품질을 각 저하시키고 각 휘발유 대금을 편취하는 것을 각 용이하게 하여 방조하였다."는 기재사실은 특정된 것이 아니다(대판 1982.2.23, 81도822). - 정범이 어떠한 방법을 써서 품질을 어떻게 저하시킨 것인지의 구체적 행위의 기재가 없고, 언제 누구를 어떻게 속여 누구에게 처분함으로써 어떠한 재산상 이득을 얻었는지에 관하여도 아무런 기재도 없기 때문

16. 사기죄에 있어서 수인의 피해자에 대하여 각별로 기망행위를 하여 각각 재물을 편취한 경우에 그 범의가 단일하고 범행방법이 동일하다고 하더라도 포괄1죄가 되는 것이 아니라 피해자별로 1개씩의 죄가 성립하는 것으로 보아야 할 것이고, 이러한 경우 그 공소사실은 각 피해자와 피해자별 피해액을 특정할 수 있도록 기재하여야 할 것인바, '일정한 기간 사이에 성명불상의 고객들에게 1일 평균 매상액 상당을 판매하여 그 대금 상당액을 편취하였다.'는 내용은 피해자나 피해액이 특정되었다고 할 수 없다.
15. 9급 검찰·교정·보호·철도경찰

의하여 범죄를 범하는 것을 목적으로 하는 이상, 동법 제2조 제1항의 범죄 중 어느 범죄를 범하는 것을 목적으로 하는가 여부까지 기재가 없더라도 공소사실은 특정된 것이다(대판 1997.10.10, 97도1829).

16. "피고인이 백화점 상계점의 식품팀을 총괄하는 식품담당 차장으로서 정육팀 종업원과 공모하여 1994. 7. 7. 12 : 13경 위 백화점 지하 1층 식품판매장에서 판매하다 남은 재고 정육상품으로서 가공일이 같은 달 4. 또는 같은 달 5.로 표시된 소천엽, 소양 등에 부착되어 있는 바코드와 비닐랩 포장을 벗겨낸 다음 다시 새로운 비닐랩으로 재포장한 후 그 위에 가공일이 1994. 7. 7.로 기재된 바코드와 백화점 상표를 부착하여 진열대에 진열하여 마치 위 상품이 판매 당일 구입되어 가공된 신선한 것처럼 고객인 피해자 甲을 기망하여 그에게 위 소천엽 1개를 대금 2,440원에, 위 소양 1개를 대금 1,201원에 판매하여 그 대금 상당액을 편취하였다."고 기재하는 것은 공소사실이 특정된 것이다(대판 1996.2.13, 95도2121).

17. 피고인들은 공모하여 1991. 10. 하순경부터 1992. 11. 하순경까지 사이에 여수시 교동 등지에서 여수지역 폭력세계의 주도권을 확립하여 유흥업소, 인근 보호수면에 서식 중인 어패류 채취 등의 이권과 그에 대한 지배권을 장악할 목적으로 여수시 교동 등지에서 조직의 명칭은 "신시민파"로 피고인 A는 두목급 수괴로, 피고인 B는 고문급 간부로, 피고인 C, D 등은 참모급 간부로, 피고인 E 등은 행동대장급 간부로, 피고인 F 등은 행동대원으로 하는 등 조직원들의 업무분장을 정하고, 폭력행사를 목적으로 하는 속칭 "신시민파"라는 범죄단체를 구성하였다는 것으로 그 범죄의 일시, 장소, 방법 등을 모두 구체적으로 명시하고 있어 다른 범죄사실과의 구별이 가능하고 피고인들의 방어의 범위를 한정하여 그 방어권을 침해하였다고 볼 수도 없으므로 공소사실이 특정되었다(대판 1994.9.23, 94도1853).

18. 의료인이 아닌 자가 일정기간 동안 여러 사람을 상대로 성기의 표피를 절개한 후 그 안에 육질형 실리콘을 집어 넣고 봉합하는 수술을 하여 준 다음 대가를 받아 의료행위를 업으로 하였다는 취지의 보건범죄단속에 관한 특별조치법 위반의 공소사실이 특정되었다고 본다(대판 1992.9.25, 92도1671).

19. 폭력행위 등 범죄를 목적으로 하는 단체를 구성하였다는 요지의 폭력행위 등 처벌에 관한 법률 위반

▶ 구체적 사안 : "피고인이 1992. 9. 1.경부터 1994. 7. 11.까지 사이에 성명불상의 고객들에게 위와 같은 방법으로 가공일을 변작한 소양, 소천엽, 닭다리, 닭가슴살, 닭어깨살, 닭날개 등 소부산물 및 계육 등 1일 평균 10개, 대금 합계 25,000원 상당을 판매하여 그 대금 상당액을 편취하였다."는 부분에 관하여는 피해자의 숫자조차 특정되어 있지 않는 등 공소장에 구체적인 범죄사실의 기재가 없어 공소사실이 특정된 것이 아니다(대판 1996. 2.13, 95도2121).

17. 무거래 세금계산서 교부죄는 각 세금계산서마다 하나의 죄가 성립하므로, 세금계산서마다 그 공급가액이 공소장에 기재되어야 개개의 범죄사실이 구체적으로 특정되었다고 볼 수 있고, 세금계산서의 총 매수와 그 공급가액의 합계액이 기재되어 있다고 하여 공소사실이 특정되었다고 볼 수는 없다(대판 2006.10.26, 2006도5147). 10. 경찰승진, 15. 9급 검찰 · 교정 · 보호 · 철도경찰

18. 수개의 무신고수입행위를 경합범으로 기소하는 경우에는 각 행위마다 그 일시와 장소 및 방법을 명시하여 기재하지 않았다면 불특정에 해당한다(대판 2007.1.11, 2004도3870).

19. "피고인이 상습으로 2000년 4월 일자 불상경 부천시 원미구 중동에 있는 주식회사 동방클래식 부천지점 사무실에서 공소외인이 그의 하급자인 피해자에게 고액 배당을 약속하는 수법으로 거짓말하게 하여, 이에 속은 피해자에게 즉석에서 유사 금융상품 4천만원 상당을 매도하면서 현금 4천만원을 교부받아 이를 편취하는 등 1999년 8월경부터 2000. 5. 24.경까지 인천과 부천시 등지에서 피해자를 비롯한 회원들로부터 같은 수법으로 총 2,321회에 걸쳐 합계 173억 7,984만원을 교부받아 편취하였다."는 공소사실의 경우, 피해자와 피해자별 피해금액 조차 전혀 알 수 없는 피고인으로서는 그 방어권 행사에 커다란 불이익을 입었을 것임에 의문의 여지가 없고, 이러한 공소사실의 기재는 범죄사실이 특정된 것으로 볼 수 없다(대판 2001.4.10, 2001도661).

20. 자동차관리법 위반죄는 각 해체행위마다 1개의 죄가 성립되는 것이므로 각 해체행위마다 그 일시 · 장소와 방법을 구체적으로 명백히 하여야만 공소사실이 특정되어 있다고 할 것이다. 따라서 "피고인이 1995. 9.경부터 1998. 1. 6.경까지 경기도 소재 甲상사

공소사실을 기록에 의하여 살펴보면 그 공소사실은 특정되어 있다고 보여지고, 그 범죄의 "시일이 1985. 1. 3. 이후 같은 해 월일 불상경"으로, 범죄장소가 "수원지 북문소재 장소 불상지"로 다소 구체적으로 적시되지 않았다 하더라도 공소제기가 위법하다고는 볼 수 없다(대판 1991.10.25, 91도2085).

20. "차입금 및 부금 명목으로 받은 금 10,919,486,000원을 차입금원장 및 부금원장 등에 기장하고 그 돈을 동 금고에 납입하여 관리하여야 함에도 불구하고 그 임무에 위배하여 그 돈을 동 금고에 납입치 아니하고 비밀장부에 기장한 후 이를 빼내어 동 금고의 방계회사기업의 사업자금과 피고인들 개인 명의로 부동산을 매입하는 등으로 사용함으로써 피고인 등이 동액상당의 이득을 취득하고 동 금고에 동액상당의 손해를 가하였다."고 적시하여 공소를 제기한 경우 그 범행방법 또한 특정되었다 할 것이다(대판 1984.9.25, 84도1581).

21. 업무상 과실치상 공소사실 중 그 일부 피해자에 대하여 치료기간이 미상이라고 기재하고 있다고 하더라도 공소사실의 기재는 범죄의 시일, 장소와 방법을 명시하여 사실을 특정할 수 있도록 하면 되는 것이고, 치상의 경우 그 치료기간은 필요적 기재사항이라고 할 수는 없는 것이니 위의 공소사실은 모두 특정되어 있다 할 것이다(대판 1984.3.13, 83도3006).

22. 튀김용 호마유를 제조한 점에 관한 본건 공소사실 중 그 위반내용에 관한 사항이 구체적으로 적시되지 아니하고 단지 "보건사회부령으로 정한 규격과 기준에 맞지 아니한 튀김용 호마유를 제조"하였다고만 기재되어 있어 그 내용이 다소 명확하지 아니하나, 범죄의 시일, 장소와 제조원료 등 다른 사항의 기재내용과 종합하여 보면 공소장에 위 규정위반의 내용을 구체적으로 적시하지 아니하였다 하더라도 위의 본건 공소사실 그 자체를 특정할 수 없는 것은 아니라고 할 것이다(대판 1982.7.27, 82도1393).

에서 자동차 동력 전달장치의 일종으로 해체가 금지되어 있는 자동차 부품인 등속조인트를 가공·재생하여 판매할 목적으로 폐차된 자동차의 부품인 등속조인트 약 2,918개 시가 금 81,410,000원 상당을 분해하여 자동차의 장치를 무단해체하였다."고 기재한 경우 적법한 공소사실의 기재로 볼 수 없다(대판 1999.4.23, 98도4455).

21. 밀수품의 취득죄는 각 취득행위마다 1개의 죄가 성립하는 것이므로 수 개의 취득행위를 경합범으로 기소하는 경우에는 각 행위마다 그 일시와 장소 및 방법을 명시하여 사실을 특정할 수 있도록 공소사실을 기재하여야 한다. 따라서 '1992. 2.경부터 1996. 6. 7.경까지 수회에 걸쳐' 밀수품을 취득하였다는 방식으로 공소사실을 기재하는 것은 범행의 회수조차 특정되지 아니하여 적법한 공소사실의 기재로 볼 수 없다(대판 1999.1.26. 98도1480).

22. 직무유기교사죄는 피교사자인 공무원별로 1개의 죄가 성립되는 것이므로 피교사자인 공무원별로 사실을 특정할 수 있도록 공소사실을 기재하여야 한다. 따라서, 직무유기교사죄의 공소사실 중 "전기협 회원들에 대하여 불법파업을 하여 직무유기할 것을 결의하게 하고, 전기협 회원 6,500여 명이 이에 따라 같은 해 6. 23. 04 : 00경부터 불법파업에 돌입하게 하여 직무유기를 교사하였다."는 것만으로는 피교사자인 공무원들의 숫자조차 특정되어 있지 않아 도대체 몇 개의 직무유기교사죄를 공소제기한 것인지, 그리고 유기한 직무의 내용 및 유기행위의 태양이 어떠한지 알 수가 없으므로 구체적인 범죄사실의 기재가 없어 그 공소제기의 절차가 법률의 규정에 위반하여 무효인 때에 해당한다(대판 1997.8.22, 95도984).

23. 폭력행위 등 처벌에 관한 법률 위반죄의 폭행은 피해자별로 1개의 죄가 성립되는 것으로 각 피해자별로 사실을 특정할 수 있도록 공소사실을 기재하여야 할 것인바, 공소사실 중 '피고인들이 공동하여, 성명불상 범종추측 승려 100여 명의 전신을 손으로 때리고 떠밀며 발로 차서 위 성명불상 피해자들에게 폭행을 각 가한 것이다.'는 부분은 피해자의 숫자조차 특정되어 있지 않아 도대체 몇 개의 폭행으로 인한 폭력행위 등 처벌에 관한 법률 위반죄를 공소제기한 것인지 조차 알 수가 없으므로, 공소장 기재는 무효인 경우에 해당한다(대판 1995.3.24, 95도22).

24. 사문서위조죄와 조세범처벌법에서 말하는 세금계산서 허위기재죄는 각 문서마다 1개의 죄가 성립한다. 피고인이 수차에 걸쳐 수개의 세금신고서를 위조하였다는 공소사실 중 그 세금신고서 전체의 개수, 위조한 세금신고 및 허위기재한 세금계산서의 명의자 성명, 각자별 문서의 수와 각자별 그 지급액 등이 모두 불명확하다면 공소장에 기재되어야 할 개개의 범죄사실이 구체적으로 특정되었다고 볼 수 없다. 따라서 "피고인이 1980. 1. 19. 시간미상경 주식회사 합동의 사무실에서 甲명의의 부가가치세 30,931원에 대한 확정신고서 1매를 위조한 것을 비롯하여 동년 1. 25 까지간에 31명의 영업자들 명의의 합계 2,680,674원에 해당하는 부가가치세 신고서를 각 위조하고, 각 작성일시에 이를 세무서에 제출하여 행사하였다."는 공소사실은 개개의 범죄사실이 구체적으로 특정되었다고 볼 수 없다(대판 1982.12.14, 82도1362).
25. 미성년자의제강간죄 또는 미성년자의제강제추행죄는 행위시마다 1개의 범죄가 성립하므로, 공소사실 중 "피고인이 1980. 12. 일자 불상경부터 1981. 9. 5. 전일경까지 사이에 피해자를 협박하여 약 20여회 강간 또는 강제추행하였다."는 부분은 그 범행일시가 명시되지 아니하여 공소사실부분에 대한 공소는 기각을 면할 수 없다(대판 1982.12.14, 82도2442).
26. "피고인이 2018. 11. 4.경부터 11. 15.경까지 사이에 불상의 장소에서 피고인 명의의 새마을금고 계좌(계좌번호를 기재함)에 연결된 체크카드 1장 및 비밀번호를 불상의 자에게 불상의 방법으로 건네주어 접근매체를 양도하였다"는 공소사실 기재에 관하여, 이 사건 공소사실은 범행 일시가 12일에 걸쳐 있고, 범행 장소가 불상으로 기재되어 있을뿐더러 접근매체의 교부 상대방과 교부 방법이 불상으로 기재되어 있는 등 상당 부분이 사실상 특정되지 않는 내용으로 구성, 표시되어 있다(대판 2022.12.29, 2020도14662).

01 공소사실의 특정에 관한 내용으로 옳은 것은?(판례에 의함)

① 음란도서의 판매죄에 있어서는 그 음란성 판단의 어려움 및 그 특수성을 고려해 볼 때 그 도서에 게재된 도화가 음란성 있는 도화에 해당한다는 구체적 사실의 기재없이 "걸", "포토스타" 등 도서가 특정되어 있으면 공소사실은 특정된 것이다.

② 상습사기죄에 있어서는 그 범행의 모든 피해자들의 성명이 명시되어야 공소사실이 특정된 것이다.

③ 사문서변조의 공소사실에 변조행위의 일시·장소와 방법, 변조의 실행행위자 등이 기재되지 않은 경우, 범죄구성요건의 특정 요소에 관한 기재 자체가 누락된 것이므로 공소사실이 특정되지 않았다.

④ '위세를 부리는 방법으로 폭행을 하였다.'는 기재는 적법한 공소사실의 적시라고 할 수 있다.

| 해설 ① 공소사실은 법원의 심판대상을 한정하고 피고인의 방어범위를 특정하여 그 방어권을 보장하는데 의미가 있으므로 범죄의 일시, 장소와 방법을 명시하여 구성요건에 해당하는 구체적 사실을 특정하여 기재하여야 하는바, 음화가 게재된 도서의 판매에 관한 죄의 공소사실에 있어서는 우선 행위의 객체인 당해 도서가 특정되어야 하고 나아가 그 도서에 게재된 도화가 음란성있는 도화에 해당한다는 구체적 사실도 특정하여 기재되어야 하는 것이다(대판 1991.12.27, 91도2492).

② 포괄일죄에 있어서는 그 일죄의 일부를 구성하는 개개의 행위에 대하여 구체적으로 특정되지 아니하더라도 그 전체 범행의 시기와 종기, 범행방법, 범행횟수 또는 피해액의 합계 및 피해자나 상대방을 명시하면 이로써 그 범죄사실은 특정되는 것이므로 포괄일죄인 상습사기의 공소사실에 있어서 그 범행의 모든 피해자들의 성명이 명시되지 않았다 하여 범죄사실이 특정되지 아니하였다고 볼 수 없다(대판 1990.6.26, 90도833).

③ 대판 2009.1.15, 2008도9327

④ '위세를 부리는 방법으로 폭행을 하였다.'는 것이 구체적으로 어떠한 행동인지 알 수 없으므로 적법한 공소사실의 적시라고 할 수 없다(대판 1970.10.13, 70도1528).

02 공소사실이 특정되었다고 볼 수 있는 것은?(다툼이 있는 경우 판례에 의함)

① 검사가 길이 4~7cm인 피고인의 모발을 대상으로 실험을 한 결과 메스암페타민 양성반응이 나왔다는 국립과학수사연구소의 감정 결과만에 기초하여 위 정도 길이의 모발에서 메스암페타민이 검출된 경우 그 사용가능한 기간을 체포시로부터 역으로 추산한 다음 그 전 기간을 범행일시로 하고, 별다른 조사없이 피고인의 주거지인 ○○시를 범행장소로 하여 공소를 제기한 경우

② "피고인이 2000년 1월경부터 같은 해 5월경까지 사이에 ○○시 이하 불상지에서 분량 불상의 메스암페타민을 불상의 방법으로 투약하였다."고 공소사실을 기재한 경우

③ "1992년 2월경부터 1996년 6월 7일 경까지 성명불상자들이 세관장에서 신고하지 아니하고 관세를 포탈하여 반입한 손목시계 9개, 시가 합계 금 4,230만원 상당을 장물인 정을 알면서 성명불상의 중간상인들로부터 수회에 걸쳐 구입하여 이를 취득하였다."고 공소사실을 기재한 경우

Answer 1. ③ 2. ④

④ 당첨이 된 손님들에게 위조상품권을 직접 교부한 것이 아니라, 미리 오락기에 일련번호가 모두 같은 위조된 상품권을 여러 장 투입해 두고 그 후 오락기 이용자가 게임에서 당첨이 되면 오락기에 자동으로 그 당첨액수에 상응하는 상품권이 배출되는 방식의 위조유가증권을 행사한 죄의 공소사실을 "위조된 문화상품권 30,000장을 2006년 7월 일자불상경부터 같은 해 9월 5일경까지 불특정 다수의 손님에게 경품용으로 지급하였다."라고 기재한 경우

| 해설 ① 검사가 단지 길이 4~7cm인 피고인의 모발을 대상으로 실험을 한 결과 메스암페타민 양성반응이 나왔다는 국립과학수사연구소의 감정 결과만에 기초하여 위 정도 길이의 모발에서 메스암페타민이 검출된 경우 그 사용가능한 기간을 체포시로부터 역으로 추산한 다음 그 전 기간을 범행일시로 하고, 위 기간 중의 피고인의 행적에 대하여도 별다른 조사를 하지 아니한 채 피고인의 주거지를 범행장소로 하여 공소를 제기한 경우, 공소사실이 특정된 것이라고 볼 수 없다(대판 2000.11.24, 2000도2119).
② "피고인이 2000년 1월경부터 같은 해 5월경까지 사이에 시흥시 이하 불상지에서 분량 불상의 메스암페타민을 불상의 방법으로 투약하였다."는 공소사실의 경우, 투약량은 물론 투약방법을 불상으로 기재하면서, 그 투약의 일시와 장소마저 위와 같이 기재한 것만으로는 형사소송법 제254조 제4항의 요건에 맞는 구체적 사실의 기재라고 볼 수 없으므로, 그 공소사실이 특정되었다고 볼 수 없다(대판 2001.4.27, 2001도506).
③ 밀수품의 취득죄는 각 취득행위마다 1개의 죄가 성립하는 것이므로 수개의 취득행위를 경합범으로 기소하는 경우에는 각 행위마다 그 일시와 장소 및 방법을 명시하여 사실을 특정할 수 있도록 공소사실을 기재하여야 한다. '1992. 2.경부터 1996. 6. 7.경까지 수회에 걸쳐' 밀수품을 취득하였다는 방식으로 공소사실을 기재하는 것은 범행의 횟수조차 특정되지 아니하여 적법한 공소사실의 기재로 볼 수 없다(대판 1999.1.26, 98도1480).
④ 위조상품권의 행사방법에 비추어 각각의 상품권 사용시에 몇 매가 함께 사용되었는지, 행사상대방이 누구인지 등의 특정이 불가능하다고 보아, 이에 관한 공소사실은 상품권 사용일자의 범위와 장소, '경품용으로 지급'하였다는 용도 정도를 특정하는 것으로 족하다(대판 2007.4.12, 2007도796).

03 공소사실의 특정에 관한 다음 설명 중 가장 적절하지 않은 것은?(다툼이 있는 경우 판례에 의함)

13. 경찰승진

① 공소사실의 첫머리에 피고인이 전에 받은 소년부 송치처분과 직업 없음을 기재하였다면 이는 피고인을 특정할 수 있는 사항에 속하는 것이어서 그와 같은 내용의 기재가 있다하여 공소제기의 절차가 법률의 규정에 위반된 것이라고 할 수 없다.
② '피고인들이 공동하여 범종추측 승려 100여 명의 전신을 손으로 때리고 성명불상 피해자들에게 폭행을 가한 것이다.'는 기재는 공소사실이 특정되지 않았다고 볼 수 없다.
③ 범죄장소는 토지관할을 가늠할 수 있는 정도이고 범행방법은 범죄구성요건을 밝히는 정도로 기재하면 족하다.
④ 공모공동정범에 있어서 공모 또는 모의는 모의의 구체적인 일시, 장소, 내용 등을 상세하게 판시하여야만 할 필요는 없고 의사합치가 성립된 것이 밝혀지는 정도면 된다고 할 것이다.

Answer 3. ②

해설 ① 대판 1990.10.16, 90도1813
② '피고인들이 공동하여 성명불상 범종추측 승려 100여 명의 전신을 손으로 때리고 떠밀며 발로 차서 위 성명불상 피해자들에게 폭행을 각 가한 것이다.'는 부분은 피해자의 숫자조차 특정되어 있지 않아 도대체 몇 개의 폭행으로 인한 것을 공소제기한 것인지조차 알 수가 없으므로, 공소장에 구체적인 범죄사실의 기재가 없어 그 공소제기의 절차가 법률의 규정에 위반하여 무효인 경우에 해당한다고 할 것이다(대판 1995.3.24, 95도22).
③ 대판 2009.5.28, 2008도4665
④ 대판 1989.6.27, 88도2381

04 공소사실의 특정이 인정되는 것은 모두 몇 개인가?(다툼이 있는 경우 판례에 의함)

㉠ 마약류 관리에 관한 법률 위반사건에서 범행일시를 모발감정 결과에 기초하여 투약가능기간을 역으로 추정한 '2010. 11.경'으로, 투약장소를 시(市)와 구(區)까지 기재한 때
㉡ 변호사법 위반사건에서 '2006. 12. 14.경부터 2007. 2. 15.경까지 2회에 걸쳐 합계 5,000만원을 받았다.'고 기재한 때
㉢ 각 세금계산서마다 하나의 죄가 성립하는 구 조세범처벌법상 무거래 세금계산서 교부죄에 있어서 세금계산서의 총 매수와 그 공급가액의 합계액만을 기재한 때
㉣ 업무상 과실치상 공소사실 중 그 일부 피해자에 대해 치료기간이 미상이라고 기재한 때
㉤ 뇌물수수의 공소사실 중 수뢰금액을 '2억원 상당'으로 기재한 때

① 1개 ② 2개 ③ 3개 ④ 4개

해설 ㉠ **불특정** : 뚜렷한 증거가 확보되지 않았음에도 모발감정 결과에 기초하여 그 투약가능 기간을 추정한 다음 개괄적으로만 그 범행시기를 적시하여 공소사실을 기재한 경우에 그 공소내용이 특정되었다고 볼 것인지는 매우 신중히 판단하여야 할 것이다(공소사실에 기재된 범행일시인 '2010. 11.경'은 4~5cm 가량 길이의 피고인의 모발에서 필로폰 양성반응이 나왔다는 모발감정 결과에 기초하여 투약가능 기간을 역으로 추산해서 그 범행시기를 정한 것이고, 투약장소도 '부산 사하구 이하 불상지'라고 기재하였을 뿐이라면, 구체적 사실의 기재라고 보기 어렵다 ; 대판 2012.4.26, 2011도11817).
㉡ **특정** : 2006. 12. 14.경부터 2007. 2. 15.경까지 2회에 걸쳐 합계 5천만원을 받았다는 공소사실은 피고인이 수회에 걸쳐 돈을 받은 행위를 포괄일죄로 하여 공소제기된 것임이 명백하고, 포괄일죄에 있어서는 그 일죄를 구성하는 개개의 행위에 대하여 구체적으로 특정하지 아니하더라도 그 전체 범행의 시기와 종기, 범행방법과 장소, 상대방, 범행횟수나 피해액의 합계 등을 명시하면 이로써 그 범죄사실은 특정되었다고 할 것이므로, 이 사건 공소장에 피고인이 위 각 일시에 받은 구체적 금액을 기재하지 않았다 할지라도 공소사실 특정이 인정된다(대판 2008.12.24, 2008도9414).
㉢ **불특정** : 무거래 세금계산서 교부죄는 각 세금계산서마다 하나의 죄가 성립하므로, 세금계산서마다 그 공급가액이 공소장에 기재되어야 개개의 범죄사실이 구체적으로 특정되었다고 볼 수 있고, 세금계산서의 총 매수와 그 공급가액의 합계액이 기재되어 있다고 하여 공소사실이 특정되었다고 볼 수는 없다(대판 2006.10.26, 2006도5147).
㉣ **특정** : 대판 1984.3.13, 83도3006
㉤ **특정** : 대판 2010.4.19, 2010도2556

Answer 4. ③

05 공소사실의 특정에 관한 설명 중 가장 옳지 않은 것은?(다툼이 있으면 판례에 의함) 16. 경찰간부

① 공소사실이 특정되지 않았다면 공소기각판결이 선고된다.

② 공소장에 범죄의 시일, 장소 등이 구체적으로 적시되지 않았더라도 위의 정도에 반하지 아니하고 더구나 공소범죄의 성격에 비추어 그 개괄적 표시가 부득이하며 또한 그에 대한 피고인의 방어권 행사에 지장이 없다고 보여지는 경우에는 그 공소내용이 특정되지 않는다고 볼 수 없다.

③ 피고인이 마약류취급자가 아니면서 2010년 1월에서 3월 사이 일자불상 03 : 00경 서산시 소재 상호불상의 모텔에서, 甲과 공모하여 여자 청소년 乙에게 메스암페타민을 투약하였다고 하여 구 마약류 관리에 관한 법률(2011. 6. 7. 법률 제10786호로 개정되기 전의 것) 위반(향정)으로 기소된 사안에서, 위 공소사실이 투약 대상인 乙의 진술에 기초한 것이라고 하더라도 공소사실이 특정되었다고 볼 수 없다.

④ 공소사실의 기재는 범죄의 일시, 장소와 방법을 명시하여 사실을 특정할 수 있도록 하여야 하는데, 문서의 위조 여부가 문제되는 사건에서 그 위조된 문서가 압수되어 현존하고 있는 이상, 그 범죄 일시와 장소, 방법 등은 범죄의 동일성 인정과 이중기소의 방지, 시효저촉 여부 등을 가름할 수 있는 범위에서 사문서의 위조사실을 뒷받침할 수 있는 정도로만 기재되어 있으면 충분하다.

| 해설 ① 대판 2013.5.23, 2012도16200
② 대판 1991.10.25, 91도2085
③ 피고인이 마약류취급자가 아니면서 2010년 1월에서 3월 사이 일자불상 03 : 00경 서산시 소재 상호불상의 모텔에서, 甲과 공모하여 여자 청소년 乙에게 메스암페타민(일명 필로폰)을 투약하였다고 하여 구 마약류 관리에 관한 법률 위반으로 기소된 사안에서, 위 공소사실은 투약 대상인 乙의 진술에 기초한 것이라는 점에서 피고인에 대한 모발 등의 감정결과에만 기초하여 공소사실을 기재한 경우와는 달리 볼 필요가 있는 점 등 제반 사정에 비추어 볼 때, 위 공소사실에서 일시나 장소가 다소 개괄적으로 기재되었더라도 그 기재가 다른 사실과 식별이 곤란하다거나 피고인의 방어권 행사에 지장을 초래할 정도라고 보기 어려워, 공소사실이 특정되었다고 보아야 한다(대판 2014.10.30, 2014도6107).
④ 대판 2009.1.30, 2008도6950

06 공소제기에 관한 다음 설명 중 가장 옳은 것은?(다툼이 있는 경우 판례에 의함) 16. 9급 법원직

① 방조범의 공소사실을 기재함에 있어서 그 전제가 되는 정범의 범죄구성을 충족하는 구체적 사실을 기재할 필요는 없다.

② 공소사실의 동일성이 인정되는 범위 내의 사실에 대하여 법원은 검사의 공소장기재 적용법조에 구애됨이 없이 직권으로 법률을 적용할 수 있다.

③ 공소장의 기재가 불명확한 경우 법원은 검사에게 공소사실 특정에 관하여 별도의 석명을 구함이 없이 공소사실의 불특정을 이유로 공소를 기각할 수 있다.

④ 공소는 검사가 피고인으로 지정한 자뿐만 아니라 다른 공범자에게도 그 효력이 미친다.

Answer 5. ③ 6. ②

| 해설 | ① 방조범의 공소사실을 기재함에 있어서 그 전제가 되는 정범의 범죄구성을 충족하는 구체적 사실을 기재하여야 한다(대판 2001.12.28, 2001도5158).
② 적용법조의 기재에 오기 · 누락이 있거나 또는 적용법조에 해당하는 구성요건이 충족되지 않을 때에는 공소사실의 동일성이 인정되는 범위 내로서 피고인의 방어에 실질적인 불이익을 주지 않는 한도에서 법원이 공소장변경의 절차를 거침이 없이 직권으로 공소장 기재와 다른 법조를 적용할 수 있지만, 공소장에 기재된 적용법조를 단순한 오기나 누락으로 볼 수 없고 구성요건이 충족됨에도 법원이 공소장변경의 절차를 거치지 아니하고 임의적으로 다른 법조를 적용하여 처단할 수는 없다(대판 2015.11.12, 2015도12372). – 판례에 의하면, 직권으로 적용하기 위해서 '피고인의 방어에 실질적인 불이익을 주지 않는 한도에서'라는 전제를 두고 있음에 주의!
③ 검사에게 공소사실 특정에 관한 석명에 이르지 아니한 채 곧바로 위와 같이 공소사실의 불특정을 이유로 공소기각의 판결을 한 데에는, 공소사실의 특정에 관한 법리를 오해하였거나 심리를 미진한 위법이 있다(대판 2006.5.11, 2004도5972). ④ 공소는 검사가 피고인으로 지정한 자 이외의 다른 공범자에게는 그 효력이 미치지 아니한다(제248조 제1항).

07 공소사실의 특정과 관련된 설명 중 옳은 것은 모두 몇 개인가?(다툼이 있는 경우 판례에 따름)

21. 해경

㉠ 메스암페타민의 양성반응이 나온 소변감정결과에 의하여 그 투약일시를 '2009. 8. 10.부터 2009. 8. 19.까지 사이'로, 투약장소를 '서울 또는 부산 이하 불상'으로 공소장에 기재한 사안에서, 공소사실이 향정신성의약품투약 범죄의 특성을 고려하여 합리적인 정도로 특정된 것이라고 볼 수 없다.
㉡ 컴퓨터 등 장애 업무방해죄에 관한 공소사실에 '컴퓨터 사용자들의 컴퓨터 사용에 관한 업무'라고 기재한 것만으로는 피해자나 방해된 업무의 내용을 알 수 없어 그 공소사실이 특정되지 않았다.
㉢ 의료인이 아닌 자가 일정기간 동안 여러 사람을 상대로 성기의 표피를 절개한 후 그 안에 육질형 실리콘을 집어 넣고 봉합하는 수술을 하여 준 다음 대가를 받아 의료행위를 업으로 하였다는 취지의 보건범죄단속에 관한 특별조치법 위반의 공소사실은 특정되었다고 본다.
㉣ 피고인이 '2010. 2. 초순경부터 2010. 4. 18.경 사이에 향정신성의약품인 메스암페타민(일명 필로폰) 약 0.03g을 투약하였다'는 내용으로 기소된 사안에서, 투약시기에 관한 위와 같은 기재만으로는 마약류관리에 관한 법률 위반(향정) 공소사실이 특정되었다고 볼 수 없다.
㉤ 뇌물수수의 공소사실 중 수뢰금액을 '2억원 상당'으로 기재하였더라도 공소사실을 특정할 수 있어 공소제기의 효력에 영향이 없다.

① 2개 ② 3개 ③ 4개 ④ 5개

| 해설 | ㉠ × : 향정신성의약품인 메스암페타민의 양성반응이 나온 소변의 채취일시, 메스암페타민의 투약 후 소변으로 배출되는 기간에 관한 자료와 피고인이 체포될 당시까지 거주 또는 왕래한 장소에 대한 피고인의 진술 등 기소 당시의 증거들에 의하여 범죄일시를 '2009. 8. 10.부터 2009. 8. 19.까지 사이'로 열흘의 기간 내로 표시하고, 장소를 '서울 또는 부산 이하 불상'으로 표시하여 가능한 한 이를 구체적으로 특정한 것으로 볼 수 있다(대판 2010.8.26, 2010도4671).
㉡ ○ : 대판 2009.3.12, 2008도11187 ㉢ ○ : 대판 1992.9.25, 92도1671
㉣ ○ : 대판 2011.6.9, 2011도3801 ㉤ ○ : 대판 2010.4.19, 2010도2556

Answer 7. ③

08 공소사실의 특정에 관한 설명 중 가장 옳지 않은 것은?(다툼이 있는 경우 판례에 의함)

18. 경찰간부

① 공소장에 상표법 위반 등의 범죄구성요건 중 침해의 대상이 된 등록상표・서비스표・디자인이나 주지표지를 명확하게 적시하지 아니한 경우, 그 공소사실은 특정되지 않았다.

② 직무유기교사죄에서 "전기협 회원들에 대하여 불법파업을 하여 직무유기할 것을 결의하게 하고, 전기협 회원 6,500여 명이 이에 따라 같은 해 6. 23. 04 : 00경부터 불법파업에 돌입하게 하여 직무유기를 교사하였다."는 공소사실은 특정된 것으로 볼 수 있다.

③ 공모공동정범에 있어 실행정범의 인적 사항이 적시되지 아니하고 범행일시나 장소가 명백히 표시되지 아니하였으나 그 공모관계, 실행정범의 실행행위가 모두 표시되어 있는 경우라면 공소사실이 특정된 것으로 볼 수 있다.

④ 유가증권변조 사건의 공소사실이 범행일자를 "2005. 1. 말경에서 같은 해 2. 4. 사이"로, 범행장소를 '서울 불상지'로, 범행방법을 '불상의 방법으로 수취인의 기재를 삭제'로 되어 있는 경우, 변조된 유가증권이 압수되어 현존하고 있는 이상 공소사실이 특정되었다고 볼 수 있다.

| 해설 ① 대판 2007.8.23, 2005도5847

② 직무유기교사죄에서 "전기협 회원들에 대하여 불법파업을 하여 직무유기할 것을 결의하게 하고, 전기협 회원 6,500여 명이 이에 따라 같은 해 6. 23. 04 : 00경부터 불법파업에 돌입하게 하여 직무유기를 교사하였다."는 공소사실은 공소장에 구체적인 범죄사실의 기재가 없어 공소제기의 절차가 법률의 규정에 위반하여 무효인 때에 해당한다(대판 1997.8.22, 95도984).

③ 대판 1997.7.8, 97도632

④ 대판 2008.3.27, 2007도11000

09 다음 중 적법한 공소제기(a)와 위법한 공소제기(b)를 올바르게 짝지은 것은?(판례에 의함)

> ㉠ "피고인이 2009. 9.경부터 2010. 3.경까지 약속어음 368매, 액면 합계 26,212,462,787원 상당을 발행한 후, 판매책을 통하여 장당 200만원 내지 300만원에 판매함으로써 금융위원회의 인가를 받지 아니한 채 단기금융업무를 영위하였다."는 사실을 공소장에 기재한 경우
> ㉡ '1999년 5월 중순경부터 같은 해 11월 19일경까지 메스암페타민 약 0.03그램을 1회용 주사기를 이용하여 투약하였다.'는 공소사실을 기재한 경우
> ㉢ 컴퓨터 등 장애 업무방해죄에 관한 공소사실에 '컴퓨터 사용자들의 컴퓨터 사용에 관한 업무'라고 기재한 경우
> ㉣ 사문서위조 공소사실을 기재함에 있어서 2인의 명의만 특정하였을 뿐 나머지 채권자 4명에 대하여는 그 명의를 구체적으로 특정하지 않은 채 만연히 채권자들이라고만 지적하여 기소한 경우
> ㉤ '위세를 부리는 방법으로 폭행을 하였다.'고 기재하는 경우

① (a) ㉠, (b) ㉡㉢㉣
② (a) ㉡, (b) ㉠㉢㉣
③ (a) ㉠㉡㉢, (b) ㉣
④ (a) 없음, (b) ㉠㉡㉢㉣㉤

Answer 8. ② 9. ④

| 해설 ㉠ **위법** : 자본시장법 제360조 제1항이 규정하고 있는 단기금융업무는 1년 이내에 만기가 도래하는 어음의 발행・할인・매매・중개・인수 및 보증업무 등을 의미하므로, 금융위원회의 인가를 받지 아니하고 단기금융업무를 영위하였다는 범죄사실을 인정하기 위해서는 그 각 어음이 1년 이내에 만기가 도래하는 것인지 여부도 특정하여 자본시장법의 적용대상이 되는지 여부를 밝혀야만 할 것이다. 따라서 "피고인이 2009. 9.경부터 2010. 3.경까지 약속어음 368매, 액면 합계 26,212,462,787원 상당을 발행한 후, 판매책을 통하여 장당 200만원 내지 300만원에 판매함으로써 금융위원회의 인가를 받지 아니한 채 단기금융업무를 영위하였다."는 요지의 범죄사실기재만으로는 공소사실이 특정되었다고 볼 수 없다(대판 2012.3.29, 2011도17097).
㉡ **위법** : '피고인이 1999년 5월 중순경부터 같은 해 11월 19일경까지 사이에 부산 이하 불상지에서 향정신성의약품인 메스암페타민 약 0.03g을 1회용 주사기를 이용하여 팔 등의 혈관에 주사하거나 음료수 등에 타 마시는 방법으로 이를 투약하였다.'는 공소사실의 경우 그 투약량은 보통 1회 투약하는 최소한의 단위로 알려진 것이고 그 투약방법 역시 일반적으로 사용하는 방법에 지나지 않는 것을 막연히 기재하는 것에 불과하므로 특정되었다고 볼 수 없다(대판 2000.10.27, 2000도3082).
㉢ **위법** : 컴퓨터 등 장애 업무방해죄에 관한 공소사실에 '컴퓨터 사용자들의 컴퓨터 사용에 관한 업무'라고 기재한 것만으로는 피해자나 방해된 업무의 내용을 알 수 없어 그 공소사실이 특정되지 않았다(대판 2009.3.12, 2008도11187).
㉣ **위법** : 사문서위조 공소사실을 기재함에 있어서 2인의 명의만 특정하였을 뿐 나머지 채권자 4명에 대하여는 그 명의를 구체적으로 특정하지 않은 채 만연히 채권자들이라고만 지적하였다면 공소사실이 특정되었다고 할 수 없다(대판 1983.9.13, 82도2063).
㉤ **위법** : '위세를 부리는 방법으로 폭행을 하였다.'는 것이 구체적으로 어떠한 행동인지 알 수 없으므로 적법한 공소사실의 적시라고 할 수 없다(대판 1970.10.13, 70도1528).

10 **공소사실의 특정에 관한 설명 중 옳지 않은 것은?**(다툼이 있는 경우 판례에 의함)

① 공모의 시간・장소・내용 등을 구체적으로 명시하지 아니하였다거나 그 일부가 다소 불명확하더라도 그와 함께 적시된 다른 사항들에 의하여 공소사실을 특정할 수 있고 피고인의 방어권 행사에 지장이 없다면, 공소사실이 특정되지 아니하였다고 할 수 없다.
② 공소장에 적용법조를 기재하는 이유는 공소사실의 법률적 평가를 명확히 하여 피고인의 방어권을 보장하고자 함에 있으므로, 적용법조의 기재에 오기나 누락이 있는 경우라 할지라도 이로 인하여 피고인의 방어에 실질적인 불이익을 주지 않는 한 공소제기의 효력에는 영향이 없고, 법원으로서도 공소장변경의 절차를 거치지 않고 곧바로 공소장에 기재되어 있지 않은 법조를 적용할 수 있다.
③ 길이 4~5cm 가량의 피고인의 모발을 대상으로 메스암페타민 검출실험을 한 결과 양성반응이 나왔다는 감정결과가 나오자 단지 그 검출가능한 기간을 모발 채취일인 2008. 1. 10.로부터 역으로 추산한 2008. 1. 초순경부터 2007. 8. 초순경까지 사이의 전 기간을 범행일시로 하고, 범행장소는 그 기간 동안 주로 생활한 곳 일원으로 하며, 투약량 및 투약방법은 불상으로 하는 공소사실의 기재는 특정한 구체적 사실의 기재에 해당된다고 볼 수 없다.

Answer 10. ④

④ 사기죄에 있어서 여러 사람의 피해자에 대하여 따로 기망행위를 하여 각각 재물을 편취한 경우, 범의가 단일하고 범행방법이 동일하다면 그 전체가 포괄일죄가 되므로 공소사실의 기재에 각 피해자와 피해자별 피해액을 특정하여야 하는 것은 아니다.

| 해설 ① 대판 2016.4.29, 2016도2696
② 대판 2012.11.15, 2010도11382
③ 대판 2009.5.14, 2008도10885
④ × : 단일한 범의를 가지고 상대방을 기망하여 착오에 빠뜨리고 그로부터 동일한 방법에 의하여 여러 차례에 걸쳐 재물을 편취하면 그 전체가 포괄하여 일죄로 되지만, 여러 사람의 피해자에 대하여 따로 기망행위를 하여 각각 재물을 편취한 경우에는 비록 범의가 단일하고 범행방법이 동일하더라도 각 피해자의 피해법익은 독립한 것이므로 그 전체가 포괄일죄로 되지 아니하고 피해자별로 독립한 여러 개의 사기죄가 성립되고, 이러한 경우 그 공소사실은 각 피해자와 피해자별 피해액을 특정할 수 있도록 기재하여야 하는 것이다(대판 2004.7.22, 2004도2390).

11 **다음 중 공소사실 특정과 관련된 설명으로 옳지 않은 것을 모두 고른 것은?**(다툼이 있는 경우 판례에 의함)

21. 해경승진

> ㉠ 저작재산권 침해행위에 관한 공소사실에 침해 대상인 저작물 및 침해방법의 종류, 형태 등 침해행위의 내용이 명확하게 기재되어 있어 피고인의 방어권 행사에 지장이 없는 정도라면 각 저작물의 저작재산권자가 누구인지 특정되지 않더라도 공소사실의 특정은 인정될 수 있다.
> ㉡ 상습사기죄에 있어서는 그 범행의 모든 피해자들의 성명이 명시되어야 공소사실이 특정된 것이다.
> ㉢ 공소장의 기재가 불명확한 경우 법원은 검사에게 공소사실 특정에 관하여 별도의 석명을 구함이 없이 공소사실의 불특정을 이유로 공소를 기각할 수 있다.
> ㉣ 교사범이나 방조범의 경우 교사나 방조의 사실뿐만 아니라 정범의 범죄사실도 특정하여야 한다.

① ㉠, ㉡　　② ㉡, ㉢
③ ㉢, ㉣　　④ ㉠, ㉣

| 해설 ㉠ ○ : 대판 2016.12.15, 2014도1196
㉡ × : 포괄일죄에 있어서는 그 일죄의 일부를 구성하는 개개의 행위에 대하여 구체적으로 특정되지 아니하더라도 그 전체 범행의 시기와 종기, 범행방법, 범행횟수 또는 피해액의 합계 및 피해자나 상대방을 명시하면 이로써 그 범죄사실은 특정되는 것이므로 포괄일죄인 상습사기의 공소사실에 있어서 그 범행의 모든 피해자들의 성명이 명시되지 않았다 하여 범죄사실이 특정되지 아니하였다고 볼 수 없다(대판 1990.6.26, 90도833).
㉢ × : 공소장의 기재가 불명확한 경우 법원은 검사에게 석명을 구한 다음, 그래도 검사가 이를 명확하게 하지 않은 때에야 공소사실의 불특정을 이유로 공소를 기각함이 상당하다(대판 2006.5.11, 2004도5972).
㉣ ○ : 대판 2001.12.28, 2001도5158

Answer 11. ②

12 공소사실의 특정에 관하여 옳지 않은 것만을 모두 고르면?(다툼이 있는 경우 판례에 의함)

21. 경찰간부

㉠ 수인의 피해자에 대하여 각 별도로 기망행위를 하여 각각 재물을 편취한 사기죄에 있어 '일정한 기간 사이에 성명불상의 고객들에게 1일 평균 매상액 상당을 판매하여 그 대금 상당액을 편취하였다'고 기재한 때에는 공소사실의 특정이 인정된다.

㉡ 살인죄에 있어 범죄의 일시·장소와 방법을 구체적으로 규명할 수 없어 '2020. 1. 28. 03 : 00경부터 05 : 20경까지 피고인의 집에서 불상의 방법으로 피해자를 살해하였다'라고 기재한 때에는 공소사실의 특정이 인정된다.

㉢ 마약류 범죄에 있어 '피고인은 2019. 11. 2.경부터 2020. 7. 2.경까지 사이에 인천 이하 불상지에서 향정신성의약품인 메스암페타민 불상량을 불상의 방법으로 수 회 투약하였다'라고 기재한 때에는 공소사실의 특정이 인정된다.

㉣ 외국 유명대학의 박사학위기를 위조하여 행사했다는 공소사실에 대해 위조문서의 내용, 행사일시, 장소, 행사방법 등이 특정되어 기재되어 있고, 박사학위기 사본이 현출된 경우에는 공소사실의 특정이 인정된다.

① ㉠, ㉡　　② ㉠, ㉢
③ ㉡, ㉣　　④ ㉢, ㉣

| 해설 ㉠ × : 수인의 피해자에 대하여 각 별도로 기망행위를 하여 각각 재물을 편취한 경우 피해자별로 각 1개씩 죄가 성립하므로 그 공소사실은 각 피해자와 피해자별 피해액을 특정할 수 있도록 기재하여야 할 것인바, '일정한 기간 사이에 성명불상의 고객들에게 1일 평균 매상액 상당을 판매하여 그 대금 상당액을 편취하였다'는 내용은 피해자나 피해액이 특정되었다고 할 수 없다(대판 1996.2.13, 95도2121).

㉡ ○ : 대판 2008.3.27, 2008도507

㉢ × : 투약량은 물론 투약방법을 불상으로 기재하면서, 그 투약의 일시와 장소마저 위와 같이 기재한 것만으로는 구체적 사실의 기재라고 볼 수 없으므로 공소사실이 특정되었다고 할 수 없다(대판 2002.9.27, 2002도3194).

㉣ ○ : 대판 2009.1.30, 2008도6950

Answer 12. ②

THEMA 24 공소장1본주의

의 의	공소제기시에 법원에 제출하는 것은 공소장 하나이며, 법원에 예단을 생기게 할 수 있는 서류나 물건은 첨부하여서는 안 된다는 것을 공소장1본주의라 한다(규칙 제118조 제2항). ▶ 형사소송규칙에 규정
이론적 근거	공소장1본주의는 당사자주의, 예단배제원칙, 공판중심주의, 위법증거배제원칙, 전문법칙에 의해 요청된다.
내 용	1. 서류 또는 물건의 첨부금지 : 공소장에는 사건에 예단을 생기게 할 수 있는 서류 기타 물건을 첨부하여서는 안 된다(규칙 제118조 제2항). 11. 9급 교정 · 보호 · 철도경찰 ▶ 공소사실을 별지로 작성하여 첨부하는 것은 공소장일본주의에 반하지 않음. ▶ 공소장에는 변호인 선임서, 보조인 신고서, 특별대리인 결정등본, 체포영장, 긴급체포서, 구속영장, 기타 구속에 관한 서류 등은 첨부하여야 한다(규칙 제118조 제1항). 08. 9급 법원직 2. 인용의 금지 : 예단을 발생시킬 수 있는 문서내용을 인용하는 것이 금지되는 금지 예 문서를 수단으로 한 협박 · 공갈 · 명예훼손 등의 사건에 있어 문서의 기재내용 그 자체가 범죄구성요건에 해당하는 중요한 사실이므로 공소사실을 특정하기 위하여 문서의 내용을 인용하는 것은 적법하다. 3. 여사기재금지 : 여사기재란 공소장에 필요적 기재사항(제254조) 이외의 사항이 기재된 경우를 말하며, 이와 관련하여 문제되는 것은 다음과 같다. ① 피고인 전과 : 전과가 구성요건요소가 되는 경우(예 누범, 상습범)13. 9급 법원직, 14. 9급 법원직 · 7급 국가직나 범죄사실의 내용이 되는 경우(예 전과를 수단으로 한 공갈)에는 당연히 그 기재가 허용된다. 그러나 그 이외의 피고인 전과를 기재함은 공소장1본주의에 반한다고 해야 한다(판례는 공소장에 전과기재는 피고인을 특정할 수 있는 사항에 속하는 것으로 허용된다고 함). ② 피고인의 악성격 · 악경력 : 피고인의 악성격이나 악경력이 범행수단이 되는 경우(예 공갈의 수단)나 상습범 인정자료로 사용되는 경우를 제외하고는 그 기재가 허용되지 않는다 할 것이다. ③ 범행동기 : 범행동기도 원칙적으로 기재 허용 ×(다만, 살인이나 방화 등은 동기가 공소사실과 밀접 불가분하거나 공소사실을 명확하게 하기 위하여 필요한 것이므로 이를 기재하는 것이 허용된다. 11. 9급 국가직, 14. 경찰간부 · 9급 법원직 · 7급 국가직) ④ 여죄사실 : 여죄(심판의 대상이 되는 범죄사실 이외의 다른 범죄사실)의 기재는 법관의 예단 가능성이 있다 할 것이므로 허용되지 않는다고 볼 것이다(판례는 허용). ▶ 공소시효가 완성된 범죄사실을 공소범죄 사실 이외의 사실로 기재 ⇨ 적법(대판 1983.11.8, 83도1979).
위반의 효과	공소장일본주의에 위반한 공소제기는 무효이며, 법원은 판결로 공소를 기각하는 것이 원칙이다(대판 2017.11.9, 2014도1519).
공소장1본주의 예외	약식절차, 즉결심판, 상소심절차와 파기환송 후 절차

01 공소장1본주의에 관한 설명으로 틀린 것은?(다툼이 있는 경우 판례에 의함)

① 상소심절차에서는 공소장1본주의가 적용되지 아니한다.
② 공소장1본주의는 예단배제법칙, 당사자주의 소송구조, 공판중심주의에 이론적 근거를 두고 있다.
③ 구속영장 기타 구속에 관한 서류의 첨부는 공소장1본주의에 반한다.
④ 전과를 기재함은 공소장1본주의에 반하지 아니한다.

| 해설 ③ 공소장에는 사건에 예단을 생기게 할 수 있는 서류 기타 물건을 첨부하여서는 안 된다(규칙 제118조 제2항). 그러나 예단의 염려가 없는 서류나 물건은 첨부가 가능하다. 형사소송규칙은 공소장에 변호인선임계 등이나 구속영장 기타 구속에 관한 서류를 첨부하여야 한다고 규정하고 있다.

02 형사소송의 이념과 목적에 대한 설명으로 옳지 않은 것은?(다툼이 있는 경우 판례에 의함)

16. 9급 검찰·마약·교정·보호·철도경찰

① 헌법이 보장하는 공정한 재판을 받을 권리 속에는 원칙적으로 당사자주의와 구두변론주의가 보장되어 당사자가 공소사실에 대한 답변과 입증 및 반증하는 등 공격·방어권이 충분히 보장되는 재판을 받을 권리가 포함되어 있다.
② 형사소송에 관한 절차법에서 소극적 진실주의의 요구를 외면한 채 범인필벌의 요구만을 앞세워 합리성과 정당성을 갖추지 못한 방법이나 절차에 의한 증거수집과 증거조사를 허용하는 것은 적법절차 원칙 및 공정한 재판을 받을 권리에 위배된다.
③ 헌법상 보장되는 '변호인의 조력을 받을 권리'는 변호인의 '충분한 조력'을 받을 권리를 의미하므로, 일정한 경우 피고인에게 국선변호인의 조력을 받을 권리를 보장하여야 할 국가의 의무에는 형사소송절차에서 단순히 국선변호인을 선정하여 주는 데 그치지 않고 한 걸음 더 나아가 피고인이 국선변호인의 실질적인 조력을 받을 수 있도록 필요한 업무 감독과 절차적 조치를 취할 책무까지 포함된다.
④ 공소장일본주의를 위반하는 것은 소송절차의 생명이라 할 수 있는 공정한 재판의 원칙에 치명적인 손상을 가하는 것이고, 이를 위반한 공소제기는 법률의 규정에 위배된 것으로 치유될 수 없는 것이므로 소송절차의 시기 및 위반의 정도와 무관하게 항상 공소기각의 판결을 해야 한다.

| 해설 ①② 헌재결 1996.12.26, 94헌바1
③ 대결 2012.2.16, 2009모1044
④ 공소장일본주의에 위배된 공소제기라고 인정되는 때에는 그 절차가 법률의 규정을 위반하여 무효인 때에 해당하는 것으로 보아 공소기각의 판결을 선고하는 것이 원칙이다. 그러나 공소장 기재의 방식에 관하여 피고인측으로부터 아무런 이의가 제기되지 아니하였고 법원 역시 범죄사실의 실체를 파악하는 데 지장이 없다고 판단하여 그대로 공판절차를 진행한 결과 증거조사절차가 마무리되어 법관의 심증형성이 이루어진 단계에서는 공소장일본주의 위배를 주장하여 이미 진행된 소송절차의 효력을 다툴 수는 없다고 보아야 한다(대판 2009.10.22, 2009도7436 전원합의체).

Answer 1.③ 2.④

03 공소장일본주의에 대한 다음 설명 중 가장 적절하지 않은 것은?(다툼이 있는 경우 판례에 의함)

18. 경찰승진

① 살인, 방화 등의 경우 범죄의 직접적인 동기 또는 공소범죄사실과 밀접불가분의 관계에 있는 동기를 공소사실에 기재하는 것은 공소장일본주의 위반이 아님이 명백하고, 설사 범죄의 직접적인 동기가 아닌 경우에도 동기의 기재는 공소장의 효력에 영향을 미치지 아니한다.

② 공소장일본주의에 위배된 공소제기라고 인정되는 때에는 그 절차가 법률의 규정에 위반하여 무효인 때에 해당하는 것으로 보아 공소기각의 판결을 선고하는 것이 원칙이다.

③ 공소장일본주의를 위반한 공소제기는 법률의 규정에 위배된 것으로서 치유될 수 없는 것이므로 공소제기 후 공판절차가 진행되어 법관의 심증형성이 이루어진 단계에서도 공소장일본주의 위배를 주장하여 이미 진행된 소송절차의 효력을 다툴 수 있다.

④ 약식명령의 청구와 동시에 증거서류 및 증거물이 법원에 제출되었다 하여 공소장일본주의를 위반하였다 할 수 없고, 그 후 약식명령에 대한 정식재판청구가 제기되었음에도 법원이 증거서류 및 증거물을 검사에게 반환하지 않고 보관하고 있다고 하여 그 이전에 이미 적법하게 제기된 공소제기의 절차가 위법하게 된다고 할 수도 없다.

해설 ① 대판 2007.5.11, 2007도748 ② 대판 2017.11.9, 2014도15129
③ 공소제기 후 공판절차가 진행되어 법관의 심증형성이 이루어진 단계에서는 공소장일본주의 위배를 주장하여 이미 진행된 소송절차의 효력을 다툴 수 없다(대판 2009.10.22, 2009도7436 전원합의체).
④ 대판 2007.7.26, 2007도3906

04 공소장일본주의에 관한 다음 설명 중 가장 옳지 않은 것은?(다툼이 있는 경우 판례에 의함)

20. 9급 법원직

① 검사가 공소를 제기할 때에는 원칙적으로 공소장 하나만을 제출하여야 하고 그 밖에 사건에 관하여 법원에 예단을 생기게 할 수 있는 서류 기타 물건을 첨부하거나 그 내용을 인용하여서는 안 된다.

② 공소장에 법령이 요구하는 사항 외의 사실로서 법원에 예단이 생기게 할 수 있는 사유를 나열하는 것이 허용되지 않는다는 것도 이른바 '기타 사실의 기재 금지'로서 공소장일본주의의 내용에 포함된다.

③ 공소장일본주의에 위배된 공소제기라고 인정되는 때에는, 그 절차가 법률의 규정에 위반하여 무효인 때에 해당하는 것으로 보아 공소기각의 판결을 선고하는 것이 원칙이다.

④ 공소장일본주의는 즉결심판절차에서는 배제되지만, 피고인이 즉결심판에 대하여 정식재판을 청구하는 경우에는 적용된다.

해설 ① 규칙 제118조 제2항 ② 대판 2015.1.29, 2012도2957 ③ 대판 2017.11.9, 2014도1519
④ 공소장일본주의는 즉결심판절차의 경우는 물론, 즉결심판에 대하여 정식재판을 청구하는 경우에도 적용되지 아니한다(즉심법 제4조, 제14조, 대판 2011.1.27, 2008도7375).

Answer 3.③ 4.④

05 공소장일본주의에 관한 설명으로 가장 적절하지 않은 것은?(다툼이 있는 경우 판례에 의함)

24. 경찰승진

① 공소장일본주의는 검사가 공소를 제기할 때에는 원칙적으로 공소장 하나만을 제출하여야 하고 그 밖에 사건에 관하여 법원에 예단을 생기게 할 수 있는 서류 기타 물건을 첨부하거나 그 내용을 인용하여서는 아니된다는 원칙이다.

② 공소장일본주의에 위반하여 공소가 제기된 때에는 그 절차가 법률의 규정을 위반하여 무효인 때에 해당하는 것으로 보아 공소기각의 판결을 선고하는 것이 원칙이다.

③ 공소장 기재의 방식에 관하여 피고인측의 유효한 이의제기가 있었더라도 법원이 공판절차 초기 쟁점정리 과정에서 범죄 구성요건과 상관이 없어 심리하지 않겠다고 고지하고 증거조사 등의 공판절차를 진행하였다면 공소장 기재 방식의 하자는 치유된 것으로 본다.

④ 살인, 방화 등의 경우 범죄의 직접적인 동기 또는 공소범죄사실과 밀접불가분의 관계에 있는 동기를 공소사실에 기재하는 것이 공소장일본주의 위반이 아님은 명백하고, 설사 범죄의 직접적인 동기가 아닌 경우에도 동기의 기재는 공소장의 효력에 영향을 미치지 아니한다.

| 해설 ① 규칙 제118조 제2항

② 대판 2017.11.9, 2014도1519

③ 피고인 측으로부터 이의가 유효하게 제기되어 있는 이상 공판절차가 진행되어 법관의 심증형성의 단계에 이르렀다고 하여 공소장일본주의 위배의 하자가 치유된다고 볼 수 없다(대판 2015.1.29, 2012도2957).

④ 대판 2007.5.11, 2007도748

Answer 5. ③

제4절 공소제기의 효과

THEMA 25 공소제기의 효과

공소제기에 의해 사건은 법원에 계속(소송계속)되고, 공소시효진행이 정지되며, 법원의 심판범위가 한정된다.

소송계속	의 의	검사의 지배하에 있는 사건은 공소제기로 인하여 법원의 지배하로 넘어가게 되는데 이것을 소송계속이라 한다.
	효 과	1. 적극적 효과 : 소송이 계속되면 법원은 심판을 할 권리와 의무를, 양 당사자는 심판을 받을 권리와 의무를 가지게 된다. 2. 소극적 효과 : 일단 공소가 제기되면 동일사건에 대해 다시 공소를 제기할 수 없다(이중기소금지). ▶ 후소에 대하여 공소기각판결
심판범위한정	인적효력범위	공소제기는 검사가 공소장에 피고인으로 지정한 자 이외의 다른 사람에게는 효력이 미치지 않는다(제248조)(이 점에서 고소의 주관적 불가분원칙과 차이가 있음). 91 · 14. 경찰승진 따라서 공범자 가운데 일부에 대한 공소제기의 효력은 다른 공범자에게는 미치지 아니하며, 16. 9급 법원직 공소제기 후에 진범인이 발견되어도 공소제기의 효력은 진범에게 미치지 않는다. 12. 순경
	물적효력범위	1. 일부에 대한 공소제기는 그 효력이 사건 전부에 미치게 된다(공소불가분의 원칙). 08 · 11. 9급 법원직, 15. 순경 2차, 16. 경찰간부 2. 공소제기 효력이 미치는 범위 내라 할지라도 공소장에 기재된 부분만이 법원의 현실적 심판대상이 되고, 12. 순경 1차 나머지는 잠재적인 심판대상일 뿐이다. 97. 9급 검찰 ▶ 잠재적 심판대상은 공소장변경을 통하여만 현실적 심판대상이 될 수 있으므로 공소제기의 효력이 미치는 범위와 법원의 현실적 심판범위와는 반드시 일치하지는 않는다. ▶ 고소불가분의 원칙과는 달리 공소불가분의 원칙은 객관적 불가분의 원칙에만 적용됨에 주의! ▶ 친고죄에 대해 고소가 없거나 취소된 경우에 비친고죄로 되는 일부사실에 대해서만 공소제기하는 것은 허용되지 않는다(판례 · 다수설).
공소시효정지		공소가 제기되면 당해사건에 대한 공소시효의 진행이 정지되며, 공소기각 또는 관할위반의 판결이 확정된 때부터 다시 진행한다(제253조 제1항). 공범 1인에 대한 시효의 정지는 다른 공범자에게도 효력이 미친다(동조 제2항).

01 **공소제기의 효과에 관한 설명 중 가장 적절하지 않은 것은?**

① 법원의 심판범위는 공소장에 기재된 공소사실에 제한되며, 공소사실과 동일성이 인정되는 사실도 법원의 현실적인 심판의 대상이 된다.

② 공소제기에 의하여 공소시효의 진행이 정지되며 정지된 공소시효는 공소기각 또는 관할위반의 재판이 확정된 때로부터 다시 진행된다.

③ 공소는 검사가 피고인으로 지정한 사람 외의 다른 사람에게는 그 효력이 미치지 아니한다.

④ 공범 중 1인에 대한 공소제기로 인한 시효정지의 효력은 다른 공범에게도 미친다.

| 해설 ① 법원의 심판범위는 공소장에 기재된 공소사실에 제한되며, 공소사실과 동일성이 인정되는 사실도 공소장변경에 의하여 비로소 법원의 현실적인 심판의 대상이 된다.
② 제253조 제1항
③ 제248조 제1항
④ 제253조 제2항

02 **공소제기의 효력에 관한 설명 중 가장 옳지 않은 것은?**(다툼이 있으면 판례에 의함) 16. 경찰간부

① 범죄사실의 일부에 대한 공소는 그 효력이 전부에 미친다.

② 공범 중 1인이 범죄의 증명이 없다는 이유로 무죄의 확정판결을 선고 받은 경우, 그에 대하여 제기된 공소로써는 진범에 대한 공소시효정지의 효력이 없다.

③ 피의자가 다른 사람의 성명을 모용한 탓으로 공소장에 피모용자가 피고인으로 표시되었다 하더라도 이는 당사자의 표시상의 착오일 뿐이고 검사는 모용자에 대하여 공소를 제기한 것이므로 모용자가 피고인이 되고 피모용자에게 공소의 효력이 미친다고 할 수 없다.

④ 검사가 수개의 협박 범행을 먼저 기소하고 다시 별개의 협박 범행을 추가로 기소하였는데 이를 병합하여 심리하는 과정에서 전후에 기소된 각각의 범행이 모두 포괄하여 하나의 협박죄를 구성하는 것으로 밝혀진 경우, 법원은 전후에 기소된 범죄사실 전부에 대하여 실체판단을 할 수 없고, 추가기소된 부분에 대하여 공소기각판결을 하여야 한다.

| 해설 ① 제248조 제2항
② 대판 1999.3.9, 98도4621
③ 대판 1993.1.19, 92도2554
④ 검사가 수개의 협박 범행을 먼저 기소하고 다시 별개의 협박 범행을 추가로 기소하였는데 이를 병합하여 심리하는 과정에서 전후에 기소된 각각의 범행이 모두 포괄하여 하나의 협박죄를 구성하는 것으로 밝혀진 경우, 비록 협박죄의 포괄일죄로 공소장을 변경하는 절차가 없었다거나 추가로 공소장을 제출한 것이 포괄일죄를 구성하는 행위로서 기존의 공소장에 누락된 것을 추가·보충하는 취지의 것이라는 석명절차를 거치지 아니하였다 하더라도, 법원은 전후에 기소된 범죄사실 전부에 대하여 실체판단을 할 수 있고, 추가기소된 부분에 대하여 공소기각판결을 할 필요는 없다(대판 2007.8.23, 2007도2595).

Answer 1.① 2.④

03 **공소제기의 효과에 관한 설명 중 옳지 않은 것은?**(다툼이 있을 경우 판례에 의함)

① 하나의 행위가 부작위범인 직무유기죄와 작위범인 범인도피죄의 구성요건을 동시에 충족하는 경우 검사는 부작위범인 직무유기죄로만 공소를 제기할 수도 있다.

② 몰수나 추징이 공소사실과 관련이 있다면 그 공소사실에 관하여 이미 공소시효가 완성되어 유죄의 선고를 할 수 없는 경우에도 몰수나 추징을 할 수 있다.

③ 부정경쟁방지 및 영업비밀보호에 관한 법률 위반 사건의 공소사실에 '영업비밀'이라고 주장된 정보가 상세하게 기재되어 있지 않다고 하더라도, 공소제기의 효력에는 영향이 없을 수 있다.

④ 동일사건이 같은 법원에 이중으로 공소가 제기되면 후소는 공소가 제기된 사건에 대하여 다시 공소가 제기되었을 때에 해당하므로 수소법원은 공소기각의 판결을 선고하여야 한다.

| 해설 ① 대판 1999.11.26, 99도1904

② 몰수나 추징을 선고하기 위하여서는 몰수나 추징의 요건이 공소가 제기된 공소사실과 관련되어 있어야 하고, 공소사실이 인정되지 않는 경우에 이와 별개의 공소가 제기되지 아니한 범죄사실을 법원이 인정하여 그에 관하여 몰수나 추징을 선고하는 것은 불고불리의 원칙에 위반되어 불가능하며, 몰수나 추징이 공소사실과 관련이 있다 하더라도 그 공소사실에 관하여 이미 공소시효가 완성되어 유죄의 선고를 할 수 없는 경우에는 몰수나 추징도 할 수 없다(대판 1992.7.28, 92도700).

③ 공소사실에 '영업비밀'이라고 주장된 정보가 상세하게 기재되어 있지 않다고 하더라도 다른 정보와 구별될 수 있고 그와 함께 적시된 다른 사항들에 의하여 어떤 내용에 관한 정보인지 알 수 있으며 또한 피고인의 방어권행사에도 지장이 없다면 그 공소제기의 효력에는 영향이 없다(대판 2009.7.9, 2006도7916).

④ 제327조 제3호

04 **공소제기의 효력에 대한 설명으로 옳지 않은 것은?**(다툼이 있는 경우 판례에 의함)

20. 7급 국가직

① 법원이 재정신청서를 송부받은 날부터 형사소송법 제262조 제1항에서 정한 기간 안에 피의자에게 그 사실을 통지하지 아니한 채 공소제기결정을 하였더라도, 그에 따른 공소가 제기되어 본안사건의 절차가 개시된 후에는 다른 특별한 사정이 없는 한 본안사건에서 위와 같은 잘못을 다툴 수 없다.

② 검사가 자의적으로 공소권을 행사하여 피고인에게 실질적인 불이익을 줌으로써 소추재량권을 현저히 일탈하였다고 보여지는 경우에는 이를 공소권남용으로 보아 공소제기효력을 부인할 수 있으며, 여기서 자의적인 공소권의 행사라고 함은 단순히 직무상의 과실에 의한 것만으로는 부족하고 적어도 미필적이나마 어떤 의도가 있어야 한다.

③ 상습범(선행범죄)으로 유죄확정판결을 받은 사람이 그 후 동일한 습벽에 의해 범행을 저질렀는데(후행범죄) 선행범죄의 유죄확정판결(재심대상판결)에 대하여 재심이 개시된 경우, 선행범죄와 후행범죄는 재심대상판결에 의하여 동일성이 없는 별개의 상습범이 되므로 선행범죄에 대한 공소제기의 효력은 후행범죄에 미치지 않는다.

Answer 3. ② 4. ④

④ 검사가 일단 상습사기죄(A)로 공소를 제기한 후 판결선고 전에 그 공소의 효력이 미치는 사기행위 일부를 별개의 독립된 상습사기(B)로 공소를 제기한 경우, B의 범행이 A의 범행 이후에 이루어진 것이라면 이중기소에 해당되지 않는다.

| 해설 ① 대판 2017.3.9, 2013도16162
② 대판 1999.12.10, 99도577
③ 대판 2019.6.20, 2018도20698 전원합의체
④ 공소제기의 효력이 미치는 시적 범위는 사실심리의 가능성이 있는 최후의 시점인 판결 선고시를 기준으로 삼아야 할 것이므로, 검사가 일단 상습사기죄로 공소제기한 후 그 공소의 효력이 미치는 위 기준시까지의 사기행위 일부를 별개의 독립된 상습사기죄로 공소제기를 하는 것은 비록 그 공소사실이 먼저 공소제기를 한 상습사기의 범행 이후에 이루어진 사기 범행을 내용으로 한 것일지라도 공소가 제기된 동일사건에 대한 이중기소에 해당되어 허용될 수 없는 것이다(대판 2004.8.20, 2004도3331).

05 공소제기의 효과에 대한 설명으로 가장 적절하지 않은 것은?(다툼이 있는 경우 판례에 의함)

23. 경찰승진

① 공소제기에 의해 사건은 법원에 계속되고 공소시효의 진행이 정지되며 법원은 검사가 공소제기한 사건에 한하여 심판하여야 한다.

② 공소가 제기되면 동일사건에 대해 다시 공소를 제기할 수 없으므로 동일사건에 대하여 동일법원에 다시 공소가 제기된 경우에는 후소에 대하여 공소기각의 판결을 해야 한다.

③ 피고인에 대한 공소가 제기된 후에 진범이 발견되어도 그 공소제기의 효력은 진범에게 미치지 아니한다.

④ 공범의 1인에 대한 공소제기가 있어도 다른 공범자에 대하여는 그 효력이 미치지 않으며, 공범의 1인에 대한 공소시효 정지의 효과도 다른 공범자에 대하여는 미치지 아니한다.

| 해설 ① 제253조 제1항, 제254조 참조
② 제327조 제3호
③ 제248조 제1항
④ 공범의 1인에 대한 공소제기가 있어도 다른 공범자에 대하여는 그 효력이 미치지 않으나(제248조 제1항), 공소제기로 인한 공소시효 정지의 효과는 다른 공범자에도 효력이 미치고 당해사건의 재판이 확정된 때부터 공소시효가 진행한다(제253조 제2항).

Answer 5. ④

제5절 공소시효

THEMA 26 공소시효

공소시효기간
(제249조 제1항)
09·10. 순경, 09. 9급 검찰, 10. 9급 법원직, 13. 순경 1차, 12·14·16. 순경 2차, 10·11·12·17. 경찰승진

사형에 해당하는 범죄	25년
무기징역(무기금고)	15년
장기 10년 이상 징역(금고)	10년
장기 10년 미만 징역(금고)	7년
장기 5년 미만의 징역(금고)	5년
장기 10년 이상의 자격정지	
벌 금	
장기 5년 이상의 자격정지	3년
장기 5년 미만의 자격정지	1년
구 류	
과 료	
몰 수	

사람을 살해한 범죄의 공소시효

사람을 살해한 범죄(종범은 제외한다)로 사형에 해당하는 범죄에 대하여는 제249조부터 제253조까지에 규정된 공소시효를 적용하지 아니한다(제253조의 2 : 2015. 7. 31. 신설).

제253조의 2 개정규정은 이 법 시행 전에 범한 범죄로 아직 공소시효가 완성되지 아니한 범죄에 대하여도 적용한다(부칙 제2조). 15. 순경 3차

성폭력범죄의 공소시효

1. 미성년자에 대한 성폭력범죄의 공소시효 ⇨ 피해자가 성년에 달한 날부터 진행(성폭력범죄의 처벌 등에 관한 특례법 제21조 제1항)
2. 강간·강제추행 등의 죄 ⇨ DNA 등 과학적 증거가 있는 때에는 공소시효 10년 연장(동법 제21조 제2항)
3. 13세 미만 사람 및 신체적 또는 정신적인 장애가 있는 사람에 대한 강간, 강제추행, 준강간·준강제추행, 강간 등 상해(치상), 강간 등 살인(치사), 미성년자에 대한 간음·추행 ⇨ 공소시효 적용 ×(동법 제21조 제3항)
4. 강간 등 살인(치사 ×) ⇨ 공소시효 적용 ×(제21조 제4항)
5. 아동학대처벌법이 제34조 제1항(피해아동이 성년에 달한 날부터 공소시효 진행)의 소급적용 등에 관하여 명시적인 경과규정을 두고 있지는 아니하나, 피해아동 보호라는 입법 목적 등을 비추어 보면 그 시행일인 2014. 9. 29. 당시 범죄행위가 종료되었으나 아직 공소시효가 완성되지 아니한 아동학대범죄에 대하여도 적용된다고 해석함이 타당하다(대판 2016.9.28, 2016도7273).

	6. 공소시효를 정지 · 연장 · 배제하는 내용의 특례조항을 신설하면서 소급적용에 관한 명시적인 경과규정을 두지 아니한 경우에 그 조항을 소급하여 적용할 수 있다고 볼 것인지에 관하여는 이를 해결할 보편타당한 일반원칙이 존재할 수 없는 터이므로, 16. 순경 1차 법적 안정성과 신뢰보호원칙을 포함한 법치주의 이념을 훼손하지 아니하도록 신중히 판단하여야 한다. 성폭력범죄의 처벌 등에 관한 특례법은 제20조 제3항에서 "13세 미만의 여자 및 신체적인 또는 정신적인 장애가 있는 여자에 대하여 강간 등을 범한 경우에는 공소시효를 적용하지 아니한다."고 규정하여 공소시효 배제조항을 신설하면서도 소급적용에 관하여는 경과규정을 두지 않고 있으므로 이를 소급하여 적용할 수 없다(대판 2015.5.28, 2015도1362). **헌정질서 파괴범죄의 공소시효** 헌정질서 파괴범죄(형법상 내란죄 · 외환죄, 군형법상 반란죄 · 이적죄 등) ⇨ 공소시효 적용 배제(헌정질서 파괴범죄의 공소시효 등에 관한 특례법 제3조) **공직선거법위반죄의 공소시효** 공무원이 지위를 이용하여 범한 공직선거법위반죄의 경우 일반인이 범한 공직선거법위반죄와 달리 공소시효를 10년으로 정한 것에 관한 부분은 평등원칙에 위반되지 않는다(헌재결 2022.8.31, 2018헌바440).
의제공소시효 (제249조 제2항)	공소제기 후 확정판결 없이 25년을 경과하면 공소시효가 완성된 것으로 간주한다. 08. 9급 법원직, 12. 경찰승진, 09 · 13. 순경 1차, 13 · 14. 경찰간부, 11 · 14 · 16. 순경 2차 ▶ 공소시효를 적용하지 아니한 범죄 ⇨ 의제공소시효 적용 × ▶ 개정 형사소송법 시행(2007. 12. 21) 전에 범한 죄에 대해서는 부칙조항에 따라 구 형사소송법 제249조 제2항이 적용되어 판결의 확정 없이 공소를 제기한 때로부터 15년이 경과하면 공소시효가 완성한 것으로 간주된다(대판 2022. 8.19, 2020도1153).

01 다음에 나열한 범죄의 공소시효의 기간을 합산한 것으로 맞는 것은? 08. 순경

> ㉠ 무기징역 또는 무기금고에 해당하는 범죄
> ㉡ 장기 10년 이상의 징역 또는 금고에 해당하는 범죄
> ㉢ 벌금에 해당하는 범죄
> ㉣ 장기 5년 미만의 자격정지에 해당하는 범죄

① 21년 ② 25년 ③ 28년 ④ 31년

해설 제249조 참조

Answer 1. ④

02 공소시효의 기간에 관한 설명 중 틀린 것은 모두 몇 개인가?

10. 경찰승진

㉠ 사형에 해당하는 범죄에는 25년
㉡ 무기징역 또는 무기금고에 해당하는 범죄에는 15년
㉢ 장기 10년 미만의 징역 또는 금고에 해당하는 범죄에는 7년
㉣ 장기 5년 미만의 자격정지, 다액 1만원 미만의 벌금, 구류, 과료 또는 몰수에 해당하는 범죄에는 1년

① 1개　② 2개　③ 3개　④ 4개

해설 ㉠㉡㉢ : ○
㉣ × : 벌금에 해당하는 범죄의 공소시효는 5년(제249조 제1항 참조)

03 공소시효의 기간과 관련한 내용으로 틀린 것은 모두 몇 개인가?(다툼이 있으면 판례에 의함)

㉠ 13세 미만 사람 및 신체적 또는 정신적인 장애가 있는 사람에 대한 강간 등 살인에는 공소시효가 없으나, 이들에 대한 강간 등 치사에는 공소시효가 적용된다.
㉡ 헌정질서 파괴범죄(형법상 내란죄・외환죄, 군형법상 반란죄・이적죄 등)에는 공소시효가 적용 배제된다.
㉢ 사람을 살해한 범죄(종범은 제외한다.)로 사형에 해당하는 범죄에 대하여는 공소시효를 적용하지 아니한다.
㉣ 공소제기 후 확정판결 없이 25년을 경과하면 공소시효가 완성된 것으로 간주되며, 이는 공소시효에 관한 개정 형사소송법 시행(2007. 12. 21) 전에 범한 죄에 대해서도 동일하게 적용된다.
㉤ 공무원이 지위를 이용하여 범한 공직선거법위반죄의 경우 일반인이 범한 공직선거법위반죄와 달리 공소시효를 10년으로 정한 것에 관한 부분은 평등원칙에 위반된다.

① 1개　② 2개　③ 3개　④ 4개

해설 ㉠ × : 13세 미만 사람 및 신체적 또는 정신적인 장애가 있는 사람에 대한 강간, 강제추행, 준강간・준강제추행, 강간 등 상해(치상), 강간 등 살인(치사), 미성년자에 대한 간음・추행죄에 공소시효가 적용되지 아니한다(성폭력범죄의 처벌 등에 관한 특례법 제21조 제3항).
㉡ ○ : 헌정질서 파괴범죄의 공소시효 등에 관한 특례법 제3조
㉢ ○ : 제253조의 2
㉣ × : 공소제기 후 확정판결 없이 25년을 경과하면 공소시효가 완성된 것으로 간주된다(제249조 제2항). 그러나 개정 형사소송법 시행(2007. 12. 21) 전에 범한 죄에 대해서는 부칙조항에 따라 구 형사소송법 제249조 제2항이 적용되어 판결의 확정 없이 공소를 제기한 때로부터 15년이 경과하면 공소시효가 완성한 것으로 간주된다(대판 2022.8.19, 2020도1153).
㉤ × : 공무원이 지위를 이용하여 범한 공직선거법위반죄의 경우 일반인이 범한 공직선거법위반죄와 달리 공소시효를 10년으로 정한 것'에 관한 부분은 평등원칙에 위반되지 않는다(헌재결 2022.8.31, 2018헌바440).

Answer 2. ① 3. ③

THEMA 27 공소시효기간의 기준 · 기산점 · 계산방법

<table>
<tr><td>기 준</td><td>1. 공소시효기간의 기준이 되는 형은 처단형이 아니라 법정형이다. 2개 이상의 형을 병과(2개 이상의 주형을 병과하는 경우)하거나, 2개 이상의 형에서 1개를 과할 범죄(여러 개의 형이 선택적으로 규정된 경우)에는 중한 형이 기준이 된다(제250조). 09 · 10 · 15. 9급 법원직, 11. 교정특채, 12 · 13. 순경 2차, 17. 경찰승진, 21. 9급 검찰 · 마약 · 교정 · 보호 · 철도경찰
2. 형법에 의하여 형을 가중 또는 감경할 경우에는 가중 또는 감경하지 아니한 형이 시효기간의 기준이 된다(제251조). 08 · 10. 9급 법원직, 09. 순경, 13. 순경 2차, 12 · 15. 경찰승진, 15. 순경 1차, 16. 9급 교정 · 보호 · 철도경찰 가중 · 감경은 필요적인 경우와 임의적인 경우를 모두 포함한다.
3. 특별법에 의한 형의 가중 · 감경은 가중 · 감경된 특별법상 법정형을 기준으로 공소시효의 기간을 결정한다. 09. 순경, 08 · 11. 9급 법원직, 12 · 15. 순경 2차
4. 교사범 · 종범은 정범의 법정형을 기준으로 한다.
5. 범죄 후 법률의 개정에 의하여 법정형이 가벼워진 경우에는 신법의 법정형이 공소시효기간의 기준으로 된다(대판 1987.12.22, 87도84). 05. 법원주사보, 08. 9급 법원직, 12. 순경 2차 · 9급 검찰 · 마약 · 교정 · 보호 · 철도경찰, 15. 순경 1차
6. 과형상 1죄의 경우 개별적으로 판단해야 한다는 견해가 다수설 · 판례(대판 2006.12.8, 2006도6356) 11. 7급 국가직, 12. 경찰승진
7. 공소장에 수개의 범죄사실이 예비적 · 택일적으로 기재된 경우 각 범죄사실에 대하여 개별적으로 결정해야 함이 타당 10. 경찰승진
8. 양벌규정의 경우 행위자에 대한 법정형을 기준(대판 1996.3.12, 94도2423)
9. 공소장변경이 있는 경우에 공소시효완성 여부는 당초 공소제기가 있었던 시점을 기준으로 판단할 것이다(대판 1982.5.25, 82도535). 09. 9급 국가직, 13. 순경 2차, 10 · 11 · 14. 경찰승진, 12 · 15. 순경 1차, 09 · 16. 7급 국가직, 09 · 14 · 16. 9급 법원직, 16. 9급 검찰 · 마약수사
10. 공소장변경절차에 의하여 공소사실이 변경됨에 따라 그 법정형에 차이가 있는 경우에는 변경된 공소사실에 대한 법정형이 공소시효기간의 기준이 된다(대판 2001.8.24, 2001도2902). 08. 순경 3차, 09 · 14. 9급 법원직, 16. 9급 검찰 · 마약수사 · 7급 국가직, 09 · 15 · 21. 순경 1차, 21. 경찰승진</td></tr>
<tr><td>기산점</td><td>공소시효는 범죄행위가 종료한 때부터 진행한다(제252조 제1항). 10. 9급 법원직, 11. 7급 국가직 · 교정 특채, 12. 순경 2차, 14 · 15 · 17. 경찰승진
<table>
<tr><td>결과범</td><td>결과발생한 때 ▶ 결과적 가중범 ⇨ 중한 결과 발생한 때 11. 경찰승진</td></tr>
<tr><td>거동범, 미수범</td><td>실행행위가 종료된 때</td></tr>
<tr><td>계속범</td><td>법익침해행위가 종료된 때</td></tr>
<tr><td>포괄일죄</td><td>최종의 범죄행위가 종료된 때 09. 순경, 10 · 12. 경찰승진</td></tr>
<tr><td>과형상 일죄</td><td>각 죄에 관하여 개별적 판단</td></tr>
<tr><td>공 범</td><td>최종행위가 종료한 때</td></tr>
<tr><td>처벌조건을 필요로 하는 범죄</td><td>당해 조건 성취한 때</td></tr>
</table></td></tr>
<tr><td>계산방법</td><td>초일은 1일로 산정하고 기간의 말일이 공휴일 또는 토요일이라도 시효기간에 산입한다(제66조).</td></tr>
</table>

공소시효기산점 관련판례

1. 허위의 채무를 부담하는 내용의 채무변제계약 공정증서를 작성한 후 이에 기하여 채권압류 및 추심명령을 받은 때에, 강제집행면탈죄가 성립함과 동시에 그 범죄행위가 종료되어 공소시효가 진행한다(대판 2009.5.28, 2009도875). 12. 9급 검찰
2. 국가보안법에 규정된 반국가단체를 구성하는 죄는 그 범죄의 성립과 동시에 완성하는 즉시범으로서 그 범죄구성과 동시에 공소시효가 진행된다(대판 1970.11.24, 70도1860). 12. 9급 검찰
3. 甲주식회사 대표이사인 피고인이 주주총회 의사록을 허위로 작성하고 이를 근거로 피고인을 비롯한 임직원들과 주식매수선택권부여계약을 체결함으로써 甲회사에 재산상 손해를 가하였다고 하며 특정경제범죄 가중처벌 등에 관한 법률 위반(배임)으로 기소된 사안에서, 피고인에 대한 업무상 배임죄는 피고인이 의도한 배임행위가 모두 실행된 때로서 최종적으로 주식매수선택권이 행사되고 그에 따라 신주가 발행된 시점에 종료되었다고 보아야 하는데도, 이와 달리 계약을 체결한 시점에 범행이 종료되었음을 전제로 공소시효가 완성되었다고 보아 면소를 선고한 원심판결에는 법리오해의 위법이 있다(대판 2011.11.24, 2010도11394). 12. 9급 검찰
4. 부정수표단속법 제2조 제2항 위반의 범죄는 예금부족으로 인하여 제시일에 지급되지 아니할 것이라는 결과 발생을 예견하고 발행인이 수표를 발행한 때에 바로 성립하는 것이고 수표소지인이 발행일자를 보충기재하여 제시하고 그 제시일에 수표금의 지급이 거절된 때에 범죄가 성립하는 것은 아니다(대판 2003.9.26, 2003도3394). 11. 경찰승진
5. 공소시효의 기산점에 관하여 규정한 형사소송법 제252조 제1항에 정한 '범죄행위'에는 당해 범죄행위의 결과까지도 포함하는 취지로 해석함이 상당하므로, 교량붕괴사고에 있어 업무상 과실치사상죄, 업무상 과실일반교통방해죄 및 업무상 과실자동차추락죄의 공소시효도 교량붕괴사고로 인하여 피해자들이 사상에 이른 결과가 발생함으로써 그 범죄행위가 종료한 때로부터 진행한다고 보아야 한다(대판 1997.11.28, 97도1740). 11. 경찰승진
6. 공소시효는 범죄행위를 종료한 때로부터 진행하는데, 공무원이 직무에 관하여 금전을 무이자로 차용한 경우에는 차용 당시에 금융이익 상당의 뇌물을 수수한 것으로 보아야 하므로, 공소시효는 금전을 무이자로 차용한 때로부터 기산한다(대판 2012.2.23, 2011도7282). 09. 순경, 21. 변호사시험 · 경찰승진
7. 정보통신망을 이용한 명예훼손의 경우에, 게시행위 후에도 독자의 접근가능성이 기존의 매체에 비하여 좀 더 높다고 볼 여지가 있다 하더라도 그러한 정도의 차이만으로 정보통신망을 이용한 명예훼손의 경우에 범죄의 종료시기가 달라진다고 볼 수는 없다. 따라서 정보통신망을 이용한 명예훼손의 경우 게재행위만으로 범죄가 성립하고 종료하므로 그때부터 공소시효를 기산해야 하고, 게시물이 삭제된 시점을 범죄의 종료시기로 보아서 그때부터 공소시효를 기산해야 하는 것은 아니다(대판 2007.10.25, 2006도346). 17. 9급 검찰 · 마약 · 교정 · 보호 · 철도직
8. 미수범의 범죄행위는 행위를 종료하지 못하였거나 결과가 발생하지 아니하여 더 이상 범죄가 진행될 수 없는 때에 종료하고, 그때부터 미수범의 공소시효가 진행한다(대판 2017.7.11, 2016도14820). 18. 7급 국가직 · 순경 2차, 20. 9급 법원직, 21. 경찰간부
   - ▶ **구체적 사안** : 피고인이 분양대책위원회의 공동대표로서 업무상 임무에 위배하여 2006. 3. 3. 주상복합아파트 2층 오피스텔 28세대에 관한 분양계약서를 받아 그에 관한 소유권이전등기를 하여 재산상 이익을 취득하려고 하였으나 소유권이전등기를 마치지 못하여 미수에 그친 경우, 업무상 배임미수죄에 있어 범죄행위의 종료시기는 금전지급약정 및 분양계약서 반환으로 더 이상 소유권이전등기절차를 진행할 수 없게 된 때이다.

9. 거짓이나 그 밖의 부정한 방법으로 북한이탈주민의 보호 및 정착지원에 관한 법률에 따른 보호 및 지원을 받은 경우, 공소시효는 북한이탈주민법에 의한 보호 또는 지원을 최종적으로 받은 때로부터 진행한다(대판 2015.10.29, 2014도5939).
10. 공무원이 정당 그 밖의 정치단체에 가입한 죄는 공무원이나 사립학교의 교원 등이 정당 등에 가입함으로써 즉시 성립하고 그와 동시에 완성되는 즉시범이므로 그 범죄성립과 동시에 공소시효가 진행한다(대판 2014.5.16, 2012도12867).
11. 공유수면인 바닷가를 허가 없이 점용·사용하는 행위는 그 공유수면을 무단으로 점용·사용하는 한 가벌적인 위법행위가 계속 반복되고 있는 계속범이라고 보아야 하므로, 상태범 내지 즉시범에 해당함을 전제로, 피고인의 최초 점용시를 공소시효의 기산점으로 보아 이미 공소시효가 완성되었다고 판단하여 면소를 선고한 판결은 위법하다(대판 2010.9.30, 2008도7678).
12. 관할관청의 허가 없이 주유소에 판매대 등의 시공을 완료한 때 위험물안전관리법 제36조 제2호, 제6조 제1항 후단의 위반죄가 기수에 이르렀다고 보아야 하며, 이때부터 공소시효는 진행한다(대판 2009.4.9, 2008도11572).
13. 농지에 잡석 등을 깔아 정지작업이 이루어져 사실상 원상회복이 어렵게 된 토지를 전용하였다는 공소사실에 대하여, 공소 범행 당시 농지로서의 현상을 상실한 토지를 사용한 것이 농지전용죄를 구성하는지 여부를 먼저 살펴본 다음 공소시효의 기산점을 판단하여야 하므로, 정지작업의 종료시점을 공소시효의 기산점으로 보아 공소시효가 완성되었다고 본 원심판결은 파기되어야 한다(대판 2009.4.16, 2007도6703 전원합의체).
14. 직무유기죄는 그 직무를 수행하여야 하는 작위의무의 존재와 그에 대한 위반을 전제로 하고 있는바, 그 작위의무를 수행하지 아니함으로써 구성요건에 해당하는 사실이 있었고 그 후에도 계속하여 그 작위의무를 수행하지 아니하는 위법한 부작위상태가 계속되는 한 가벌적 위법상태는 계속 존재하는 계속범이므로 이와 같은 가벌적인 위법상태가 소멸해야 비로소 공소시효가 진행하게 된다(대판 1997.8.29, 97도675 ; 대판 2009.1.30, 2008도8130).
15. 무고죄는 타인으로 하여금 형사처분 등을 받게 할 목적으로 공무소 등에 허위의 사실을 신고함으로써 성립하는 범죄이므로, 그 신고 된 범죄사실이 이미 공소시효가 완성된 것이어서 무고죄가 성립하지 아니하는 경우에 해당하는지 여부는 그 신고시를 기준으로 하여 판단하여야 한다고 할 것이다(대판 2008.3.27, 2007도11153). 21. 순경 1차
16. 건설산업기본법 제96조 제4호, 제21조에 규정된 '건설업자가 다른 사람에게 자기의 성명 또는 상호를 사용하여 건설공사를 수급 또는 시공하게 하는 행위'는 다른 사람에게 자기의 성명 또는 상호를 사용하여 건설공사를 수급하게 하거나 공사에 착수하게 한 때에 완성되어 기수가 되고 그 후 공사종료시까지는 그 법익침해의 상태가 남아있을 뿐이다. 따라서 이 사건 공소사실에 대하여 건설공사의 착수시기로부터 기산하여 3년의 공소시효가 완성되었음을 이유로 면소를 선고한 제1심판결을 그대로 유지한 것은 정당하다(대판 2007.4.12, 2007도883).
17. 공익근무요원의 복무이탈죄는 정당한 사유 없이 계속적 혹은 간헐적으로 행해진 통산 8일 이상의 복무이탈행위 전체가 하나의 범죄를 구성하는 것이고, 그 공소시효는 위 전체의 복무이탈행위 중 최종의 복무이탈행위가 마쳐진 때부터 진행한다(대판 2007.3.29, 2005도7032).
18. 수개의 업무상 횡령행위라 하더라도 피해법익이 단일하고, 범죄의 태양이 동일하며, 단일 범의의 발현에 기인하는 일련의 행위라고 인정될 때에는 포괄하여 1개의 범죄라고 봄이 타당하고, 포괄일죄의 공소시효는 최종의 범죄행위가 종료한 때부터 진행한다(대판 2006.11.9, 2004도4234).

19. 공익법인이 주무관청의 승인 없이 기본재산인 건물 중 일부를 예식장업자에게 임대한 경우, 임대행위를 계속하는 한 공소시효는 진행하지 않는다(대판 2006.9.22, 2004도4751).
20. 지정문화재 등을 은닉한 자를 처벌하도록 한 규정은 지정문화재 등임을 알고 그 소재를 불분명하게 함으로써 발견을 곤란 또는 불가능하게 하여 그 효용을 해하는 행위를 처벌하려는 것이므로, 그러한 은닉범행이 계속되는 한 발견을 곤란케 하는 등의 상태는 계속되는 것이어서 공소시효가 진행되지 않는 것으로 보아야 한다(대판 2004.2.12, 2003도6215).
21. '문화재관리국에 등록하지 아니한 자로 하여금 지정문화재를 수리하게 한' 죄가 성립하기 위해서는 미등록 문화재수리업자 등에게 그 수리를 하게 하는 도급 등의 행위뿐만 아니라, 이에 따라 미등록 문화재수리업자 등이 실제로 수리하는 행위가 있어야 하므로, 수리하게 하는 행위 및 이에 따른 그 결과로서의 수리행위 전체를 하나의 구성요건 실현행위로 보아야 하고, 따라서 미등록 문화재수리업자 등이 수리에 착수한 때 곧바로 범죄행위가 종료된 것으로 볼 것은 아니고 그 수리가 완료되거나 중단되는 등으로 사실상 마쳐질 때 그 범죄행위로서의 수리하게 하는 행위의 결과 발생이 종료되어 범죄행위가 종료된 것으로 보아야 한다(대판 2003.9.26, 2002도3924).
22. 법원으로부터 유리한 판결을 받지 못하고 소송이 종료됨으로써 미수에 그친 경우에, 그러한 소송사기미수죄에 있어서 범죄행위의 종료시기는 위와 같이 소송이 종료된 때라고 할 것이다(대판 2000.2.11, 99도4459).
23. 건축물의 용도변경행위는 유형적으로 용도를 변경하는 행위뿐만 아니라 다른 용도로 사용하는 것까지를 포함하며, 이와 같이 허가를 받지 아니하거나 신고를 하지 아니한 채 건축물을 다른 용도로 사용하는 행위는 계속범의 성질을 가지는 것이어서 허가 또는 신고 없이 다른 용도로 계속 사용하는 한 가벌적 위법상태는 계속 존재하고 있다고 할 것이므로, 그러한 용도변경행위에 대하여는 공소시효가 진행하지 아니하는 것으로 보아야 한다(대판 2001.9.25, 2001도3990).
24. 구 주차장법(1995. 12. 29. 법률 제5115호로 개정되기 전의 것) 제29조 제1항은 "부설주차장을 주차장 외의 용도로 사용"한 경우를 처벌하도록 규정하고 있으므로, 피고인이 부설주차장을 임대하여 주차장 외의 용도로 사용하게 하였다면 주차장 외의 용도로 사용하는 행위와 이로 인한 위법 상태는 계속되고 있었으므로(계속범) 그때까지는 공소시효가 진행되지 아니한다(대판 1999.3.9, 98도4582).
25. 폭력행위 등 처벌에 관한 법률 제4조 소정의 단체 등의 조직죄는 같은 법에 규정된 범죄를 목적으로 한 단체 또는 집단을 구성함으로써 즉시 성립하고 그와 동시에 완성되는 즉시범이므로, 범죄성립과 동시에 공소시효가 진행되는 것이다(대판 1995.1.20, 94도2752).
26. 도주죄는 즉시범으로서 범인이 간수자의 실력적 지배를 이탈한 상태에 이르렀을 때에 기수가 되어 도주행위가 종료하는 것이므로(대판 1991.10.11, 91도1656), 그 후에는 도주 중에 공소시효는 진행한다(대판 1979.8.31, 79도622).
27. 허가를 받지 아니하고 시장을 개설하는 행위는 계속범의 성질을 가지는 것이어서 허가를 받지 않은 상태가 계속되는 한 무허가 시장개설행위에 대한 공소시효는 진행하지 아니한다(대판 1981.10.13, 81도1244).
28. 형법 제98조 제1항에 규정된 간첩행위는 기밀에 속한 사항 또는 도서, 물건을 탐지 수집한 때에 기수가 되는 것이고 간첩이 탐지 수집한 사항을 타인에게 보고, 누설하는 행위는 간첩행위 자체라고는 볼 수 없다(대판 1982.2.23, 81도3063).
29. 지정되지 아니한 일반동산문화재의 등록의무는 문화재보호법시행령 소정의 30일이 경과함으로써 소멸되는 것이 아니므로 위 문화재의 등록위반죄에 대한 공소시효는 위 기간이 경과한 때부터 진행된다고 볼 것이 아니라 그 후 위 등록의무의 이행이나 기타 사정으로 등록의무가 소멸한 때를 기준으로 하여 그 기간을 기산함이 옳다(대판 1978.11.14, 78도2318).

30. 강제집행 면탈의 목적으로 채무자가 그의 제3채무자에 대한 채권을 허위로 양도한 경우에 제3채무자에게 채권 양도의 통지가 행하여짐으로써 통상 제3채무자가 채권 귀속의 변동을 인식할 수 있게 된 시점에서는 채권 실현의 이익이 해하여질 위험이 실제로 발현되었다고 할 것이므로, 늦어도 그 통지가 있는 때에는 그 범죄행위가 종료하여 그때부터 공소시효가 진행된다고 볼 것이다(대판 2011.10.13, 2011도6855). 18. 5급 검찰 · 교정승진
31. 공정거래법 제19조 제1항 제1호에서 정한 가격 결정 등의 합의 및 그에 기한 실행행위가 있었던 경우에 부당한 공동행위가 종료한 날은 그 합의가 있었던 날이 아니라 그 합의에 기한 실행행위가 종료한 날을 의미하므로, 공정거래법 제66조 제1항 제9호 위반죄의 공소시효는 그 실행행위가 종료한 날부터 진행한다(대판 2015.9.10, 2015도3926).
32. 피고인이 허위사실이 기재된 귀화허가신청서를 담당공무원에게 제출하여 그에 따라 귀화허가업무를 담당하는 행정청이 그릇된 행위나 처분을 하여야만 위계에 의한 공무집행방해죄가 기수 및 종료에 이른다고 할 것이고, 한편 단지 허위사실이 기재된 귀화허가신청서를 제출하여 접수되게 한 사정만으로는 구체적인 직무집행을 저지하거나 현실적으로 곤란하게 하는 데까지 이르렀다고 단정할 수 없다(대판 2017.4.27, 2017도2583).
33. 공직선거법 제268조 제1항 본문은 “이 법에 규정한 죄의 공소시효는 당해 선거일 후 6개월(선거일 후에 행하여진 범죄는 그 행위가 있는 날부터 6개월)을 경과함으로써 완성한다.”라고 규정하고 있다. 여기서 말하는 “당해 선거일”이란 그 선거범죄와 직접 관련된 공직선거의 투표일을 의미한다. 이는 선거범죄가 당내경선운동에 관한 공직선거법 위반죄인 경우에도 마찬가지이므로, 그 선거범죄에 대한 공소시효의 기산일은 당내경선의 투표일이 아니라 그 선거범죄와 직접 관련된 공직선거의 투표일이다(대판 2019.10.31, 2019도8815). 21. 경찰승진
34. 범죄단체를 구성하거나 이에 가입한 자가 더 나아가 구성원으로 활동하는 경우 이는 포괄일죄의 관계에 있다고 봄이 타당하다. 한편 포괄일죄의 공소시효는 최종의 범죄행위가 종료한 때로부터 진행한다(대판 2015.9.10, 2015도7081).
35. 구 수산업협동조합법(2010. 4. 12. 법률 제10245호로 개정되기 전의 것, 이하 ‘수산업협동조합법’이라 한다) 제178조 제5항 본문은 “ 제1항 내지 제4항에 규정된 죄의 공소시효는 해당 선거일 후 6월(선거일 후에 행하여진 죄는 그 행위가 있는 날부터 6월)을 경과함으로써 완성한다.”고 규정하고 있는데, 여기서 선거일까지 발생한 범죄의 공소시효 기산일인 ‘선거일 후’는 ‘선거일 당일’이 아니라 ‘선거일 다음 날’을 의미한다고 해석하는 것이 우선 위 조항의 문언에 부합한다(대판 2012.10.11, 2011도17404). 21. 순경 1차
36. 변호사법은 제31조 제1항 제3호에서 ‘변호사는 공무원으로서 직무상 취급하거나 취급하게 된 사건에 관하여는 그 직무를 수행할 수 없다.’고 규정하면서, 동법 제113조 제5호에서 ‘공무원으로서 직무상 취급하거나 취급하게 된 사건’을 ‘수임’한 행위를 처벌하고 있다. 위 변호사법 위반죄(제31조 제1항 제3호, 제113조 제5호)의 공소시효는 그 범죄행위인 ‘수임’행위가 종료한 때로부터 진행된다고 봄이 타당하고, 수임에 따른 ‘수임사무의 수행’이 종료될 때까지 공소시효가 진행되지 않는다고 해석할 수는 없다(대판 2022.1.14, 2017도18693).
37. 횡령으로 인한 특정범죄 가중처벌 등에 관한 법률위반(국고 등 손실)죄는 형법상 횡령죄 내지 업무상 횡령죄에 대한 가중규정으로서 신분관계로 인한 형의 가중이 있는 것이고, 회계관계직원 내지 업무상 보관자라는 신분 없는 피고인이 위 죄의 범행에 방조범으로 가담하였다면 공소시효 기간의 기준이 되는 법정형은 형법상 단순 횡령방조죄의 법정형에 의하여야 한다(대판 2020.10.29, 2020도3972).

38. 국외여행허가의무 위반으로 인한 병역법 위반죄는 국외여행의 허가를 받은 병역의무자가 기간만료 15일 전까지 기간연장허가를 받지 않고 정당한 사유 없이 허가된 기간 내에 귀국하지 않은 때에 성립함과 동시에 완성되는 이른바 즉시범으로서, 그 이후에 귀국하지 않은 상태가 계속되고 있더라도 위 규정이 정한 범행을 계속하고 있다고 볼 수 없다. 따라서 위 범죄의 공소시효는 범행종료일인 국외여행허가기간 만료일부터 진행한다(대판 2022.12.1, 2019도5925).

01 공소시효기간의 기준에 관한 설명으로 가장 적절하지 못한 것은?(다툼이 있으면 판례에 의함)

① 특별법에 의한 형의 가중·감경은 가중·감경된 특별법상 법정형을 기준으로 공소시효의 기간을 결정한다.

② 교사범·종범은 정범의 법정형을 기준으로 한다.

③ 범죄 후 법률의 개정에 의하여 법정형이 가벼워진 경우에는 신법의 법정형이 공소시효기간의 기준으로 된다.

④ 과형상 1죄의 경우 가장 중한 죄에 정한 법정형을 기준으로 공소시효기간을 결정해야 한다.

| 해설 ④ 1개의 행위가 여러 개의 죄에 해당하는 경우 실체법상으로는 수죄에 해당하나 이를 과형상 일죄로 처벌한다는 것에 지나지 아니하므로, 공소시효를 적용함에 있어서는 각 죄마다 따로 따져야 할 것이다(대판 2006.12.8, 2006도6356).

02 공소시효의 기산점에 관한 설명 중 옳게 연결된 것이 아닌 것은?

① 계속범 – 법익침해행위가 종료된 때

② 과형상 일죄 – 각 죄에 대하여 개별적 판단

③ 공범 – 공범 1인의 행위가 종료된 때

④ 포괄일죄 – 최종의 범죄행위가 종료된 때

| 해설 ③ 최종행위가 종료된 때로부터 공범에 대한 공소시효기간을 기산한다(제252조 제2항).

03 다음 설문의 경우 甲에 대하여 항소법원은 어떠한 재판을 해야 하는가?(다툼이 있으면 판례에 의함)

10. 7급 국가직

甲은 2009년 1월 17일 절도죄로 기소되었고, 공소사실은 甲이 2004년 1월 17일에 타인의 재물을 절취하였다는 내용이었다. 제1심에서 절도죄로 유죄판결이 선고되자 甲은 무죄를 주장하며 항소하였다. 항소 심리 중인 2009년 5월 24일에 甲의 행위가 절도가 아니라 점유이탈물횡령으로 판명되었다. 이에 검사는 법원의 허가를 받아 점유이탈물횡령죄로 공소장을 변경하였다(참고로 절도죄의 공소시효는 7년, 점유이탈물횡령죄의 공소시효는 5년이며, 시효정지사유는 없었다고 가정한다).

Answer 1.④ 2.③ 3.①

① 면소판결　　② 공소기각결정
③ 공소기각판결　　④ 유죄 또는 무죄의 실체판결

| 해설 공소장변경이 있는 경우에 공소시효기간은 변경된 공소사실의 법정형을 기준으로 하며, 시효의 완성 여부는 최초의 공소제기가 있었던 시점을 기준으로 한다.
사안의 경우 변경된 공소사실인 점유이탈물횡령죄의 공소시효는 5년이고, 이 범죄는 2004년 1월 17일에 종료되었다. 종료일로부터 5년 후인 2009년 1월 16일 24 : 00에 시효가 완성되는데 그 이후에 기소되었으므로 면소판결을 선고하여야 한다.

04 **공소시효에 관한 설명 중 틀린 것은 모두 몇 개인가?**(판례에 의함)

> ㉠ 무단으로 건축물을 다른 용도로 계속 사용하는 경우, 계속범의 성질상 허가 또는 신고 없이 다른 용도로 계속 사용하는 한 그 용도변경의 건축법위반죄의 공소시효는 진행하지 아니한다.
> ㉡ 도주죄는 즉시범으로서 도주에 성공한 이상 도주 중에도 공소시효는 진행한다.
> ㉢ 공익법인이 주무관청의 승인을 받지 않은 채 수익사업을 하는 행위는 시간적 계속성이 구성요건적 행위의 요소로 되어있다는 점에서 계속범에 해당한다고 보아야 할 것인 만큼, 승인을 받지 않은 수익사업이 계속되고 있는 동안에는 공소시효가 진행되지 아니한다.
> ㉣ 공익근무요원의 복무이탈죄의 공소시효의 기산점은 전체의 복무이탈행위 중 최종의 복무이탈행위가 마쳐진 때부터 진행한다.
> ㉤ 공무원이 직무에 관하여 금전을 무이자로 차용한 경우에는 차용 당시에 금융이익 상당의 뇌물을 수수한 것으로 보아야 하므로, 공소시효는 금전을 무이자로 차용한 때로부터 기산한다.
> ㉥ 사기죄로 공소가 제기된 범죄사실에 대하여 예비적으로 배임죄를 추가하는 공소장변경이 된 경우에는 배임죄에 대한 공소시효의 완성 여부는 공소장변경시를 기준으로 삼아야 한다.
> ㉦ 수임제한 변호사법 위반죄의 경우, 공소시효는 그 범죄행위인 '수임'행위가 종료한 때로부터 진행된다고 봄이 타당하다고, 수임에 따른 '수임사무의 수행'이 종료될 때까지 공소시효가 진행되지 않는다고 해석할 수는 없다.

① 1개　　② 2개　　③ 3개　　④ 없 음

| 해설 ㉠ ○ : 대판 2001.9.5, 2001도3990
㉡ ○ : 대판 1991.10.11, 91도1656
㉢ ○ : 대판 2006.9.22, 2004도4751
㉣ ○ : 대판 2007.3.29, 2005도7032
㉤ ○ : 대판 2012.2.23, 2011도7282
㉥ × : 사기죄로 공소가 제기된 범죄사실에 대하여 예비적으로 배임죄를 추가하는 공소장변경이 된 경우에는 공소사실의 동일성에 변화가 없으므로 배임죄에 대한 공소시효의 완성 여부는 본래의 공소제기시를 기준으로 하여야 하고 공소장변경시를 기준으로 삼아서는 아니된다(대판 1981.2.10, 80도3245).
㉦ ○ : 대판 2022.1.14, 2017도18693

Answer 4. ①

05 공소시효와 관련하여 옳지 않은 것은 모두 몇 개인가?(다툼이 있으면 판례에 의함)

㉠ 업무상 과실치사상죄의 공소시효는 피해자들이 사상에 이른 결과가 발생함으로써 그 범죄행위가 종료한 때로부터 진행한다.
㉡ 부정수표단속법 제2조 제2항 위반의 범죄의 경우 공소시효는 예금부족으로 인하여 제시일에 지급되지 아니할 것이라는 결과 발생을 예견하고 발행인이 수표를 발행한 때부터 진행하는 것이지 수표소지인이 발행 일자를 보충 기재하여 제시하고 그 제시일에 수표금의 지급이 거절된 때부터 진행하는 것은 아니다.
㉢ 업무상 배임죄는 회사의 대표이사가 법령이나 정관에 위배되어 법률상 무효인 계약을 체결한 시점으로부터 공소시효가 진행된다.
㉣ 강제집행면탈죄는 허위채무부담 내용의 채무변제계약 공정증서를 작성한 후 이에 기하여 채권압류 및 추심명령을 받은 때로부터 공소시효가 진행된다.
㉤ 범죄단체조직죄는 범죄를 목적으로 하는 단체를 구성한 때로부터 공소시효가 진행된다.
㉥ 횡령으로 인한 특정범죄 가중처벌 등에 관한 법률위반(국고 등 손실)죄는 형법상 횡령죄 내지 업무상 횡령죄에 대한 가중규정으로서 신분관계로 인한 형의 가중이 있는 경우인데, 신분 없는 피고인이 위 죄의 범행에 방조범으로 가담하였다면 공소시효 기간의 기준이 되는 법정형은 형법상 단순 횡령방조죄의 법정형에 의하여야 한다.
㉦ 국외여행허가의무 위반으로 인한 병역법 위반죄는 계속범이므로, 그 이후에 귀국하지 않은 상태가 계속되고 있었다면 공소시효는 진행되지 않으며, 가벌적인 위법상태가 소멸돼야 비로소 공소시효가 진행하게 된다.

① 1개 ② 2개 ③ 3개 ④ 4개

해설 ㉠ ○ : 대판 1997.11.28, 97도1740
㉡ ○ : 대판 2003.9.26, 2003도3394
㉢ × : 甲주식회사 대표이사인 피고인이 주주총회 의사록을 허위로 작성하고 이를 근거로 임직원들과 주식매수선택권부여계약을 체결함으로써 甲회사에 재산상 손해를 가하였다고 하며 특정경제범죄 가중처벌 등에 관한 법률 위반(배임)으로 기소된 사안에서, 법률상 무효인 계약을 체결한 것만으로는 업무상 배임죄 구성요건이 완성되거나 범행이 종료되었다고 볼 수 없는데도, 계약을 체결한 시점에 범행이 종료되었음을 전제로 공소시효가 완성되었다고 보아 면소를 선고한 원심판결에는 법리오해의 위법이 있다(대판 2011.11.24, 2010도11394).
㉣ ○ : 대판 2009.5.28, 2009도875
㉤ ○ : 대판 2009.6.11, 2009도1274
㉥ ○ : 대판 2020.10.29, 2020도3972
㉦ × : 국외여행허가의무 위반으로 인한 병역법 위반죄는 국외여행의 허가를 받은 병역의무자가 기간만료 15일 전까지 기간연장허가를 받지 않고 정당한 사유 없이 허가된 기간 내에 귀국하지 않은 때에 성립함과 동시에 완성되는 이른바 즉시범으로서, 그 이후에 귀국하지 않은 상태가 계속되고 있더라도 위 규정이 정한 범행을 계속하고 있다고 볼 수 없다. 따라서 위 범죄의 공소시효는 범행종료일인 국외여행허가기간 만료일부터 진행한다(대판 2022.12.1, 2019도5925).

Answer 5. ②

THEMA 28 공소시효의 정지사유

공소제기	① 공소시효는 공소제기로 진행이 정지되고 공소기각 또는 관할위반의 재판이 확정된 때로부터 다시 진행한다(제253조 제1항). 04·05. 순경, 13·14. 경찰승진, 14. 9급 법원직, 14·16. 순경 2차 ▶ 공범 1인에 대한 시효정지는 다른 공범에 대하여 효력이 미치고, 당해사건의 재판이 확정된 때부터 진행한다(제253조 제2항). – 여기서 재판의 확정은 공소기각 또는 관할위반인 경우뿐 아니라 유죄, 무죄, 면소 모두 포함(판례) ▶ 신병이 확보되기 전에 공소제기 ⇨ 공소시효 진행 정지(대판 2017.1.25, 2016도15526) 21. 순경 1차 ② 공소제기가 무효인 경우에도 공소시효는 정지 08. 9급 국가직, 10. 9급 법원직
국외도피	① 범인이 형사처분을 면할 목적으로 국외에 있는 경우에 그 기간 동안 공소시효가 정지된다(제253조 제3항). 11. 9급 법원직, 15. 순경 2차 ▶ 도피한 자에게만 시효정지의 효과가 미치고, 다른 공범자에게는 미치지 아니한다(제253조 제2항·제3항). 16. 변호사시험 ② 피고인이 형사처분을 면할 목적으로 국외에 있는 경우 그 기간 동안 제249조 제2항(의제공소시효)에 따른 기간의 진행은 정지된다(제253조 제4항 : 2024. 2. 13. 신설). **국외도피 관련판례** 1. 제253조 제3항의 입법 취지는 범인이 우리나라의 사법권이 실질적으로 미치지 못하는 국외에 체류한 것이 도피의 수단으로 이용된 경우에 체류기간 동안은 공소시효가 진행되는 것을 저지하여 범인을 처벌할 수 있도록 하여 형벌권을 적정하게 실현하고자 하는 데 있다(대판 2015.6.24, 2015도5916). 17. 9급 법원직 2. 범인의 국외체류의 목적은 오로지 형사처분을 면할 목적만으로 국외체류하는 것에 한정되는 것은 아니고, 범인이 가지는 여러 국외체류 목적 중 형사처분을 면할 목적이 포함되어 있으면 족하다(대판 2003.1.24, 2002도4994). 06. 9급 법원직, 14. 경찰승진, 17. 경찰간부 3. 법정최고형이 징역 5년인 부정수표단속법 위반죄를 범한 사람이 중국으로 출국하여 체류하다가 그곳에서 징역 14년을 선고받고 8년 이상 복역한 후 우리나라로 추방되어 위 죄로 공소제기된 사안에서, 그 범행에 대한 법정형이 당해 범죄의 법정형보다 월등하게 높고, 실제 그 범죄로 인한 수감기간이 당해 범죄의 공소시효 기간보다도 현저하게 길어서 범인이 수감기간 중에 생활근거지가 있는 우리나라로 돌아오려고 했을 것으로 넉넉잡아 인정할 수 있는 사정이 있다면, 그 수감기간에는 '형사처분을 면할 목적'이 유지되지 않았다고 볼 여지가 있다. 따라서 위 수감기간 동안에는 형사소송법 제253조 제3항의 '형사처분을 면할 목적'을 인정할 수 없어 공소시효의 진행이 정지되지 않는다(대판 2008.12.11, 2008도4101). 10. 경찰승진, 18. 7급 국가직 4. '범인이 형사처분을 면할 목적으로 국외에 있는 경우'는 범인이 국내에서 범죄를 저지르고 형사처분을 면할 목적으로 국외로 도피한 경우에 한정되지 아니하고, 범인이 국외에서 범죄를 저지르고 형사처분을 면할 목적으로 국외에서 체류를 계속하는 경우도 포함된다고 볼 것이다(대판 2015.6.24, 2015도5916). 16·17. 7급 국가직, 18. 순경 1차, 19·21. 경찰승진

	5. 피고인이 당해 사건으로 처벌받을 가능성이 있음을 인지하였다고 보기 어려운 경우라면 피고인이 다른 고소사건과 관련하여 형사처분을 면할 목적으로 국외에 있은 경우라고 하더라도 당해 사건의 형사처분을 면할 목적으로 국외에 있었다고 볼 수 없다(대판 2014.4.24, 2013도9162). 17. 9급 법원직, 18. 7급 국가직 6. 범인이 국외에 있는 것이 형사처분을 면하기 위한 방편이었다면 '형사처분을 면할 목적'이 있었다고 볼 수 있고, 위 '형사처분을 면할 목적'과 양립할 수 없는 범인의 주관적 의사가 명백히 드러나는 객관적 사정이 존재하지 않는 한 국외 체류기간 동안 '형사처분을 면할 목적'은 계속 유지된다(대판 2008.12.11, 2008도4101). 7. 형사소송법 제253조 제3항은 "범인이 형사처분을 면할 목적으로 국외에 있는 경우 그 기간 동안 공소시효는 정지된다."라고 규정하고 있다. 위 조항은 형사소송법 제249조 제2항에서 말하는 '공소시효'는 여기에 포함되지 않는다고 봄이 타당하다. 따라서 공소제기 후 피고인이 처벌을 면할 목적으로 국외에 있는 경우에도 그 기간 동안 형사소송법 제249조 제2항에서 정한 기간의 진행이 정지되지는 않는다(대판 2022.9.29, 2020도13547). – 제253조 제4항 신설에 따라 이제는 의미를 상실한 판례이다.
재정신청	재정신청이 있는 경우 고등법원의 결정이 확정될 때까지 공소시효의 진행이 정지된다(제262조의 4). ▶ 검찰항고, 헌법소원 신청 ⇨ 시효정지 ×
소년보호사건의 심리개시결정	소년부 판사가 소년보호사건의 심리개시결정을 하면 그 결정이 있는 때로부터 보호처분결정이 확정될 때까지 공소시효의 진행이 정지된다(소년법 제54조).
5. 18 특별법에 의한 정지	5. 18 민주화운동 등에 관한 특별법(1995. 12. 21. 공포)은 1979년 12월 12일과 1980년 5월 18일을 전후하여 발생한 헌정질서 파괴범죄 행위에 대하여 국가의 소추권행사에 장애사유가 존재한 기간(당해 범죄 종료일부터 1993. 2. 24. 이전까지의 기간)은 공소시효의 진행이 정지된 것으로 본다고 규정하고 있다.
대통령의 재직기간	재직 중인 대통령에 대해서는 내란죄와 외환죄를 제외하고는 형사소추가 불가능하므로(헌법 제84조) 대통령이 내란·외환죄 이외의 범죄를 범한 경우 재직기간에는 공소시효의 진행이 정지된다는 것이 헌법재판소의 견해이다. 17. 경찰간부

01 다음 중 공소시효의 정지사유에 해당하는 것끼리 배열된 것은?

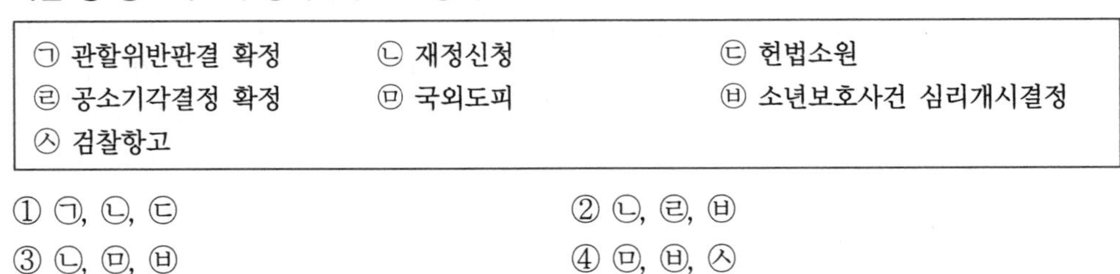

㉠ 관할위반판결 확정　㉡ 재정신청　㉢ 헌법소원
㉣ 공소기각결정 확정　㉤ 국외도피　㉥ 소년보호사건 심리개시결정
㉦ 검찰항고

① ㉠, ㉡, ㉢　② ㉡, ㉣, ㉥
③ ㉡, ㉤, ㉥　④ ㉤, ㉥, ㉦

| 해설 ㉡㉤㉥은 공소시효정지사유에 해당한다.

Answer 1. ③

02 **형사소송법 제253조 제3항**(범인이 형사처분을 면할 목적으로 국외에 있는 경우 그 기간 동안 공소시효는 정지된다)**에 관한 다음 설명 중 가장 올바른 것은?**(다툼이 있는 경우 판례에 의함)

① 공소시효를 정지·연장·배제하는 내용의 특례조항을 신설하면서 소급적용에 관한 명시적인 경과규정을 두지 아니한 경우에도 그 조항을 소급하여 적용할 수 있다고 볼 것인지에 관하여는 이를 해결할 보편타당한 일반원칙이 존재한다.

② 피고인이 당해 사건으로 처벌받을 가능성이 있음을 인지하였다고 보기 어려운 경우라도 피고인이 다른 고소사건과 관련하여 형사처분을 면할 목적으로 국외에 있는 경우라면 당해 사건의 형사처분을 면할 목적으로 국외에 있었다고 볼 수 있다.

③ 형사소송법 제253조 제3항(범인이 형사처분을 면할 목적으로 국외에 있는 경우 그 기간 동안 공소시효는 정지된다)의 입법취지는 범인이 우리나라의 사법권이 실질적으로 미치지 못하는 국외에 체류한 것이 도피의 수단으로 이용된 경우에 그 체류기간 동안은 공소시효가 진행되는 것을 저지하여 범인을 처벌할 수 있도록 하여 형벌권을 적정하게 실현하고자 하는 데 있다.

④ 형사소송법 제253조 제3항(범인이 형사처분을 면할 목적으로 국외에 있는 경우 그 기간 동안 공소시효는 정지된다)의 '형사처분을 면할 목적'은 오로지 형사처분을 면할 목적만으로 국외체류하는 것에 한정되고, 여러 국외 체류목적 중에 포함되어 있는 것으로는 부족하다.

| 해설 | ① 공소시효를 정지·연장·배제하는 내용의 특례조항을 신설하면서 소급적용에 관한 명시적인 경과규정을 두지 아니한 경우에 그 조항을 소급하여 적용할 수 있다고 볼 것인지에 관하여는 이를 해결할 보편타당한 일반원칙이 존재할 수 없다(대판 2015.5.28, 2015도1362).
② 피고인이 당해 사건으로 처벌받을 가능성이 있음을 인지하였다고 보기 어려운 경우라면 피고인이 다른 고소사건과 관련하여 형사처분을 면할 목적으로 국외에 있은 경우라고 하더라도 당해 사건의 형사처분을 면할 목적으로 국외에 있었다고 볼 수 없다(대판 2014.4.24, 2013도9162).
③ 대판 2015.6.24, 2015도5916 ④ 형사소송법 제253조 제3항은 범인이 형사처분을 면할 목적으로 국외에 있는 경우 그 기간 동안 공소시효는 정지된다고 규정하고 있는데, 이 때 범인의 국외체류의 목적은 오로지 형사처분을 면할 목적만으로 국외체류하는 것에 한정되는 것은 아니고 범인이 가지는 여러 국외체류 목적 중 형사처분을 면할 목적이 포함되어 있으면 족하다(대판 2003.1.24, 2002도4994).

03 **공소시효에 관한 다음 설명 중 가장 옳지 않은 것은?**(다툼이 있는 경우 판례에 의함)

① 정보통신망을 이용한 명예훼손의 경우 게재행위만으로 범죄가 성립하고 종료하므로 그 때부터 공소시효를 기산해야 하고, 게시물이 삭제된 시점을 범죄의 종료시기로 보아서 그때부터 공소시효를 기산해야 하는 것은 아니다.

② 법정최고형이 징역 5년인 부정수표단속법 위반죄를 범한 자가 중국으로 출국·체류하다가 그곳에서 징역 14년을 선고받고 8년 이상 복역한 후 우리나라로 추방되어 위 죄로 공소제기된 경우 법원은 면소판결을 선고하여야 한다.

③ 소년보호사건에 관하여 소년부 판사가 심리개시의 결정을 한 때에는 그 사건에 대한 보호처분의 결정이 선고될 때까지 공소시효가 정지된다.

Answer 2. ③ 3. ③

④ '형사처분을 면할 목적'이 범인이 가지는 국외체류의 유일한 목적이 아니라 여러 국외 체류 목적 중의 하나라도 그 기간 동안 공소시효는 정지된다.

| 해설 ① 대판 2007.10.25, 2006도346 ② 대판 2008.12.11, 2008도4101
③ 소년보호사건에 관하여 소년부 판사의 심리개시의 결정이 있는 때부터 그 사건에 대한 보호처분의 결정이 확정될 때까지 공소시효의 진행이 정지된다(소년법 제54조). ④ 대판 2003.1.24, 2002도4994

04 **공소시효 정지에 관한 설명 중 틀린 것은 모두 몇 개인가?**(다툼이 있으면 판례에 의함)

㉠ 범인이 국외에 있는 것이 형사처분을 면하기 위한 방편이었다면 '형사처분을 면할 목적'이 있었다고 볼 수 있고, 위 '형사처분을 면할 목적'과 양립할 수 없는 범인의 주관적 의사가 명백히 드러나는 객관적 사정이 존재하지 않는 한 국외 체류기간 동안 '형사처분을 면할 목적'은 계속 유지된다.
㉡ 공소시효가 완성된 범죄를 소급하여 처벌하기 위한 진정소급입법은 헌법에 위배되지만, 기존의 법을 변경하여야 할 공익적 필요는 심히 중대한 반면에 그 법적 지위에 대한 개인의 신뢰를 보호하여야 할 필요가 상대적으로 적어 개인의 신뢰이익을 관철하는 것이 객관적으로 정당화될 수 없는 경우에는 예외적으로 허용될 수 있다.
㉢ 범인이 형사처분을 면할 목적으로 국외에 있는 경우에 그 기간 동안 공소시효가 정지되며, 그 시효정지는 다른 공범자에게는 효력이 미치지 않는다.
㉣ 형사소송법 제253조 제1항은 "시효는 공소의 제기로 진행이 정지되고 공소기각 또는 관할위반의 재판이 확정된 때로부터 진행한다."라고 정하고 있다. 피고인의 신병이 확보되기 전에 공소가 제기되었다면 공소제기는 부적법한 것이고 공소가 제기되면 위 규정에 따른 공소시효의 진행은 정지되지 아니한다.
㉤ 형사소송법 제253조 제3항은 "범인이 형사처분을 면할 목적으로 국외에 있는 경우 그 기간 동안 공소시효는 정지된다."라고 규정하고 있다. 위 조항은 형사소송법 제249조 제2항에서 말하는 '공소시효'도 여기에 포함된다고 봄이 타당하므로, 공소제기 후 피고인이 처벌을 면할 목적으로 국외에 있는 경우에도 그 기간 동안 형사소송법 제249조 제2항(의제공소시효)에서 정한 기간의 진행이 정지된다.

① 1개 ② 2개 ③ 3개 ④ 4개

| 해설 ㉠ ○ : 대판 2008.12.11, 2008도4101 ㉡ ○ : 헌재결 1996.2.16, 96헌가2
㉢ ○ : 제253조 제2항 · 제3항 ㉣ × : 형사소송법 제253조 제1항은 "시효는 공소의 제기로 진행이 정지되고 공소기각 또는 관할위반의 재판이 확정된 때로부터 진행한다."라고 정하고 있다. 피고인의 신병이 확보되기 전에 공소가 제기되었다고 하더라도 그러한 사정만으로 공소제기가 부적법한 것이 아니고, 공소가 제기되면 위 규정에 따라 공소시효의 진행이 정지된다(대판 2017.1.25, 2016도15526). ㉤ ○ : 제253조 제4항

최신판례

아동학대범죄의 처벌 등에 관한 특례법 제34조는 "학대범죄의 공소시효는 형사소송법 피해아동이 성년에 달한 날부터 진행한다."라고 규정하고 있는데, 피해아동 A가 위 법 시행일인 2014. 9. 29. 이전인 2013. 7. 1. 이미 성년에 달한 이상 그 공소시효의 진행은 정지되지 않는다(대판 2023.9.21, 2020도844). 따라서, 공소시효가 완성되었다면 면소판결을 하여야 함.

Answer 4. ①

THEMA 29 시효정지 효력이 미치는 범위 및 공소시효 완성의 효과

시효정지 효력이 미치는 범위	1. 공소제기의 효력은 공소제기된 피고인에 대하여만 미친다. 2. 공범 1인에 대한 공소시효의 정지는 다른 공범자에 대하여도 효력이 미치고, 12. 순경 1차·9급 검찰·마약·교정·보호·철도경찰, 13·14. 경찰승진, 16. 경찰간부 당해 사건의 재판이 확정된 때(최종행위가 종료한 때 ×)부터 공소시효가 진행한다(제253조 제2항). 10. 9급 법원직, 15. 경찰간부, 16. 9급 교정·보호·철도경찰 ▶ 대향범(뇌물수수와 뇌물공여) ⇨ 공범에 포함 ×(대판 2015.2.12, 2012도4842) ▶ 책임조각으로 무죄가 확정된 공범에 대한 공소제기 ⇨ 다른 공범에 대한 공소시효정지효력이 인정된다. 10. 경찰승진 ▶ 범죄의 증명이 없다는 이유로 무죄가 확정된 공범에 대한 공소제기 ⇨ 다른 공범에 대한 공소시효 정지의 효력이 없다(대판 1999.3.9, 98도4621). 07. 9급 법원직, 10·12. 경찰승진, 13. 순경 1차, 16. 경찰간부
공소시효 완성의 효과	1. 공소제기 없이 공소시효기간이 경과하였거나, 공소가 제기되었으나 판결이 확정되지 않고 25년을 경과한 때에는 공소시효가 완성된다(제249조 제2항). 09. 순경, 14. 9급 검찰·마약·교정·보호·철도경찰 2. 수사 중인 피의사건에 대하여 공소시효가 완성되면 검사는 공소권 없음을 이유로 불기소처분을 하여야 하며, 공소제기된 후에 공소시효가 완성된 것이 판명된 때에는 법원은 면소판결로서 소송을 종결하여야 한다(이에 위반하여 실체판결을 한 경우에는 상소이유가 됨). 03·13. 순경, 09. 9급 국가직, 14. 경찰승진, 15. 9급 법원직

01 공소시효 정지의 효력이 미치는 범위 및 시효완성의 효과와 관련된 내용으로 가장 적절하지 않은 것은?

① 범죄의 증명이 없다는 이유로 무죄가 확정된 공범에 대한 공소제기는 다른 공범에 대한 공소시효정지의 효력이 없다.

② 공소제기 없이 공소시효기간이 경과하였거나, 공소가 제기되었으나 판결이 확정되지 않고 25년을 경과한 때에는 공소시효가 완성된다.

③ 공소제기된 후에 공소시효가 완성된 것이 판명된 때에는 법원은 면소판결로서 소송을 종결하여야 한다.

④ 공소제기로 인한 공소시효의 정지는 다른 공범자에 대하여도 효력이 미치고, 최종행위가 종료한 때부터 공소시효가 진행한다.

| 해설 ① 대판 1999.3.9, 98도4621
② 제249조 제2항 ③ 제326조
④ 공소제기로 인한 공범 1인에 대한 공소시효의 정지는 다른 공범자에 대하여도 효력이 미치고, 당해 사건의 재판이 확정된 때부터 공소시효가 진행한다(제253조 제2항).

Answer 1. ④

종합문제

01 공소시효에 관한 다음 설명 중 옳은 것을 모두 고른 것은?(다툼이 있는 경우 판례에 의함)
20. 9급 법원직

㉠ 공소시효는 범죄행위가 종료한 때로부터 진행한다. 미수범의 범죄행위는 행위를 종료하지 못하였거나 결과가 발생하지 아니하여 더 이상 범죄가 진행될 수 없는 때에 종료하고, 그때부터 미수범의 공소시효가 진행된다.
㉡ 공범의 1인에 대한 공소제기로 인한 공소시효의 정지는 다른 공범자에게 대하여도 효력이 미치는데 여기서의 공범에는 뇌물공여죄와 뇌물수수죄 사이와 같은 대향범 관계에 있는 자는 포함되지 않는다.
㉢ 공소장의 변경이 있는 경우에 공소시효의 완성 여부는 당초의 공소제기가 있었던 시점을 기준으로 판단할 것이 아니고 공소장을 변경한 때를 기준으로 삼아야 한다.
㉣ 2개 이상의 형을 병과하거나 2개 이상의 형에서 그 1개를 과할 범죄에는 중한 형에 의하여 공소시효 규정을 적용하고, 형법에 의하여 형을 가중 또는 감경한 경우에는 가중 또는 감경한 형에 의하여 공소시효 규정을 적용한다.

① ㉠, ㉡ ② ㉡, ㉢ ③ ㉢, ㉣ ④ ㉣, ㉠

해설 ㉠ ○ : 대판 2017.7.11, 2016도14820
㉡ ○ : 대판 2015.2.12, 2012도4842
㉢ × : 공소장의 변경이 있는 경우에 공소시효의 완성 여부는 당초의 공소제기가 있었던 시점을 기준으로 판단할 것이고, 공소장을 변경한 때를 기준으로 삼을 것이 아니다(대판 2004.7.22, 2003도8153).
㉣ × : 2개 이상의 형을 병과하거나 2개 이상의 형에서 그 1개를 과할 범죄에는 중한 형에 의하여 공소시효 규정을 적용하고, 형법에 의하여 형을 가중 또는 감경한 경우에는 가중 또는 감경하지 아니한 형에 의하여 공소시효를 계산한다(제251조).

02 공소시효에 대한 설명으로 가장 적절하지 않은 것은?(다툼이 있는 경우 판례에 의함) 21. 경찰승진

① 선거범죄가 당내경선운동에 관한 공직선거법 위반죄인 경우 그 선거범죄에 대한 공소시효의 기산일은 당내경선의 투표일이다.
② 공소제기 당시의 공소사실에 대한 법정형을 기준으로 하면 공소제기 당시 아직 공소시효가 완성되지 않았으나 변경된 공소사실에 대한 법정형을 기준으로 하면 공소제기 당시 이미 공소시효가 완성된 경우에는 공소시효의 완성을 이유로 면소판결을 선고하여야 한다.
③ 공소시효 정지사유인 '범인이 형사처분을 면할 목적으로 국외에 있는 경우'에는 범인이 국외에서 범죄를 저지르고 형사처분을 면할 목적으로 국외에서 체류를 계속하는 경우도 포함된다.
④ 공무원이 직무에 관하여 금전을 무이자로 차용한 경우에는 차용 당시에 금융이익 상당의 뇌물을 수수한 것으로 보아야 하므로, 뇌물수수죄에 대한 공소시효는 금전을 무이자로 차용한 때부터 기산한다.

Answer 1.① 2.①

| 해설 | ① 공직선거법 제268조 제1항 본문은 "이 법에 규정한 죄의 공소시효는 당해 선거일 후 6개월(선거일 후에 행하여진 범죄는 그 행위가 있는 날부터 6개월)을 경과함으로써 완성한다."라고 규정하고 있다. 여기서 말하는 "당해 선거일"이란 그 선거범죄와 직접 관련된 공직선거의 투표일을 의미한다. 이는 선거범죄가 당내경선운동에 관한 공직선거법 위반죄인 경우에도 마찬가지이므로, 그 선거범죄에 대한 공소시효의 기산일은 당내경선의 투표일이 아니라 그 선거범죄와 직접 관련된 공직선거의 투표일이다(대판 2019.10.31, 2019도8815).

② 대판 2013.7.26, 2013도6182
③ 대판 2015.6.24, 2015도5916
④ 대판 2012.2.23, 2011도7282

03 공소시효에 대한 설명으로 가장 적절하지 않은 것은?(다툼이 있는 경우 판례에 의함) 21. 순경 1차

① 구 수산업협동조합법 제178조 제5항 본문은 "제1항 내지 제4항에 규정된 죄의 공소시효는 해당 선거일 후 6월(선거일 후에 행하여진 죄는 그 행위가 있는 날부터 6월)을 경과함으로써 완성한다."라고 규정하고 있는데, 여기서 선거일까지 발생한 범죄의 공소시효 기산일인 '선거일 후'는 '선거일 다음 날'이 아니라 '선거일 당일'을 의미한다.

② 공소장변경이 있는 경우 공소시효의 완성 여부는 당초의 공소 제기가 있었던 시점을 기준으로 판단할 것이고 공소장변경시를 기준으로 삼을 것이 아니다.

③ 무고죄에 있어서 그 신고된 범죄사실이 이미 공소시효가 완성된 것이어서 무고죄가 성립하지 아니하는 경우에 해당하는지 여부는 그 신고시를 기준으로 하여 판단하여야 한다.

④ 피고인의 신병이 확보되기 전에 공소가 제기되었다고 하더라도 그러한 사정만으로 공소제기가 부적법한 것이 아니고, 공소가 제기되면 형사소송법 제253조 제1항에 따라 공소시효의 진행이 정지된다.

| 해설 | ① 구 수산업협동조합법 제178조 제5항 본문은 "제1항 내지 제4항에 규정된 죄의 공소시효는 해당 선거일 후 6월(선거일 후에 행하여진 죄는 그 행위가 있는 날부터 6월)을 경과함으로써 완성한다."라고 규정하고 있는데, 여기서 선거일까지 발생한 범죄의 공소시효 기산일인 '선거일 후'는 '선거일 당일'이 아니라 '선거일 다음 날'을 의미한다고 해석하는 것이 위 조항의 문언에 부합한다(대판 2012.10.11, 2011도17404).

② 대판 2018.10.12, 2018도6252
③ 대판 2008.3.27, 2007도11153
④ 대판 2017.1.25, 2016도15526

04 공소시효에 대한 설명으로 옳지 않은 것은?(다툼이 있는 경우 판례에 의함)

21. 9급 검찰 · 마약 · 교정 · 보호 · 철도경찰

① 2개 이상의 형을 병과하거나 2개 이상의 형에서 그 1개를 과할 범죄에는 중한 형에 의하여 공소시효의 기간을 결정한다.

② 범인이 국외에서 범죄를 저지르고 형사처분을 면할 목적으로 국외에서 체류를 계속하는 경우에도 공소시효는 정지된다.

Answer 3.① 4.④

③ 공범 중 1인에 대해 약식명령이 확정된 후 그에 대한 정식재판청구권회복결정이 있었다고 하더라도 그 사이의 기간 동안에는 특별한 사정이 없는 한 다른 공범자에 대한 공소시효는 정지함이 없이 계속 진행된다.

④ 공소제기 후 공소장이 변경된 경우 변경된 공소사실에 대한 공소시효의 완성 여부는 공소장 변경시점을 기준으로 판단하여야 한다.

| 해설 ① 제250조

② 대판 2015.6.24, 2015도5916

③ 형사소송법이 공범 중 1인에 대한 공소의 제기로 다른 공범자에 대하여도 공소시효가 정지되도록 한 것은 공소제기 효력의 인적 범위를 확장하는 예외를 마련하여 놓은 것이므로, 이는 엄격하게 해석하여야 하고 피고인에게 불리한 방향으로 확장하거나 축소하여 해석해서는 아니 된다. 그렇다면 공범 중 1인에 대해 약식명령이 확정된 후 그에 대한 정식재판청구권회복결정이 있었다고 하더라도 그 사이의 기간 동안에는, 특별한 사정이 없는 한, 다른 공범자에 대한 공소시효는 정지함이 없이 계속 진행한다고 보아야 할 것이다(대판 2012.3.29, 2011도15137).

④ 공소시효의 완성 여부는 당초의 공소제기가 있었던 시점을 기준으로 판단할 것이고 공소장변경시를 기준삼을 것은 아니다(대판 1982.5.25, 82도535).

05 공소시효에 대한 설명으로 가장 적절하지 않은 것은?(다툼이 있는 경우 판례에 의함)

22. 경찰승진

① 형사소송법 제253조 제2항은 "공범의 1인에 대한 전항의 시효정지는 다른 공범자에 대하여 효력이 미치고 당해 사건의 재판이 확정된 때로부터 진행한다."고 규정하는바, 여기서 말하는 '공범'에는 뇌물공여죄와 뇌물수수죄 사이와 같은 대향범 관계에 있는 자는 포함되지 않는다.

② 공범 중 1인에 대한 공소의 제기로 다른 공범자에 대한 공소시효의 진행이 정지되더라도 공소가 제기된 공범 중 1인에 대한 재판이 확정되면, 그 재판의 결과가 공소기각 또는 관할위반인 경우뿐만 아니라 유죄, 무죄, 면소인 경우에도 그 재판이 확정된 때로부터 다시 공소시효가 진행되지만, 약식명령이 확정된 때에는 그러하지 아니하다.

③ 공범의 1인으로 기소된 자가 범죄의 증명이 없다는 이유로 무죄의 확정판결을 선고받은 경우, 그에 대하여 제기된 공소로써는 진범에 대한 공소시효 정지의 효력이 없다.

④ 피고인과 공범관계에 있는 자가 같은 범죄사실로 공소제기가 된 후 대법원에서 상고기각됨으로써 유죄판결이 확정되었다면, 공범자인 피고인에 대하여도 그 공범관계에 있는 자가 공소제기된 때부터 그 재판이 확정된 때까지의 기간 동안은 공소시효의 진행이 정지된다.

| 해설 ① 대판 2015.2.12, 2012도4842

② 약식명령이 확정된 때에도 동일하다(대판 2012.3.29, 2011도15137).

③ 대판 1999.3.9, 98도4621

④ 대판 1995.1.20, 94도2752

Answer 5. ②

06 **공소시효에 관한 다음 설명 중 가장 옳지 않은 것은?**(다툼이 있는 경우 판례에 의하고, 전원합의체 판결의 경우 다수의견에 의함) 22. 9급 법원직

① 공소제기 당시의 공소사실에 대한 법정형을 기준으로 하면 공소제기 당시 아직 공소시효가 완성되지 않았으나 변경된 공소사실에 대한 법정형을 기준으로 하면 공소제기 당시 이미 공소시효가 완성된 경우에는 공소기각의 판결을 선고하여야 한다.

② 공소시효 기간은 두 개 이상의 형을 병과하거나 두 개 이상의 형에서 한 개를 과할 범죄에 대해서는 무거운 형을 기준으로 적용하고, 형법에 의하여 형을 가중 또는 감경한 경우에는 가중 또는 감경하지 아니한 형을 기준으로 적용한다.

③ 형사소송법 제253조(시효의 정지와 효력) 제3항은 범인이 형사처분을 면할 목적으로 국외에 있는 경우 그 기간 동안 공소시효는 정지된다고 규정하고 있는데, 이 때 범인의 국외체류의 목적은 오로지 형사처분을 면할 목적만으로 국외체류하는 것에 한정되는 것은 아니고 범인이 가지는 여러 국외체류 목적 중 형사처분을 면할 목적이 포함되어 있으면 족하다.

④ 사람을 살해한 범죄로 사형에 해당하는 범죄에 대하여는, 종범을 제외하고 형사소송법 제249조(공소시효의 기간)부터 제253조(시효의 정지와 효력)까지에 규정된 공소시효를 적용하지 아니한다.

해설 ① ×: 공소장변경절차에 의하여 공소사실이 변경됨에 따라 그 법정형에 차이가 있는 경우에는 변경된 공소사실에 대한 법정형이 공소시효기간의 기준이 된다고 보아야 하므로 공소제기 당시의 공소사실에 대한 법정형을 기준으로 하면 공소제기 당시 아직 공소시효가 완성되지 않았으나 변경된 공소사실에 대한 법정형을 기준으로 하면 공소제기 당시 이미 공소시효가 완성된 경우에는 공소시효의 완성을 이유로 면소판결을 선고하여야 한다(대판 2001.8.24, 2001도2902).
② ○: 제250조, 제251조
③ ○: 대판 2015.6.24, 2015도5916
④ ○: 제253조의 2

07 **공소시효에 대한 설명으로 옳지 않은 것은?**(다툼이 있는 경우 판례에 의함) 22. 7급 국가직

① 공무원이 동일한 사안에 관한 일련의 직무집행 과정에서 단일하고 계속된 범의로 일정기간 계속하여 저지른 직권남용행위가 직권남용권리행사방해죄의 포괄일죄가 되는 경우, 그 공소시효는 최종 범죄행위가 종료된 때부터 진행한다.

② 공소장변경절차에 의하여 공소사실이 변경되어 그 법정형에 차이가 있는 경우, 공소장 변경 전 공소사실에 대한 법정형이 공소시효 기간의 기준이 된다.

③ 횡령으로 인한 특정범죄 가중처벌 등에 관한 법률위반(국고 등 손실)죄는 형법상 횡령죄 내지 업무상 횡령죄에 대한 가중규정으로서 신분관계로 인한 형의 가중이 있는 것이고, 회계관계직원 내지 업무상 보관자라는 신분 없는 피고인이 위 죄의 범행에 방조범으로 가담하였다면 공소시효 기간의 기준이 되는 법정형은 형법상 단순 횡령방조죄의 법정형에 의하여야 한다.

Answer 6.① 7.②

④ 공범 중 1인에 대해 약식명령이 확정된 후 그에 대한 정식재판청구권회복결정이 있었다고 하더라도, 그 사이의 기간 동안에는 특별한 사정이 없는 한 다른 공범자에 대한 공소시효는 정지함이 없이 계속 진행한다.

| 해설 ① 대판 2021.3.11, 2020도12583
② 공소장변경절차에 의하여 공소사실이 변경되어 그 법정형에 차이가 있는 경우, 공소장 변경 된 공소사실에 대한 법정형이 공소시효 기간의 기준이 된다(대판 2001.8.24, 2001도2902).
③ 대판 2020.10.29, 2020도3972 ④ 대판 2012.3.29, 2011도15137

08 공소시효에 대한 설명으로 적절하지 않은 것은 모두 몇 개인가?(다툼이 있으면 판례에 의함)

㉠ 아동·청소년대상 성범죄의 공소시효는 해당 성범죄로 피해를 당한 아동·청소년이 성년에 달한 날부터 진행한다.
㉡ 아동·청소년에 대한 강간·강제추행의 죄는 디엔에이(DNA) 증거 등 그 죄를 증명할 수 있는 과학적인 증거가 있는 때에는 공소시효가 10년 연장된다.
㉢ 2015년에 개정된 형사소송법에 따르면, 사람을 살해한 범죄(종범을 포함한다)로 사형에 해당하는 범죄에 대하여는 형사소송법 제249조부터 제253조까지에 규정된 공소시효를 적용하지 아니한다. 이때 위 개정내용은 개정 형사소송법 부칙에 따라 개정법 시행 전에 범한 범죄로 공소시효가 완성된 범죄에 대하여도 적용된다.
㉣ 성폭력범죄의 처벌 등에 관한 특례법은 제20조 제3항에서 "13세 미만의 사람 및 신체적인 또는 정신적인 장애가 있는 사람에 대하여 강간 등을 범한 경우에는 공소시효를 적용하지 아니한다."고 규정하여 공소시효 배제조항을 신설하면서도 소급적용에 관하여는 경과규정을 두지 않고 있으므로 이를 소급하여 적용할 수 없다.
㉤ 아동학대처벌법이 제34조 제1항(피해아동이 성년에 달한 날부터 공소시효진행)은 피해아동 보호라는 입법 목적 등을 비추어 보면 그 시행일인 2014. 9. 29. 당시 범죄행위가 종료되었으나 아직 공소시효가 완성되지 아니한 아동학대범죄에 대하여도 적용된다고 해석함이 타당하다.
㉥ 공소시효가 완성되면 면소판결을 하고, 형의 시효가 완성되면 무죄판결을 한다.

① 1개 ② 2개 ③ 3개 ④ 4개

| 해설 ㉠㉡ ○ : 아동·청소년의 성보호에 관한 법률 제20조 제1항·제2항
㉢ × : 사람을 살해한 범죄(종범은 제외한다)로 사형에 해당하는 범죄에 대하여는 제249조부터 제253조까지에 규정된 공소시효를 적용하지 아니한다(제253조의 2). 제253조의 2 개정규정은 이 법 시행 전에 범한 범죄로 아직 공소시효가 완성되지 아니한 범죄에 대하여도 적용한다(부칙 제2조).
㉣ ○ : 대판 2015.5.28, 2015도1362 ㉤ ○ : 대판 2016.9.28, 2016도7273
㉥ × : 공소시효가 완성되면 면소판결(제326조 제3호)을 하고, 형의 시효가 완성되면 형집행을 면제한다(형법 제77조).

구 분	공소시효	형의 시효
차이점	• 확정판결 전 시효제도 • 면소판결 • 형사소송법상 제도	• 확정판결 후 시효제도 • 형집행면제 • 형법상 제도
공통점	• 형사시효제도	• 사실상의 상태를 유지·존중하기 위한 제도

Answer 8. ②

09 공소시효에 대한 설명으로 옳지 않은 것은?

24. 9급 검찰 · 마약 · 교정 · 보호 · 철도경찰

① 공소장변경이 있는 경우에 공소시효의 완성 여부는 당초의 공소 제기가 있었던 시점을 기준으로 판단할 것이고 공소장변경시를 기준으로 삼을 것은 아니다.

② 사기죄가 변호사법위반죄와 상상적 경합관계에 있는 경우, 변호사법위반죄의 공소시효가 완성되었다고 하여 사기죄의 공소시효까지 완성되는 것은 아니다.

③ 형사소송법 제253조 제2항의 '공범'을 해석할 때에는 이 조항이 공소제기 효력의 인적 범위를 확장하는 예외를 마련하여 놓은 것이므로 원칙적으로 엄격하게 해석하여야 하고 피고인에게 불리한 방향으로 확장하여 해석해서는 아니 된다.

④ 형사소송법 제253조 제3항이 정한 '범인이 형사처분을 면할 목적으로 국외에 있는 경우'는 범인이 국내에서 범죄를 저지르고 형사처분을 면할 목적으로 국외로 도피한 경우에 한정되고, 국외에서 범죄를 저지르고 형사처분을 면할 목적으로 국외에서 체류를 계속하는 경우는 포함되지 않는다.

| 해설 ① 대판 2018.10.12, 2018도6252

② 대판 2006.12.8, 2006도6356

③ 대판 2015.2.12, 2012도4842

④ '범인이 형사처분을 면할 목적으로 국외에 있는 경우'는 범인이 국내에서 범죄를 저지르고 형사처분을 면할 목적으로 국외로 도피한 경우에 한정되지 아니하고, 범인이 국외에서 범죄를 저지르고 형사처분을 면할 목적으로 국외에서 체류를 계속하는 경우도 포함된다고 볼 것이다(대판 2015.6.24, 2015도5916).

Answer 9. ④

THEMA

PART
03
소송주체와 소송절차의 일반이론

CHAPTER 01

소송의 주체

제1절 법 원

I. 법원의 의의 및 종류

THEMA 30 법원의 의미

법원은 국법상 의미의 법원와 소송법상 의미의 법원이라는 두 가지 의미로 사용되고 있다.

1. **국법상 의미의 법원** : 사법행정상 의미에 있어서의 법원을 말하며, 이는 다시 관청인 법원과 관서로서의 법원으로 구분된다. 전자는 사법행정에 관한 의사표시의 주체가 되는 법원을 말하고, 후자는 인적 · 물적 설비를 총칭하는 사법행정상 단위를 의미하는 데 불과하다(법원조직법에서 말하는 법원은 보통 국법상 의미의 법원을 뜻함).
2. **소송법상 의미의 법원** : 구체적 사건에 대한 재판기관으로서의 법원, 즉 합의제법원(합의부) 또는 단독제법원(단독판사)을 말한다. 형사소송법에서 법원이라 할 때에는 보통 소송법상 의미의 법원을 말한다. 제1심 법원은 단독제와 합의제를 병용하고 있으나(단독제가 원칙) 상소법원은 합의제에 의한다.

▶ 소송법적 의미의 법원이 사건의 심리와 재판을 행하는 여러 형태로 법관이 개입하는바, 그러한 법관의 유형은 다음과 같다.

재판장	법원이 합의제인 경우에는 구성원 중 1인이 재판장이 된다. 재판장은 소송절차의 진행과 관련하여 우월한 권한을 가질 뿐 피고사건의 심리 · 재판에 관해서는 다른 법관과 대등하다.
수명법관	합의제 법원이 그 구성원인 법관에게 특정한 소송행위를 하도록 명하였을 때 그 명을 받은 법관을 말한다.
수탁판사	하나의 법원이 다른 법원의 법관에게 일정한 소송행위를 하도록 촉탁하는 경우에 촉탁을 받은 법관을 말한다.
수임판사	전술한 수명법관 · 수탁판사로서가 아니고 공소를 제기받은 법원과 독립하여 소송법상의 권한을 행사할 수 있는 개개의 법관을 말한다. • 수사기관의 청구에 의하여 각종 영장을 발부하는 판사(제201조, 제215조) • 증거보전절차를 행하는 판사(제184조) • 수사상 증인신문을 행하는 판사(제221조의 2)

01 다음 중 법원의 의의에 관해 잘못 설명한 것은?

① 법원이란 사법권을 행사하는 국가기관이다.
② 국법상 의미의 법원이란 사법행정상 의미에서의 법원을 말한다.
③ 소송법상 의미의 법원과 재판기관으로서의 법원은 같은 의미이다.
④ 형사소송법에서 법원이라 할 때에는 국법상 의미의 법원을 말한다.

해설 ①②③은 타당한 내용이다. ④ 형사소송법에서 법원이라 할 때에는 소송법상 의미의 법원을 말한다.

Answer 1. ④

Ⅱ. 제척·기피·회피제도

THEMA 31 **제척제도**

의 의	제척이란 구체적 사건의 심판에 있어서 법관이 불공평한 재판을 할 우려가 현저한 경우를 유형적으로 설정해 놓고 그 사유에 해당하는 법관은 자동적으로 직무집행에서 배제시키는 제도를 말한다.
제척사유 (제17조)	임의적 확장 불가(아래와 같은 사유에 해당하면 법관은 당연히 직무에서 배제된다) 1. 법관이 피해자인 때(제17조 제1호) ▶ 직접피해자에 한하고 간접피해자는 포함되지 아니한다. 간접피해자인 경우까지 포함시키면 그 범위가 불명확하여 법적 안정성을 해할 우려가 있기 때문이다. 2. 법관이 피고인 또는 피해자의 친족 또는 친족관계가 있었던 자인 때(동조 제2호) 예 이혼한 전처 ▶ 통역인이 피해자의 사실혼 배우자 ⇨ 제척사유 ×(대판 2011.4.14, 2010도13583) 3. 법관이 피고인 또는 피해자의 법정대리인, 후견감독인인 때(동조 제3호) 4. 법관이 사건에 관하여 증인, 감정인, 피해자의 대리인으로 된 때(동조 제4호) ▶ 사건이란 형사사건만을 의미하며, 증인 또는 감정인으로 된 때란 단순히 그러한 자격으로 채택·소환된 때를 의미하는 것이 아니고 실제로 증언이나 감정을 행한 때를 말하며, 수사기관에서 참고인으로 조사를 받거나 감정으로 위촉된 경우는 여기에 포함되지 않는다. 5. 법관이 사건에 관하여 피고인의 대리인, 변호인, 보조인으로 된 때(동조 제5호) 6. 법관이 사건에 관하여 검사 또는 사법경찰관의 직무를 행한 때(동조 제6호) ▶ 법관이 임관 전에 검사 또는 사법경찰관으로서의 범죄수사를 하거나 공소제기를 한 경우가 이에 해당된다. 7. 법관이 사건에 관하여 전심재판 또는 전심재판의 기초가 되는 조사·심리에 관여한 때(동조 제7호) 8. 법관이 사건에 관하여 피고인의 변호인이거나 피고인·피해자의 대리인인 법무법인, 법무법인(유한), 법무조합, 법률사무소, 외국법자문사법 제2조 제9호에 따른 합작법무법인에서 퇴직한 날부터 2년이 지나지 아니한 때(동조 제8호) <2021. 6. 9. 시행> 9. 법관이 피고인인 법인·기관·단체에서 임원 또는 직원으로 퇴직한 날부터 2년이 지나지 아니한 때(동조 제9호) <2021. 6. 9. 시행>
효 과	제척사유에 해당하는 당해 사건의 직무집행에서 당연히 배제되며, 이에 위반한 경우는 무효는 아니나 상소이유가 된다.
제17조 제7호의 구체적 검토	1. 전심재판에 관여한 때 ① 전심이란 제2심에 대한 1심, 제3심에 대한 1심 또는 2심을 말하고, 재판이란 판결이나 결정 모두 불문하나 종국재판을 의미한다. ▶ 약식명령을 발부한 판사가 약식명령에 대한 정식재판에 관여한 경우 ⇨ 제척사유 ×(대판 2002.4.12, 2002도944), 다만 약식명령을 행한 판사가 그 정식재판의 항소심에 관여한 경우에는 심급을 달리하므로 제척사유에 해당한다(대판 1985.4.23, 85도281). 17. 9급 교정·보호·철도경찰

② 관여란 전심재판의 내부적 성립에 실질적으로 관여한 때를 말하며, 단지 외부적 성립, 즉 선고에만 관여한 경우에는 포함되지 아니한다.

전심관여가 아니므로 제척사유가 되지 않는 예

- 파기환송 전의 원심에 관여했던 법관이 파기환송 후의 재판에 관여한 경우
- 재심청구의 대상인 확정판결에 관여했던 법관이 재심을 담당한 경우
- 상고심판결을 내린 법관이 제400조에 의한 판결정정신청을 처리한 경우

2. 전심재판의 기초가 되는 조사·심리에 관여한 때 : 전심재판 그 자체에 관여하지는 않았지만 전심재판의 내용형성에 영향을 미친 경우를 말하며 공소제기 전·후를 불문한다.

전심재판의 기초가 되는 조사·심리에 관여한 경우의 예(제척사유에 해당)	• 수탁판사로서의 증거조사를 한 경우 • 증거보전절차에 관여한 경우(판례는 제척사유가 아니라고 함) • 참고인에 대한 증인신문절차에 관여한 경우 • 재정신청절차에서 공소제기결정을 한 경우
전심재판의 기초가 되는 조사·심리에 관여한 경우가 아닌 예(제척사유 ×)	• 구속영장 발부법관 21. 9급 검찰·마약수사 • 구속적부심사 관여법관 • 보석허가결정 관여법관

① 선거관리위원장으로서 선거부정혐의 사실에 대하여 수사기관에 수사를 의뢰하고, 그 후 당해 형사사건 재판을 담당하는 경우 : 제척사유 ×(대판 1999.4.13, 99도155). 10. 순경, 17. 경찰승진·9급 교정·보호·철도경찰

② 고발사실의 일부에 대한 재정신청사건에 관여하여 그 신청을 기각한 법관은 그 나머지 부분에 대한 사건에 제척사유 ×(대판 2014.1.16, 2013도10316). 18. 순경 2차

01 법관 제척사유에 대한 설명으로 가장 적절한 것은?(다툼이 있으면 판례에 의함)

① 법관이 피고인인 법인·기관·단체에서 임원 또는 직원으로 퇴직한 날부터 3년이 지나지 아니한 때

② 약식명령을 발부한 판사가 약식명령에 대한 정식재판에 관여한 경우는 제척사유가 아니다.

③ 고발사실의 일부에 대한 재정신청사건에 관여하여 그 신청을 기각한 법관은 그 나머지 부분에 대한 사건에 있어서 제척사유에 해당한다.

④ 공소제기 전에 검사의 증거보전 청구에 의하여 증인신문을 한 법관은 형사소송법 제17조 제7호에 이른바 전심재판 또는 기초되는 조사, 심리에 관여한 법관이라고 할 수 있다.

해설 ① '법관이 피고인인 법인·기관·단체에서 임원 또는 직원으로 퇴직한 날부터 2년이 지나지 아니한 때'가 제척사유이다(동조 제9호). - 2021. 6. 9. 시행

Answer 1. ②

② 약식명령을 발부한 판사가 약식명령에 대한 정식재판에 관여한 경우는 제척사유가 아니다(대판 2002.4.12, 2002도944), 다만 약식명령을 행한 판사가 그 정식재판의 항소심에 관여한 경우에는 심급을 달리하므로 제척사유에 해당한다(대판 1985.4.23, 85도281).
③ 고발인 甲의 피고인에 대한 고발사실 중 검사가 불기소한 부분에 관하여 한 재정신청사건에 관여하여 이를 기각한 법관들이, 甲의 위 고발사실 중 공소가 제기된 사건의 항소심에서 재판장과 주심판사로 관여한 사안에서, 고발사실의 일부에 대한 재정신청사건에 관여하여 그 신청을 기각한 것이 그 나머지 부분에 대한 사건에 있어 형사소송법 제17조 제7호에 정한 '법관이 사건에 관하여 전심재판 또는 그 기초되는 조사, 심리에 관여한 때'에 해당하지 않는다(대판 2014.1.16, 2013도10316).
④ 공소제기 전에 검사의 증거보전 청구에 의하여 증인신문을 한 법관은 형사소송법 제17조 제7호에 이른바 전심재판 또는 기초되는 조사, 심리에 관여한 법관이라고 할 수 없다(대판 1971.7.6, 71도974).

02 다음 중 법관의 제척사유에 해당하지 않는 것은 모두 몇 개인가?

㉠ 법관이 민사소송절차에서 증인·감정인이 된 때
㉡ 법관이 당해 사건에 관하여 보석허가결정을 내렸던 때
㉢ 영장을 발부한 법관이 그 사건의 제1심 판결에 관여할 때
㉣ 전심재판에 관여한 법관이 상급심 판결선고에 관여할 때

① 1개 ② 2개 ③ 3개 ④ 4개

| 해설 | ㉠ 제척사유 × : 당해 형사사건에서 증인·감정인이 된 때가 제척사유이고, 민사소송 기타 절차는 여기에 해당하지 않는다.
㉡ 제척사유 × : 보석허가결정에 관여한 경우 등은 당해 사건의 실체와 관련된 내용에 관해 실질심사를 하지 않았고, 심증형성도 이루어지지 않았으므로 제척원인이 아니다.
㉢ 제척사유 × : 구속영장 발부법관은 전심재판의 기초가 되는 조사·심리에 관여한 법관이라 볼 수 없다.
㉣ 제척사유 × : 선고에만 관여한 때에는 제척사유가 아니다.

03 다음 중 법관의 제척사유가 아닌 것은 모두 몇 개인가?(다툼이 있으면 판례에 의함)

㉠ 법관이 수사기관에서 참고인으로 조사를 받거나 감정수탁자로 관여한 경우
㉡ 즉결심판을 한 법관이 그 정식재판 절차의 제1심 판결에 관여한 경우
㉢ 법관이 같은 당사자의 다른 사건에 관여한 경우
㉣ 법관이 사실심리나 증거조사를 하지 않고 공판기일을 연기하는 재판에만 관여한 경우
㉤ 선거관리위원장으로서 선거부정혐의 사실에 대하여 수사기관에 수사를 의뢰하고, 그 후 당해 형사사건 재판을 담당하는 경우
㉥ 법관이 공판에 관여한 바는 있어도 판결선고 전에 경질된 경우
㉦ 법관이 구속적부심사에 관여한 경우
㉧ 상고심판결을 내린 법관이 제400조에 의한 판결정정신청을 처리한 경우
㉨ 재심청구대상인 확정판결에 관여한 법관이 재심개시결정에 의한 재심공판절차에 관여한 경우
㉩ 공소제기 전에 검사의 청구에 의하여 증거보전절차상의 증인신문을 한 법관의 경우

Answer 2. ④ 3. ④

① 1개　　② 3개　　③ 9개　　④ 10개

| 해설 모두 제척사유가 아니다.

㉠ 제척사유 × : 법관이 사건에 대하여 증인 · 감정인으로 된 때는 제척사유에 해당하나(제17조 제4호), 수사기관에서 참고인으로 조사받거나 감정인으로 위촉된 때에는 여기에 포함되지 않는다(다수설).
㉡ 제척사유 × : 즉결심판이 정식재판절차의 전심은 아니므로 제척원인이 되지 않는다. 다만, 항소심에 관여한 경우에는 제척사유이다.
㉢ 제척사유 × : 형사소송법 제17조 제7호의 전심재판 관여는 상소에 의하여 불복이 신청된 재판에 관여한 경우를 말하고, 같은 당사자의 다른 사건에 관여한 경우는 포함하지 아니한다(대결 1965.4.8, 65로2).
㉣ 제척사유 × : 전심재판에 관여한 때에 해당하지 않으므로 제척사유가 아니다(대결 1954.8.12, 4286형상141).
㉤ 제척사유 × : 선거관리위원장으로서 선거부정혐의 사실에 대하여 수사기관에 수사를 의뢰하고, 그 후 당해 형사사건 재판을 담당하는 경우 제척사유가 되지 않는다(대판 1999.4.13, 99도155).
㉥ 제척사유 × : 제4차 공판에는 관여한 바 있으나, 제5차 공판에서 경질되어 판결에는 관여하지 아니한 경우 재판에 관여한 것은 아니므로 제척사유 있는 법관에 해당하지 아니한다(대판 1985.4.23, 85도281).
㉦ 제척사유 × : 대판 1960.7.13, 4293형상166
㉧ 제척사유 × : 상고법원은 전심재판에 해당하지 아니하므로 제척사유가 되지 않는다(대판 1967.1.18, 66초67).
㉨ 제척사유 × : 대결 1982.11.15, 82모11
㉩ 제척사유 × : 공소제기 전에 검사의 증거보전청구에 의하여 증인신문을 한 법관은 전심재판 또는 기초되는 조사, 심리에 관여한 법관이라고 할 수 없다(대판 1971.1.6, 17도974). 따라서 제척사유가 아니다.

04 **형사소송법상 제척사유에 해당하는 것만을 모두 고르면?**(다툼이 있는 경우 판례에 의함)

21. 7급 국가직

> ㉠ 수사단계에서 구속영장을 발부한 법관이 제1심재판에 관여하는 경우
> ㉡ 약식명령을 발부한 판사가 그 정식재판의 제1심재판에 관여하는 경우
> ㉢ 파기환송 전의 원심재판에 관여한 법관이 환송 후의 재판에 관여하는 경우
> ㉣ 제1심판결에서 유죄의 증거로 사용된 증거를 조사한 판사가 항소심 재판에 관여하는 경우

① ㉣　　② ㉠, ㉡　　③ ㉡, ㉢　　④ ㉢, ㉣

| 해설 ㉠ 제척사유 × : 법관이 수사단계에서 피고인에 대하여 구속영장을 발부한 경우는 형사소송법 제17조 제7호의 "법관이 사건에 관하여 전심재판 또는 그 기초되는 조사 · 심리에 관여한 때"에 해당한다고 볼 수 없다(대판 1989.9.12, 89도612).
㉡ 제척사유 × : 약식명령을 발부한 법관이 정식재판절차의 제1심판결에 관여하였다고 하여 형사소송법 제17조 제7호에 정한 '법관이 사건에 관하여 전심재판 또는 그 기초되는 조사 · 심리에 관여한 때'에 해당하여 제척의 원인이 된다고 볼 수는 없다(대판 2002.4.12, 2002도944).
㉢ 제척사유 × : 환송판결 전의 원심에 관여한 재판관이 환송후의 원심재판관으로 관여하였다 하여 군법회의법 제48조나 형사소송법 제17조에 위배된다고 볼 수 없다(대판 1979.2.27, 78도3204).
㉣ 제척사유 ○ : 제1심판결에서 피고인에 대한 유죄의 증거로 사용된 증거를 조사한 판사는 형사소송법 제17조 제7호의 전심재판의 기초가 되는 조사 · 심리에 관여하였다 할 것이고, 그와 같이 전심재판의 기초가 되는 조사 · 심리에 관여한 판사는 직무집행에서 제척되어 항소심 재판에 관여할 수 없다(대판 1999.10.22, 99도3534).

Answer 4. ①

THEMA 32 기피제도

의 의	기피란 기피원인이 있을 경우 당사자의 신청에 의하여 그 법관을 직무집행에서 탈퇴시키는 제도를 말한다. 제척 · 기피 · 회피 제도의 구별 **제 척** — 사유에 해당하면 당연히 배척 **기 피** — 당사자의 신청과 이에 대한 법원의 결정으로 배척 **회 피** — 법관 자신의 신청과 이에 대한 법원의 결정으로 배척
원 인	① 법관이 제척사유(제17조)에 해당하는 때 ▶ 제척사유에 해당하면 당연히 배척되나, 기피신청에 의해 배척될 수도 있다. ② 법관이 불공평한 재판을 할 염려가 있을 때 예 • 법관이 피해자나 피고인과 친구관계 / • 법관이 심리 중 유죄를 예단한 말을 한 경우 ⇨ 기피사유(○) • 법관의 성(性) · 세계관 · 종교 / • 법관이 피고인에게 어김없이 출석하라고 촉구 / • 법관이 당사자의 증거신청을 불채택 ⇨ 기피사유(×)
기피신청의 절차와 재판	1. 신청권자 : 검사, 피고인, 변호인(피고인의 명시한 의사에 반해서는 불가) 2. 신청방법 : (서면 또는 공판정에서 구두) 합의부 법원의 법관에 대한 기피 ⇨ 소속법원에 신청, 수명법관, 수탁판사, 단독판사에 대한 기피 ⇨ 당해 법관에 신청 ▶ 기피사유는 3일 내 서면으로 소명 3. 신청시기 : 제한규정 없음(판례 : '변론 종결' 기준). ▶ 피고인이 변론 종결 뒤 재판부에 대한 기피신청을 하였지만, 소송진행을 정지하지 아니하고 판결을 선고한 것은 정당하다(대판 2002.11.13, 2002도4893). 21. 9급 검찰 · 마약수사 4. 기피신청의 재판 • 기피신청이 소송지연을 목적으로 함이 명백하거나 제19조 방식에 위반한 경우 ⇨ 법원 또는 법관은 기각결정(즉시 항고 가능하나 집행정지효는 없음) • 기피신청이 있으면 기각을 제외하고 소송진행 정지(급속을 요하는 경우 예외) • 기피신청사건에 대한 재판 ⇨ 소속법원 합의부에서 재판 • 기피신청에 대한 재판은 결정으로 하며 신청이 이유 없으면 기피신청 기각결정을 하게 된다(즉시항고가 가능하고 이는 집행정지효 있음). ▶ 기피신청이 이유 있다는 결정 ⇨ 항고 불가(제403조)
효 과	기피신청이 이유 있다는 결정이 있으면 법관은 당해 사건의 직무집행으로부터 탈퇴된다. 그 법관이 심판에 관여한 때에는 상소이유가 된다.

01 기피에 관한 설명 중 올바른 것은?(다툼이 있는 경우 판례에 의함)

① 기피신청이 이유 있어 그 재판에 관여하지 못할 판사가 심판에 관여한 때에는 절대적 항소이유가 된다.

② 기피신청이 적법한 경우 기피당한 법관은 지체 없이 기피신청에 대한 의견서를 제출하여야 하며, 기피당한 법관이 기피신청을 이유 있다고 인정한 때에도 기피재판 전에는 기피신청사건은 종결되지 아니한다.

③ 합의법원의 법관에 대한 기피는 당해 법관에게 신청하고 수명법관, 수탁판사 또는 단독판사에 대한 기피는 그 법관의 소속법원에 신청하여야 한다.

④ 기피신청에 대한 재판은 기피당한 법관의 소속법원 합의부에서 결정으로 하여야 하고, 기피당한 법관은 그 결정에 관여하지 못한다. 다만, 기피당한 판사의 소속법원이 합의부를 구성하지 못하는 때에는 기피당한 법관도 그 결정에 관여할 수 있다.

| 해설 ① 제361조의 5 제7호

② 기피신청이 적법한 경우 기피당한 법관은 지체 없이 기피신청에 대한 의견서를 제출하여야 하며(제20조 제2항), 이때 기피당한 법관이 기피신청이 이유 있다고 인정하는 때에는 기피결정이 있는 것으로 간주한다(동조 제3항).

③ 합의법원의 법관에 대한 기피는 그 법관의 소속법원에 신청하고 수명법관, 수탁판사 또는 단독판사에 대한 기피는 당해법관에 신청하여야 한다(제19조 제1항).

④ 기피신청에 대한 재판은 기피당한 법관의 소속법원 합의부에서 결정으로 하여야 하고, 기피당한 법관은 그 결정에 관여하지 못한다. 다만, 기피당한 판사의 소속법원이 합의부를 구성하지 못하는 때에는 직근 상급법원이 결정하여야 한다(제21조).

02 법관의 기피에 관한 다음 설명 중 가장 옳지 않은 것은?

19. 9급 법원직

① 법관에게 제척사유가 있는 때에는 검사 또는 피고인은 법관의 기피를 신청할 수 있고, 기피사유는 신청한 날로부터 3일 이내에 서면으로 소명하여야 한다.

② 기피신청이 소송의 지연을 목적으로 함이 명백한 경우에는 형사소송법 제20조 제1항에 의하여 법원 또는 법관은 결정으로 이를 기각할 수 있고, 이 경우 소송진행을 정지하여야 한다.

③ 기피신청을 받은 법관이 형사소송법 제22조 본문에 위반하여 본안의 소송절차를 정지하지 않은 채 그대로 소송을 진행하여서 한 소송행위는 그 효력이 없고, 부인되어야 한다.

④ 기피신청에 대한 재판은 기피당한 법관의 소속법원합의부에서 결정으로 하여야 하지만, 소송지연만을 목적으로 한 기피신청은 기피당한 법관에 의하여 구성된 재판부가 스스로 이를 각하할 수 있다.

| 해설 ① 제18조, 제19조 제2항

② 기피신청이 소송의 지연을 목적으로 함이 명백한 경우에는 형사소송법 제20조 제1항에 의하여 법원 또는 법관은 결정으로 이를 기각할 수 있고, 이 경우 소송진행을 정지하지 아니한다(제22조).

③ 대판 2012.10.11, 2012도8544

Answer 1.① 2.②

④ 기피신청에 대한 재판은 기피당한 법관의 소속법원 합의부에서 결정으로 하여야 하지만(제21조), 소송지연만을 목적으로 한 기피신청은 기피당한 법관에 의하여 구성된 재판부가 스스로 이를 각하할 수 있다(조문상으로는 '기각'이라는 표현을 사용).

03 기피신청에 대한 설명으로 옳지 않은 것은?(다툼이 있는 경우 판례에 의함)

① 검사, 피고인, 변호인은 기피신청을 할 수 있지만, 변호인은 피고인의 명시한 의사에 반하는 경우에는 법관에 대한 기피신청을 할 수 없다.

② 기피당한 대법원 판사를 제외하고는 합의체를 구성할 수 없는 수의 대법원 판사를 동시에 기피하는 신청은 법률상 허용될 수 없다.

③ 구속기간의 완료가 임박하여 기피신청이 있는 경우에는 소송진행을 정지해야 한다.

④ 기피신청을 받은 법관이 형사소송법 제22조에 위반하여 본안의 소송 절차를 정지하지 않은 채 그대로 소송을 진행하여서 한 소송행위는 그 효력이 없고, 이는 그 후 그 기피신청에 대한 기각결정이 확정되었다고 하더라도 마찬가지이다.

| 해설 ① 제18조 ② 대결 1966.4.1, 65주1

③ 구속기간의 만료가 임박하였다는 사정도 소송진행정지의 예외사유인 급속을 요하는 경우에 해당하는 사유의 하나가 될 수 있다(대판 1994.3.8, 94도142). 따라서 정지하지 않을 수도 있다.

▶ 본 판례는 '공판절차가 정지된 기간에도 구속기간은 진행된다'는 종전의 규정하에서 나온 것으로, '공판절차 정지기간은 구속기간에 산입되지 아니한다'는 현행법하에서는 그 의미를 잃었다고 보여지나, 간혹 출제된 적이 있어 그대로 존치해둔다.

④ 대판 2012.10.11, 2012도8544

04 다음 중 기피신청을 할 수 있는 경우는 모두 몇 개인가?(판례에 의함)

㉠ 재판장이 피고인의 증인에 대한 신문을 제지하여 증인신문권을 침해한 경우
㉡ 재판부가 이미 한 증거결정을 취소한 경우
㉢ 기피의 대상으로 하고 있는 법관이 이미 당해 구체적 사건의 직무집행으로부터 배제되어 있는 경우
㉣ 법관들이 자의적이고 부당한 증거채부의 결정을 한 경우
㉤ 국선변호인이 불성실한 변론을 하는데도 재판장이 국선변호인에게 성실한 변론을 하도록 촉구하지 않은 경우
㉥ 검사의 공소장변경허가신청에 대해 불허결정을 한 경우
㉦ 법관이 피고인에게 소송지휘권 행사의 일환으로 피고인에게 공판기일에 어김없이 출석하라고 촉구한 경우
㉧ 피고인의 소송기록열람신청에 대하여 국선변호인이 선임되어 있으니 국선변호인을 통하여 소송기록의 열람 및 등사신청을 하도록 한 경우
㉨ 재판장이 재판진행 중 소송당사자에 대하여 상기된 어조로 "이 사람아"라고 칭하였고 이로 인하여 위 당사자가 모욕감을 느꼈을 경우

Answer 3. ③ 4. ②

① 1개 ② 2개 ③ 3개 ④ 4개

해설 ㉠ 기피사유 × : 재판장이 피고인의 증인에 대한 신문을 제지한 사실이 있다는 것만으로는 불공평한 재판을 할 것이라는 객관적인 사정이 있는 경우에 해당한다고 볼 수 없다(대결 1995.4.3, 95모10).
㉡ 기피사유 × : 재판부가 당사자의 증거신청을 채택하지 아니하거나 이미 한 증거결정을 취소하였다 하더라도 그러한 사유만으로는 재판의 공평을 기대하기 어려운 객관적인 사정이 있다고 할 수 없다(대결 1995.4.3, 95모10).
㉢ 기피사유 × : 기피의 대상으로 하고 있는 법관이 이미 당해 구체적 사건의 직무집행으로부터 배제되어 있다면 그 법관에 대한 피고인의 기피신청은 부적법하다(대결 1986.9.24, 86모48).
㉣ 기피사유 ○ : 대결 1996.2.9, 95모93
㉤ 기피사유 ○ : 대결 1996.2.9, 95모93
㉥ 기피사유 × : 대결 2001.3.21, 2001모2
㉦ 기피사유 × : 대결 1969.1.6, 68모57
㉧ 기피사유 × : 대결 1996.2.9, 95모93
㉨ 기피사유 × : 재판장이 재판진행 중 소송당사자에 대하여 상기된 어조로 "이 사람아"라고 칭하였고 이로 인하여 위 당사자가 모욕감을 느꼈다고 하더라도 이것만으로는 재판의 공정을 기대하기 어려운 객관적인 사정이 있는 때에 해당한다고 할 수 없다(대결 1987.10.21, 87두10).

05 법관의 기피에 대한 설명으로 옳은 것은?

23. 9급 검찰·마약·교정·보호·철도경찰

① 기피원인으로서의 '불공평한 재판을 할 염려가 있는 때'란 당사자가 불공평한 재판이 될지도 모른다고 추측할 만한 주관적인 사정이 있는 때를 말한다.
② 재판부가 당사자의 증거신청을 채택하지 않았다는 것만으로는 기피사유가 되지 않지만, 이미 행한 증거결정을 취소하였다는 것은 그 자체로서 기피사유가 된다.
③ 재판장이 피고인의 증인신문권의 본질적인 부분을 침해하였다고 볼 만한 소명자료가 없더라도, 재판장이 증인에 대한 피고인의 신문을 제지한 사실이 있다는 것은 그 자체로서 기피사유가 된다.
④ 재판부가 형사소송법에 정한 기간 내에 재정신청사건의 결정을 하지 아니하였다는 사유만으로는 기피사유가 되지 않는다.

해설 ① 기피원인에 관한 형사소송법 제18조 제1항 제2호 소정의 '불공정한 재판을 할 염려가 있는 때'라고 함은 당사자가 불공평한 재판이 될지도 모른다고 추측할 만한 주관적인 사정이 있는 때를 말하는 것이 아니라, 통상인의 판단으로서 법관과 사건과의 관계상 불공평한 재판을 할 것이라는 의혹을 갖는 것이 합리적이라고 인정할 만한 객관적인 사정이 있는 때를 말한다(대결 2001.3.21, 2001모2).
② 재판부가 당사자의 증거신청을 채택하지 아니하거나 이미 한 증거결정을 취소하였다 하더라도 그러한 사유만으로는 재판의 공평을 기대하기 어려운 객관적인 사정이 있다고 할 수 없다(대결 1995.4.3, 95모10).
③ 재판장이 피고인의 증인신문권의 본질적인 부분을 침해하였다고 볼 만한 아무런 소명자료가 없다면, 재판장이 피고인의 증인에 대한 신문을 제지한 사실이 있다는 것만으로는 기피사유가 되지 아니한다(대결 1995.4.3, 95모10).
④ 기피원인에 관한 형사소송법 제18조 제1항 제2호 소정의 '불공평한 재판을 할 염려가 있는 때'라 함은 통상인의 판단으로서 법관과 사건과의 관계상 불공평한 재판을 할 것이라는 의혹을 갖는 것이 합리적이라고 인정할 만한 객관적인 사정이 있는 때를 말하는 것이므로(대결 1996.2.9,95모93), 재판부가 형사소송법에 정한 기간 내에 재정신청사건의 결정을 하지 아니하였다는 사유만으로는 기피사유가 되지 않는다고 볼 것이다.

Answer 5. ④

THEMA 33 법원사무관 등과 통역인에 대한 제척 · 기피 · 회피제도

제 척	법관의 제척규정(제17조)은 법원사무관 등과 통역인에게 준용한다(제25조 제1항). 단, 제17조 제7호 규정은 적용 × ▶ ┌ 통역인이 피해자와 사실혼관계 ⇨ 제척사유 × └ 통역인이 증인으로 증언한 때 ⇨ 제척사유 ○
기 피	법원사무관 등과 통역인에 대한 기피재판은 그 소속법원의 결정으로 한다(제25조 제2항). 단, 소송의 지연을 목적으로 함이 명백하거나 방식위반으로 인한 기피신청기각결정(제20조 제1항)은 기피당한 자의 소속 법관이 한다(제25조 제2항 단서).
회 피	법관에 대한 회피규정(제24조)은 법원사무관 등과 통역인에 준용한다.

01 **법원사무관 등에 대한 제척 · 기피 · 회피제도와 관련하여 잘못된 내용은?**

① 법원사무관 등에 대한 기피신청의 재판은 기피당한 자의 소속법관이 한다.
② 기피신청이 제19조의 방식에 위배된 때에는 소속법관이 기각하는 결정을 한다.
③ 통역인에게도 적용이 있으나, 감정인에게는 적용이 없다.
④ 제17조 제7호는 그 적용이 없다.

| 해설 ① 소속법원의 결정으로 한다(제25조 제1항).
② 제25조 제2항
③ 법원사무관과 통역인에게 준용한다(제25조 제1항).
④ 제25조 제1항

02 **법원서기관 등에 대한 제척 · 기피 · 회피에 관한 다음 설명 중 틀린 것은?** 07. 9급 법원직

① 법원서기관 등에 대한 제척 · 기피 · 회피사유는 형사소송법 제17조 제7호(전심관여)를 제외하고는 법관에 대한 제척 · 기피 · 회피사유와 같다.
② 법원서기관 등에 대한 기피재판은 원칙적으로 그 소속법원이 결정으로 하여야 하나, 그 기피신청이 소송의 지연을 목적으로 함이 명백한 경우 등에는 기피당한 자의 소속법관이 한다.
③ 법원서기관 등이 사건에 관하여 증인으로 된 때에는 그 자체로 제척사유가 되는 것은 아니다.
④ 기피사유는 신청한 날로부터 3일 이내에 서면으로 소명하여야 한다.

| 해설 ① 제25조 제1항 ② 제25조 제2항
③ 증인 · 감정인 · 피해자의 대리인으로 된 때 제척사유가 된다(제17조 제4호, 제25조 제1항).
④ 제19조 제2항

Answer 1. ① 2. ③

03 **다음 중 법원서기관 · 법원사무관 · 법원주사 또는 법원주사보**('법원사무관 등'이라 함)**의 제척사유가 아닌 것은?** 08. 9급 법원직

① 법원사무관 등이 피고인 또는 피해자의 법정대리인, 후견인인 때
② 법원사무관 등이 사건에 관하여 증인, 감정인, 피해자의 대리인으로 된 때
③ 법원사무관 등이 사건에 관하여 피고인의 대리인, 변호인, 보조인으로 된 때
④ 법원사무관 등이 사건에 관하여 전심재판 또는 그 기초가 되는 조사 · 심리에 관여한 때

| 해설 제25조 제1항

04 **법원사무관 등에 대한 제척 · 기피 · 회피제도와 관련하여 올바른 것으로만 묶인 것은?**(다툼이 있으면 판례에 의함)

㉠ 법원사무관과 통역인에 대한 기피신청의 간이기각결정은 기피당한자의 소속법관이 하는 것이므로 이에 대한 불복은 준항고이다.
㉡ 통역인이 피해자의 사실혼 배우자라고 하여도 통역인에게 형사소송법 제25조 제1항, 제17조 제2호에서 정한 제척사유가 있다고 할 수 있다.
㉢ 법원사무관, 전문심리위원, 감정인 등은 형사소송법상 제척규정의 적용을 받는다.
㉣ 제척사유가 있는 통역인이 통역한 증인의 증인신문조서는 유죄인정의 증거로 삼은 것은 잘못이다.
㉤ 피고사건의 판결선고절차가 시작되어 재판장이 이유의 요지 중 상당부분을 설명하는 도중 피고인이 참여한 법원사무관에 대한 기피신청과 동시에 선고절차의 정지를 요구하는 것은 부적법한 것이다.

① ㉠, ㉡ ② ㉡, ㉣ ③ ㉢, ㉣ ④ ㉣, ㉤

| 해설 ㉠ × : 소속법관에 의한 간이기각결정은 법원으로서 한 결정이므로 이에 대한 불복은 이에 대한 준항고가 아니라, 즉시항고방법에 의하여야 한다. 따라서 즉시항고가 제기되면 소속법관은 항고법원에 항고장과 소송기록을 송부하여 항고법원의 판단을 받아야 한다(대결 1984.6.20, 84모24).
㉡ × : 형사소송법 제17조 제2호는 '법관이 피고인 또는 피해자의 친족 또는 친족관계가 있었던 자인 때에는 직무집행에서 제척된다.'고 규정하고 있고, 위 규정은 형사소송법 제25조 제1항에 의하여 통역인에게 준용되나, 사실혼관계에 있는 사람은 민법에서 정한 친족이라고 할 수 없어 통역인이 피해자의 사실혼 배우자라고 하여도 통역인에게 형사소송법 제25조 제1항, 제17조 제2호에서 정한 제척사유가 있다고 할 수 없다(대판 2011.4.14, 2010도13583).
㉢ × : 법원사무관, 전문심리위원에 대한 제척규정(제25조, 제279조의 5)은 있으나, 감정인에 대한 규정은 없다.
㉣ ○ : 형사소송법 제17조 제4호는 '법관이 사건에 관하여 증인, 감정인, 피해자의 대리인으로 된 때에는 직무집행에서 제척된다'고 규정하고 있고, 위 규정은 같은 법 제25조 제1항에 의하여 통역인에게 준용되므로, 통역인이 사건에 관하여 증인으로 증언한 때에는 직무집행에서 제척되고, 제척사유가 있는 통역인이 통역한 증인의 증인신문조서는 유죄 인정의 증거로 사용할 수 없다(대판 2011.4.14, 2010도13583).
㉤ ○ : 대결 1985.7.23, 85모19

Answer 3. ④ 4. ④

종합문제

01 다음 중 제척 · 기피 · 회피제도에 관한 내용으로 옳은 것은?

① 법관의 회피신청 결정에 대해서는 항고가 허용된다.
② 기피신청의 기각결정이나 인용결정 모두 항고할 수 있다.
③ 기피당한 법관은 소송지연을 목적으로 함이 명백하거나 제19조의 규정에 위배된 경우를 제외하고는 지체 없이 기피신청에 대한 의견서를 제출하여야 한다.
④ 제척사유 있는 법관이 재판에 관여한 때에는 절대적 항소이유는 되나, 상고이유로는 인정되지 않는다.

| 해설 ① 회피신청에 대한 법원의 결정에 대해서 항고할 수 없으며, 법관이 회피신청을 하지 않았다고 하여 상소이유가 되는 것도 아니다.
② 기피신청의 기각결정에 대해서는 즉시항고할 수 있으나(제23조 제1항), 인용결정에 대해서는 항고할 수 없고 새로운 법관에게 재배당된다.
③ 제20조 제2항
④ 절대적 항소이유(제361조의 5 제7호)와 상고이유(제383조 제1호)가 된다.

02 제척, 기피제도에 대한 설명으로 옳지 않은 것은?(다툼이 있는 경우 판례에 의함)

18. 9급 교정 · 보호 · 철도경찰

① 법원사무관 등과 통역인에 대한 기피재판은, 소송지연의 목적이 명백하거나 관할위반의 경우를 제외하고, 그 소속법원이 결정으로 하여야 한다.
② 약식명령을 발부한 법관이 정식재판절차의 제1심 판결에 관여하였다고 하여 제척의 원인이 된다고 볼 수는 없다.
③ 기피신청을 인용한 결정 및 기각한 결정에 대하여는 즉시항고가 허용된다.
④ 기피당한 법관은 기피에 관한 결정에 관여하지 못하며, 기피당한 법관의 소속법원이 합의부를 구성하지 못하는 때에는 직근 상급법원이 결정하여야 한다.

| 해설 ① 제25조 제1항
② 대판 2002.4.12, 2002도944
③ 기피신청을 기각한 결정에 대하여는 즉시항고할 수 있으나(제23조 제1항), 인용한 결정에 대하여는 항고할 수 없다(제403조 제1항).
④ 제21조 제2항 · 제3항

Answer 1. ③ 2. ③

03 다음 중 회피에 관한 설명으로 틀린 것은?

① 회피신청은 소속법원에 구두로 신청한다.

② 회피제도는 제척·기피제도에 비하여 그다지 실효를 기대할 수는 없으나 공정한 재판을 하기 위하여 법관의 자진탈퇴를 미덕으로 발휘할 수 있게 한 제도이다.

③ 회피신청에 대한 결정은 기피신청에 대하여 결정을 하여야 할 법원이 행한다.

④ 법관이 스스로 기피될 원인이 있다고 생각하여 직무집행으로부터 탈퇴하는 제도이다.

| 해설 ① 회피신청은 소속법원에 서면으로 하며, 신청시기는 제한이 없다(제24조 제2항).
② 회피란 법관이 스스로 기피원인이 있다고 판단한 때에 자발적으로 직무집행에서 탈퇴하는 제도이다. 법관의 회피는 독자적 권한이 아니라 직무상 의무이며, 소속법원의 결정이 있어야 비로소 가능하다.
③ 회피신청에 대한 결정에는 기피에 관한 규정이 준용된다(제24조 제3항).
▶ 회피신청에 대한 법원의 결정에 대하여는 항고할 수 없다(기피신청의 경우 기각결정에 대해 즉시항고 가능). 또한 법관이 회피신청을 하지 않았다 하여 상소이유가 되는 것도 아니다.

04 다음 중 제척·기피·회피 제도에 관한 내용으로 올바른 내용이 아닌 것은?

① 법관이 피해자인 때에도 제척사유에 해당되나, 간접피해자는 포함되지 아니한다.

② 제척 및 기피에 관한 규정은 법원사무관이나 통역인에게 준용되나, 전문심리위원에게는 준용되지 아니한다.

③ 변호인의 기피신청권은 대리권이므로, 피고인이 기피신청권을 포기한 때에는 변호인의 기피신청권은 소멸한다.

④ 피고인에 대하여 구속영장을 발부한 법관이 제1심 판결에 관여한 경우는 제척사유에 해당하지 아니한다.

| 해설 ① 간접피해자는 포함되지 않으며, ② 전문심리위원에게도 준용된다(제279조의 5).
③ 기피신청권의 포기에 관한 규정이 없어 허용 여부에 대한 이견이 있을 수 있으나, 일반적으로 변호인의 기피신청권은 피고인의 명시적인 의사에 반할 수는 없지만 묵시적인 의사에 반해서는 행사가 가능한 독립대리권으로 보고 있으므로, 피고인이 포기하면 변호인의 대리권은 소멸된 것으로 볼 수 있을 것이다.
④ 대판 1989.9.12, 89도612

05 법관의 제척·기피제도에 대한 설명으로 가장 적절하지 않은 것은?(다툼이 있는 경우 판례에 의함)

18. 순경 2차

① 약식명령을 발부한 법관이 그 정식재판 절차의 항소심 공판에 관여한 바 있어도 후에 경질되어 그 판결에는 관여하지 아니한 경우에는 전심재판에 관여한 법관이 불복이 신청된 당해 사건의 재판에 관여하였다고 할 수 없다.

② 고발사실의 일부에 대한 재정신청사건에 관여하여 그 신청을 기각한 법관이 공소가 제기된 그 나머지 부분에 대한 항소심 재판에서 주심판사로 관여한 경우 형사소송법상의 제척원인인 '법관이 사건에 관하여 전심재판에 관여한 때'에 해당한다.

Answer 3.① 4.② 5.②

③ 소송지연만을 목적으로 한 기피신청은 그 신청 자체가 부적법한 것이므로 그러한 신청에 대하여는 기피당한 법관에 의하여 구성된 재판부가 스스로 이를 각하할 수 있다.
④ 기피신청을 받은 법관이 형사소송법 제22조에 위반하여 본안의 소송절차를 정지하지 않은 채 그대로 소송을 진행하여서 한 소송행위는 효력이 없고, 이는 이후 그 기피신청에 대한 기각결정이 확정되었다고 하더라도 마찬가지이다.

| 해설 ① 대판 1985.4.23, 85도281
② 고발사실 중 검사가 불기소한 부분에 관하여 한 재정신청사건에 관여하여 이를 기각한 법관들이, 위 고발사실 중 공소가 제기된 사건의 항소심에서 재판장과 주심판사로 관여한 사안에서, 고발사실의 일부에 대한 재정신청사건에 관여하여 그 신청을 기각한 것이 그 나머지 부분에 대한 사건에 있어 형사소송법 제17조 제7호에 정한 '법관이 사건에 관하여 전심재판 또는 그 기초되는 조사, 심리에 관여한 때'에 해당하지 않는다(대판 2014.1.16, 2013도10316).
③ 대결 1987.3.30, 87모20(제20조 제1항이 개정되기 전의 판례이며, 현행법은 기피신청 각하결정을 인정하고 있지 않으므로 이러한 내용을 출제하는 것은 적절해 보이지 않는다.)
④ 대판 2012.10.11, 2012도8544

06 법관의 제척 · 기피에 대한 설명으로 옳지 않은 것은?(다툼이 있는 경우 판례에 의함)

21. 9급 검찰 · 마약수사

① 제척원인은 형사소송법 제17조에 예시적으로 열거되어 있는 것으로서, 열거되어 있는 원인 이외의 경우에도 불공평한 재판을 할 염려가 있다면 제척원인이 된다.
② 법관이 수사단계에서 피고인에 대하여 구속영장을 발부한 경우는 형사소송법 제17조 제7호 소정의 '법관이 사건에 관하여 전심재판 또는 그 기초되는 조사, 심리에 관여한 때'에 해당한다고 볼 수 없다.
③ 형사소송법 제18조의 '법관이 불공평한 재판을 할 염려가 있는 때'라 함은 통상인의 판단으로서 법관과 사건의 관계상 불공평한 재판을 할 것이라는 의혹을 갖는 것이 합리적이라고 인정할 만한 객관적인 사정이 있는 때를 말한다.
④ 변론종결 후 재판부에 대한 기피신청을 하였다 하더라도 소송진행을 정지하지 아니하고 판결을 선고할 수 있다.

| 해설 ① 제척원인은 형사소송법 제17조에 한정적으로 규정하고 있다. 따라서 열거되어 있는 원인 이외의 불공평한 재판을 할 염려가 있다 하더라도 제척되지 아니한다.
② 대판 1989.9.12, 89도612
③ 대결 2001.3.21, 2001모2
④ 대판 2002.11.13, 2002도4893

Answer 6. ①

07 제척과 기피에 대한 설명으로 옳지 않은 것은? 24. 9급 검찰 · 마약 · 교정 · 보호 · 철도경찰

① 공소제기 전에 검사의 증거보전청구에 의하여 증인신문을 한 법관이 공소제기 후 제1심 법관으로 관여한 경우, 이는 형사소송법상 제척사유에 해당한다.

② 약식명령을 한 법관이 그 정식재판 절차의 항소심 판결에 관여한 경우, 이는 형사소송법상 제척사유에 해당한다.

③ 법관에 대한 기피신청이 소송의 지연을 목적으로 함이 명백한 경우에는 그 신청 자체가 부적법한 것이므로 신청을 받은 법관은 이를 결정으로 기각할 수 있고, 소송지연을 목적으로 함이 명백한 기피신청인지의 여부는 기피신청인이 제출한 소명방법만에 의하여 판단할 것은 아니고, 당해 법원에 현저한 사실이거나 당해 사건기록에 나타나 있는 제반 사정들을 종합하여 판단할 수 있다.

④ 형사소송법은 전문심리위원의 중립성 · 공평성을 확보하기 위하여 법관의 제척 및 기피에 관한 형사소송법 제17조부터 제20조까지 및 제23조를 전문심리위원에 대하여 준용하도록 규정하고 있다.

| 해설 ① 공소제기 전에 검사의 증거보전청구에 의하여 증인신문을 한 법관은 형사소송법 제17조 제7호에 이른바 전심재판 또는 기초되는 조사, 심리에 관여한 법관이라고 할 수 없다(대판 1971.7.6, 71도974).
② 대판 1985.4.23, 85도281
③ 대결 2001.3.21, 2001모2
④ 제279조의 5 제1항

Answer 7. ①

Ⅲ. 법원의 관할

THEMA 34

1. 관할의 의의 · 존재이유 · 종류

관할의 의의	관할이라 함은 특정한 법원이 특정한 사건을 재판할 수 있는 권한을 말한다. ▶ 관할은 재판권의 존재를 전제로 한 소송법상 개념이다. **구별개념** 1. 재판권과의 구별 : 재판권이란 전체 법원이 구체적 사건에 대하여 심판을 행할 수 있는가 하는 일반적 · 추상적인 권리를 말하며, 관할권은 재판권이 인정될 때 그 사건을 전체 법원 중 어느 법원이 심판할 것인가의 문제이다. ▶ 재판권이 없으면 공소기각판결을 해야 하나(제327조 제1호), 관할권이 없으면 관할위반의 판결을 하여야 한다(제319조). 2. 사무분배와의 구별 : 법원 내에 다수의 재판부가 설치되어 있는 경우 특정재판부에 피고사건의 처리를 할당하는 행위를 사건배당(사무분배)이라 하며, 이는 사법행정사무에 불과하다.
관할의 존재이유	관할제도는 심리의 편의와 사건의 능률적 처리, 피고인의 방어권 보장이라는 차원에서 인정된 제도이다.
관할의 종류	관할은 사건관할과 직무관할로 구별되며, 재심 · 비상상고 · 재정신청 사건에 대한 관할이 후자에 속한다. 일반적으로 관할이란 사건관할만을 의미한다. 사건관할에는 법정관할(법률의 규정에 의해 직접 정해지는 관할)과 재정관할(법원의 재판에 의해 결정되는 관할)이 있다. 법정관할에는 고유한 법정관할(사물관할 · 토지관할 · 심급관할)과 관련사건관할이 있고 재정관할에는 관할의 지정 · 이전이 있다.

2. 관할권 부존재의 효과

관할 위반의 판결	관할권의 존재는 소송조건의 하나이다. 따라서 법원은 직권으로 관할을 조사하여야 한다(제1조). 관할권이 없음이 명백한 때에는 관할위반의 판결을 선고해야 한다(제319조 본문). 관할을 위반하여 선고한 판결은 상소이유가 된다. ▶ 관할위반의 경우에도 절차를 형성하는 개별소송행위(예 증인신문절차)의 효력에는 영향이 없다(제2조). 이는 소송경제를 위하여 절차를 이루는 개개의 소송행위가 유효하다는 의미이지, 법원이 실체판결을 할 수 있다는 것은 아니다.
예 외	토지관할의 위반 : 토지관할에 관하여 법원은 피고인의 신청이 없으면 관할위반의 선고를 할 수 없다(제320조 제1항). 피고인의 관할위반신청은 피고사건에 대한 진술 전에 하여야 하며, 진술 이후에는 관할위반의 하자는 치유된다. ▶ 토지관할은 공소제기시에만 존재하면 되나, 사물관할은 공소제기시부터 재판종결시까지 전과정에 존재하여야 한다.

01 법원의 관할에 관한 설명으로 틀린 것은?

① 관할권과 재판권은 동의어가 아니다.
② 법원의 관할에는 법정관할과 재정관할이 있다.
③ 피고사건에 대한 관할권의 존재는 소송조건이다.
④ 피고사건에 대하여 관할권이 없으면 관할법원으로 이송하여야 한다.

| 해설 ④ 관할위반판결을 선고하여야 한다(제319조 본문).

02 법원의 관할에 대한 설명으로 옳지 않은 것은?

① 관할은 법원 내부에 있어서의 사무분담을 의미한다.
② 소송행위는 관할위반인 경우에도 그 효력에 영향이 없다.
③ 관할의 이전·지정은 재정관할이다.
④ 법원은 직권으로 관할을 조사하여야 한다.

| 해설 ① 사무분배는 1개 법원 내부의 재판부와 재판부 간의 사무분담문제로서 사법행정사무에 해당하며, 관할은 법원과 법원 간의 재판권의 분배문제로서 소송법적인 사항이다.
② 관할권 없는 법원에 의한 소송행위(예 증인신문)도 유효하다(제2조).
③ 관할의 이전·지정 등은 법원의 재판에 의해 정해지는 재정관할에 해당한다.
④ 제1조

03 형사소송법상 관할위반에 관한 다음 설명 중 옳은 것은 모두 몇 개인가?

13. 경찰승진

> ㉠ 관할위반의 재판이 법률에 위반됨을 이유로 원심판결을 파기하는 때에는 판결로써 사건을 원심법원에 환송하여야 한다.
> ㉡ 피고사건이 법원의 관할에 속하지 아니한 때에는 판결로써 관할위반의 선고를 하여야 한다.
> ㉢ 관할의 인정이 법률에 위반됨을 이유로 원심판결 또는 제1심 판결을 파기하는 경우에는 판결로써 사건을 관할 있는 법원에 이송하여야 한다.
> ㉣ 관할 또는 관할위반의 인정이 법률에 위반한 때에는 원심판결에 대한 항소이유로 할 수 있다.

① 1개 ② 2개 ③ 3개 ④ 4개

| 해설 ㉠ ○ : 제366조, 제395조
㉡ ○ : 제319조
㉢ ○ : 제394조
㉣ ○ : 제361조의 5 제3호

Answer 1. ④ 2. ① 3. ④

THEMA 35 **사물관할**

사물관할이란 사건의 경중이나 성질에 의한 제1심 법원의 관할의 분배를 말한다(법원조직법에 규정).
2심·3심은 사물관할의 문제가 아니다(합의부에서만 심판).
제1심은 원칙적으로 단독판사가 이를 행하며(법원조직법 제7조 제4항), 다음과 같은 경우에는 지방법원 또는 지원의 합의부에서 심판한다(법원조직법 제32조 제1항).

합의부 심판사건

1. 합의부에서 심판할 것으로 합의부가 결정한 사건
2. 사형·무기 또는 단기 1년 이상의 징역(금고)에 해당하는 사건 또는 이와 동시에 심판할 공범사건
   ▶ 다만, 단기 1년 이상 법정형이 규정되어 있는 범죄라도 특수절도죄(형법 제331조), 상습절도죄(형법 제332조), 폭력행위 등 처벌에 관한 법률 중 일부범죄, 병역법 위반사건, 특정범죄가중처벌 등에 관한 법률 중 일부범죄, 보건범죄단속에 관한 특별조치법(제5조), 부정수표단속법(제5조) 해당사건은 단독판사 관할에 속한다.
3. 지방법원판사의 제척·기피사건
4. 다른 법률에 의하여 지방법원 합의부 권한에 속하는 사건

01 사물관할에 관한 다음 설명 중 틀린 것은?

① 사건의 경중에 따른 제1심 법원의 관할의 분배이다.
② 제1심의 사물관할은 원칙적으로 지방법원의 단독판사에 속한다.
③ 특수절도·상습절도·상습폭력·집단폭력 등은 합의부에 속한다.
④ 20만원 이하의 벌금 또는 구류나 과료에 처할 사건은 즉결심판사건이다.

| 해설 ③은 법원조직법 제32조 제1항에 의거 단독판사의 관할에 속한다.
④ 20만원 이하의 벌금·구류 또는 과료에 처할 범죄사건에 대하여는 시·군 법원에서 즉결심판한다(법원조직법 제34조).

Answer 1. ③

02 사물관할에 대한 설명으로 옳은 것은?(다툼이 있으면 판례에 의함)

① 단독판사 관할 피고사건의 항소사건이 지방법원 합의부나 지방법원지원 합의부에 계속 중일 때 그 변론종결시까지 청구된 치료감호사건의 관할법원은 고등법원이고, 피고사건의 관할법원도 치료감호사건의 관할을 따라 고등법원이 된다.

② 보증금몰수사건은 그 성질상 당해 형사본안 사건의 기록이 존재하는 법원 또는 그 기록을 보관하는 검찰청에 대응하는 법원의 토지관할에 속하고, 그 법원이 지방법원인 경우에 있어서 사물관할은 지방법원 합의부이다.

③ 상습특수상해죄는 법정형의 단기가 1년 이상의 유기징역에 해당하는 범죄이나, 법원조직법 제32조 제1항 제3호에 의거 제1심 지방법원과 그 지원의 단독판사 관할에 속한다.

④ 병역법위반사건이나 지방법원 판사에 대한 제척・기피사건은 단독판사 관할에 속한다.

| 해설 ① 단독판사 관할 피고사건의 항소사건이 지방법원 합의부나 지방법원지원 합의부에 계속 중일 때 그 변론종결시까지 청구된 치료감호사건의 관할법원은 고등법원이고, 피고사건의 관할법원도 치료감호사건의 관할을 따라 고등법원이 된다. 따라서 위와 같은 치료감호사건이 지방법원이나 지방법원지원에 청구되어 피고사건 항소심을 담당하는 합의부에 배당된 경우 그 합의부는 치료감호사건과 피고사건을 모두 고등법원에 이송하여야 한다(대판 2009.11.12, 2009도6946).

② 보증금몰수사건은 그 성질상 당해 형사본안 사건의 기록이 존재하는 법원 또는 그 기록을 보관하는 검찰청에 대응하는 법원의 토지관할에 속하고, 그 법원이 지방법원인 경우에 있어서 사물관할은 지방법원 단독판사에게 속하는 것이지 소송절차 계속 중에 보석허가결정 또는 그 취소결정 등을 본안 관할법원인 제1심 합의부 또는 항소심인 합의부에서 한 바 있었다고 하여 그러한 법원이 사물관할을 갖게 되는 것은 아니다(대결 2002.5.17, 2001모53).

③ 형법 제264조, 제258조의 2 제1항에 의하면 상습특수상해죄는 법정형의 단기가 1년 이상의 유기징역에 해당하는 범죄이고, 법원조직법 제32조 제1항 제3호 본문에 의하면 단기 1년 이상의 징역에 해당하는 사건에 대한 제1심 관할법원은 지방법원과 그 지원의 합의부이다(대판 2017.6.29, 2016도18194).

④ 병역법위반사건은 단독판사관할에 속하나(법원조직법 제32조 제1항 제3호), 지방법원 판사에 대한 제척・기피사건은 합의부 관할에 속한다(법원조직법 제32조 제1항 제5호).

Answer 2. ①

THEMA 36 토지관할

의 의	1. 토지관할이란 동등한 법원 상호간에 있어 사건의 지역적 관계에 의한 관할의 분배를 말한다. 2. 토지관할의 결정표준 : 토지관할을 정하는 표준이 되는 것으로는 범죄지, 주소·거소지, 현재지, 선적지·기적지·선착지·기착지이다(제4조). 10. 교정특채, 17. 순경 1차	
결정 기준	범죄지	범죄지란 범죄사실의 전부 또는 일부가 발생한 장소(중간지)를 말한다. 따라서 범죄실행장소, 결과발생장소, 결과발생의 중간지도 포함된다. 10. 교정특채 ▶ 예비·음모를 한 장소 ⇨ 예비·음모를 처벌한 범죄의 경우에만 범죄지가 된다. ▶ 공동정범 ⇨ 범죄사실 전부 또는 일부가 발생한 장소 혹은 공모지도 범죄지에 해당 14. 9급 검찰·마약·교정·보호·철도경찰, 15. 경찰간부 ▶ 절도범이 장물을 처분·파괴 장소 ⇨ 범죄지가 아니다.
	주소 또는 거소지	주소는 생활의 근거지가 되는 곳을 말하고, 거소는 다소 계속적으로 거주하는 곳을 말한다. ▶ 등록기준지(본적지) ⇨ × 11. 순경 2차
	현재지	현재지란 임의 또는 적법한 강제에 의하여 공소제기 당시에 피고인이 현재하는 장소를 말한다. 16. 순경 2차·7급 국가직 ▶ 불법연행장소 ⇨ 현재지 × ▶ 현재지 관할법원과 주소지관할법원이 다른 경우에 현재지 관할법원이 제1심으로 재판진행한 경우 관할위반의 위법이 있다. (×) 11. 9급 법원직
	선박·항공기에 대한 특칙	국외에 있는 대한민국의 선박 또는 항공기 내에서 범한 죄에 대하여는 위 기준 외에 선적지·기적지·선착지·기착지도 토지관할의 기준이 된다. 11. 순경, 14. 9급 검찰·마약·교정·보호·철도경찰, 15. 9급 법원직

01 **부산에 주소를 둔 甲은 대전에서 독극물이 든 음식물을 乙에게 먹였는데 乙은 대구에서 사망하였다. 그 후 甲은 광주로 도주하여 그곳에서 체포되었다. 이 경우 토지관할권을 가진 법원을 모두 고른다면?** 13. 경찰간부

① 부산, 대전, 대구, 광주의 지방법원
② 대전, 대구, 광주의 지방법원
③ 부산, 대전, 대구의 지방법원
④ 대전, 대구의 지방법원

| 해설 토지관할의 결정기준으로는 범죄지, 피고인의 주소, 거소 또는 현재지가 있다(제4조). 따라서 부산(주소지), 대전과 대구(범죄지), 광주(현재지) 모두 토지관할권이 있다.

02 **등록기준지가 대구이고, 서울이 주소지인 甲은 춘천에서 乙에게 독약을 먹였는데 乙은 강릉에서 사망하였다. 그 후 甲은 성남에서 긴급체포 되었다. 甲에 대한 토지관할권이 있는 곳을 모두 고르면?** 11. 순경

① 대구, 서울, 춘천, 강릉, 성남
② 서울, 춘천, 강릉, 성남
③ 춘천, 강릉, 성남
④ 강릉, 성남

| 해설 피고인의 등록기준지는 토지관할 결정기준이 되지 아니한다(제4조).

03 **법원의 관할에 대한 설명으로 옳지 않은 것은?**(다툼이 있는 경우 판례에 의함) 14. 9급 검찰·마약·교정·보호·철도경찰

① 공모공동정범의 경우 공모지는 범죄지로 볼 수 없으므로 토지관할이 인정되지 않는다.
② 공소제기 당시 피고인의 현재지인 이상 범죄지 또는 주소지가 아니더라도 토지관할이 인정된다.
③ 공소제기 당시 피고인의 임의에 의한 현재지뿐만 아니라 적법한 강제에 의한 현재지도 토지관할이 인정된다.
④ 국외에 있는 대한민국선박 내에서 범한 죄에 관하여는 선적지 또는 범죄 후의 선착지도 토지관할이 인정된다.

| 해설 ① 공모지도 범죄지에 해당하므로 토지관할이 인정된다(대판 1998.11.27, 98도2734).
② 대판 1984.2.28, 83도3333
③ 대판 2011.12.22, 2011도12927
④ 제4조 제2항

Answer 1.① 2.② 3.①

THEMA 37 **심급관할**

〈 제1심 〉		〈 제2심 〉		〈 제3심 〉
지방법원 단독판사의 판결 · 결정 · 명령	⇨	지방법원 본원 합의부	⇨	대법원
지방법원 합의부의 판결 · 결정 · 명령	⇨	고등법원	⇨	대법원

▶ 제1심 지방법원 단독판사의 판결 · 결정 · 명령 ⇨ 지방법원 지원 합의부가 제2심인 경우도 있음(법원조직법 제32조) 예 춘천지방법원 강릉지원

▶ 제1심 판결에 대한 대법원에 불복 : 비약적 상고(제372조)

▶ 고등법원 설치와 관할구역 : 고등법원은 서울(경기 일부 · 인천 · 강원지역 포함), 대전(충남 · 충북지역 포함), 대구(경북지역 포함), 부산(울산 · 경남지역 포함), 광주(전남 · 전북 · 제주지역 포함), 수원(경기 일부) 등 6개 도시에 설치되어 있으며, 재판 당사자의 사법 접근성을 높이기 위해 춘천, 청주, 창원, 전주 및 제주, 인천 등에 원외재판부를 설치하여 운영하고 있다.

▶ 어느 재판에 대하여 심급제도를 통한 불복을 허용할 것인지의 여부 또는 어떤 불복방법을 허용할 것인지 등은 원칙적으로 입법자의 형성의 자유에 속하는 사항이고, 특히 형사사법절차에서 검사에게 어떤 재판에 대하여 어떤 절차를 통하여 어느 범위 내에서 불복방법을 허용할 것인가 하는 점은 더욱 더 입법정책에 달린 문제이다(대결 2006.12.18, 2006모646).

01 다음 중 특수절도사건의 심급제도로서 옳은 것은?

① 지방법원 합의부 ⇨ 고등법원 ⇨ 대법원
② 지방법원 단독판사 ⇨ 고등법원 ⇨ 대법원
③ 지방법원 단독판사 ⇨ 지방법원 본원 합의부 ⇨ 대법원
④ 지방법원 지원 합의부 ⇨ 지방법원 본원 합의부 ⇨ 대법원

| 해설 특수절도죄의 법정형은 1년 이상 10년 이하의 징역으로 비록 단기 1년 이상의 범죄이기는 하지만, 법원조직법 제32조 제1항에 의거 단독판사가 관할권을 갖는다. 따라서 제1심이 단독판사이고, 제2심은 합의부, 제3심은 대법원의 순으로 재판받게 된다.

02 절도사건의 심급제도로서 맞는 것은?

① 지방법원 합의부 – 고등법원 – 대법원
② 지방법원 지원 합의부 – 지방법원 본원 합의부 – 대법원
③ 지방법원 및 동지원 – 고등법원 – 대법원
④ 지방법원 및 동지원 단독판사 – 지방법원 본원 합의부 – 대법원

| 해설 ④ 절도사건은 단기 1년 이상의 징역사건이 아니므로 단독판사 사건이다.

Answer 1. ③ 2. ④

THEMA 38 관련사건

의 의	관련사건이란 수개의 사건이 서로 관련성을 가진 경우를 말하며, 형사소송법은 다음 4가지를 관련사건으로 규정하고 있다(제11조).
관련사건	1. 1인이 범한 수죄 : 실체적 경합범이 여기에 해당된다(상상적 경합은 소송법상 1죄이므로 관련사건에 속하지 않음). 16. 경찰간부 2. 수인이 공동으로 범한 죄 : 형법 총칙상의 공범(공동정범, 교사범, 방조범)뿐 아니라 각칙상의 필요적 공범도 해당된다. 13. 7급 국가직 3. 수인이 동시에 동일한 장소에서 범한 죄 : 동시범이 여기에 해당된다. 10. 9급 법원직, 13. 9급 검찰·마약수사 4. 범인은닉죄·증거인멸죄·위증죄·허위감정통역죄·장물에 관한 죄와 그 본범의 죄 : 이들 범죄는 본범과의 사이에 증거가 공통되는 점이 많다는 점에서 관련사건으로 하고 있다.

01 **법정관할과 관련하여 형사소송법 제11조는 관련사건을 정의하고 있다. 다음 중에서 관련사건**(A죄와 B죄의 관계)**이 아닌 것은?**(다툼이 있으면 판례에 의함) 16. 경찰간부

① 甲은 인천에서 강도(A죄)를 하고서, 도망다니다 부산에서 술을 먹고 행인을 폭행(B죄)하였다.

② 甲은 서울에서 살인죄(A죄)를 하고, 부산에서 내려와서 친구 乙에게 살인을 저지른 사실을 고백하며 자신을 숨겨달라고 하였다. 이에 친구 乙은 甲을 자신의 집에 은닉(B죄)하였다.

③ 화물자동차 운전자 甲은 진행방향을 잘 살피지 않다가 앞에 있던 택시와 충돌하였다. 이로 인해 택시는 손괴(A죄)되고, 택시의 승객은 상해(B죄)를 입었다.

④ 甲은 타인의 재물을 절취(A죄)하고, 이 사실을 알고 있는 乙은 甲으로부터 그 재물을 취득(B죄)하였다.

| 해설 ① 1인이 범한 수죄로서 관련사건이다(제11조 제1호).
② 범인은닉죄와 그 본범의 죄는 관련사건이다(제11조 제4호).
③ 손괴와 상해는 상상적 경합관계이며, 상상적 경합은 소송상 일죄로 취급하므로 관련사건이 아니다.
④ 장물에 관한 죄와 그 본범의 죄는 관련사건이다(제11조 제4호).

Answer 1. ③

THEMA 39 관련사건의 병합관할

<table>
<tr><td rowspan="3">관할의 병합</td><td colspan="2">관련사건의 병합관할은 공소제기 이전의 관할의 문제로서 법원이 관련사건에 대한 심리를 병합 혹은 분리하기 위한 전제로서의 의미를 가진다. 그러나 관련사건의 병합심리는 수개의 관련사건이 이미 각 관할법원에 소송계속된 이후의 문제이다.</td></tr>
<tr><td>사물관할</td><td>사물관할을 달리하는 수개의 사건이 관련된 때에는 법원 합의부가 병합관할한다. 09. 순경, 13. 9급 검찰·마약수사 다만, 결정으로 관할권 있는 법원단독판사에게 이송할 수 있다(제9조). 09. 9급 국가직
▶ 검사가 두 사건을 하나의 공소장으로 기소하면 합의부는 두 사건을 모두 심판할 수 있다.
▶ 사물관할의 병합관할은 제1심의 관할에 관한 규정이지만, 항소심에서도 인정된다는 견해가 일반적이다.
▶ 고유의 법정관할에 따라 재판이 종결된 경우에도 이미 발생한 관련사건의 관할은 소멸하지 않는다.</td></tr>
<tr><td>토지관할</td><td>사물관할은 같이하나 토지관할을 달리하는 수개의 사건이 관련된 때에는 1개의 사건에 관하여 관할권이 있는 법원은 다른 사건에 대하여도 관할권을 갖는다(제5조). 09. 9급 국가직, 10. 순경, 09·10. 경찰승진
▶ 검사는 관련된 수개의 사건을 병합관할이 있는 어느 한 법원에 일괄적으로 기소할 수 있다. 토지관할의 병합 역시 항소심에서 준용된다.</td></tr>
<tr><td rowspan="2">심리의 병합</td><td>사물관할</td><td>① 사물관할을 달리하는 수개의 관련사건이 각기 법원 합의부와 단독판사에 계속된 때에는 합의부는 결정으로 단독판사에 속한 사건을 병합하여 심리할 수 있다(제10조). 10. 순경, 09·10·11·12. 경찰승진, 13. 7급 국가직, 14. 순경 2차, 13·17. 9급 검찰·마약수사, 17. 9급 교정·보호·철도경찰, 11·17·21. 9급 법원직
② 사물관할을 달리하는 사건(법원 합의부와 단독판사에 계속된 사건)이 토지관할을 달리한 경우에도 동일하다(규칙 제4조 제1항).
③ 합의부가 관련사건이 단독판사에 계속되어 있다는 것을 안 때에는 직권으로 병합심리결정을 할 수 있으나, 단독판사가 자신이 심리 중인 사건과 관련된 사건이 합의부에 계속된 사실을 알게 된 경우에는 즉시 합의부의 재판장에게 그 사실을 통지하여야 한다(규칙 제4조 제2항).
④ 합의부가 병합심리결정을 한 때에는 즉시 그 결정등본을 단독판사에게 송부하여야 하고, 단독판사는 그 결정등본을 송부받은 날로부터 5일 이내에 소송기록과 증거물을 합의부에 송부하여야 한다(규칙 제4조 제3항).
⑤ 이는 항소심에서도 인정된다.</td></tr>
<tr><td>토지관할</td><td>① 사물관할은 같이하나 토지관할을 달리하는 수개의 관련사건이 각각 다른 법원에 계속된 때에는 공통되는 직근상급법원은 검사 또는 피고인의 신청에 의하여 결정으로 1개 법원으로 하여금 병합심리하게 할 수 있다(제6조). 04. 행시, 03·11. 경찰승진, 13. 경찰간부, 15. 9급 법원직, 17. 순경 1차
▶ 공통 직근상급법원이란 그 소속 고등법원이 같은 경우는 그 고등법원이, 그 소속고등법원이 다른 경우는 대법원이 된다(대결 2006.12.5, 2006초기335 전원합의체). 08·10. 순경, 09. 9급 국가직·9급 법원직, 09·10. 경찰승진, 11. 순경 1차, 15. 순경 3차, 16. 7급 국가직, 17. 9급 검찰·마약·교정·보호·철도경찰</td></tr>
</table>

		② 지방법원 본원 합의부의 재판장은 그 부에서 심리 중인 항소사건과 관련된 사건이 고등법원에 계속된 사실을 알게 된 때에는 즉시 고등법원의 재판장에게 그 사실을 통지하여야 한다(규칙 제4조의 2 제2항). 09. 9급 법원직, 10. 경찰승진 ③ 고등법원이 병합심리결정을 한 때에는 즉시 결정등본을 지방법원 본원 합의부에 송부하여야 하고 지방법원 본원 합의부는 그 결정등본을 송부받은 날로부터 5일 이내에 소송기록과 증거물을 고등법원에 송부하여야 한다(규칙 제4조의 2 제3항). ④ 이는 항소심에서도 인정된다.
심리 분리	사물 관할	사물관할을 달리하는 경우에 합의부는 결정으로 관할권 있는 법원 단독판사에 이송할 수 있다(제9조 단서). 12. 순경 2차
	토지 관할	토지관할을 달리하는 수개의 관련사건이 동일법원에 계속된 경우에 병합심리의 필요가 없는 때에는 법원은 결정으로 이를 분리하여 관할권 있는 다른 법원에 이송할 수 있다(제7조). 10. 순경, 11. 경찰승진 · 9급 법원직, 15. 순경 3차

01 다음은 관련사건의 병합관할에 관한 내용이다. 틀린 것은?

① 사물관할을 달리하는 수개의 사건이 관련된 때에는 법원 합의부가 병합관할한다.

② 토지관할을 달리하는 수개의 사건이 관련된 때에는 1개 사건에 관할권이 있는 법원은 다른 사건까지 관할할 수 있다.

③ 사물관할의 병합관할은 제1심의 관할에 관한 규정이므로, 항소심에서는 적용할 수 없다.

④ 사물관할은 같이하나 토지관할을 달리하는 수개의 관련사건이 각각 다른 법원에 계속된 때에는 공통되는 직근상급법원은 검사 또는 피고인의 신청에 의하여 결정으로 1개 법원으로 하여금 병합심리하게 할 수 있다.

해설 ① 제9조 ② 제5조 ③ 항소심에서도 적용된다. ④ 제6조

02 다음 중 관할에 관한 설명으로 옳지 않은 것은?(판례에 의함)

① 동일 피고인에 대한 항소심사건이 대전지방법원과 서울중앙지방법원에 계속 중인 경우 형사소송법 제6조에 의하여 병합심리하도록 결정할 수 있는 직근상급법원은 대법원이다.

② 사물관할의 병합심리는 법원의 직권에 의하지만 토지관할의 경우에는 검사 또는 피고인의 신청에 의한다.

③ 관련사건이 창원지방법원 항소부와 서울고등법원에 각각 계속된 경우 공통되는 직근상급법원은 검사 또는 피고인의 신청에 의하여 결정으로 1개 법원으로 하여금 병합심리하게 할 수 있다.

Answer 1. ③ 2. ③

④ 항소심에서 공소장변경에 의하여 단독판사의 관할사건이 합의부 관할사건으로 된 경우 항소심에서 변경된 위 합의부 관할사건에 대한 관할권이 있는 법원은 고등법원이라고 봄이 상당하므로 지방법원 본원 합의부는 고등법원으로 이송하여야 한다.

| 해설 ① 토지관할을 달리하는 수개의 법원들에 관련 사건이 계속된 경우에 그 소속 고등법원이 같은 경우에는 그 고등법원이, 그 소속 고등법원이 다른 경우에는 대법원이 위 법원들의 공통되는 직근상급법원으로서 위 조항에 의한 토지관할 병합심리 신청사건의 관할법원이 된다(대결 2006.12.5, 2006초기335 전원합의체). 따라서 대전지방법원과 서울중앙지방법원은 고등법원이 서로 다르므로 직근상급법원은 대법원이다.
② 제10조, 제6조
③ 사물관할도 다르고 토지관할도 다른 경우이므로, 공통 직근상급법원의 결정으로 1개 법원으로 하여금 병합심리하게 할 수 있는 제6조의 규정을 적용하는 대상이 아니다(대결 1990.5.23, 90초56). 위 사건은 서울고등법원의 결정으로 창원지방법원 항소부에 계속된 사건을 병합심리할 수 있다(제10조, 규칙 제4조의 2 제1항).
④ 대판 1997.12.12, 97도2463

03 **관할의 병합심리절차와 관련한 다음 설명 중 가장 옳지 않은 것은?**

① 사물관할을 달리하는 수개의 관련 항소사건이 각각 고등법원과 지방법원 본원 합의부에 계속된 때에는 고등법원은 결정으로 지방법원 합의부에 계속한 사건을 병합하여 심리할 수 있다.

② 사물관할을 달리하는 수개의 관련사건이 각각 법원 합의부와 단독판사에 계속된 때에는 합의부는 결정으로 단독판사에 속한 사건을 병합하여 심리할 수 있기는 하나, 법원 합의부와 단독판사에 계속된 각 사건이 토지관할을 달리하는 경우에는 병합하여 심리할 수 없다.

③ 토지관할을 달리하는 수개의 관련사건이 동일법원에 계속된 경우에 병합심리의 필요가 없는 때에는 법원은 결정으로 이를 분리하여 관할권 있는 다른 법원에 이송할 수 있다.

④ 법원은 그 계속 중인 사건에 관하여 토지관할의 병합심리신청이 제기된 경우에는 급속을 요하는 경우를 제외하고는 그 신청에 대한 결정이 있기까지 소송절차를 정지해야 한다.

| 해설 ① 항소심에서도 준용되므로 타당한 내용이다(규칙 제4조의 2 제1항).
② 사물관할이 다르고, 토지관할이 다른 경우에도 사물관할의 병합관할규정이 적용되어 합의부가 병합심리할 수 있다(규칙 제4조 제1항). 예를 들면, 피고인 甲의 강도상해사건과 절도사건에 대하여 각기 수원지방법원 합의부와 인천지방법원 단독판사에 공소제기된 경우, 사물관할과 토지관할이 모두 다르더라도 사물관할의 병합관할(제9조)과 병합심리규정(제10조)이 적용되므로 수원지방법원 합의부에 병합관할이 인정되어 병합심리할 수 있다.
③ 제7조
④ 규칙 제7조

Answer 3. ②

04 **관할에 관한 다음 설명 중 가장 옳지 않은 것은?** 19. 9급 법원직

① 제1심 형사사건에 관하여 지방법원 본원과 지방법원 지원은 소송법상 별개의 법원이자 각각 일정한 토지관할 구역을 나누어 가지는 대등한 관계에 있으므로, 지방법원 본원과 지방법원 지원 사이의 관할의 분배도 지방법원 내부의 사법행정사무로서 행해진 지방법원 본원과 지원 사이의 단순한 사무분배에 그치는 것이 아니라 소송법상 토지관할의 분배에 해당한다. 그러므로 형사소송법 제4조에 의하여 지방법원 본원에 제1심 토지관할이 인정된다고 볼 특별한 사정이 없는 한, 지방법원 지원에 제1심 토지관할이 인정된다는 사정만으로 당연히 지방법원 본원에도 제1심 토지관할이 인정된다고 볼 수는 없다.

② 형사소송법 제4조 제1항은 "토지관할은 범죄지, 피고인의 주소, 거소 또는 현재지로 한다."라고 정하고, 여기서 '현재지'라고 함은 공소제기 당시 피고인이 현재한 장소로서 임의에 의한 현재지뿐만 아니라 적법한 강제에 의한 현재지도 이에 해당한다.

③ 토지관할에 달리하는 수개의 제1심 법원들에 관련 사건이 계속된 경우 그 소속 고등법원이 같은 경우에도 대법원이 위 제1심 법원들의 공통되는 직근상급법원으로서 형사소송법 제6조에 의한 토지관할 병합 심리 신청사건의 관할법원이 된다.

④ 형사소송법 제5조에 정한 관련 사건의 관할은, 이른바 고유관할사건 및 그 관련 사건이 반드시 병합기소되거나 병합되어 심리될 것을 전제요건으로 하는 것은 아니고, 고유관할사건 계속 중 고유관할 법원에 관련 사건이 계속된 이상, 그 후 양 사건이 병합되어 심리되지 아니한 채 고유사건에 대한 심리가 먼저 종결되었다 하더라도 관련 사건에 대한 관할권은 여전히 유지된다.

해설 ① 대판 2015.10.15, 2015도1803

② 대판 2011.12.22, 2011도12927

③ 사물관할은 같지만 토지관할을 달리하는 수개의 제1심 법원들에 관련된 사건이 계속된 경우에 제6조(공통되는 직근상급법원은 검사 또는 피고인의 신청에 의하여 결정으로 1개 법원으로 하여금 병합심리할 수 있다)에서 말하는 공통 직근상급법원이란 그 소속 고등법원이 같은 경우는 그 고등법원이, 그 소속 고등법원이 다른 경우는 대법원이 된다(대결 2006.12.5, 2006초기335 전원합의체).

④ 대판 2008.6.12, 2006도8568

Answer 4. ③

05 **재판권 또는 관할에 대한 설명으로 가장 적절한 것은?**(다툼이 있는 경우 판례에 의함)

19. 순경 2차

① 내국 법인의 대표자인 외국인이 내국 법인이 외국에 설립한 특수목적법인에 위탁해 둔 자금을 정해진 목적과 용도 외에 임의로 사용한 경우, 그 피해자는 외국에 설립된 특수목적법인이므로 그 외국인에 대해서는 우리나라 법원에 재판권이 없다.

② 지방법원 본원과 지방법원 지원 사이의 관할의 분배는 지방법원 내부의 사법행정사무로서 행해진 지방법원 본원과 지원 사이의 단순한 사무분배에 그치고 소송법상 토지관할의 분배에 해당한다고 할 수 없다.

③ 관련사건의 관할은 고유관할사건 및 그 관련사건이 병합기소되거나 병합되어 심리될 것을 전제요건으로 하므로, 고유관할 사건 계속 중 고유관할 법원에 관련사건이 계속된 후 양 사건이 병합되어 심리되지 아니한 채 고유사건에 대한 심리가 먼저 종결되었다면 관련사건에 대한 관할권은 더 이상 유지되지 않는다.

④ 일반 국민이 범한 수 개의 죄 가운데 특정 군사범죄와 그 밖의 일반 범죄가 동시적 경합범 관계에 있다고 보아 하나의 사건으로 군사법원에 기소된 경우, 특정 군사범죄에 대하여는 군사법원이 전속적 재판권을 가지나 그 밖의 일반 범죄에 대하여는 군사법원이 재판권을 행사할 수 없다.

| 해설 ① 횡령죄의 피해자는 당해 금전을 위탁한 내국 법인이다. 따라서 그 행위가 외국에서 이루어진 경우에도 행위지의 법률에 의하여 범죄를 구성하지 아니하거나 소추 또는 형의 집행을 면제할 경우가 아니라면 그 외국인에 대해서도 우리 형법이 적용되어(형법 제6조), 우리 법원에 재판권이 있다(대판 2017.3.22, 2016도17465).

② 지방법원 본원과 지방법원 지원 사이의 관할의 분배도 소송법상 토지관할의 분배에 해당한다(대판 2015.10.15, 2015도1803).

③ 고유사건에 대한 심리가 먼저 종결되었다 하더라도 관련사건에 대한 관할권은 여전히 유지된다(대판 2008.8.30, 2016도6288).

④ 대결 2016.6.16, 2016초기318 전원합의체

03

Answer 5. ④

THEMA 40 재정관할

의 의	재정관할이란 법원의 재판에 의하여 정하여지는 관할을 말하며 여기에는 관할의 지정, 관할의 이전이 있다.
관할의 지정	1. 의의 : 관할의 지정이란 관할지정 사유가 있을 경우 상급법원이 사건을 심판할 법원을 지정하는 것을 말한다. 2. 관할의 지정사유 ① 법원의 관할이 명확하지 아니한 때 예 관할구역을 정한 행정구역이 불명확한 경우 ② 관할위반을 선고한 재판이 확정된 사건에 대하여 다른 관할법원이 없을 때 예 외국에서 외국인이 한국인을 살해한 경우 형법상 보호주의에 의거 우리나라가 재판권을 가지므로 검사가 공소제기를 할 수는 있으나, 외국인에 대하여 관할법원이 없으므로 관할지정신청이 필요하게 된다. 3. 관할지정의 절차 ① 관할의 지정은 검사가 관계있는 제1심 법원에 공통되는 직근상급법원에 신청하여야 한다(제14조). 07. 7급 국가직, 08 · 10. 9급 법원직, 09. 경찰승진, 14. 순경 2차 ▶ 피의자 · 피고인 ⇨ 신청권 × ② 관할지정의 신청은 공소제기 전후를 불문하며 사유를 기재한 신청서를 제출함에 의한다(제16조 제1항). ③ 공소제기된 사건에 대하여 관할지정신청을 한 때에는 즉시 공소를 접수한 법원에 통지하여야 한다(동조 제2항). 09. 9급 법원직 ④ 관할지정신청이 있으면 급속을 요하는 경우 이외에는 신청에 대한 결정이 있을 때까지 공판절차는 정지된다(규칙 제7조). 4. 관할의 지정 : 관할지정의 신청을 받은 직근상급법원은 신청이 이유 있다고 인정되면 관할법원을 지정하는 결정을 하고, 그렇지 않으면 신청기각결정을 한다. 관할의 지정이 있으면 당연히 이송의 효과가 발생한다.
관할의 이전	1. 의의 : 관할의 이전이란 관할이전 사유가 있을 경우에 검사 또는 피고인의 신청에 의하여 그 법원의 관할권을 관할권 없는 다른 법원으로 옮기는 것을 말한다(관할의 이전은 성질상 토지관할에 대해서만 인정되며 항소심에서도 관할의 이전이 인정된다). 2. 관할이전의 사유(제15조) ① 관할법원이 법률상 이유 또는 특별한 사정으로 관할권을 행사할 수 없을 때 예 • 법률상 이유 : 법관의 제척 · 기피 · 회피로 인하여 법원을 구성할 수 없는 때 • 특별한 사정 : 천재지변 또는 판사의 질병 · 사망 등으로 장기에 걸쳐 직무를 집행할 수 없는 경우 ② 범죄의 성질, 지방의 민심, 소송의 상황 기타 사정으로 재판의 공평을 유지하기 어려울 염려가 있는 때 예 그 지방 주민이 피고인을 증오 또는 동정하고 있어 법원의 재판에 중대한 영향을 미칠 수 있는 상황

3. 관할이전의 절차
① 관할이전신청은 검사 또는 피고인이 행한다.
▶ 피고인도 신청권자임에 주의(관할의 지정과 다름) 10. 경찰승진
▶ ┌ 검사의 관할이전 신청 ⇨ 의무적(사유 있을시 신청하여야 한다) 12. 경찰승진
└ 피고인의 관할이전 신청 ⇨ 권리(사유 있을시 신청할 수 있다) 14. 변호사시험
② 검사의 신청은 공소제기 전후를 불문하나, 피고인은 공소제기 후에만 신청이 가능하다.
③ 관할이전신청은 신청서를 직근상급법원에 제출하여야 하며, 공소제기 후에 신청을 한 때에는 즉시 공소를 접수한 법원에 통지해야 한다(제16조). 09. 9급 법원직
④ 신청이 있으면 급속을 요하는 경우를 제외하고는 신청에 대한 결정이 있을 때까지 소송절차를 정지하여야 한다(규칙 제7조).
4. 관할이전의 결정 : 관할이전신청을 받은 직근상급법원은 신청이 이유 있다고 인정되면 관할법원을 이전하는 결정을 하고, 그렇지 않으면 신청을 기각하는 결정을 한다.
▶ 관할이전의 신청을 기각한 결정에 대하여 불복할 수 없다(대결 2021.4.2, 2020모2561).

03

01 다음 관할의 지정 · 이전에 대한 설명으로 틀린 것은?

① 관할지정신청은 공소제기 후에도 할 수 있다.
② 관할이전신청은 검사, 피고인 모두에게 공소제기 전후를 불문하고 인정된다.
③ 관할의 이전 · 지정신청이 제기된 경우에는 원칙적으로 소송절차가 정지된다.
④ 공소제기된 사건에 대하여 관할의 지정이 있는 때에는 당연히 이송의 효과가 발생한다.

| 해설 ①② 관할의 지정신청은 공소제기 전후를 불문하고, 관할의 이전신청의 경우 검사의 신청은 공소제기 전후를 불문하나 피고인의 신청은 공소제기 후에만 가능하다.
③ 규칙 제7조 ④ 공소가 제기된 사건에 관하여 관할지정 또는 관할이전의 결정을 한 경우 결정을 한 법원은 결정등본을 검사와 피고인 및 사건계속법원에 각 송부하여야 한다(규칙 제6조 제2항).

02 관할의 지정 · 이전에 대한 내용으로 옳은 것은?

① 관할의 지정은 검사 또는 피고인의 신청에 의하나, 관할의 이전은 검사에게만 신청권이 있다는 점이 다르다.
② 관할이전의 심리절차 및 처리 후의 절차는 관할의 지정의 경우와 같다.
③ 관할의 이전은 소송계속 중인 사건을 관할권 있는 다른 법원으로 이전하는 것을 말하고, 사건의 이송은 관할권 없는 다른 법원으로 이전하는 것을 말한다.
④ 검사에게는 관할이전 신청권리가 있음에 반하여, 피고인에게는 신청의무가 있다.

| 해설 ①④ 관할의 지정은 검사가 관계있는 제1심 법원에 공통되는 직근상급법원에 신청하여야 하며(제14조), 관할의 이전은 검사 또는 피고인의 신청에 의한다. 피고인은 이전신청권한이 있음에 비하여, 검사의 경우에는 신청할 의무가 있다. ③ 관할이전은 관할법원이 관할권 없는 다른 법원으로 이전하는 것임에 반하여, 사건의 이송은 법원이 소송계속 중인 사건을 관할권 있는 다른 법원이나 군사법원으로 이송하는 것을 말한다.

Answer 1. ② 2. ②

03 다음 중 검사나 피고인이 관할의 이전을 신청할 수 있는 사유로 틀린 것은?

① 법원의 관할이 명백하지 않을 때
② 천재지변이 있어 장기에 걸쳐 재판을 하기 불가능한 때
③ 지방의 민심 또는 여론 때문에 재판의 공정을 유지하기 어려운 때
④ 범죄의 성질상 공정한 재판을 하기 어려운 때

| 해설 ①은 관할지정의 사유이다.
②③④ 관할의 이전이란 관할법원이 법률상 이유 또는 특별한 사정으로 재판권을 행사할 수 없을 때, 범죄의 성질, 지방의 민심, 소송의 상황 및 기타 사정으로 재판의 공평을 유지하기 어려운 염려가 있는 때 검사 또는 피고인의 신청에 의하여 직근상급법원이 관할권을 관할권 없는 법원으로 이전하는 것을 말한다(제15조).

04 관할의 이전에 관한 내용 중 틀린 것은?

① 관할의 이전은 그 성격상 토지관할에 대해서만 인정되며, 항소심에서는 불가능하다.
② 법원이 검사의 공소장변경을 허용하였다는 이유만으로 재판의 공평을 유지하기 어려운 사유가 있다고 볼 수 없다는 것이 판례의 입장이다.
③ 담당법관에 대하여 피고인이 기피신청을 하였고, 같은 사건에서 위증을 한 자에 대하여 검찰에 고소가 제기되어 대검찰청에서 이들을 조사 중이라는 사실만으로는 이전 사유에 해당하지 않는다는 것이 판례의 태도이다.
④ 관할이전사유가 있는 때에는 직근상급법원에 그 사유를 기재한 신청서를 제출하여야 한다.

| 해설 ① 항소심에서도 이전이 가능하다.
② 대결 1984.7.24, 84초45 ③ 대결 1982.12.17, 82초50 ④ 제15조, 제16조 제1항

05 관할의 지정 · 이전에 대한 내용으로 가장 적절하지 않은 것은?

① 관할의 지정은 검사가 관계 있는 제1심 법원에 공통되는 직근상급법원에 신청하여야 한다.
② 관할지정신청이 있으면 급속을 요하는 경우 이외에는 신청에 대한 결정이 있을 때까지 공판절차는 정지된다.
③ 항소심에서 유죄판결을 선고받고 이에 불복하여 상고를 제기한 피고인을 교도소 소장이 검사의 이송지휘도 없이 다른 교도소로 이송처분한 경우 피고인은 이에 대하여 관할이전 신청이나 형사소송법 제489조의 이의신청을 할 수 없다.
④ '관할위반을 선고한 재판이 확정된 사건에 대하여 다른 관할법원이 없을 때'는 관할 이전 사유이다.

| 해설 ① 제14조 ② 규칙 제7조 ③ 대결 1983.7.5, 83초20
④ 관할 지정사유에 해당한다(제14조).

Answer 3.① 4.① 5.④

THEMA 41 관할의 경합

의 의	하나의 사건에 두 개 이상의 법원이 동시에 관할권을 가지는 경우가 있다. 이를 관할의 경합이라 한다(동일사건에 있어서 관할의 문제). 관할병합과 구별 : 관할병합이란 수개 사건의 일부에 대하여 관할권이 있는 법원은 나머지 관련 사건에 대해서도 관할권을 가진다는 것을 말하며, 관할의 병합은 관련사건의 병합심리의 전제가 된다(수개의 관련사건들 간에 관할의 문제).
사물관할의 경합 (제12조)	1. 동일사건이 사물관할을 달리하는 수개의 법원에 계속된 때에는 법원 합의부가 심판한다. 08. 순경, 11. 경찰승진, 12. 순경 2차, 13. 경찰간부, 13 · 17. 9급 검찰 · 마약 · 교정 · 보호 · 철도경찰 예 범인은닉죄는 원래 단독판사의 관할에 속하나 관련사건의 병합관할제도에 의해 합의부도 관할권을 가지는바, 사건이 단독판사와 합의부에 계속된 때에는 합의부가 심판한다. 2. 이때 단독판사는 즉시 공소기각결정을 하여야 하고(제328조 제1항 제3호), 13. 9급 검찰 · 마약 · 교정 · 보호 · 철도경찰 만일 단독판사의 판결이 먼저 확정되었다면 합의부는 면소판결을 하여야 한다(제326조 제1호). 수개 법원의 판결이 모두 확정되었다면 나중에 확정된 판결은 당연무효가 된다.
토지관할의 경합 (제13조)	1. 동일사건이 사물관할을 같이하는 수개의 법원에 계속된 때에는 먼저 공소를 받은 법원이 심판한다. 08. 9급 법원직, 10 · 12. 경찰승진, 13. 7급 국가직 예 관할의 경합은 주로 토지관할의 경우에 발생한다. 범죄지, 피고인의 주소 · 거소 · 현재지 등을 관할하는 법원이 각각 다른 경우에는 그 어느 법원이나 모두 관할권을 가지며, 이 경우 이들 법원 간에는 아무런 우열이 없으므로 먼저 공소를 받은 법원이 심판한다. 2. 다만, 검사 또는 피고인의 신청이 있는 경우에는 각 법원에 공통되는 직근상급법원은 결정으로 뒤에 공소를 받은 법원으로 하여금 심판하게 할 수 있다. 08 · 10 · 15. 9급 법원직, 12. 순경 2차, 12 · 14 · 17. 경찰승진, 14 · 17. 순경 1차 3. 먼저 공소를 받은 법원이 심판할 경우에는 나머지 법원은 공소기각결정을 하여야 하고(제328조 제1항 제3호), 13. 7급 국가직 나중에 공소를 받은 법원의 판결이 확정되었다면 먼저 공소를 받은 법원은 면소판결을 하여야 한다(제326조 제1호). 04. 순경 수개의 법원의 판결이 모두 확정되었다면 나중에 확정된 판결은 당연무효가 된다.

01 **다음 중 관할의 경합에 관한 설명으로 틀린 것은?**

① 동일사건이 사물관할을 달리하는 수개의 법원에 계속된 때에는 법원 합의부가 심판한다.
② 동일사건이 사물관할을 같이하는 수개의 법원에 계속된 때에는 먼저 공소를 제기받은 법원이 심판한다.
③ 동일사건이 사물관할을 달리하는 수개의 법원에 계속된 때 수개의 판결이 모두 확정되었다면 나중판결은 당연무효가 된다.
④ 동일사건이 사물관할을 같이하는 수개의 법원에 계속된 때 나중에 공소제기 받은 법원의 판결이 확정되었다면 먼저 공소제기 받은 법원은 공소기각결정을 한다.

해설 ① 제12조
② 제13조
③ 동일사건이 사물관할을 달리하는 수개의 법원에 계속된 때 또는 동일사건이 사물관할을 같이하는 수개의 법원에 계속된 때 수개의 판결이 모두 확정되었다면 나중판결은 당연무효가 된다.
④ 면소판결을 하여야 한다(제326조 제1호).

Answer 1. ④

THEMA 42 사건의 이송

의 의	사건의 이송이란 수소법원이 계속 중인 사건을 다른 법원으로 이송하는 것을 말한다. 이송결정을 한 때에는 소송기록과 증거물은 다른 법원에 송부하여야 한다.
관할과 관련된 사건의 이송	1. 관할의 병합에 의한 사건의 이송 ① 사물관할의 병합심리결정이 있는 경우에 단독판사가 합의부에 행하는 사건이송(규칙 제4조 제3항) ② 토지관할의 병합심리결정이 있는 경우에 다른 법원이 병합심리를 행하는 법원에 대하여 하는 사건의 이송(규칙 제3조 제2항) 2. 관할의 지정·이전에 의한 사건의 이송 : 공소제기된 사건에 대하여 관할의 지정 또는 이전의 결정이 있는 경우에 사건이 계속된 법원이 관할의 지정 또는 이전을 받은 법원에 대하여 행하는 사건의 이송(규칙 제6조 제3항) 3. 사건의 직권이송 ① 현재지 관할법원에 대한 이송 : 피고인이 관할구역 내에 현재하지 않은 경우 특별한 사정이 있으면 법원은 결정으로 사건을 피고인의 현재지를 관할하는 동급법원에 이송할 수 있다(제8조 제1항). 08·09·10. 순경, 10·15. 9급 법원직 ② 합의부에 대한 이송 : 단독판사가 공판심리 중 공소장변경에 의하여 합의부의 관할사건으로 변경된 경우에 합의부로 이송한다(제8조 제2항). 10. 순경, 11. 경찰승진·9급 국가직, 13. 경찰간부, 14. 9급 법원직, 15. 순경 3차, 17. 9급 검찰·마약·교정·보호·철도경찰 ▶ 항소심에서도 동일(판례)
관할과 관련 없는 사건의 이송	1. 사건의 군사법원 이송 : 법원은 공소가 제기된 사건에 대하여 군사법원이 재판권을 가지게 되었거나 가졌음이 판명된 때에는 결정으로 사건을 재판권 있는 같은 심급의 군사법원에 이송하여야 한다. 10. 순경, 15. 9급 검찰·마약·교정·보호·철도경찰 이 경우에 이송 전에 행한 소송행위는 이송 후에도 그 효력에 영향이 없다(제16조의 2). 14·17. 9급 법원직 2. 사건의 소년부 송치 : 법원은 소년에 대한 피고사건을 심리한 결과 보호처분에 해당하는 사유가 있다고 인정한 때에는 결정으로 사건을 관할소년부에 송치하여야 한다(소년법 제50조). 14. 변호사시험

01 **사건의 이송에 관한 설명 중 옳지 않은 것은?**

① 단독지원에 합의부 사건이 기소된 경우에는 관할 합의부에 있는 법원으로 사건을 이송하여야 한다.

② 약식사건에 있어서 약식명령을 발하기 전에 피고인이 현역군인임이 밝혀진 경우에는 군사법원으로 이송하여야 한다.

③ 사건의 이송이란 수소법원이 계속 중인 사건을 다른 법원이 심판하도록 소송계속을 이전하는 것으로 공소장변경으로 인한 이송 등이 있으며 이는 법원의 의무이며, 피고인의 현재지 관할로의 이송은 법원의 재량사항이다.

④ 항소심에서 공소장변경에 의하여 단독판사의 관할사건이 합의부 관할사건으로 된 경우에도 법원은 사건을 관할권이 있는 법원에 이송하여야 하고, 항소심에서 변경된 위 합의부 관할사건에 대한 관할권이 있는 법원은 고등법원이라고 봄이 상당하다.

해설 ① 관할위반의 판결을 하여야 한다(제319조).
② 제16조의 2
③ 제8조

02 **지방법원 합의부에서 제2심으로 심리하는 사건에 대하여 군사법원이 재판권을 가지게 되었다면 당해 법원이 해야 할 사건처리의 방법으로 가장 적절한 것은?** 10. 순경

① 관할위반의 판결 ② 공소기각의 판결
③ 보통군사법원으로의 이송결정 ④ 고등군사법원으로의 이송결정

해설 법원은 공소가 제기된 사건에 대하여 군사법원이 재판권을 가지게 되었거나 재판권을 가졌음이 판명된 때에는 결정으로 사건을 재판권이 있는 같은 심급의 군사법원으로 이송한다(제16조의 2). 지방법원 합의부와 같은 심급의 군사법원은 고등군사법원이다. 따라서 고등군사법원으로 이송해야 한다.

03 **상해혐의로 징역 1년을 선고받은 피고인만이 항소한 사건을 지방법원 합의부가 심리하던 중 검사가 상해치사로 공소장변경신청을 하였다. 이에 대한 법원의 조치로 옳은 것은 모두 몇 개인가?** (다툼이 있는 경우 판례에 의함)(※ 상해죄는 지방법원 단독판사, 상해치사죄는 합의부 관할이다)

13. 7급 국가직

> ㉠ 피고인만이 항소한 사건이므로 검사의 공소장변경신청을 기각해야 한다.
> ㉡ 상해와 상해치사는 사물관할을 달리하므로 공소장변경을 허가할 수 없다.
> ㉢ 공소장변경을 허가하고 사건을 관할권 있는 고등법원으로 이송해야 한다.
> ㉣ 공소장변경을 허가하면 항소심은 징역 1년이 넘는 형을 선고할 수 있다.

① 1개 ② 2개 ③ 3개 ④ 4개

Answer 1.① 2.④ 3.①

| 해설 | ㉠㉡ × : 공소장변경신청은 제1심은 물론 항소심에서도 가능(대판 2010.4.29, 2007도6553)하며, 누가 상소하였는지, 단독사건인가 합의부 사건인가는 문제가 되지 않는다. 검사의 공소장변경 신청에 대하여 공소사실과 동일성이 인정되면 법원은 허가하여야 한다(제298조 제1항).
㉢ ○ : 대판 1997.12.12, 97도2463
㉣ × : 불이익변경금지원칙상 항소심에서 징역 1년이 넘는 형을 선고할 수는 없다.

04 **관할에 관한 다음 설명 중 틀린 것은?**

① 제1심에서 합의부 관할사건에 관하여 단독판사 관할사건으로 공소장변경허가신청서가 제출된 경우에 합의부는 공소장변경을 허가하는 결정을 하지 않고 착오배당을 이유로 사건을 단독판사에게 재배당하여야 한다.
② 법원 합의부가 단독판사에게 속한 관련사건을, 병합심리하기로 결정한 경우 단독판사는 그 결정등본을 받은 날로부터 5일 이내에 소송기록과 증거물을 합의부로 송부하여야 한다.
③ 단독판사가 상해사건을 심리 중 상해치사로 공소장이 변경된 경우에는 사건을 결정으로 법원 합의부에 이송하여야 한다.
④ 피고인이 관할구역에 현재하지 않는 경우 특별한 사정이 있으면 법원은 결정으로 사건을 피고인의 현재지를 관할하는 동급법원에 이송할 수 있다.

| 해설 | ① 제1심에서 합의부 관할사건에 관하여 단독판사 관할사건으로 죄명, 적용법조를 변경하는 공소장변경허가신청서가 제출되자, 합의부가 공소장변경을 허가하는 결정을 하지 않은 채 착오배당을 이유로 사건을 단독판사에게 재배당한 사안에서, 합의부는 공소장변경허가결정을 하였는지에 관계없이 사건의 실체에 들어가 심판하였어야 하고 사건을 단독판사에게 재배당할 수 없는데도, 사건을 재배당받은 제1심 및 원심이 사건에 관한 실체 심리를 거쳐 심판한 조치는 관할권이 없는데도 이를 간과하고 실체판결을 한 것으로서 소송절차에 관한 법령을 위반한 잘못이 있고, 이러한 잘못은 판결에 영향을 미쳤다는 이유로, 원심판결 및 제1심판결을 모두 파기하고 사건을 관할권이 있는 법원 제1심 합의부에 이송한 사례(대판 2013.4.25, 2013도1658)
② 규칙 제4조 제3항 ③ 제8조 제2항 ④ 제8조 제1항

05 **사건의 이송에 관한 설명 중 가장 옳지 않은 것은?** 14. 9급 법원직

① 피고인이 국민참여재판을 원하는 의사를 표시한 경우 지방법원 지원 합의부가 배제결정을 하지 아니하는 경우에는 국민참여재판절차회부결정을 하여 사건을 지방법원 본원 합의부로 이송하여야 한다.
② 법원은 공소가 제기된 사건에 대하여 군사법원이 재판권을 가지게 되었거나 재판권을 가졌음이 판명된 때에는 결정으로 사건을 재판권이 있는 같은 심급의 군사법원으로 이송하여야 하는데, 이 경우 이송 전에 행한 소송행위는 원칙적으로 무효이므로, 이송 후 군사법원에서 다시 소송행위를 하여야 한다.
③ 단독판사의 관할사건이 공소장변경에 의하여 합의부 관할사건으로 변경된 경우, 법원은 관할위반의 판결을 할 것이 아니라, 결정으로 관할권이 있는 법원에 이송한다.

Answer 4.① 5.②

④ 상고심에서 관할의 인정이 법률에 위반됨을 이유로 원심판결 또는 제1심 판결을 파기하는 경우에는 판결로써 사건을 관할 있는 법원에 이송하여야 한다.

| 해설 ① 국민의 형사재판 참여에 관한 법률 제10조 제1항
② 이송 전에 행한 소송행위의 효력에는 영향이 없다(제16조의 2).
③ 제8조 제2항
④ 제394조

06 다음은 수소법원이 사건을 이송하는 경우(재량이송 포함)이다. 관련이 없는 것은 모두 몇 개인가?

㉠ 관련사건의 병합심리결정이 있는 경우
㉡ 공판심리 중 피고인의 주소가 다른 법원의 관할지역으로 변경된 경우
㉢ 공소제기된 사건에 대하여 관할이전결정이 있는 경우
㉣ 공판심리 중 현역군인임이 판명된 경우
㉤ 보호처분사유에 해당하는 소년범죄의 경우
㉥ 피고인이 관할구역에 현재하지 아니한 경우
㉦ 공소장변경에 의해 합의부 관할사건으로 변경된 경우
㉧ 공소제기된 사건에 대하여 관할의 지정결정이 있는 경우

① 1개 ② 2개 ③ 3개 ④ 4개

| 해설 ㉠㉢㉣㉤㉦㉧은 필요적 이송, ㉥은 임의적(재량) 이송사항이다.
㉡ 공소제기시의 주소를 기준으로 토지관할이 결정되고, 공소제기 이후에 주소변경이 있어도 관할의 변동은 발생하지 않으므로 사건을 이송할 필요도 없다.

07 군사법원의 재판권 및 사건의 이송과 관련한 내용으로 옳지 않은 것은 모두 몇 개인가?(다툼이 있으면 판례에 의함)

㉠ 피고인이 관할구역 내에 현재하지 아니한 경우 피고인의 현재지를 관할하는 동급 법원에 이송할 수 있다는 규정(제8조 제1항)은 피고인에 대하여 관할권이 없는 경우에도 필요적으로 이송해야 한다는 뜻은 아니므로 관할권 없는 피고인에 대하여 관할위반판결을 하는 것은 정당하다.
㉡ 일반 국민이 범한 수개의 죄 가운데 특정 군사범죄와 그 밖의 일반 범죄가 경합범 관계에 있다고 보아 하나의 사건으로 기소된 경우, 군형법에서 정한 군사법원에 재판권이 있는 범죄에 대하여 군사법원에서 신분적 재판권을 가지므로 그 범죄와 경합범으로 기소된 다른 일반 범죄에 대하여도 군사법원에 재판권이 있다.
㉢ 피고인이 재판 당시에 군인의 신분을 가지고 있음이 판명된 경우에는 재판권이 없다 하여 공소기각판결을 선고할 것이 아니라 사건을 군사법원으로 이송하여야 한다.

Answer 6. ① 7. ①

> ㉣ 법원은 공소가 제기된 사건에 대하여 군사법원이 재판권을 가지게 되었거나 가졌음이 판명된 때에는 결정으로 사건을 재판권 있는 같은 심급의 군사법원에 이송하여야 한다. 여기서 군사법원이 재판권을 가졌음이 판명된 때라 함은 공소제기 당시에 이미 군사법원이 재판권을 가지고 있던 경우를 포함한다.
> ㉤ 우리나라 군인이 전시(戰時)에 범한 성폭력범죄의 처벌 등에 관한 특례법 제2조의 성폭력범죄에 대해서는 우리나라 군사법원이 재판권을 가진다.

① 1개 ② 2개 ③ 3개 ④ 4개

| 해설 ㉠ ○ : 대판 1978.10.10, 78도2225

㉡ × : 군사법원이 특정 군사범죄(예 군용물절도)를 범한 일반 국민에 대하여 신분적 재판권을 가지더라도 이는 어디까지나 해당 특정 군사범죄에 한하는 것이지 이전 또는 이후에 범한 다른 일반 범죄(예 허위공문서 작성 및 방위사업법위반죄)에 대해서까지 재판권을 가지는 것은 아니다. 따라서 일반 국민이 범한 수개의 죄 가운데 특정 군사범죄와 그 밖의 일반 범죄가 형법 제37조 전단의 경합범 관계에 있다고 보아 하나의 사건으로 기소된 경우, 특정 군사범죄에 대하여는 군사법원이 전속적인 재판권을 가지므로 일반 법원은 이에 대하여 재판권을 행사할 수 없고, 반대로 일반 범죄에 대하여 군사법원이 재판권을 행사하는 것도 허용될 수 없다(대결 2016.6.16, 2016초기318 전원합의체). 따라서 특정 군사범죄에 대하여는 군사법원이, 일반 범죄에 대하여는 일반법원이 재판권을 가진다.

▶ 일반 국민이 범한 수개의 죄 가운데 특정 군사범죄와 그 밖의 일반 범죄가 경합범 관계에 있다고 보아 하나의 사건으로 기소된 경우, 군형법에서 정한 군사법원에 재판권이 있는 범죄에 대하여 군사법원에서 신분적 재판권을 가지므로 그 범죄와 경합범으로 기소된 다른 일반 범죄에 대하여도 군사법원에 재판권이 있다고 판시한 대법원판례(대판 2004.3.25, 2003도8253)는 폐기되었다.

㉢ ○ : 대판 1973.7.24, 73도1296
㉣ ○ : 대판 1982.6.22, 82도1072
㉤ ○ : 군사법원법 제2조 제2항 제1호

최신판례

대법원은, 4·3사건법 제14조 제3항에 따라 제주지방법원에 관할이 있는 사건은 특별재심사건에 한정되고, 위원회로부터 희생자 결정을 받지 않은 상태에서 형사소송법에 따른 일반재심을 청구하는 사건에는 형사소송법에 따라 원판결법원인 광주지방법원이 관할권을 가진다고 판시하였다(대결 2023.7.14, 2023모1121).

종합문제

01 **관할에 관한 다음 설명 중 가장 옳지 않은 것은?** 21. 9급 법원직

① 사물관할을 달리 하는 수개의 관련 항소사건이 각각 고등법원과 지방법원본원합의부에 계속된 때에는 고등법원은 결정으로 지방법원본원합의부에 계속한 사건을 병합하여 심리할 수 있다. 수개의 관련 항소사건이 토지관할을 달리하는 경우에도 같다.

② 법원은 피고인이 그 관할구역 내에 현재하지 아니하는 경우에 특별한 사정이 있으면 결정으로 사건을 피고인의 현재지를 관할하는 동급 법원에 이송할 수 있고, 단독판사의 관할사건이 공소장변경에 의하여 합의부 관할사건으로 변경된 경우에 법원은 결정으로 관할권이 있는 법원에 이송한다.

③ 토지관할을 달리하는 수개의 관련사건이 각각 다른 법원에 계속된 때에는 공통되는 직근 상급법원은 검사 또는 피고인의 신청에 의하여 결정으로 1개 법원으로 하여금 병합심리하게 할 수 있다.

④ 사물관할을 달리하는 수개의 관련사건이 각각 법원합의부와 단독판사에 계속된 때에는 합의부는 검사 또는 피고인의 신청에 의하여 결정으로 단독판사에 속한 사건을 병합하여 심리할 수 있다.

| 해설 ① 규칙 제4조의 2 제1항 ② 제8조 제1항 · 제2항 ③ 제6조
④ 사물관할을 달리하는 수개의 관련사건이 각각 법원합의부와 단독판사에 계속된 때에는 합의부는 결정으로 단독판사에 속한 사건을 병합하여 심리할 수 있다(제10조).

02 **법원의 관할에 대한 설명으로 잘못 기술된 것은 모두 몇 개인가?**

> ㉠ 단독판사는 심리 중인 사건과 관련된 사건이 합의부에서 계속 중인 사실을 알게 된 때에는 즉시 합의부의 재판장에게 통지하여야 한다.
> ㉡ 합의부가 병합심리결정을 한 경우에는 결정등본을 단독판사에게 송부하여야 한다.
> ㉢ 병합심리결정등본을 송부받은 단독판사는 결정등본을 송부받은 날로부터 5일 이내에 소송기록과 증거물을 법원 간 직송방식에 의하여 기록을 송부하여야 한다.
> ㉣ 이송결정에 의해 소송기록 등의 송부를 한 법원 및 송부를 받은 법원은 각각 그 법원에 대응하는 검찰청 검사에게 그 사실을 통지하여야 한다.
> ㉤ 병합심리결정은 직권에 의한 것이 아니므로 이에 대하여는 즉시항고를 할 수 있다.
> ㉥ 관할의 지정 또는 이전신청서를 제출받은 법원은 지체 없이 검사의 신청서부본을 피고인 또는 피의자에게 송달하여야 하고, 피고인의 신청서부본을 검사에게 송달함과 함께 공소를 접수한 법원에 그 취지를 통지하여야 한다.

① 1개 ② 2개 ③ 3개 ④ 4개

Answer 1. ④ 2. ①

해설 ㉠ ○ : 규칙 제4조 제2항
㉡ ○ : 규칙 제4조 제3항
㉢ ○ : 규칙 제4조 제3항, 제8조 제1항
㉣ ○ : 규칙 제8조 제2항
㉤ × : 병합심리결정에 대해서 즉시항고를 할 수 없다(제403조 제1항).
㉥ ○ : 규칙 제5조 제2항

03 관할에 관한 설명 중 적절하지 않은 것은 모두 몇 개인가?(다툼이 있으면 판례에 의함)

㉠ 항소심에서 유죄판결을 선고받고 이에 불복하여 상고를 제기한 피고인을 교도소장이 검사의 이송지휘도 없이 다른 교도소로 이송 처분한 경우 피고인은 관할이전신청을 할 수 없다.
㉡ 소말리아 해적인 피고인들 등이 공해상에서 대한민국 해운회사가 운항 중인 선박을 납치하여 대한민국 국민인 선원 등에게 해상강도 등 범행을 저질렀다는 내용으로 국군 청해부대에 의해 체포·이송되어 국내 수사기관에 인도된 후 구속·기소된 경우에 피고인들은 적법한 체포, 즉시 인도 및 적법한 구속에 의하여 공소제기 당시 국내에 구금되어 있어 현재지인 국내법원에 토지관할이 있다.
㉢ 법원은 직권으로 관할을 조사하여야 하므로 법원은 피고인의 신청이 없더라도 토지관할이 없다는 것이 밝혀진 경우 관할위반 판결을 선고하여야 한다.
㉣ 국민참여재판 대상이었던 합의부 관할사건이 공소사실의 변경 등으로 인하여 대상사건에 해당하지 아니하게 된 경우에는, 법원은 그 사건을 단독재판부로 이송하여야 한다.
㉤ 합의부에서 제1심으로 심판하여야 할 사건을 단독판사가 심판한 후 그 1심에 대한 항소사건을 지방법원 본원 합의부에서 심판한 경우, 이에 대해 상고법원은 소송절차의 법령위반을 이유로 원판결 및 제1심 판결을 파기한 후 자판한다.
㉥ 소송촉진 등에 관한 특례법에 의해 피고인이 불출석한 상태에서 공시송달로 공판을 진행하여 유죄판결이 선고·확정되었으나, 위 판결 선고 당시 피고인이 군복무 중이었던 경우, 이를 이유로 한 비상상고를 받아들여 원판결을 파기하고 관할군사법원에 이송한다.

① 1개　　② 2개　　③ 3개　　④ 4개

해설 ㉠ ○ : 피고인을 교도소 소장이 검사의 이송지휘도 없이 다른 교도소로 이송처분한 경우 피고인은 이에 대하여 관할이전신청(제15조), 이의신청(제489조)을 할 수 없다(대결 1983.7.5, 83초20).
㉡ ○ : 대판 2011.12.22, 2011도12927
㉢ × : 관할권의 존재는 법원이 직권으로 조사하여야 하나(제1조), 토지관할의 위반 여부는 피고인의 신청이 없으면 관할위반 판결을 할 수 없다(제320조 제1항).
㉣ × : 국민참여재판 대상이었던 합의부 관할사건이 공소사실의 변경 등으로 인하여 대상사건에 해당하지 아니하게 된 경우에도 국민참여재판을 계속 진행한다. 국민참여재판으로 진행하는 것이 적당하지 아니하다고 인정한 때에는 지방법원 본원 합의부가 국민참여재판에 의하지 아니하고 심판할 수 있다(국민의 형사재판 참여에 관한 법률 제6조 제1항).
㉤ × : 제1심은 관할권이 없음에도 간과하고 심판한 것이므로 원심 및 제1심 판결 모두 파기하고 사건을 관할권이 있는 지방법원 합의부로 이송한다(대판 1999.11.26, 99도4398).
㉥ ○ : 대판 2006.4.14, 2006오1

Answer 3. ③

04 **다음 중 법원의 관할에 대한 설명으로 옳은 것은?**(다툼이 있는 경우 판례에 의함) 22. 해경승진

> ㉠ 사물관할을 달리하는 수개의 관련사건이 각각 법원합의부와 단독판사에게 계속된 때에는 합의부는 결정으로 단독판사에게 속한 사건을 병합하여 심리할 수 있다.
> ㉡ 관할법원이 법률상의 이유 또는 특별한 사정으로 재판권을 행사할 수 없을 때에는 검사 또는 피고인은 직급 상급법원에 관할이전을 신청할 수 있다.
> ㉢ 동일사건이 사물관할을 같이하는 수개의 법원에 계속된 때에는 먼저 공소를 받은 법원이 심판한다. 단, 각 법원에 공통되는 직근 상급 법원은 검사 또는 피고인의 신청에 의하여 결정으로 뒤에 공소를 받은 법원으로 하여금 심판하게 할 수 있다.
> ㉣ 고유관할사건 계속 중 고유관할 법원에 관련사건이 계속된 이상 그 후 양 사건이 병합되어 심리되지 아니한 채 고유사건에 대한 심리가 먼저 종결되었다면 관련사건에 대한 관할권은 소멸된다.

① ㉠, ㉡ ② ㉢, ㉣ ③ ㉠, ㉢ ④ ㉡, ㉣

| 해설 ㉠ ○ : 제10조
㉡ × : 관할법원이 법률상의 이유 또는 특별한 사정으로 재판권을 행사할 수 없을 때에는 검사는 직근 상급법원에 관할이전 신청을 하여야 하나, 피고인은 직급 상급법원에 관할이전을 신청할 수 있다(제15조).
㉢ ○ : 제13조
㉣ × : 고유관할사건 계속 중 고유관할 법원에 관련사건이 계속된 이상 그 후 양 사건이 병합되어 심리되지 아니한 채 고유사건에 대한 심리가 먼저 종결되었다 하더라도 관련사건에 대한 관할권은 여전히 유지된다(대판 2008.6.12, 2006도8568).

Answer 4. ③

제2절 검 사

THEMA 43 검 사

<table>
<tr><td>의 의</td><td colspan="3">검사란 검찰권을 행사하는 국가기관을 말한다.</td></tr>
<tr><td>성 격</td><td colspan="3">• 단독제의 관청 : 개개의 검사가 자기의 책임하에 검찰권을 행사(검찰총장이나 검사장의 보조기관 ×)
▶ 소속상급자의 지휘 · 감독에 따르지 않거나 결재 없이 행해진 처분이라도 여전히 효력을 가진다(단독제관청이라는 성격 때문). 14. 경찰간부
• 준사법기관 : 공소제기 및 유지기능은 재판작용과 밀접하게 관련되어 있으므로 준사법기관적 성격을 가지고 있다.</td></tr>
<tr><td>조직의 특수성</td><td colspan="3">검사는 범인의 발견 · 검거, 증거의 수집 · 보전이라는 수사목적을 달성하기 위해서 전국적인 수사조직이 필요하며, 기소 · 불기소의 기준을 전국적으로 통일시키고 검찰권 행사의 공정성을 위해서는 검찰조직의 일체성이 요구된다(검사동일체 원칙).</td></tr>
<tr><td rowspan="5">검사동일체 원칙의 구성원리</td><td>의 의</td><td colspan="2">전국 검사가 검찰총장을 정점으로 하는 피라미드형의 계층적 조직체를 형성하여 유기적 통일체로 활동하는 것을 말한다.</td></tr>
<tr><td rowspan="3">내 용</td><td>지휘 · 감독관계</td><td>종래 검찰청법에서는 '상명하복의 관계'를 규정하고 있었으나, 검사의 소신 있는 사건처리에 지장을 주고 경직된 검찰구조를 심화시킨다는 이유에서 '상급자의 지휘 · 감독권'으로 대체하고, 상급자의 지휘 · 감독에 이견이 있는 경우에 검사는 이의제기를 할 수 있도록 하였다.</td></tr>
<tr><td>직무승계와 이전의 권한</td><td>검찰총장과 각급 검찰청의 검사장 및 지청장은 소속검사의 직무를 자신이 직접 처리(직무승계)하거나, 다른 검사로 하여금 이를 처리(직무이전)하게 할 수 있다(검찰청법 제7조의 2 제2항). 01. 행시, 02. 경찰승진, 07. 7급 국가직, 15. 9급 검찰 · 마약수사</td></tr>
<tr><td>직무대리권</td><td>각급 검찰청의 차장검사는 소속장에게 사고가 있을 때에는 특별한 수권 없이도 그 직무를 대리하는 권한을 가진다(검찰청법 제13조, 제18조, 제23조).</td></tr>
<tr><td>효 과</td><td colspan="2">① 검사교체의 효과 : 소송법상 효과에는 아무런 영향이 없다.
② 검사에 대한 제척 · 기피 : 부정 13. 9급 국가직
▶ 수사기관의 회피의무규정 ○(수사준칙 제11조)</td></tr>
<tr><td rowspan="4">소송법상 지위</td><td colspan="2">수사의 주체</td><td>검사는 수사권, 수사지휘권, 수사종결권을 가지고 있다.</td></tr>
<tr><td colspan="2">공소권의 주체</td><td>공소제기의 독점자, 공소 수행담당자(피고인과 대립 당사자)</td></tr>
<tr><td colspan="2">집행기관</td><td>재판의 집행은 검사가 지휘한다(제460조).</td></tr>
<tr><td colspan="2">공익적 지위
(객관의무)</td><td>검사는 공익의 대표자로서 피고인의 정당한 이익을 옹호해야 할 의무가 있다. 13. 9급 검찰 · 마약수사</td></tr>
</table>

▶ 법무부장관은 검찰사무에 대하여 일반적인 지휘 · 감독권이 있을 뿐, 구체적 사건에 대해서는 검찰총장만을 지휘 · 감독한다고 규정(검찰청법 제8조)하여 구체적 사건의 처리가 정치적 영향에 의하여 좌우됨을 막고 있다. 따라서 검사의 독립성은 검찰총장의 인격과 소신에 달려 있다 하겠다. 01. 행시, 07. 7급 국가직

01 **검사제도에 대한 설명으로 옳지 않은 것은?**(다툼이 있는 경우 판례에 의함)

① 현행법상 검사의 제척·기피·회피제도는 규정되어 있지 않다.

② 검사동일체원칙의 내용인 직무승계권과 직무이전권은 검찰총장, 검사장 및 지청장만 가지며, 법무부장관은 이를 가질 수 없다.

③ 지방검찰청 검사장이 경찰서장이 아닌 경정 이하의 사법경찰 관리의 직무집행에 관한 부당한 행위를 이유로 임용권자에게 그 사법경찰관리의 교체를 요구하면 임용권자는 정당한 사유가 없는 한 이에 응하여야 한다.

④ 검사가 수사 및 공판과정에서 피고인에게 유리한 증거를 발견한 경우 피고인의 이익을 위하여 이를 법원에 제출할 의무가 있다.

| 해설 ① 수사기관의 제척·기피제도의 규정이 없어 허용 여부에 대한 논의가 있으나, 판례는 부정설을 취하고 있는 것으로 보인다(대판 2013.9.12, 2011도12918). 다만, 수사준칙 제11조에서 '검사 또는 사법경찰관리는 피의자나 사건관계인과 친족관계 또는 이에 준하는 관계가 있거나 그 밖에 수사의 공정성을 의심받을 염려가 있는 사건에 대해서는 소속 기관의 장의 허가를 받아 그 수사를 회피해야 한다.'는 회피의무를 규정하고 있다.

② 검찰총장, 각급 검찰청의 검사장 및 지청장은 소속 검사의 직무를 자신이 처리(직무승계권)하거나, 다른 검사로 하여금 처리(직무이전권)하게 할 수 있다(검찰청법 제7조의 2 제2항).

③ 검찰청법 제54조

④ 대판 2002.2.22, 2001다23447

02 **다음 설명 중 가장 옳지 않은 것은?**(다툼이 있으면 판례에 의함) 16. 경찰간부

① 검사 乙이 범죄혐의를 발견하고 수사 중인데, 이 사실을 알게 된 상사 검사인 甲이 乙에게 내사중지 및 종결처리를 명령하였다면, 甲은 정당한 지휘권을 행사한 것이다.

② 검사는 검찰사무에 관하여 소속 상급자의 지휘·감독에 따른다.

③ 사법경찰관은 범죄혐의가 있다고 인식하는 때에는 수사를 개시·진행하여야 한다.

④ 수사기관에 의한 진술거부권 고지 대상이 되는 피의자의 지위는 수사기관이 조사 대상자에 대한 범죄혐의를 인정하여 수사를 개시하는 행위를 한 때 인정된다.

| 해설 ① 정당한 지휘권행사라고 보기 어려우며, 직권을 남용하여 의무 없는 일을 하게 하거나 권리행사를 방해한 행위로써 직권남용이 될 수 있다(대판 2007.6.14, 2004도5561).

② 검찰청법 제7조 제1항

③ 제196조 제2항

④ 대판 2015.10.29, 2014도5939

Answer 1.① 2.①

03 검사제도에 관한 설명으로 옳은 것을 모두 고르면?

㉠ 수사나 공판절차가 진행되는 도중 검사가 교체되더라도 수사절차나 공판절차를 갱신하지 않는다.
㉡ 검찰사무에 관한 지휘·감독권은 단독제 관청이라는 검사의 지위로부터 나온다.
㉢ 상사의 명령에 위반하였거나 상사의 결재를 받지 아니한 검사의 처분은 대외적 효력에는 아무런 영향도 미치지 않는다.
㉣ 검사직무대리가 처리하지 못하는 합의부의 심판사건에 재정합의사건과 같은 사건은 제외된다고 보는 것이 대법원 입장이다.
㉤ 검찰청의 장이 아닌 상급자가 검사의 직무를 다른 검사에게 이전하기 위해서는 검사 직무의 이전에 관한 검찰청의 장의 구체적·개별적인 위임이나 그러한 상황에서의 검사 직무의 이전을 구체적이고 명확하게 정한 위임규정 등이 필요하다.

① ㉠, ㉡
② ㉠, ㉡, ㉢
③ ㉢, ㉣, ㉤
④ ㉠, ㉢, ㉣, ㉤

| 해설 ㉠ ○ : 검사가 교체되더라도 소송법상 효과에는 영향을 미치지 아니하며, 같은 검사가 행한 것과 동일한 효과가 인정된다. 따라서 검사가 교체되었다고 하여 수사절차나 공판절차를 갱신할 필요는 없다. 판사가 경질되면 공판절차를 갱신하는 것과 차이가 있다.
㉡ × : 검찰조직의 특수성에서 나온 것이다.
㉢ ○ : 대외적인 효력에는 아무런 영향을 미치지 않는다. 이는 단독제 관청이기 때문이다.
㉣ ○ : 검사직무대리가 처리하지 못하는 '법원조직법에 따른 합의부의 심판사건'은 검사직무대리가 처리할 당시 법원조직법 등 법률 자체로 합의부의 심판사건에 해당하는 사건을 의미하고, 검사직무대리가 처리할 당시에는 법원조직법에 의하더라도 단독판사에게 심판권이 있는 사건인데도 공소가 제기된 후에 합의부의 결정에 따라 비로소 합의부 심판사건으로 되는 재정합의사건과 같은 사건은 특별한 사정이 없는 한 여기에서 제외된다고 보아야 한다(대판 2012.6.28, 2012도3927).
㉤ ○ : 대판 2017.10.31, 2014두45734

04 다음 중 검사의 권한 내지 지위에 대한 설명으로 가장 옳지 않은 것은? 22. 해경간부

① 공판개정 후 공소유지를 담당하는 검사가 교체된 때에는 공판절차를 갱신하여야 한다.
② 검사는 검찰사무에 관하여 소속 상급자의 지휘·감독에 따른다.
③ 상급자의 지휘·감독에 위반한 검사의 처분도 대외적 효력은 인정된다.
④ 검사동일체의 원칙의 내용인 직무승계권과 직무이전권은 검찰총장, 검사장 및 지청장만 가지며, 법무부장관은 이를 가질 수 없다.

| 해설 ① 검사가 교체되더라도 공판절차를 갱신할 필요는 없다.
② 검찰청법 제7조 제1항
③ 상급자의 지휘·감독에 따르지 않거나 결재 없이 행해진 처분이라도 여전히 효력을 가진다(단독제 관청이라는 성격 때문).
④ 검찰청법 제7조의 2 제2항

Answer 3.④ 4.①

제3절 피고인

THEMA 44 피고인

개 념	1. 피고인이라 함은 국가기관에 의하여 공소제기된 자 또는 공소가 제기된 자로 취급받는 자를 말한다. 따라서 공소가 제기되지 않았음에도 불구하고 피고인으로 출석하여 재판을 받고 있는 자도 피고인이 된다. 또한 즉결심판절차에서 경찰서장(관할 해양경찰서장 포함)에 의하여 시·군법원에 즉결심판이 청구된 자도 피고인에 해당한다(즉결심판에 관한 절차법 제3조). 예 ┌ 피고인 ○ : 위장출석한 자(부진정피고인), 성명모용의 경우 모용자, 성명모용의 경우 공판정에 출석한 피모용자, 즉결심판이 청구된 자, 약식명령이 청구된 자, 재심개시결정이 확정된 자 └ 피고인 × : 성명모용의 경우 공판정에 불출석한 피모용자, 고소를 한 자, 유죄판결이 확정된 자 2. 피고인은 공소제기된 자를 의미한다는 점에서 공소제기 전에 수사기관에 의해서 수사의 대상으로 되어 있는 피의자와 구별되며, 유죄판결이 확정된 수형자와도 구별된다. 3. 공소가 제기된 자이면 족하고 진범인가의 여부와 당사자능력과 소송능력의 유무 및 공소제기가 유효한 것인가는 묻지 않는다. 수사개시 〈피의자〉 ⇨ 공소제기 〈피고인〉 ⇨ 유죄확정 〈수형자〉
공동피고인	1. 동일한 소송절차에서 공동으로 심판받는 수인의 피고인을 공동피고인이라 한다. 공동피고인은 반드시 공범자임을 요하지 않는다. 12. 9급 국가직, 13. 경찰간부 공동피고인은 각 피고사건이 동일법원에 계속된 경우에 불과하기 때문이다. 1개의 공소장으로 일괄 기소되어야 할 필요도 없다. 12. 9급 국가직 2. 공동피고인에 대한 소송관계는 각 피고인마다 별도로 존재하며, 그 1인에 대해 발생한 사유는 원칙적으로 다른 피고인에게는 영향을 미치지 않는다(다만, 피고인을 위하여 원심판결을 파기하는 경우에 파기의 이유가 상소한 공동피고인에게 공통되는 때에는 그 공동피고인에게 대하여도 원심판결을 파기하여야 한다). 3. 공동피고인의 소송관계가 성립하기 위해서는 각 피고사건이 관련사건임을 요하지 않는다. 12. 경찰승진 4. 공범인 공동피고인은 당해 소송절차에서는 피고인의 지위에 있으므로 다른 공동피고인에 대한 공소사실에 관하여 증인이 될 수 없으나, 소송절차가 분리되어 피고인의 지위에서 벗어나게 되면 다른 공동피고인에 대한 공소사실에 관하여 증인이 될 수 있다(대판 2008.6.26, 2008도3300). 13. 9급 국가직 대향범도 동일(대판 2012.3.29, 2009도11249) 15. 7급 국가직 5. 공범이 아닌 공동피고인은 변론을 분리하지 않더라도 다른 공동피고인에 대한 공소사실에 대하여 증인이 될 수 있다(대판 1979.3.27, 78도1031). 13. 9급 국가직, 15. 7급 국가직, 17. 변호사시험

	6. 당해 피고인과 공범관계에 있는 공동피고인에 대해 검사 이외의 수사기관이 작성한 피의자신문조서는 그 공동피고인의 법정진술에 의하여 성립의 진정이 인정되더라도 당해 피고인이 공판기일에서 그 조서의 내용을 부인하면 증거능력이 부정된다(대판 2009.10.15, 2009도1889). 13. 9급 국가직, 17. 변호사시험 7. 공동피고인의 법정에서의 자백은 피고인의 자백에 대한 보강증거가 된다(대판 1990. 10.30, 90도1939). 13. 9급 국가직

01 피고인에 대한 설명으로 틀린 것은?

① 공소제기가 유효한 경우에 한한다.
② 공소가 제기된 자로 취급되어 있는 자도 포함한다.
③ 공동피고인은 개별로 존재한다.
④ 진범인가의 여부와는 관계가 없다.

| 해설 ① 공소가 제기된 자이면 족하고 진범인가의 여부와 당사자능력과 소송능력의 유무 및 공소제기가 유효한 것인가는 묻지 않는다.

02 피고인에 해당하지 않는 자는?

① 성명모용의 경우 모용자(冒用者)
② 성명모용의 경우 공판정에 불출석한 피모용자(被冒用者)
③ 위장출석의 경우 부진정피고인
④ 성명모용의 경우 공판정에 출석한 피모용자

| 해설 ① 모용자가 공판정에 피고인으로 출석한 경우에는 모용자만 피고인이고 피모용자는 피고인이 아니다. 피모용자는 공소제기를 당한 자가 아니기 때문이다.
②④ 이때 피모용자에게 약식명령이 송달됨으로써 피모용자가 정식재판을 청구하고 공판기일에 출석하여 피고인으로 행동한 경우에는 출석한 피모용자도 형식적 피고인이다. 단, 불출석한 피모용자는 피고인이 아니다.
③ 위장출석의 경우 피고인으로 표시된 자를 진정피고인, 위장출석한 자를 부진정피고인이라고 한다. 위장출석 사실이 공판심리 중 판명된 경우에는 부진정피고인을 공판심리절차에서 배제하여야 한다. 부진정피고인에 대해서는 공소제기가 없기 때문이다. 다만, 절차배제방법은 절차진행의 정도와 단계에 따라 다르다.

Answer 1. ① 2. ②

03 다음 피고인과 관련한 내용 중 타당한 것은 모두 몇 개인가?

㉠ 공소장에 피고인으로 기재되었으나 공소제기 당시 이미 사망한 자라면 피고인으로 볼 수 없다.
㉡ 주한 일본국 대사를 공소장에 피고인으로 기재하였다면, 이는 피고인으로 볼 수 없다.
㉢ 범행 당시 만 10세된 아이를 공소장에 피고인으로 기재한 경우 피고인이라고 볼 수 없다.
㉣ 대통령이 재직 중에 범행을 하여 공소제기된 경우 피고인임에는 틀림없다.
㉤ 수인의 피고인이 동일 소송절차에서 공동으로 심판받는 공동피고인의 소송관계가 성립되기 위해서는 1개의 공소장에 의하여 일괄기소가 되어야 한다.

① 1개 ② 2개 ③ 3개 ④ 4개

해설 ㉠ × : 이미 사망한 자 또는 공판도중 사망한 자 모두 피고인이며, 법원은 공소기각결정으로 사건을 종결하게 된다.
㉡ × : 재판권이 없는 자(외교사절)도 피고인이며, 이러한 자에게 공소제기된 경우에는 법원은 공소기각판결을 선고하여야 한다.
㉢ × : 형사미성년자도 피고인이나 공소장 기재사실 자체에 대한 판단만으로 죄가 되지 아니함이 명백한 경우이므로 법원은 공소기각결정을 하게 된다(제328조 제1항 제4호).
㉣ ○ : 공소권이 없는 자(대통령)도 피고인이며, 이러한 자에게 공소제기된 경우에는 법원은 공소기각판결을 선고하여야 한다.
㉤ × : 1개의 공소장에 의해 일괄기소가 되지 않더라도 공동피고인이 될 수 있다.

04 공동피고인에 대한 설명으로 옳지 않은 것은?(다툼이 있는 경우 판례에 의함) 17. 7급 국가직

① 피고인을 위하여 원심판결을 파기하는 경우 파기의 이유가 상소한 공동피고인에게 공통된다면 그 공동피고인에 대하여도 원심판결을 파기하여야 한다.
② 공범관계에 있는 피고인들 중 일부가 국민참여재판을 원하지 않아 국민참여재판의 진행에 어려움이 있다고 인정되는 경우 법원은 결정으로 국민참여재판을 하지 않을 수 있다.
③ 공범인 공동피고인의 공판정에서의 자백은 이에 대한 피고인의 반대신문권이 보장되어 있어 증인으로 신문한 경우와 다를 바 없으므로 피고인들 간에 이해관계가 상반되는 경우를 제외하고는 독립한 증거능력이 있다.
④ 피고인이 공동피고인과 공범관계에 있다고 하더라도 검사는 수사단계에서 피고인에 대한 증거를 미리 보전하기 위하여 필요한 경우라면 판사에게 공동피고인을 증인으로 신문할 것을 청구할 수 있다.

해설 ① 제364조의 2, 제392조
② 국민의 형사재판 참여에 관한 법률 제9조 제1항
③ 공범인 공동피고인의 공판정에서의 자백은 이에 대한 피고인의 반대신문권이 보장되어 있어 증인으로 신문한 경우와 다를 바 없으므로 독립한 증거능력이 있고, 이는 피고인들 간에 이해관계가 상반된다고 하여도 마찬가지이다(대판 2006.5.11, 2006도1944).
④ 대판 1988.11.8, 86도1646

Answer 3. ① 4. ③

05 공동피고인의 소송관계에 대한 설명으로 가장 적절하지 않은 것은?(다툼이 있는 경우 판례에 의함)

18. 순경 3차

① 피고인 甲과 공범관계에 있는 공동피고인 乙에 대해 검사 이외의 수사기관이 작성한 피의자신문조서는, 乙의 법정진술에 의하여 그 성립의 진정이 인정되는 등 형사소송법 제312조 제4항의 요건을 갖춘 경우라고 하더라도 甲이 공판기일에서 그 조서의 내용을 부인한 이상 이를 甲의 공소사실에 대한 유죄인정의 증거로 사용할 수 없다.

② 형사소송법 제310조의 피고인의 자백에는 공범인 공동피고인의 진술은 포함되지 않으며, 이러한 공동피고인의 진술에 대하여는 피고인의 반대신문권이 보장되어 있어 독립한 증거능력이 있다.

③ 공범인 공동피고인은 당해 소송절차에서는 피고인의 지위에 있으므로 다른 공동피고인에 대한 공소사실에 관하여 증인이 될 수 없으나, 소송절차가 분리되어 피고인의 지위에서 벗어나게 되면 다른 공동피고인에 대한 공소사실에 관하여 증인이 될 수 있다.

④ 절도범과 장물범이 공동피고인으로 재판을 받는 경우 절도범과 장물범은 공범인 공동피고인의 관계에 있으므로 법정에서 장물범이 행한 자백은 절도범이 증거로 함에 부동의해도 절도범의 범죄사실을 인정하는 증거로 사용할 수 있다.

| 해설 ① 대판 2009.10.15, 2009도1889 ② 대판 1985.3.9, 85도951 ③ 대판 2008.6.26, 2008도3300
④ 절도범과 그 장물범은 서로 다른 공동피고인(공범인 공동피고인 ×)이며(대판 2006.1.12, 2005도7601), 공동피고인은 피고인에 대한 관계에서는 증인의 지위에 있음에 불과하므로 선서 없이 한 그 공동피고인의 법정 및 검찰진술은 피고인에 대한 공소범죄사실을 인정하는 증거로 할 수 없다(대판 1982.6.22, 82도898).

06 공동피고인에 대한 설명으로 옳지 않은 것은?(다툼이 있는 경우 판례에 의함)

22. 9급 검찰 · 마약 · 교정 · 보호 · 철도경찰

① 공범인 공동피고인은 당해 소송절차에서 피고인의 지위에 있으므로 소송절차가 분리되지 않으면 다른 공동피고인에 대한 공소사실에 대하여 증인이 될 수 없다.

② 대향범인 공동피고인은 소송절차의 분리로 피고인의 지위에서 벗어나더라도 다른 공동피고인에 대한 공소사실에 관하여 증인이 될 수 없다.

③ 공범이 아닌 공동피고인은 변론을 분리하지 않더라도 다른 공동피고인에 대한 공소사실에 대하여 증인이 될 수 있다.

④ 형사소송법 제310조의 피고인의 자백에는 공범인 공동피고인의 진술은 포함되지 아니하므로 공범인 공동피고인의 진술은 다른 공동피고인에 대한 범죄사실을 인정하는 증거로 할 수 있다.

| 해설 ① 대판 200.6.26, 2008도3300
② 피고인의 지위에 있는 공동피고인은 다른 공동피고인에 대한 공소사실에 관하여 증인이 될 수 없으나, 소송절차가 분리되어 피고인의 지위에서 벗어나게 되면 다른 공동피고인에 대한 공소사실에 관하여 증인이 될 수 있고, 이는 대향범인 공동피고인의 경우에도 다르지 않다(대판 2012.3.29, 2009도11249).
③ 대판 1979.3.27, 78도1031 ④ 대판 1990.10.30, 90도1939

Answer 5.④ 6.②

THEMA 45 성명모용과 위장출석

<table>
<tr>
<td rowspan="4">성명
모용</td>
<td colspan="2">의 의</td>
<td>성명모용이라 함은 수사절차에서 甲이 乙의 성명을 사칭하여 공소장에 乙이 피고인으로 표시되어 공소가 제기된 경우를 말한다. 이 경우에 공소제기의 효과는 모용자에 대해서만 미치고, 성명을 도용당한 피모용자(乙)에게는 미치지 않는다. 14. 9급 교정·보호·철도경찰, 15. 순경 3차, 16. 9급 검찰·마약수사, 12·16. 경찰간부
▶ 경찰서장의 통고처분에도 적용됨(대판 2023.3.16, 2023도751).</td>
</tr>
<tr>
<td rowspan="2">공판심리 중
판명</td>
<td>모용자가
공판정
출석</td>
<td>1. 공소제기의 효력은 모용자에 미치므로 모용자만 피고인이고, 피모용자는 피고인이 아니다. 00. 경찰승진
2. 검사는 공소장정정절차에 의해 피고인 표시를 피모용자에서 모용자로 고쳐야 하며, 12. 9급 국가직 검사가 정정하지 않으면, 공소제기절차가 법률의 규정에 위반하여 무효인 때로 보아 공소기각판결을 하여야 한다. 00. 경찰승진, 11. 순경 2차, 11·13. 7급 국가직, 15. 순경 3차
3. 피모용자는 공소장에 피고인으로 기재되었더라도 피고인이 아니다. 따라서 단순히 절차에서 배제하는 조치를 취하면 족하며, 특별히 재판을 할 필요는 없다. 12. 경찰간부</td>
</tr>
<tr>
<td>피모용자가
공판정
출석</td>
<td>1. 사실상의 소송계속이 발생하여 피모용자도 형식적인 피고인(부진정피고인)이 된다. 따라서 제327조 제2호를 유추적용하여 공소기각판결을 하여 절차에서 배제시키면 될 것이다.
2. 검사가 공소장의 피고인표시를 모용자로 정정한 후 모용자에 대하여 심리를 진행한다.
3. 약식명령을 송달받은 피모용자가 정식재판을 청구하고, 공판기일에 출석하여 피고인으로 행동을 한 경우 피모용자도 형식적 피고인(부진정피고인)이다. 법원은 피모용자에 대해서는 제327조 제2호를 유추적용하여 공소기각판결을 선고해야 한다. 11. 9급 검찰 그런 다음 모용자에 대해서는 아직 약식명령의 송달이 없었으므로 공소장의 이름을 모용자로 바꾼 다음 약식명령정본과 피고인표시 경정결정을 모용자에게 송달하여야 하고, 기간 내에 정식재판의 청구가 없으면 약식명령은 확정된다. 만일 검사가 공소장을 정정하지 않으면 법원은 공소기각판결을 하여야 한다.</td>
</tr>
<tr>
<td colspan="2">판결확정 후
판명</td>
<td>판결확정 후 성명모용사실이 판명된 경우에 확정판결의 효력은 피모용자에게 미치지 아니하고, 모용자에게 미친다.
▶ 피모용자 ⇨ 전과말소설(다수설)</td>
</tr>
<tr>
<td>위장
출석</td>
<td colspan="2">의 의</td>
<td>위장출석이라 함은 검사가 甲을 피고인으로 지정하여 공소제기하였는데, 乙이 甲인 것처럼 행세하면서 법정에 출석하여 재판을 받은 경우를 말한다. 이 경우에 甲은 실질적 피고인(진정피고인), 乙은 형식적 피고인(부진정피고인)이 된다. 이때 공소제기의 효력은 실질적 피고인에게만 발생한다.</td>
</tr>
</table>

	공판심리 중 판명	인정신문단계	위장출석자를 퇴정시키고, 실질적 피고인을 소환하여 절차를 진행 12. 경찰간부
		사실심리단계	• 형식적 피고인 : 제327조 제2호를 유추적용하여 공소기각판결 • 실질적 피고인 : 소환하여 공판절차를 진행
		상소심단계	상소심의 심리 중 판명된 경우 위장출석자 乙에 대해서 공소기각판결을, 甲에 대해서는 제1심절차를 다시 진행
	판결확정 후 판명	1. 유죄판결이 확정된 경우에는 그 효력은 위장출석한 형식적 피고인에게 미친다. 형식적 피고인에 대한 확정판결을 바로잡는 방법으로 재심설, 비상상고설의 대립이 있다. 2. 실질적 피고인에 대해서는 다시 공소제기할 필요는 없으며 제1심부터 새로이 절차를 진행하면 된다.	

03

01 **성명모용과 위장출석에 관한 설명으로 옳은 것은?**(다툼이 있는 경우 판례에 의함)

① 甲이 乙의 이름을 모용하여 乙의 이름이 공소장에 기재된 때에는 乙이 피고인이다.

② 공판 중에 모용관계가 판명된 경우에 피모용자에 대하여 공소기각판결을 하는 것은 위법이다.

③ 인정신문단계에서 위장출석이 판명된 때에는 형식적 피고인을 퇴정시켜 절차에서 배제시켜야 한다.

④ 인정신문단계에서 위장출석이 밝혀진 경우에 실질적 피고인에 대해서는 공소를 다시 제기하여야 한다.

| 해설 ① 피의자가 다른 사람의 성명을 모용한 탓으로 공소장에 피모용자가 피고인으로 표시되었다 하더라도 이는 당사자의 표시상의 착오일 뿐이고 검사는 모용자에 대하여 공소를 제기한 것이므로 모용자가 피고인이 되고, 피모용자에게는 공소제기의 효력이 미친다고 할 수 없다(대판 1993.1.19, 92도2554).
② 공판 중 모용관계가 판명된 경우 피모용자 처리문제는 모용자가 출석한 경우와 피모용자가 출석한 경우로 나누어 보아야 한다. 모용자가 공판정에 출석한 경우에는 검사는 공소장정정절차에 의해 피고인의 표시를 피모용자에서 모용자로 고쳐야 하며 피모용자에 대해서는 특별한 조치가 불필요하다. 검사가 정정하지 않으면 피모용자를 상대로 공소제기된 사건에 대하여 공소기각판결을 하여야 한다(대판 1993.1.19, 92도2554). 피모용자가 공판정에 출석한 경우는 피모용자도 형식적인 피고인이기 때문에 공소기각판결로 절차에서 배제시키고, 공소장의 피고인 표시를 모용자로 정정한 후 모용자에 대하여 심리를 진행하면 될 것이다.
③④ 위장출석 사실이 인정신문단계에서 밝혀진 경우 위장출석자(형식적 피고인)를 퇴정시키고, 실질적 피고인을 소환하여 절차를 진행하면 된다.

Answer 1. ③

02 **피고인의 특정 및 성명모용에 대한 설명으로 옳지 않은 것은?** 23. 9급 교정 · 보호 · 철도경찰

① 피고인이 타인의 성명을 모용한 경우 검사가 공소장의 피고인 표시를 정정함에 있어 공소장변경의 절차를 밟을 필요는 없지만 법원의 허가를 요한다.

② 피고인이 타인의 성명을 모용한 사실이 공판심리 중에 밝혀졌는데도 검사가 공소장의 피고인 표시를 정정하여 모용관계를 바로잡지 아니하면 법원은 공소기각의 판결을 하여야 한다.

③ 검사는 공소장에 피고인을 특정할 수 있는 사항을 기재해야 하고, 공소제기의 효력은 검사가 피고인으로 지정한 사람에게만 미친다.

④ 법원이 성명모용사실을 알지 못하여 외형상으로는 피모용자에 대해 유죄판결을 선고하거나 판결이 확정되어도 그 판결의 효력은 모용자에게만 미치고 피모용자에게는 미치지 않는다.

| 해설 ① 피고인이 타인의 성명을 모용한 경우 검사가 공소장의 피고인 표시를 정정함에 있어 공소장변경의 절차를 밟을 필요는 없고, 법원의 허가를 요하지도 아니한다(대판 1993.1.19, 92도2554).
② 대판 1982.10.12, 82도2073
③ 검사는 공소장에 피고인을 특정할 수 있는 사항을 기재해야 하고(제254조 제3항 제1호), 공소제기의 효력은 검사가 피고인으로 지정한 사람에게만 미친다(제248조).
④ 통설의 입장이다.

03 **(가), (나)에 들어갈 말을 바르게 연결한 것은?**(다툼이 있는 경우 판례에 의함) 21. 7급 국가직

> ㉠ 甲이 乙의 성명을 모용하여 乙의 이름으로 공소가 제기된 경우, 공소제기의 효력은 명의를 사칭한 甲에게만 미치므로 甲만이 피고인이 되고 명의를 모용당한 乙에게는 공소의 효력이 미치지 않는다. 이 경우 검사는 (가) 절차에 의하여 피고인의 표시를 바로잡아야 한다.
> ㉡ 甲이 乙의 성명을 모용하여 乙이 약식명령을 송달받고 정식재판을 청구하여 乙을 상대로 심리를 하는 과정에서 성명모용사실이 발각되어 검사가 표시를 바로잡는 등 사실상의 소송계속이 발생하고 乙이 형식상 또는 외관상 피고인의 지위를 갖게 되면, 이 경우 법원은 乙에게 (나) 을 하여야 한다.

	(가)	(나)
①	공소장변경	공소기각결정
②	공소장변경	공소기각판결
③	공소장정정	공소기각결정
④	공소장정정	공소기각판결

| 해설 ㉠ 피의자가 다른 사람의 성명을 모용한 탓으로 공소장에 피모용자가 피고인으로 표시되었다 하더라도 이는 당사자의 표시상의 착오일 뿐이고 검사는 모용자에 대하여 공소를 제기한 것이므로 모용자가 피고인이 되고 피모용자에게 공소의 효력이 미친다고 할 수 없고, 이와 같은 경우 검사는 공소장의 인적

Answer 2. ① 3. ④

사항의 기재를 정정하여 피고인의 표시를 바로잡아야 하는 것인바, 이는 피고인의 표시상의 착오를 정정하는 것이지 공소장을 변경하는 것이 아니므로 형사소송법 제298조에 따른 공소장변경의 절차를 밟을 필요가 없고 법원의 허가도 필요로 하지 아니한다(대판 1993.1.19, 92도2554).
㉡ 피모용자가 약식명령을 송달받고 이에 대하여 정식재판의 청구를 하여 피모용자를 상대로 심리를 하는 과정에서 성명모용 사실이 발각되고 검사가 공소장을 정정하는 등 사실상의 소송계속이 발생하고 형식상 또는 외관상 피고인의 지위를 갖게 된 경우에는 법원으로서는 피모용자에게 적법한 공소의 제기가 없었음을 밝혀주는 의미에서 형사소송법 제327조 제2호를 유추적용하여 공소기각의 판결을 함으로써 피모용자의 불안정한 지위를 명확히 해소해 주어야 할 것이다(대판 1997.11.28, 97도2215).

04 **〈보기 1〉의 사례에 대한 〈보기 2〉의 설명으로 옳은 것을 모두 고른 것은?**(다툼이 있는 경우 판례에 의함)

11. 7급 국가직

〈보기 1〉
甲이 서울중앙지방법원에서 불구속상태로 업무상 과실치상죄(A사건)에 대한 공판심리를 받던 중 乙의 성명을 모용한 사실이 밝혀졌다. 한편, 甲은 수원지방법원 성남지원에서도 불구속상태로 무고죄(B사건)에 대한 재판을 받고 있었다. A사건 담당검사는 성명모용 사실이 밝혀지자 B사건에 대하여 병합심리를 신청하였다.

〈보기 2〉
㉠ 공판심리도중 성명모용 사실이 밝혀진 경우, A사건 담당 검사는 공소장의 피고인을 甲으로 정정하면 된다.
㉡ A사건과 B사건의 병합심리결정의 관할법원은 서울고등법원이다.
㉢ 법원의 관할에 관한 결정에 대해서는 즉시항고는 물론 보통항고도 허용되지 아니한다.
㉣ 乙에 대하여는 공소제기가 법률의 규정에 위반하여 무효인 때에 해당하므로 검사의 공소장 정정과 관계없이 법원은 공소기각의 판결을 선고하여야 한다.

① ㉠, ㉢ ② ㉡, ㉣
③ ㉠, ㉡, ㉢ ④ ㉡, ㉢, ㉤

해설 ㉠ ○ : 대판 1993.1.19, 92도2554
㉡ × : 토지관할을 달리하는 수개의 제1심 법원에 관련 사건이 계속된 경우에 그 소속 고등법원이 같은 경우에는 그 고등법원이, 그 소속 고등법원이 다른 경우에는 대법원이 토지관할 병합심리 신청사건의 관할법원이 되므로(대결 2006.12.5, 2006초기335 전원합의체), 서울중앙지방법원과 수원지방법원 성남지원은 소속 고등법원이 서로 달라 대법원이 관할 법원이 된다(출제 당시에는 소속 고등법원이 모두 서울고등법원이었으나, 현재는 수원고등법원이 설치되어 수원지방법원 성남지원의 소속 고등법원은 수원고등법원이다).
㉢ ○ : 제403조 제1항
㉣ × : 검사가 공소장의 피고인 표시를 정정하여 모용관계를 바로잡지 아니한 경우에는 외형상 피모용자 명의로 공소가 제기된 것으로 되어 있어 공소제기의 방식이 형사소송법 제254조의 규정에 위반하여 무효라 할 것이므로 법원은 공소기각의 판결을 선고하여야 하고, 검사가 피고인 표시를 바로잡은 경우에는 처음부터 모용자에 대한 공소의 제기가 있었고 피모용자에 대한 공소의 제기가 있었던 것이 아니므로 법원은 모용자에 대하여 심리하고 재판을 하면 된다(대판 1993.1.19, 92도2554).

Answer 4. ①

05 피고인 특정과 관련하여 아래의 괄호 안에 들어갈 적절한 용어를 모두 고른 것은?(다툼이 있는 경우 판례에 의함) 24. 경찰승진

> 공판심리 중 성명모용사실이 밝혀지면 검사는 (㉠)절차에 의해 피고인의 표시를 바로 잡아야 한다. 만약 검사가 그 모용관계를 바로 잡지 아니한 경우, 이는 (㉡)에 해당하므로 법원은 (㉢)(으)로 공소를 기각하여야 한다.

① ㉠ 공소장정정 ㉡ 피고인에 대한 재판권이 없는 경우 ㉢ 결정
② ㉠ 공소장변경 ㉡ 적법한 공소제기가 없는 경우 ㉢ 판결
③ ㉠ 공소장변경 ㉡ 피고인에 대한 재판권이 없는 경우 ㉢ 결정
④ ㉠ 공소장정정 ㉡ 적법한 공소제기가 없는 경우 ㉢ 판결

해설 피의자가 다른 사람의 성명을 모용한 탓으로 공소장에 피모용자가 피고인으로 표시된 경우 검사는 공소장의 인적 사항의 기재를 정정하여 피고인의 표시를 바로잡아야 하는 것인바, 이는 피고인의 표시상의 착오를 정정하는 것이지 공소장을 변경하는 것이 아니므로 공소장변경의 절차를 밟을 필요가 없고 법원의 허가도 필요로 하지 아니한다. 검사가 공소장의 피고인 표시를 정정하여 모용관계를 바로잡지 아니한 경우에는 외형상 피모용자 명의로 공소가 제기된 것으로 되어 있어 공소제기의 방식이 형사소송법 제254조의 규정에 위반하여 무효라 할 것이므로 법원은 공소기각의 판결을 선고하여야 한다(대판 1993.1.19, 92도2554).

Answer 5. ④

THEMA 46 피고인의 소송법상 지위

<table>
<tr><td rowspan="14">소송당사자</td><td colspan="3">피고인은 검사의 공격에 대한 방어자로서 수동적인 당사자이다.
피고인에게 인정되는 주요권리</td></tr>
<tr><td rowspan="4">방어권</td><td>방어준비를 위한 권리</td><td>① 공소장부본송달을 받을 권리(제266조)
② 공판기일변경신청권(제270조)
③ 제1회 공판기일 유예기간 이의신청권(제269조)
④ 공판조서열람 · 등사권(제55조)</td></tr>
<tr><td>진술권과 진술거부권</td><td>① 이익사실진술권(제286조 제2항)
② 진술거부권, 진술거부권 고지(제283조의 2) 15. 경찰간부</td></tr>
<tr><td>증거조사에 있어서 방어권</td><td>① 증거신청권(제294조)
② 증거조사에 대한 이의신청권(제296조)</td></tr>
<tr><td>방어권의 보충</td><td>① 변호인의 선임권과 의뢰권(제30조)
② 접견교통권(제34조, 제89조)
③ 국선변호인제도(제33조)</td></tr>
<tr><td rowspan="4">소송절차 참여권</td><td>법원구성관여권</td><td>① 기피신청권(제18조)
② 관할이전신청권(제15조) 15. 순경 3차
③ 관할위반신청권(제320조)
④ 변론의 분리 · 병합 · 재개신청권(제300조, 제305조)</td></tr>
<tr><td>공판정출석권</td><td>공판정출석권(제276조)</td></tr>
<tr><td>증거조사참여권</td><td>증인신문, 검증, 감정 등에 대한 참여권(제145조, 제163조, 제176조, 제183조)</td></tr>
<tr><td>강제처분절차참여권</td><td>압수 · 수색영장의 집행 참여권(제121조) 15. 순경 3차</td></tr>
<tr><td>증거방법</td><td colspan="3">피고인은 당사자의 지위에 있기 때문에 순수한 의미에서의 증거방법(증거조사의 객체)으로는 인정될 수 없다. 그러나 피고인의 임의진술은 증거로 될 수 있으므로(제309조, 제317조 참조) 피고인은 일종의 인적 증거방법이라 할 수 있다. 또한 피고인의 신체는 신체검사(검증)의 대상이 되므로(제139조 이하) 물적 증거방법의 일종이기도 하다.</td></tr>
<tr><td>절차의 대상</td><td colspan="3">피고인은 소환 · 구속 · 압수 · 수색 등 강제처분의 객체가 된다.</td></tr>
</table>

01 다음 중 피고인의 권리가 아닌 것은 모두 몇 개인가?

㉠ 모두진술권	㉡ 관할이전신청권
㉢ 피고인신문권	㉣ 변론제한권
㉤ 감정유치청구권	㉥ 변론병합신청권
㉦ 대표변호인지정권	㉧ 비상상고권
㉨ 재정신청권	

① 5개 ② 6개 ③ 7개 ④ 8개

| 해설 피고인의 권리가 아닌 것은 ㉢㉣㉤㉦㉧㉨이다.
㉠ 제286조
㉡ 제15조
㉢ 피고인신문은 검사와 변호인이 하는 것이므로 피고인의 권리라고 보기 어렵다.
㉣ 재판장의 권한이다(제299조).
㉤ 수사상 감정유치청구는 검사가 하며(제221조의 3 제1항), 피고인감정유치는 청구를 요하지 않으며, 수소법원이 행한다(제172조 제3항).
㉥ 제300조
㉦ 대표변호인 지정은 재판장 또는 검사에게 인정된다(제32조의 2).
㉧ 검찰총장이 대법원에 할 수 있다(제441조).
㉨ 검사불기소처분에 대한 고소·고발인의 권리이다(제260조 제1항).

02 피고인이 형사절차에서 갖는 권리를 모두 고르면 몇 개인가?

21. 경찰승진

㉠ 공소장 부본을 송달받을 권리	㉡ 재정(裁定)신청권
㉢ 진술거부권	㉣ 공판조서열람·등사권
㉤ 증거신청권	㉥ 감정유치청구권

① 1개 ② 2개 ③ 3개 ④ 4개

| 해설 피고인의 권리는 ㉠(제266조), ㉢(제283조의 2 제1항), ㉣(제55조), ㉤(제294조 제1항)이다.
㉡ 재정신청권은 고소권자로서 고소를 한 자(형법 제123조 내지 제126조의 죄에 대하여는 고발을 한 자를 포함)이다(제260조 제1항).
㉥ 감정유치청구권자는 검사이다(제221조의 3).

Answer 1. ② 2. ④

THEMA 47 진술거부권

<table>
<tr><td>의 의</td><td colspan="2">진술거부권이란 피고인 또는 피의자가 공판절차 또는 수사절차에서 법원이나 수사기관의 신문에 대하여 진술을 거부할 수 있는 권리를 말한다〔영국에서 확립된 자기부죄거부특권(自己負罪拒否特權)에서 유래〕.</td></tr>
<tr><td rowspan="4">내 용</td><td>주 체</td><td>헌법 제12조 제2항은 모든 국민에게 진술거부권을 보장하고 있으므로 진술거부권의 주체에는 제한이 없다. 따라서 피내사자나 참고인에 대해서도 인정된다. 의사무능력자의 대리인(제26조), 법인의 대표자도 진술거부권을 가지며, 16. 경찰승진 외국인에게도 인정됨은 물론이다. 21. 경찰승진
▶ 진술거부권의 주체와 진술거부권 고지의 대상(참고인 ⇨ 고지대상 ×)은 서로 다름에 주의!</td></tr>
<tr><td>진술거부권의 범위</td><td>1. 진술강요의 금지 : 진술인 이상 구두의 진술에 한하지 않고 서면에 대하여도 진술거부권이 적용된다(예 수사기관의 진술서 제출요구 거부). 13. 9급 검찰
2. 진술의 범위
① 진술거부권은 자신의 형사책임에 관한 것이라야 한다(민사책임, 행정책임과 관련한 것은 진술은 거부의 대상 ×). 06. 순경
▶ 반드시 형사절차에서 행해질 필요 × 16 · 17. 순경 2차, 18. 경찰간부, 19. 경찰승진, 22. 9급 검찰 · 마약 · 교정 · 보호 · 철도경찰
② 헌법 제12조 제2항은 형사상 자기에게 불리한 진술의 강요를 금지하고 있으나 형사소송법은 불리한 진술에 국한하지 않고 있다(제283조의 2). 11. 경찰승진
③ 인정신문에 대하여도 진술거부권을 행사할 수 있도록 입법적으로 해결(규칙 제127조) 12. 순경 · 경찰승진</td></tr>
<tr><td>진술거부권 고지</td><td>1. 피의자에 대한 진술거부권고지의무(제244조의 3)와 피고인에 대한 진술거부권고지의무(제283조의 2) 규정을 명문화하고 있다.
2. 진술거부권의 고지는 적극적 · 명시적으로 하여야 하며, 신문시마다 할 필요는 없지만 시간적 간격이 길거나, 신문자가 경질된 때에는 다시 고지하여야 한다.
3. 고지내용
<table><tr><td>피고인</td><td>재판장은 피고인에 대하여 피고인은 진술하지 아니하거나 개개의 질문에 대하여 진술을 거부할 수 있고, 이익이 되는 사실을 진술할 수 있음을 알려주어야 한다(규칙 제127조). 11. 경찰승진</td></tr><tr><td>피의자</td><td>검사 또는 사법경찰관은 피의자신문 전에 다음의 각 사항을 알려주어야 한다(제244조의 3).
1. 일체의 진술을 하지 아니하거나, 개개의 질문에 대하여 진술을 하지 아니할 수 있다는 것 15 · 21. 경찰승진
2. 진술을 하지 아니하더라도 불이익을 받지 아니한다는 것
3. 진술을 거부할 권리를 포기(불행사)하고 행한 진술은 법정에서 유죄의 증거로 사용될 수 있다는 것 09. 9급 법원직
4. 신문을 받을 때에는 변호인을 참여하게 하는 등 변호인의 조력을 받을 수 있다는 것</td></tr></table>4. 불고지의 효과 : 자백의 증거능력을 부정</td></tr>
<tr><td>진술거부권 포기</td><td>부정함이 타당하다.</td></tr>
</table>

행사의 효과	진술거부권행사를 가중적 양형조건으로 삼는 것은 원칙적으로 허용될 수 없으나, 진술거부권 행사의 행위가 피고인에게 보장된 방어권 행사의 범위를 넘어 객관적이고 명백한 증거가 있음에도 진실의 발견을 적극적으로 숨기거나 법원을 오도하려는 시도에 기인한 경우에는 가중적 양형의 조건으로 참작될 수 있다(대판 2001.3.9, 2001도192). 11. 9급 법원직, 10 · 12. 경찰승진, 12. 순경, 14. 순경 2차 · 9급 검찰 · 마약수사

01 진술거부권에 대한 설명으로 가장 적절하지 않은 것은?(다툼이 있는 경우 판례에 의함)

21. 경찰승진

① 수사기관이 피의자를 신문함에 있어서 피의자에게 미리 진술거부권을 고지하지 않은 때에는 그 피의자의 진술은 위법하게 수집된 증거로서 진술의 임의성이 인정되는 경우라도 증거능력이 부인되어야 한다.
② 피의자 또는 피고인은 개개의 질문에 대해서만 진술을 거부할 수 있으나, 일체의 진술을 거부할 수 없다.
③ 공판절차를 갱신한 경우, 재판장은 피고인에게 진술거부권을 다시 고지하여야 한다.
④ 의사무능력자인 피고인, 피의자의 법정대리인 그리고 외국인도 진술거부권의 주체가 된다.

| 해설 ① 대판 2011.11.10, 2010도8294
② 피의자 또는 피고인은 개개의 질문에 대해서만 아니라, 일체의 진술도 거부할 수 있다(제244조의 3).
③ 규칙 제144조 제1항 제1호
④ 헌법 제12조 제2항은 모든 국민에게 진술거부권을 보장하고 있으므로 진술거부권의 주체에는 제한이 없다. 의사무능력자의 대리인(제26조), 법인의 대표자도 진술거부권을 가지며 외국인에게도 인정됨은 물론이다.

02 진술거부권에 대한 설명으로 옳지 않은 것은 모두 몇 개인가?(다툼이 있는 경우 판례에 의함)

㉠ 민사책임이나 행정상의 책임에 관한 진술도 진술거부권의 대상에 포함된다.
㉡ 피고인이 증거서류의 진정성립을 묻는 검사의 질문에 대하여 진술거부권을 행사하여 진술을 거부한 경우는 형사소송법 제314조의 '그 밖에 이에 준하는 사유로 인하여 진술할 수 없는 때'에 해당하지 아니한다.
㉢ 피의자에게 진술거부권을 고지하였더라도 진술거부권 행사 여부에 대한 피의자의 답변이 자필로 기재되지 않거나 답변 부분에 피의자의 기명날인 또는 서명이 되어 있지 않다면, 당해 피의자신문조서의 증거능력을 인정할 수 없다.
㉣ 헌법은 진술거부권을 기본적 인권으로 보장하고, 형사소송법은 피고인뿐만 아니라, 피의자의 진술거부권을 규정하고 있다.
㉤ 지문이나 족형의 채취, 신체의 측정, 사진촬영 등은 진술이 아니므로 이에 대해서는 진술거부권이 미치지 않는다.

Answer 1. ② 2. ②

① 1개 ② 2개 ③ 3개 ④ 4개

| 해설 ㉠ × : 자신의 형사책임에 관한 것이라야 하고, 민사책임이나 행정상의 책임에 관한 진술은 진술거부권의 대상에 포함되지 아니한다.
㉡ ○ : 대판 2013.6.13, 2012도16001
㉢ ○ : 대판 2013.3.28, 2010도3359
㉣ × : 헌법 제12조 제2항은 모든 국민에게 진술거부권을 보장하고 있으며, 형사소송법에서도 제283조의 2에서 피고인의 진술거부권을 규정하고 있다. 피의자에 대해서는 형사소송법에 진술거부권을 직접 규정하고 있지는 않고 진술거부권 고지 의무만을 규정하고 있으나(제244조의 3), 진술거부권의 고지는 진술거부권을 전제로 하는 것이므로 피의자에 대하여도 진술거부권을 인정하고 있는 것으로 보는 견해가 일반적이다.
㉤ ○ : 타당한 내용이다.

03 **진술거부권에 대한 설명으로 가장 적절하지 않은 것은?**(다툼이 있는 경우 판례에 의함)

① 헌법상 보장된 진술거부권에 비추어 볼 때, 교통사고를 낸 차의 운전자 등의 신고의무는 사고의 규모나 당시의 구체적인 상황에 따라 피해자의 구호 및 교통질서의 회복을 위하여 당사자의 개인적인 조치를 넘어 경찰관의 조직적 조치가 필요하다고 인정되는 경우에만 있는 것이다.

② 진술거부권은 현재 피의자나 피고인으로서 수사 또는 공판절차에 계속 중인 자뿐만 아니라 장차 피의자나 피고인이 될 가능성이 있는 자에게도 보장되지만 행정절차나 국회에서의 조사절차에 있어서는 보장되지 아니한다.

③ 법률이 범법자에게 자기의 범죄사실을 반드시 신고하도록 명시하고 그 미신고를 이유로 처벌하는 벌칙을 규정하는 것은 헌법상 보장된 국민의 기본권인 진술거부권을 침해하는 것이다.

④ 진술거부권의 행사가 피고인에게 보장된 방어권 행사의 범위를 넘어 객관적이고 명백한 증거가 있음에도 진실의 발견을 적극적으로 숨기거나 법원을 오도하려는 시도에 기인한 경우에는 가중적 양형의 조건으로 참작될 수 있다.

| 해설 ① 대판 2014.2.27, 2013도15499
② 진술거부권은 현재 피의자나 피고인으로서 수사 또는 공판절차에 계속 중인 자뿐만 아니라 장차 피의자나 피고인이 될 가능성이 있는 자에게도 보장되며, 행정절차나 국회에서의 조사절차에서도 보장된다(헌재결 1997.3.27, 96헌가11).
③ 대판 2015.5.28, 2015도3136
④ 대판 2001.3.9, 2001도192

04 **진술거부권에 관한 설명 중 가장 옳지 않은 것은?**(다툼이 있는 경우 판례에 의함)

① 진술거부권의 포기를 허용할 것인가에 대해 논란이 있으나 진술거부권은 헌법상 기본권이기 때문에 부정함이 타당하다. 따라서 피고인이 진술거부권을 포기하고 자기의 피고사건에 관하여 증인으로 증언할 수 없다고 보아야 한다.

Answer 3. ② 4. ④

② 대한민국 헌법 제12조 제2항이 보장하는 진술거부권에서 '진술'이라 함은 생각이나 지식, 경험사실을 정신작용의 일환인 언어를 통하여 표출하는 것을 의미한다.
③ 헌법은 진술거부의 대상이 되는 진술의 내용을 형사상 자신에게 불리한 진술로 한정하고 있다.
④ 피의자 또는 피고인은 개개의 질문에 대해서만 그 진술을 거부할 수 있으며, 일체의 진술을 거부할 수는 없다.

| 해설 ① 다수설
② 헌재결 1997.3.27, 96헌가11
③ 헌법 제12조 제2항
④ 개개의 질문에 대해서도 그 진술을 거부할 수 있으며, 일체의 진술을 거부할 수도 있다(제244조의 3).

05 **진술거부권에 관한 설명 중 가장 옳지 않은 것은?**(다툼이 있는 경우 판례에 의함)

① 재판장은 피고인에 대한 인정신문 이전에 피고인에게 진술거부권이 있음을 고지해야 하므로 피고인은 재판장의 인정신문에 대하여도 진술거부권을 행사할 수 있다.
② 헌법재판소는 교통사고를 일으킨 운전자에게 신고의무를 부담시키고 있는 도로교통법 제50조 제2항, 제111조 제3호는 피해자의 구호 및 교통질서 회복을 위한 조치가 필요한 범위 내에서 교통사고의 객관적 내용만을 신고하도록 한 것으로 해석하고, 형사책임과 관련되는 사항에는 적용되지 않는 것으로 해석하는 한, 헌법에 위반되지 않는다고 하였다.
③ 수사기관에 의한 진술거부권 고지의 대상이 되는 피의자의 지위는 수사기관이 범죄인지서를 작성하는 등의 형식적인 사건수리 절차를 거치기 전이라도 조사대상자에 대하여 범죄의 혐의가 있다고 보아 실질적으로 수사를 개시하는 행위를 한 때에 인정된다.
④ 수사기관이 피고인들의 필로폰 수입에 관한 범의를 명백히 하기 위하여 피고인들에게 필로폰이 들어 있는 곡물포대를 전달한 자를 참고인으로 불러 진술거부권을 고지하지 아니한 채 조사한 경우에, 조사받을 당시 또는 그 후라도 참고인에 대한 범죄혐의를 인정하고 수사를 개시할 피의자 지위에 있었다고 할 수 있더라도 진술거부권 불고지로 인하여 참고인에 대한 진술조서의 증거능력을 부정할 수는 없다.

| 해설 ① 규칙 제127조
② 헌재결 1990.8.27, 89헌가118
③ 대판 2015.10.29, 2014도5939
④ 피고인들이 중국에 있는 甲과 공모한 후 중국에서 입국하는 乙을 통하여 필로폰이 들어 있는 곡물포대를 배달받는 방법으로 필로폰을 수입하였다고 하여 주위적으로 기소되었는데, 검사가 乙에게서 곡물포대를 건네받아 피고인들에게 전달하는 역할을 한 참고인 丙에 대한 검사 작성 진술조서를 증거로 신청한 사안에서, 丙이 위 범행의 공범으로서 피의자 지위에 있는 경우에는 진술거부권 불고지로 인하여 丙에 대한 진술조서의 증거능력이 없다(대판 2011.11.10, 2011도8125).

Answer 5.④

06 **다음 중 진술거부권에 관한 설명으로 옳지 않은 것은 모두 몇 개인가?**(다툼이 있는 경우 판례에 따름)

22. 해경승진

> ㉠ 진술거부권이 보장되는 절차에서 진술거부권을 고지받을 권리는 헌법 제12조 제2항에 의하여 바로 도출되는 것이므로 이를 인정하기 위하여 별도의 입법적 뒷받침이 필요한 것은 아니다.
> ㉡ 수사기관이 피의자를 신문함에 있어서 피의자에게 미리 진술거부권을 고지하지 않은 때에는 그 피의자의 진술은 임의로 진술한 것이 아니라고 의심할 만한 합리적인 이유가 있는 경우로서 증거능력이 인정되어야 한다.
> ㉢ 진술거부권 고지의 대상이 되는 피의자의 지위는 수사기관이 범죄인지서를 작성하는 등의 형식적인 사건수리 절차를 거치기 전이라도 조사대상자에 대하여 범죄의 혐의가 있다고 보아 실질적으로 수사를 개시하는 행위를 한 때에는 인정되는 것으로 봄이 상당하다.
> ㉣ 조사대상자의 진술내용이 단순히 제3자의 범죄에 관한 경우가 아니라 자신과 제3자에게 공동으로 관련된 범죄에 관한 것이거나 제3자의 피의사실 뿐만 아니라 자신의 피의사실에 관한 것이기도 하여 그 실질이 피의자신문조서의 성격을 가지는 경우에 수사기관은 그 진술을 듣기 전에 미리 진술거부권을 고지하여야 한다.

① 1개 ② 2개 ③ 3개 ④ 4개

| 해설 ㉠ ×: 진술거부권을 고지받을 권리가 헌법 제12조 제2항에 의하여 바로 도출된다고 할 수는 없고, 이를 인정하기 위해서는 입법적 뒷받침이 필요하다(대판 2014.1.16, 2013도5441).
㉡ ×: 수사기관이 피의자를 신문함에 있어서 피의자에게 미리 진술거부권을 고지하지 않은 때에는 그 피의자의 진술은 위법하게 수집된 증거로서 진술의 임의성이 인정되는 경우라도 증거능력이 부인되어야 한다(대판 2009.8.20, 2008도8213).
㉢㉣ ○: 대판 2015.10.29, 2014도5939

07 **진술거부권에 대한 설명으로 적절하지 않은 것을 모두 고른 것은?**(다툼이 있는 경우 판례에 의함)

23. 경찰승진

> ㉠ 수사기관이 피의자를 신문함에 있어서 피의자에게 미리 진술 거부권을 고지하지 않은 때에는 그 피의자의 진술은 진술의 임의성이 인정되는 경우라도 증거능력이 부인되어야 한다.
> ㉡ 진술거부권이 보장되는 절차에서 진술거부권을 고지받을 권리는 진술거부권을 국민의 기본적 권리로 보장하고 있는 헌법 제12조 제2항에 의하여 바로 도출된다.
> ㉢ 형사소송법 제283조의 2는 피고인은 진술하지 아니하거나 개개의 질문에 대하여 진술을 거부할 수 있다고 규정하고 있을 뿐이며, 진술의 내용을 불이익한 진술에 제한하지 않고 있다.
> ㉣ 피고인이 증거서류의 진정성립을 묻는 검사의 질문에 대하여 진술거부권을 행사한 경우는 형사소송법 제314조의 '그 밖에 이에 준하는 사유로 인하여 진술할 수 없는 때'에 해당하지 아니한다.

① ㉡ ② ㉠, ㉡ ③ ㉡, ㉢ ④ ㉢, ㉣

Answer 6. ② 7. ①

| 해설 ㉠ ○ : 대판 2009.8.20, 2008도8213
㉡ × : 진술거부권이 보장되는 절차에서 진술거부권을 고지받을 권리는 진술거부권을 국민의 기본적 권리로 보장하고 있는 헌법 제12조 제2항에 의하여 바로 도출된다고 할 수 없고, 이를 인정하기 위해서는 입법적 뒷받침이 필요하다(대판 2014.1.16, 2013도5441).
㉢ ○ : 제283조의 2 제1항
㉣ ○ : 대판 2013.6.13, 2012도16001

08 진술거부권에 관한 설명으로 옳은 것을 모두 고른 것은?(다툼이 있는 경우 판례에 의함)

24. 경찰승진

㉠ 객관적이고 명백한 증거가 있음에도 진실의 발견을 적극적으로 숨기거나 법원을 오도하려는 시도에 기인한 진술거부권의 행사라 하더라도 이는 가중적 양형의 조건으로 참작될 수 없다.
㉡ 수사기관이 피의자를 신문함에 있어서 피의자에게 미리 진술거부권을 고지하지 않은 때에는 진술의 임의성이 인정되는 경우라도 증거능력이 부인되어야 한다.
㉢ 교통사고를 야기한 운전자의 교통사고 신고의무를 규정한 구 도로교통법(1984. 8. 4. 법률 제3744호) 제50조 제2항 및 제111조 제3호를 사고 피해자의 구호 및 교통질서의 회복을 위한 조치가 필요한 범위 내에서 교통사고의 객관적 내용만을 신고하도록 한 것으로 해석하고, 형사책임과 관련되는 사항에는 적용되지 않는 것으로 해석하는 한 헌법에 위배되지 않는다.
㉣ 선거범죄 조사와 관련하여 선거관리위원회 위원·직원이 관계자에게 질문·조사를 할 수 있다고 규정하면서도 진술거부권의 고지에 관하여는 별도의 규정을 두고 있지 않은 구 공직선거법(2013. 8. 13. 법률 제12111호로 개정되기 전의 것) 제272조의 2에서, 선거범죄 조사와 관련하여 관계자에게 진술거부권 고지 없이 작성·수집된 선거관리위원회의 문답서는 증거능력이 없다.

① ㉠, ㉡ ② ㉠, ㉢ ③ ㉡, ㉢ ④ ㉡, ㉣

| 해설 ㉠ × : 객관적이고 명백한 증거가 있음에도 진실의 발견을 적극적으로 숨기거나 법원을 오도하려는 시도에 기인한 진술거부권의 행사라 하더라도 이는 가중적 양형의 조건으로 참작할 수 있다(대판 2001.3.9, 2001도192).
㉡ ○ : 대판 2011.11.10, 2010도8294
㉢ ○ : 헌재결 1990.8.27, 89헌가118
㉣ × : 개정된 공직선거법은 제272조의 2 제7항을 신설(2013. 8. 13)하여 선거관리위원회의 조사절차에서 피조사자에게 진술거부권을 고지하도록 하는 규정을 마련하였으나, 그 부칙 제1조는 "이 법은 공포한 날부터 시행한다."고 규정하고 있어 그 시행 전에 이루어진 선거관리위원회의 조사절차에서 미리 진술거부권을 고지하지 않았다고 하여 그 조사절차가 위법하다거나 그 과정에서 작성·수집된 선거관리위원회 문답서의 증거능력이 당연히 부정된다고 할 수는 없다(대판 2014.1.16, 2013도5441).

Answer 8. ③

THEMA 48 피고인의 당사자능력

의 의	당사자능력이라 함은 소송법상 당사자가 될 수 있는 일반적인 능력을 말한다(검사는 일정한 자격이 있는 자 중에서 임명된 국가기관이므로 피고인이 될 수 있는 일반적 능력을 말함).
구별개념	당사자능력 ⇨ 일반적·추상적으로 당사자가 될 수 있는 능력 당사자적격 ⇨ 구체적인 특정사건에서 당사자가 될 수 있는 자격 ▶ 범행 당시 14세 미만자, 심신상실자와 같은 형사책임무능력자라고 하더라도 당사자능력은 인정되며, 이들에 대하여 공소제기가 있는 경우에 공소기각결정을 할 것이 아니라 무죄판결을 선고하여야 한다.
당사자 능력이 있는 자	1. 자연인 2. 법인 ┌ 처벌규정 ○ – 당사자능력 인정 └ 처벌규정 × ┌ 인정설(당사자능력은 일반적·추상적 능력이고 처벌규정이 없더라도 법인은 형사처벌의 여지가 있다는 이유 등) ⇨ 무죄판결 └ 부정설(처벌규정 없으므로) ⇨ 공소기각결정 3. 법인격없는 사단·재단 ⇨ 법인의 경우에 준함 4. 조합 ⇨ 당사자능력 ×
당사자 능력의 소멸	1. 피고인이 사망하거나 법인이 존속하지 아니하게 된 때에는 당사자능력도 소멸한다. ▶ 법인합병 ⇨ 합병시에 당사자능력의 소멸 ▶ 법인해산 ⇨ 청산종료등기가 경료되었더라도 피고사건에 대한 소송이 계속되는 동안은 청산은 종료되지 않고 당사자능력을 상실하지 않는다(판례). 2. 당사자능력은 소송조건이므로 법원은 직권으로 조사하여 당사자능력이 없는 때에는 공소기각결정을 하여야 한다(제328조 제1항 제2호). 3. 처음부터 당사자능력이 없는데도 공소제기한 경우 ⇨ 제328조 제1항 제2호를 유추적용하여 공소기각결정(통설)

01 피고인의 당사자능력에 관한 설명 중 타당하지 않은 것은?

① 일반적으로 피고인이 될 수 있는 능력이다.
② 이는 당사자적격과 구별되는 개념이다.
③ 형사책임무능력자도 당사자능력이 있다.
④ 당사자능력이 없는 때에는 면소판결을 해야 한다.

해설 ④ 당사자능력이 없는 경우에는 공소기각결정을 한다(제328조 제1항 제2호).

Answer 1. ④

02 당사자능력과 관련한 설명으로 옳은 것은?

① 재직 중인 대통령은 당사자능력이 없다.
② 조합, 14세 미만의 자, 법인, 법인격 없는 사단 모두 당사자능력이 있다.
③ 법원은 신청권자의 신청에 의하여 당사자능력의 유무를 조사하여 한다.
④ 피고인에게 처음부터 당사자능력이 없는데 공소제기한 경우에도 공소기각결정을 하여야 한다는 견해가 일반적이다.

| 해설 ① 재직 중인 대통령은 소추당할 수는 없으나(헌법 제84조), 당사자능력은 있다.
② 조합은 당사자능력이 없다. 자연인은 연령이나 책임능력 여부를 불문하고 당사자능력을 가지며, 법인의 경우 처벌규정이 있는 경우에는 당사자능력이 인정되나, 처벌규정이 없는 경우에는 견해가 대립한다. 법인격 없는 사단이나 재단도 법인에 준하여 취급된다.
③ 당사자능력은 소송조건이므로 법원은 당사자능력 유무를 직권으로 조사하여야 한다.

03 다음 내용 중 타당한 것은?

① 정리회사의 경우에는 관리인이 대표자가 된다.
② 청산법인의 경우 실질적인 청산의 완료에 의하여 당사자능력이 소멸된다.
③ 특별대리인은 피고인을 대리 또는 대표하여 소송행위를 할 자가 있을 때까지 그 임무를 행한다.
④ 태아는 아직 자연인은 아니지만, 당사자능력은 인정된다.

| 해설 ① 주식회사에 대하여 회사정리개시결정이 내려져 있는 경우라고 하더라도 적법하게 선임되어 있는 대표이사가 있는 한 그 대표이사가 형사소송법 제27조 제1항에 의하여 피고인인 회사를 대표하여 소송행위를 할 수 있고, 정리회사의 관리인은 정리회사의 기관이거나 그 대표자가 아니고 정리회사와 그 채권자 및 주주로 구성되는 이해관계인단체의 관리자로서 일종의 공적 수탁자이므로 관리인이 형사소송에서 피고인인 정리회사의 대표자가 된다고 볼 수 없다(대결 1994.10.28, 94모25).
② 비록 피고인 회사의 청산종료의 등기가 경료되었다 하더라도 그 피고사건이 종결되기까지는 피고인 회사의 청산사무는 종료되지 아니하고 형사소송법상 당사자능력도 그대로 존속한다(대판 1982.3.23, 81도1450).
③ 제28조 제2항
④ 태아나 사망자는 당사자능력이 없다.

Answer 2. ④ 3. ③

THEMA 49 피고인의 소송능력

<table>
<tr><td>의 의</td><td colspan="2">소송능력이라 함은 피고인이 소송당사자로서 유효하게 각종 소송행위를 할 수 있는 능력을 말한다(소송능력 ⇨ 소송의 유효요건).</td></tr>
<tr><td rowspan="3">구별 개념</td><td>당사자능력</td><td>피고인이 될 수 있는 일반적인 능력</td></tr>
<tr><td>변론능력</td><td>법정에서 변론(공격・방어)할 수 있는 능력
소송능력이 있더라도 변론능력 제한되는 경우가 있음(예 상고심에서는 피고인은 변론능력 ×)</td></tr>
<tr><td>책임능력</td><td>사물을 변별하고 이에 따라 행동할 능력으로서 책임능력이 없으면 범죄 불성립</td></tr>
<tr><td>흠결 효과</td><td colspan="2">1. 소송행위의 무효
2. 공판절차의 정지 : 피고인이 계속적으로 소송능력이 없는 상태에 있을 때에는 법원은 검사와 변호인・의사의 의견을 들어 결정으로 그 상태가 계속되는 기간 공판절차를 정지하여야 한다(제306조 제1항).
3. 공판절차 정지의 특칙 : 소송능력이 없는 피고인에 대해서도 다음의 경우에는 공판절차를 진행할 수 있다.
① 무죄・면소・공소기각 등의 재판을 할 경우 : 피고사건에 대하여 무죄・면소・형면제・공소기각의 재판을 할 것이 명백한 때에는 피고인에게 소송능력이 없는 경우에도 피고인의 출정 없이 재판할 수 있다(제306조 제4항).
② 의사무능력자와 소송행위의 대리 : 형법상 책임능력에 관한 규정을 적용받지 않는 범죄사건(예 조세범처벌법 제4조, 관세법 제194조, 담배전매법 제46조, 홍삼전매법 제24조)에 관하여 피고인 또는 피의자가 의사능력이 없는 때에는 그 법정대리인이 소송행위를 대리한다(제26조). 피고인의 법정대리인이 없는 때에는 법원은 직권 또는 검사의 청구에 의하여 특별대리인을 선임하여야 하며, 피의자의 경우는 법원은 검사 또는 이해관계인의 청구에 의하여 특별대리인을 선임하여야 한다(제28조 제1항).
③ 피고인인 법인의 대표 : 법인이 피고인 또는 피의자인 때에는 그 대표자가 소송행위를 대표한다(제27조 제1항). 수인이 공동하여 법인을 대표한 때에는 각자대표(동조 제2항). 피고인인 법인에 대표자가 없는 경우에는 법원은 직권 또는 검사의 청구에 의하여 특별대리인을 선임해야 하며, 피의자의 경우는 법원은 검사 또는 이해관계인의 청구에 의하여 특별대리인을 선임하여야 한다(제28조 제1항). 특별대리인은 대표자가 있을 때까지 그 임무를 행한다(동조 제2항).</td></tr>
</table>

01 **피고인의 소송능력에 관한 설명으로 틀린 것은?**

① 심신상실의 상태인 피고인은 소송능력이 없다.
② 소송능력의 존재는 소송행위의 유효요건이다.
③ 범죄사실이 유죄로 인정되는 경우 피고인이 소송능력을 상실하면 공판절차를 정지하여야 한다.
④ 당사자능력이 없는 자도 소송능력이 있는 경우가 있다.

해설 ④ 당사자능력이 없으면 소송능력은 거론할 여지가 없다.

02 **서로 연결이 바르게 된 것은?**

① 당사자능력 결여 – 공소기각결정, 소송능력 결여 – 공판절차정지
② 당사자능력 결여 – 공소기각판결, 소송능력 결여 – 공소기각결정
③ 당사자능력 결여 – 공소기각판결, 소송능력 결여 – 공판절차정지
④ 당사자능력 결여 – 공소기각결정, 소송능력 결여 – 공소기각판결

해설 공소제기 후에 당사자능력을 상실한 경우는 공소기각결정을 하여야 하고(제328조 제1항 제2호), 공소제기 전에 당사자능력을 상실한 경우에는 공소기각결정을 하여야 한다는 입장과 공소기각판결을 하여야 한다는 입장이 있으나 다수설은 역시 공소기각결정을 하여야 한다고 본다. 소송능력이 결여되면 원칙적으로 회복될 때까지 공판절차를 정지한다.

03 **소송무능력자인 피고인에 대해서도 공판절차를 진행할 수 있는 경우가 아닌 것은?**

① 피고사건에 대하여 무죄・면소・형면제・공소기각 재판을 할 것이 명백한 때
② 형법의 책임능력조항 적용을 받지 않는 피고인이 의사능력이 없어 법정대리인이 소송행위를 대리한 때
③ 법인이 피고인인 경우에 특별대리인의 선임에 의하여 소송행위가 진행된 때
④ 피고인이 사물변별 또는 의사결정능력은 없으나 변호인이 선임되어 소송행위를 할 수 있을 때

해설 ①②③은 공판절차를 진행할 수 있는 경우에 해당되나, ④의 경우 공판절차를 정지하여야 한다(제306조 제1항).

Answer 1.④ 2.① 3.④

04 **다음 중 소송행위와 관련한 설명으로 틀린 것은?**

① 소송능력 없는 자에 대한 공소제기나 공소장부본 송달은 무효이다.
② 피고인 또는 피의자가 법인인 때에는 대표자가 대리하며, 수인이 법인을 대표하는 경우에는 각자가 대표한다.
③ 피고인이 의사무능력자이거나 법인인 경우에 대리 또는 대표할 자가 없는 때에는 법원은 직권 또는 검사의 청구에 의하여 특별대리인을 선임하여야 한다.
④ 특별대리인은 피의자·피고인을 대리 또는 대표할 자가 있을 때까지 그 임무를 행한다.

| 해설 ① 소송능력은 소송주체가 유효하게 소송행위를 할 수 있는 능력을 말하므로 소송능력이 없는 자의 행위는 무효이나, 소송능력이 없는 자에 대한 공소제기나 공소장부본 송달은 유효하다.
② 제27조
③ 제28조 제1항
④ 제28조 제2항

05 **당사자능력과 소송능력에 대한 설명으로 옳은 것은?**(다툼이 있는 경우 판례에 의함)

19. 7급 국가직

① 형법상 책임무능력자도 형사소송법상 당사자능력을 가질 수 있다.
② 법인에 대한 형사처벌이 양벌규정을 통하여 인정되는 경우에도 법인의 당사자능력은 인정되지 않는다.
③ 소송능력은 소송조건이므로 소송능력이 없는 사람에 대하여 공소를 제기한 경우 공소기각의 결정을 하여야 한다.
④ 반의사불벌죄에 있어서 피해자는 의사능력이 있더라도 피의자에 대한 처벌을 희망하지 않는다는 의사표시를 단독으로 할 수 없다.

| 해설 ①② 당사자능력이란 당사자가 될 수 있는 일반적·추상적 능력을 의미하는 것이므로 형법상 책임능력 유무를 불문하고 살아 있는 사람은 언제나 당사자능력을 가진다. 법인의 경우도 당사자능력이 인정됨은 물론이다.
③ 소송능력이란 소송조건이 아니라 소송의 유효요건이므로 소송능력이 없는 사람에 대하여 공소제기를 한 경우에는 회복할 때까지 공판절차를 정지하게 된다(제306조).
④ 반의사불벌죄에 있어서 피해자의 피고인 또는 피의자에 대한 처벌을 희망하지 않는다는 의사표시 또는 처벌을 희망하는 의사표시의 철회는, 의사능력이 있는 피해자가 단독으로 이를 할 수 있고, 거기에 법정대리인의 동의가 있어야 한다거나 법정대리인에 의해 대리되어야만 한다고 볼 것은 아니다(대판 2009.11.19, 2009도6058 전원합의체).

Answer 4. ① 5. ①

THEMA 50 무죄추정의 원칙

의 의	무죄추정의 원칙이란 피고인 또는 피의자는 유죄판결이 확정될 때까지 무죄로 추정된다는 것을 말한다(헌법 제27조 제4항, 형사소송법 제275조의 2). 15. 순경 2차, 15 · 16. 경찰승진, 18. 경찰간부 ▶ 단순한 원리의 선언이 아니라, 형사절차 전 과정에 있어서 법적 효과를 발생하는 구체적인 규범적 성격을 가짐. ▶ 피고인은 무죄로 추정된다는 것이 헌법상의 원칙이고, 그 추정의 번복은 직접증거가 존재할 경우에 버금가는 정도가 되어야 한다(대판 2023.1.12, 2022도14645).
적용 범위	헌법(제27조 제4항)과 형사소송법(제275조의 2)은 피고인에 대하여만 무죄의 추정을 규정하고 있다. ▶ 피의자에 대하여도 무죄의 추정을 인정(헌재결 1992.1.28, 91헌마111). 07. 순경, 15. 경찰간부 ▶ 제1심 또는 제2심 판결에서 유죄판결이 선고되었다 하더라도 확정되기 전까지는 무죄의 추정을 받는다. 07. 9급 국가직, 11. 경찰승진, 13. 7급 국가직 ▶ 유죄판결이란 형선고판결뿐 아니라 형면제판결과 선고유예판결을 포함한다. 11. 경찰승진 면소 · 공소기각 또는 관할위반판결 등의 형식재판은 확정되어도 무죄의 추정은 유지된다. 13. 7급 국가직 ▶ 재심청구인은 유죄판결이 확정된 자이기 때문에 무죄로 추정되지 않는다고 해석하여야 한다 (반대견해 있음).
내 용	1. 인신구속에 대한 제한원리로 작용 2. 무죄추정의 원칙은 '의심스러운 때에는 피고인의 이익으로'라는 법언과 같은 의미 3. 국가기관은 피고인을 범죄인이라는 예단을 가지거나 불이익한 처우를 해서는 안 된다는 요구 ▶ 무죄추정을 통해 금지되는 불이익처분은 형사절차상의 처분에 의한 불이익뿐만 아니라, 기본권제한과 같은 처분에 의한 불이익도 포함된다(헌재결 1990.11.19, 90헌가48). 21. 경찰승진, 24. 9급 검찰 · 마약 · 교정 · 보호 · 철도경찰

판례 정리

무죄추정원칙에 위반 ○	무죄추정원칙에 위반 ×
1. 형사사건으로 기소된 교원에 대하여 필요적으로 직위해제처분을 하도록 하는 규정(사립학교법 제58조의 2 제1항 단서)은 무죄추정의 원칙에 위반되며(헌재결 1994.7.29, 93헌가3), 형사사건으로 기소된 국가공무원에 대한 필요적 직위해제처분 규정 역시 무죄추정원칙에 위반한다(헌재결 1998.5.28, 96헌가12). 07. 순경, 16. 경찰승진 ▶ 위헌결정 이후 사립학교법 규정과 국가공무원법 규정은 임의적 사항으로 개정되었고, 그 규정에 대해서는 무죄추정의 원칙에 위배되지 않는다고 하였다[형사사건으로 기소된 국가공무원을 직위해제할 수 있도록 규정한 구 국가공무원법 규정은 이 사건 법률조항은 직위해제처분을 받은 공무원에 대한 범죄사실 인정이나 유죄판결을 전제로 하여 불이익	1. 파기환송 사건에 있어서 구속기간의 갱신 및 구속으로 인한 신체의 자유가 제한된 것은 무죄추정의 원칙에 위반되지 아니한다(대판 2001.11.30, 2001도5225). 12. 순경, 14 · 15. 9급 검찰 · 마약 · 교정 · 보호 · 철도경찰, 15. 순경 2차, 15 · 16 · 17 · 21. 경찰승진 2. 공소장의 공소사실 첫머리에 피고인이 전에 받은 소년부 송치처분과 직업 없음을 기재하였다 하더라도 피고인을 특정할 수 있는 사항에 속하는 것이어서 공소제기의 절차가 법률의 규정에 위반된 것이라고 할 수 없고 무죄추정조항이나 평등조항에 위배되는 것도 아니다(대판 1990.10.16, 90도1813). 04. 행시, 05 · 07. 순경, 14. 9급 검찰 · 마약 · 교정 · 보호 · 철도경찰, 15. 순경 2차, 16 · 17 · 21. 경찰승진 3. 경찰청장이 주민등록발급신청서에 날인되어 있는 지문정보를 보관 · 전산화하고 이를 범죄수사목적에

을 과하는 것이 아니므로 무죄추정의 원칙에 위배된다고 볼 수 없다(헌재결 2006.5.25, 2004헌바12)]. 12. 순경

2. 형사사건으로 기소된 변호사에 대하여 업무정지를 명할 수 있도록 한 변호사법 제15조는 무죄추정의 원칙에 반한다(헌재결 1990.11.19, 90헌가48). 07. 순경
   ▶ 그 후 변호사법 제15조는 삭제되었다.

3. 수사 및 재판을 받은 동안 미결수용자에게 재소자용 의류를 입게 하는 것도 무죄추정의 원칙에 위반한다(헌재결 1999.5.27, 97헌마137). 07 · 08. 순경, 09. 전의경
   ▶ 미결수용자에게 시설 안에서 재소자용 의류를 입게 하는 것은 구금 목적의 달성, 시설의 규율과 안전유지를 위한 필요최소한의 제한으로서 정당성 · 합리성을 갖춘 재량의 범위 내의 조치이다(헌재결 1999.5.27, 97헌마137).
   ▶ 형사재판의 피고인으로 출석하는 수형자에 대하여 교정시설에서 지급하는 의류를 입게 하는 경우 무죄추정의 원칙에 위반된다(헌재결 2015. 12.23, 2013헌마712).
   ▶ 민사재판의 당사자로 출석하는 수형자에게 재소자용 의류 착용 ⇨ 가능(헌재결 2015.12.23, 2013헌마712).

4. 지방자치단체의 장이 금고 이상의 선고를 받은 경우 부단체장으로 하여금 그 권한을 대행하도록 한 지방자치법은 무죄추정의 원칙에 위반된다(헌재결 2010.9.2, 2010헌마418). 12. 경찰승진 · 순경, 15. 경찰간부

5. '관세법상 몰수할 것으로 인정되는 물품을 압수한 경우에 있어서 범인이 당해관서에 출두하지 아니하거나 또는 범인이 도주하여 그 물품을 압수한 날로부터 4월을 경과한 때에는 당해 물품은 별도의 재판이나 처분 없이 국고에 귀속한다.'는 법률조항은 적법절차의 원칙과 무죄추정의 원칙에 위배된다(헌재결 1997.5.27, 96헌가17). 07 · 12. 순경

6. 공정거래위원회가 당해 사업자단체에 대하여 "법위반사실의 공표"를 명할 수 있도록 한 규정은 무죄추정의 원칙에 위반하는 것이지만, 양심의 자유를 침해하는 것은 아니다(헌재결 2002.1.31, 2001헌바43).

이용하는 행위는 무죄추정의 원칙과 영장주의 내지 강제수사법정주의에 위배되지 않는다(헌재결 2005.5.26, 99헌마513). 12. 순경 3차, 14 · 15. 경찰승진

4. 치료감호의 요건을 사법적 판단에 맡기면서 사회보호위원회로 하여금 감호기간을 정하도록 하였다 하여 죄형법정주의나 무죄추정의 원칙에 반한다고 할 수 없다(대판 1987.5.12, 87감도50). 04. 행시, 07. 순경, 15. 경찰승진

5. 징계혐의 사실의 인정은 형사재판의 유죄확정 여부와는 무관한 것이므로 유죄의 확정판결을 받기 전이라도 징계혐의 사실은 인정될 수 있는 것이며 무죄추정의 원칙에 저촉된다고 볼 수 없다(대판 1986.6.10, 85누407). 12. 순경 1차, 14. 9급 검찰 · 마약 · 교정 · 보호 · 철도경찰, 15 · 21. 경찰승진

6. 교도소에 수용된 때에는 국민건강보험급여를 정지하도록 한 국민건강보험법 제49조 제4호는 수용자의 의료보장수급권을 직접 제약하는 규정이 아니며, 입법재량을 벗어나 수용자의 건강권을 침해하거나 국가의 보건의무를 저버린 것으로 볼 수 없으므로 수용자의 건강권, 인간의 존엄성, 행복추구권, 인간다운 생활을 할 권리를 침해하는 것이라 할 수 없다. 또한 위 조항은 수용자의 의료보장체계를 일원화하기 위한 입법 정책적 판단에 기인한 것이며 유죄의 확정 판결이 있기 전인 미결수용자에게 어떤 불이익을 주기 위한 것은 아니므로 무죄추정의 원칙에 위반된다고 할 수 없다(헌재결 2005.2.24, 2003헌마31). 12 · 17. 경찰승진

7. 형사소송법 제314조는 피고인을 유죄라는 전제에서 예외적으로 전문증거의 증거능력을 인정하는 것이 아니라, 외국거주의 사유로 원진술자가 법정에서 진술할 수 없어 부득이 피고인이 반대신문을 할 수 없는 경우에 관한 규정이므로 무죄추정의 원칙에 반하는 것이라고 할 수 없다(헌재결 2005.12.22, 2004헌바45). 12. 순경 1차, 16. 경찰간부

8. 수사 담당 경찰 공무원이라 하더라도 증인의 지위에 있을 수 있음을 부정할 수 없고, 무죄추정의 원칙에 반하지 아니한다(헌재결 2001.11.29, 2001헌바41). 16. 경찰간부

9. 유죄판결이 확정되지 아니한 자에 대하여 수사기관이 '사건명' 대신에 '죄명'이란 용어를 사용하는 것만으로 무죄추정의 원칙에 위반하는 것은 아니다(헌재결 2005.3.8, 2005헌마169).

7. 피고인이 제출한 증거만으로 피고인의 주장 사실을 인정하기에 부족하다는 이유를 들어 공소사실에 관하여 유죄 판결을 선고하는 것은 헌법상 무죄추정의 원칙은 물론 형사소송법상 증거재판주의 및 검사의 증명책임에 반하는 것이어서 허용될 수 없다(대판 2024.1.4, 2023도13081).	10. 부당내부거래에 대한 과징금은 부당내부거래 억지라는 행정목적을 실현하기 위하여 그 위반행위에 대하여 제재를 가하는 행정상의 제재금으로서 이중처벌금지원칙에 위반된다거나 무죄추정의 원칙에 위반된다고 할 수 없으며, 적법절차원칙에 위반되거나 권력분립의 원칙에 위반된다고 볼 수 없다(헌재결 2003.7.24, 2001헌가25).

01 무죄추정의 원칙에 관한 설명 중 가장 옳지 않은 것은?(다툼이 있는 경우 판례에 의함)

18. 경찰간부

① 파기환송을 받은 법원이 피고인 구속을 계속할 사유가 있어 결정으로 구속기간을 갱신하여 피고인을 계속 구속하는 것은 무죄추정의 원칙에 반하지 않는다.

② 피고인은 유죄의 판결이 확정될 때까지는 무죄로 추정된다.

③ 형사사건으로 공소가 제기되었다는 사실 자체만으로 공무원에 대한 직위해제처분을 행하는 것은 무죄추정의 원칙에 반한다. 그러나 공소제기의 기초를 이루는 공무원의 비위사실을 토대로 구체적인 사정을 고려하여 직위해제처분을 내리는 것은 무죄추정의 원칙에 위배되지 않는다.

④ 공소장의 공소사실 첫머리에 피고인 특정을 위해 피고인이 전에 받은 소년부송치처분을 기재한 것은 무죄추정의 원칙에 반한다.

| 해설 ① 대판 2001.11.30, 2001도5225

② 헌법 제27조 제4항, 형사소송법 제275조의 2

③ 헌재결 1994.7.29, 93헌가3 ; 헌재결 2006.5.25, 2004헌바12

④ 공소장의 공소사실 첫머리에 피고인 특정을 위해 피고인이 전에 받은 소년부송치처분을 기재하더라도 이는 피고인을 특정할 수 있는 사항에 속하는 것이어서 무죄추정의 원칙에 반하지 아니한다(대판 1990.10.16, 90도1813).

02 무죄추정의 원칙에 대한 설명으로 옳지 않은 것은?(다툼이 있는 경우 판례에 의함) 21. 7급 국가직

① 무죄추정의 원칙은 수사를 하는 단계뿐만 아니라 판결이 확정될 때까지 형사절차와 형사재판 전반에 이끄는 대원칙이고, '의심스러우면 피고인의 이익으로'라는 오래된 법언에 내포된 이러한 원칙은 우리 형사법의 기초를 이루고 있다.

② 무죄추정의 원칙에 따라 형사재판에서 유죄의 인정은 법관으로 하여금 합리적인 의심을 할 여지가 없을 정도로 공소사실이 진실한 것이라는 확신을 가지게 하는 증명력을 가진 증거에 의하여야 한다.

Answer 1. ④ 2. ④

③ 무죄추정의 원칙으로 인하여 불구속수사와 불구속재판을 원칙으로 하고 예외적으로 피의자 또는 피의인이 도망할 우려가 있거나 증거를 인멸할 우려가 있는 때에만 구속수사 또는 구속재판이 인정될 뿐이다.

④ 형사재판 절차에서 유죄의 확정판결을 받기 전이라면 징계혐의 사실은 인정될 수 없으며, 징계혐의사실을 인정하는 것은 무죄추정에 관한 대한민국 헌법 제27조 제4항과 형사소송법 제275조의 2에 저촉된다.

| 해설 ① 대판 2017.10.31, 2016도21231

② 대판 2017.12.22, 2016도15868

③ 헌재결 1992.4.14, 90헌마82

④ 징계혐의 사실의 인정은 형사재판의 유죄확정 여부와는 무관한 것이므로 형사재판 절차에서 유죄의 확정판결을 받기 전이라도 징계혐의 사실은 인정될 수 있는 것이며 그와 같은 징계혐의 사실인정은 무죄추정에 관한 헌법 제26조 제4항 또는 형사소송법 제275조의 2 규정에 저촉된다고 볼 수 없다(대판 1986.6.10, 85누407).

03 **무죄추정의 원칙에 대한 설명으로 가장 적절하지 않은 것은?**(다툼이 있는 경우 판례에 의함)

21. 경찰승진

① 무죄추정을 통해 금지되는 불이익한 처분에는 형사절차상의 처분뿐만 아니라 그 밖의 기본권 제한과 같은 처분에 의한 불이익도 포함된다.

② 파기환송사건에 있어서 구속기간 갱신 및 구속으로 인하여 신체의 자유가 제한되는 것은 무죄추정의 원칙에 위배되지 아니한다.

③ 형사재판절차에서 유죄의 확정판결을 받기 전에 처분청이 징계혐의사실을 인정하는 것은 무죄추정의 원칙에 위배되지 아니한다.

④ 공소장의 공소사실 첫머리에 피고인 특정에 필요한 사항으로서 피고인이 전에 받은 소년부송치 처분을 기재하였다면 이는 무죄추정의 원칙에 반한다.

| 해설 ① 헌재결 1990.11.19, 90헌가48

② 대판 2001.11.30, 2001도5225

③ 대판 1986.6.10, 85누407

④ 공소장의 공소사실 첫머리에 피고인 특정에 필요한 사항으로서 피고인이 전에 받은 소년부송치 처분을 기재하였다면 이는 무죄추정의 원칙에 반하지 아니한다(대판 1990.10.16, 90도1813).

Answer 3. ④

04 무죄추정의 원칙과 관련하여 옳은 것은 모두 몇 개인가?(다툼이 있으면 판례에 의함)

㉠ 유죄판결을 선고받은 피고인은 더 이상 무죄로 추정되지 아니한다.
㉡ 형사소송법은 피의자에 대한 무죄추정의 원칙을 명시적으로 규정하고 있다.
㉢ 형사소송에서 직권주의 소송구조를 전제로 거증책임을 부정하는 견해는 무죄추정의 원칙을 인정하지 않는다.
㉣ 세계인권선언에서 처음 등장하였으며, 우리나라에서는 제5공화국 헌법에 최초로 규정되었다.
㉤ 재심청구인은 무죄로 추정되지 아니한다.
㉥ 형사절차 내에서 실천원리로 구현되고 있는 법적 규범이 아니라, 이념적 · 선언적 규정이다.
㉦ 지방자치단체의 장이 금고 이상의 형을 선고받고 그 형이 확정되지 아니한 경우 부단체장이 그 권한을 대행하도록 규정한 지방자치법 규정은 무죄추정원칙에 위배된다.

① 1개 ② 2개 ③ 3개 ④ 4개

해설 ㉠ × : 유죄가 확정되어야 무죄로 추정되지 아니한다. 유죄판결이란 형선고판결뿐 아니라 형면제판결과 선고유예판결을 포함한다. 그러므로 면소 · 공소기각 또는 관할위반판결이 확정되어도 무죄의 추정은 유지된다.
㉡ × : 피의자에 대해서도 당연히 무죄추정의 원칙이 적용된다고 하겠으나, 현행법은 피고인에 대해서만 무죄추정의 원칙을 규정하고 있다.
㉢ × : 무죄추정의 원칙은 인권보장사상에서 유래하여 시민적 자유를 수호하려는 근대법의 특징을 표명한 것으로서, 소송구조와는 무관하게 인정하는 원리이다.
㉣ × : 무죄추정의 원칙은 1789년 프랑스혁명에서 나타난 권리선언 제9조에서 처음 등장하였고, 1948년 세계인권선언 제11조 제1항에도 규정을 둠으로써 형사절차에서 시민적 자유를 수호하기 위한 원칙으로 자리 잡게 되었다. 우리나라에서는 제5공화국 헌법에 최초로 규정되었고, 이에 따른 제5차 형사소송법 개정시에 명문으로 규정하였다(제275조의 2).
㉤ ○ : 유죄판결이 확정되면 무죄추정은 깨어지므로 재심청구인은 무죄로 추정되지 않는다고 해석하여야 한다. 재심청구인은 유죄판결이 확정된 자이기 때문이다(반대견해 있음).
㉥ × : 이념적 · 선언적 규정이 아니라 형사절차 내에서 실천원리로 구현되고 있는 법적 규범이다.
㉦ ○ : 헌재결 2010.9.2, 2010헌마418

05 다음 중 무죄추정원칙과 관련한 헌법재판소 판례의 내용으로 타당한 것은?

① 현행법은 피고인에 대해서만 무죄추정의 원칙을 규정하고 있지만, 피의자에 대해서도 당연히 무죄추정의 원칙이 적용된다.
② 사립학교 교직원이나 국가공무원에 대하여 형사사건으로 기소되면 직위해제처분을 하도록 한 규정은 무죄추정원칙에 반하지만, 변호사에게 형사사건으로 기소된 경우에 변호사 업무를 정지할 수 있도록 한 규정은 이 원칙에 반하지 않는다는 것이 헌법재판소의 입장이다.
③ 관세법상 몰수할 것으로 인정되는 물품을 압수한 경우에 범인이 출두하지 않거나 도주하여 압수한 날로부터 4월을 경과한 때에는 국고에 귀속한다는 규정은 헌법상 적법절차의 원칙과 무죄추정의 원칙에 위배되지 아니한다.

Answer 4. ② 5. ①

④ 미결수용자에게 수사나 재판을 받는 동안 재소자용 의류를 입게 하는 것은 무죄추정원칙에 반하지 않는다.

| 해설 ① 헌재결 1992.4.14, 90헌마82
② 형사사건으로 기소된 교원에 대하여 필요적으로 직위해제처분을 하도록 하는 규정(사립학교법 제58조의2 제1항 단서)은 무죄추정의 원칙에 위반되며(헌재결 1994.7.29, 93헌가3), 형사사건으로 기소된 국가공무원에 대한 필요적 직위해제처분 규정 역시 무죄추정원칙에 위반한다고 하였다(헌재결 1998. 5.28, 96헌가12).
▶ 그 후 사립학교법 규정과 국가공무원법 규정은 임의적 사항으로 개정되었고, 그 규정에 대해서는 무죄추정의 원칙에 위배되지 않는다고 하였다〔형사사건으로 기소된 국가공무원을 직위해제할 수 있도록 규정한 구 국가공무원법 규정은 이 사건 법률조항은 직위해제처분을 받은 공무원에 대한 범죄사실 인정이나 유죄판결을 전제로 하여 불이익을 과하는 것이 아니므로 무죄추정의 원칙에 위배된다고 볼 수 없다(헌재결 2006.5.25, 2004헌바12)〕. 또한 법무부장관이 형사사건으로 기소된 변호사에 대하여 업무정지를 명할 수 있도록 한 변호사법 제15조는 무죄추정의 원칙에 반한다고 판시하였다(헌재결 1990.11.19, 90헌가48). 그 후 변호사법 제15조는 삭제되었다.
③ 헌법상 적법절차원칙과 무죄추정원칙에 위배된다(헌재결 1997.5.29, 96헌가17).
④ 무죄추정원칙에 반한다(헌재결 1999.5.27, 97헌마137).

06 다음 중 무죄추정의 원칙과 관련한 판례의 내용으로 타당하지 않은 것은 모두 몇 개인가?

㉠ 부당내부거래에 대한 과징금은 국가형벌권 행사로서의 '처벌'에 해당한다고는 할 수 없으므로, 공정거래법에서 형사처벌과 아울러 과징금의 병과를 예정하고 있더라도 이중처벌금지원칙에 위반된다고 볼 수 없으며, 무죄추정의 원칙에 위반된다고도 할 수 없다.
㉡ 유죄판결이 확정되지 아니하였음에도 수사기관 및 구치소 당국이 '사건명'이라는 용어를 사용하지 않고 '죄명'이라는 용어를 사용하는 것은 무죄추정의 원칙에 위배된다.
㉢ 형사사건으로 기소된 변호사에 대하여 업무정지를 명할 수 있도록 한 변호사법 제15조는 무죄추정의 원칙에 반한다.
㉣ 진술을 요할 자가 외국거주로 인하여 진술할 수 없는 경우에 예외적으로 전문증거의 증거능력을 인정하는 형사소송법 제314조 중 '외국거주'에 관한 부분은 무죄추정의 원칙에 반하지 않는다.
㉤ 수사기관에서 구속된 피의자의 도주를 억제하는 데 필요한 한도 내에서 포승이나 수갑을 사용하는 것은 이 원칙에 반하지 않는다.
㉥ 치료감호의 요건은 사법적 판단에 맡기면서 치료감호의 기간은 사회보호위원회가 정하도록 한 경우에는 무죄추정의 원칙에 위배되지 아니한다.
㉦ 교도소에 수용된 때 국민건강보험급여를 정지하도록 한 국민건강보험법 규정은 수용자의 건강권, 인간의 존엄성, 행복추구권, 인간다운 생활을 할 권리를 침해하지 않는다.
㉧ 수용자가 구치소 및 교도소에 수용되는 과정에서 알몸 상태로 가운만 입고 전자영상장비에 의한 신체검사기에 올라가 다리를 벌리고 용변을 보는 자세로 쪼그려 앉아 항문 부위에 대한 검사를 받은 경우 인격권 내지 신체의 자유를 침해한다고 볼 수 없다.

① 1개 ② 2개 ③ 3개 ④ 4개

Answer 6. ①

| 해설 ㉠ ○ : 헌재결 2003.7.24, 2001헌가25
㉡ × : 무죄추정의 원칙에 반하지 아니한다(헌재결 2005.3.8, 2005헌마169).
㉢ ○ : 헌재결 1990.11.19, 90헌가48 ▶ 그 후 변호사법 제15조는 삭제되었다.
㉣ ○ : 제314조의 법률조항은 피고인을 유죄라는 전제에서 예외적으로 전문증거의 증거능력을 인정하는 것이 아니라, 외국거주의 사유로 원진술자가 법정에서 진술할 수 없어 부득이 피고인이 반대신문을 할 수 없는 경우에 관한 규정이므로 무죄추정의 원칙에 반하는 것이라고 할 수 없다(헌재결 2005.12.22, 2004헌바45).
㉤ ○ : 계구는 원칙적으로 공동생활의 질서와 안전을 유지하기 위하여 불가피한 경우 일시적으로 사용되어야 하고, 명백한 필요성이 계속하여 존재하지 않는 경우에는 이를 즉시 해제하여야 한다(헌재결 2003.12.18, 2001헌마168). 검사조사실에 소환되어 피의자신문을 받을 때 계호교도관이 포승으로 피의자의 팔과 상반신을 묶고 양손에 수갑을 채운 상태에서 피의자조사를 받도록 한 사안에서 계구사용행위가 과잉금지원칙에 어긋나게 신체의 자유를 침해하여 위헌적인 공권력행사라고 판시한 바 있다(헌재결 2005.5.26, 2001헌마728 전원재판부). 따라서 계구사용을 필요한 한도 내에서만 허용하는 입장이라고 볼 수 있다.
㉥ ○ : 대판 1987.5.12, 87감도50
㉦ ○ : 헌재결 2005.2.24, 2003헌마31
㉧ ○ : 헌재결 2011.5.26, 2010헌마775

07 무죄추정의 원칙에 대한 설명으로 옳지 않은 것은? 24. 9급 검찰 · 마약 · 교정 · 보호 · 철도경찰

① 무죄추정의 원칙은 형사절차뿐만 아니라 기타 일반 법생활영역에서의 기본권 제한과 같은 경우에도 적용된다.
② 형사소송법상의 구속기간은 헌법상의 무죄추정의 원칙에서 파생되는 불구속수사원칙에 대한 예외로서 설정된 기간이다.
③ 구금시설의 소장이 마약류사범인 미결수용자에 대하여 시설의 안전과 질서유지를 위하여 필요한 범위에서 계호를 엄중히 하는 등 다른 미결수용자와 달리 관리할 수 있도록 한 형의 집행 및 수용자의 처우에 관한 법률 규정은 무죄추정의 원칙에 반하지 않는다.
④ 법무부장관이 형사사건으로 공소가 제기된 변호사에 대하여 그 판결이 확정될 때까지 업무정지를 명할 수 있도록 하는 구 변호사법 규정은 무죄추정의 원칙에 반하지 않는다.

| 해설 ① 헌재결 2015.2.26, 2012헌바435
② 헌재결 2003.11.27, 2002헌마193
③ 헌재결 2013.7.25, 2012헌바63
④ 법무부장관이 형사사건으로 공소가 제기된 변호사에 대하여 그 판결이 확정될 때까지 업무정지를 명할 수 있도록 하는 구 변호사법 규정은 무죄추정의 원칙에 반한다(헌재결 1990.11.19, 90헌가48).

Answer 7. ④

제4절 변호인

THEMA 51 변호인

의의 및 존재이유			① 피고인 또는 피의자의 방어권을 보충하는 것을 임무로 하는 보조자 ② 검사의 공격에 맞설 수 있는 방어무기의 대등성 확보와 공정한 재판의 실현
변호인 지위발생			선임에 의해 발생(사선변호인, 국선변호인)
사선변호인	선임권자	고유선임권자	피의자 · 피고인(제30조 제1항)
		선임대리권자	피의자 또는 피고인의 법정대리인 · 배우자 · 직계친족 · 형제자매는 본인의 명시적 · 묵시적 의사에 반하여도 선임할 수 있다(제30조 제2항). 04. 9급 법원직, 11. 7급 국가직, 13. 경찰승진 ▶ 선임대리권자가 본인의 의사에 반하여 변호인을 선임한 경우에도 본인에게 효과가 발생하며, 00. 7급 검찰 일단 선임한 후에는 본인의 의사에 반하여 해임할 수 없으나 본인은 해임할 수 있다. 08. 9급 국가직 ▶ 배우자 ⇨ 법률상 배우자(다수설) ∴ 이혼한 전처 ×, 내연의 처 × ▶ 피고인 · 피의자로부터 선임권 위임받은 자가 대리하여 선임권행사 ×(판례) 10. 9급 법원직, 12. 순경, 17. 순경 1차 ▶ 검사 이외의 재심청구인도 변호인선임권 ○(제426조)
	피선임자	자 격	원칙적으로 변호사 중에서 선임(제31조). 그러나 특별한 사정이 있는 경우에 법원의 허가를 얻어 변호사 아닌 자를 변호인으로 선임할 수 있는데 이를 특별변호인이라 한다(제31조 단서). 단, 상고심은 변호사를 선임하여야 한다.
		수	제한없음 대표변호인제도 : 소송지연 방지목적(제32조의 2) 1. 피의자나 피고인에게 수인의 변호인이 있는 때에는 재판장은 직권 또는 피고인 · 피의자 또는 변호인의 신청에 의하여 대표변호인을 3인까지 지정할 수 있다. 13. 경찰승진 2. 피의자에게 수인의 변호인이 있는 때에 검사가 직권 또는 피의자 또는 변호인의 신청에 의해 대표변호인을 지정할 수도 있다(동조 제5항). 기소 전 대표변호인 지정 ⇨ 기소 후에도 효력(○) 3. 대표변호인에 대한 통지 또는 서류의 송달은 변호인 전원에 대하여 효력이 있다(동조 제4항). 통지 또는 서류송달에 관해 대표성을 가지므로 증거조사 등은 다른 변호인도 가능

<table>
<tr><td rowspan="4">사선변호인</td><td rowspan="4">피선임자</td><td></td><td colspan="2">4. 대표변호인의 지정, 지정의 철회 또는 변경
┌ 피고인 또는 피의자 신청에 의한 때 ⇨ 검사 및 대표변호인에게 통지
└ 변호인의 신청에 의하거나 직권에 의한 때 ⇨ 피고인 또는 피의자 및 검사에게 통지(규칙 제13조의 3)</td></tr>
<tr><td>선임방법</td><td colspan="2">① 변호인선임은 변호인과 선임자가 연명·날인한 서면(변호인선임서)을 공소제기 전에는 검사나 사법경찰관에게, 공소제기 이후에는 수소법원에 제출하여야 한다(제32조 제1항).
▶ 변호인선임서에 '성명미상 甲' 기재 ⇨ ×
② 변호인의 선임은 선임자와 변호인 사이의 민법상의 위임계약이 무효·또는 취소되더라도 변호인선임의 효력에는 영향이 없다.
③ 조건부 선임은 허용될 수 없다.</td></tr>
<tr><td rowspan="2">선임효과</td><td>심급과 관계</td><td>선임의 효력은 해당 심급에 대해서만 미친다. 따라서 변호인은 심급마다 선임하여야 한다(제32조 제1항). 16. 경찰간부 – 심급이 끝난 시점 ⇨ 이심의 효력이 발생한 때
▶ 수사절차에서의 변호인선임 ⇨ 제1심에도 효력이 있다(제32조 제2항). 10. 7급 국가직, 11·16. 9급 법원직, 15·17. 순경 1차
▶ 환송·이송 후의 절차 ⇨ 원심의 변호인선임은 항소심의 파기환송(제366조) 또는 파기이송(제367조)이 있은 후에도 효력이 있다(규칙 제158조). 00. 7급 검찰, 08·10. 9급 국가직, 12·13. 9급 법원직, 13. 9급 교정·보호·철도경찰
상고심에서도 동일하게 해석(판례) 12. 9급 법원직</td></tr>
<tr><td>사건과 관계</td><td>① 변호인의 선임은 사건을 단위로 하는 것이므로 그 효력은 공소사실의 동일성이 인정되는 사실 전부에 미치는 것이 원칙이다. ∴ 공소장변경에 의하여 공소사실이 변경된 경우에도 선임의 효력에는 영향이 없다.
② 피고인 또는 변호인이 다른 의사표시를 하지 않는 경우에는 추가로 공소제기되어 병합심리된 다른 사건에도 선임의 효력이 미친다(규칙 제13조). 97. 9급 법원직, 08. 9급 국가직, 09. 순경, 13. 9급 교정·보호·철도경찰</td></tr>
</table>

01 변호인에 관한 설명 중 타당한 것은?

① 1심에서의 변호인선임의 효력은 2심에서도 유효하다.
② 변호인선임은 선임권자가 연명 · 날인한 서면으로 제출하여야 한다.
③ 피고인 · 피의자가 선임할 수 있는 변호인의 수에는 제한이 있다.
④ 대표변호인은 3인까지 지정할 수 있다.

| 해설 ① 선임의 효력은 해당 심급에 대해서만 미친다. 따라서 변호인은 심급마다 선임하여야 한다(제32조 제1항).
② 변호인과 선임자가 연명 · 날인한 서면(변호인선임서)을 공소제기 전에는 검사나 사법경찰관에게, 공소제기 이후에는 수소법원에 제출하여야 한다(제32조 제1항).
③ 사선변호인의 수에는 제한이 없다.
④ 제32조의 2 제3항

02 변호인의 선임에 대한 설명으로 옳지 않은 것은 모두 몇 개인가?

㉠ 변호인 자격 없는 자를 변호인으로 선임하기 위해서는 재판장의 허가를 받아야 한다.
㉡ 선임대리권자가 고유의 선임권자의 명시적인 의사에 반하여 변호인을 선임한 경우에도 선임의 효과가 발생하나, 고유의 선임권자는 대리인이 선임한 변호인을 해임할 수 있다.
㉢ 피의자에게 수인의 변호인이 있는 경우에 대표변호인지정 신청이 없는 때에는 직권으로 검사가 대표변호인을 지정할 수 있지만 이를 철회하거나 변경할 수 없다.
㉣ 변호인선임의 효력은 당해 심급에만 효력이 미치지만, 원심법원에서의 변호인선임은 상소심의 파기환송 또는 파기이송 후에도 효력이 있다.
㉤ 하나의 사건에 관한 변호인의 선임은 추가기소되어 병합심리된 다른 사건에 대하여도 피고인 또는 변호인이 이와 다른 의사표시를 하지 않는 한 효력이 있다.
㉥ 피고인의 법정대리인, 배우자, 직계친족, 형제자매, 동거인 또는 고용주도 독립하여 변호인을 선임할 수 있다.
㉦ 형사소송에 있어서 변호인을 선임할 수 있는 자는 피고인 및 피의자와 형사소송법 제30조 제2항에 규정된 자에 한정되는 것이고, 피고인 및 피의자로부터 그 선임권을 위임받은 자가 피고인이나 피의자를 대리하여 변호인을 선임할 수는 없는 것이다.

① 1개 ② 2개 ③ 3개 ④ 4개

| 해설 ㉠ × : 법원의 허가를 받아야 한다(제31조).
㉡ ○ : 타당하다.
㉢ × : 대표변호인은 재판장이 지정할 수 있고, 지정을 철회 또는 변경할 수 있으나(제32조의 2 제1항), 피의자에게 수인의 변호인이 있는 때에는 검사가 지정 · 변경 · 철회할 수 있다(동조 제5항).
㉣ ○ : 규칙 제158조
㉤ ○ : 규칙 제13조
㉥ × : 동거인 · 고용주는 변호인선임권자가 아니다(제30조 제2항).
㉦ ○ : 대결 1994.10.28, 94모25

Answer 1. ④ 2. ③

03 다음 중 대표변호인제도에 대해 옳은 것은 모두 몇 개인가?

㉠ 수인의 변호인이 있는 때 피고인의 신청이 있으면 법원은 대표변호인을 지정할 수 있다.
㉡ 대표변호인의 지정·철회·변경은 피고인의 신청이 있는 경우에나 직권에 의한 경우 모두 검사 및 피고인 또는 피의자에게 통지하여야 한다.
㉢ 대표변호인제도는 피고인에게만 적용된다.
㉣ 피의자에 대한 대표변호인이 선정된 경우 그 지정은 공소제기 전까지 효력이 있다.
㉤ 대표변호인의 수는 제한이 없다.

① 없 음 ② 1개 ③ 2개 ④ 3개

| 해설 ㉠ ×: 법원이 아니라 재판장이 지정할 수 있다(제32조의 2 제1항).
㉡ ×: 대표변호인의 지정, 지정의 철회 또는 변경은 피고인의 신청에 의한 경우라면 검사 및 대표변호인에게 통지하고, 변호인의 신청에 의하거나 직권에 의한 경우에는 피고인 또는 피의자 및 검사에게 이를 통지하여야 한다(규칙 제13조의 3).
㉢ ×: 피의자에게도 적용된다(제32조의 2 제5항).
㉣ ×: 기소 후에도 그 효력이 있다(제13조의 4).
㉤ ×: 대표변호인은 3인을 초과할 수 없다(제32조의 2 제3항).

04 변호인에 관한 설명으로 타당하지 않은 것은 모두 몇 개인가?

㉠ 대법원 이외의 법원은 특별한 사정이 있으면 변호사 아닌 자를 변호인으로 선임함을 허가할 수 있다.
㉡ 변호인선임권자와 변호인 사이에 체결되는 사법상의 위임계약이 무효가 되면 법원이나 수사기관에 대하여 행한 변호인선임도 그 효력을 잃는다.
㉢ 공판정에서의 피고인신문, 최종변론은 대표변호인만이 할 수 있다.
㉣ 변호인선임의 효력은 그 심급에 한하여 미치며, 여기서 '심급'이란 판결선고시를 의미한다.

① 1개 ② 2개 ③ 3개 ④ 4개

| 해설 ㉠ ○: 제31조
㉡ ×: 변호인의 선임은 선임권자의 법원 또는 수사기관에 대한 소송행위이므로 그 기초가 되는 의뢰자와 변호인 사이의 민법상 계약과는 명확히 구별되어야 한다. 따라서 위임계약 자체가 무효·취소된 경우에도 변호인선임 자체에는 영향을 미치지 아니하며, 다만 이 경우에 선임권자는 변호인을 해임할 수 있다.
㉢ ×: 대표변호인제도는 소송서류의 송달에서만 특칙이 적용되고 피고인신문, 최종변론 등은 다른 변호인도 가능하다.
㉣ ×: 심급이 끝나는 시점은 상소에 의해 이심(移審)의 효력이 발생하는 때이다.

Answer 3. ① 4. ③

THEMA 52 국선변호인의 선정사유

제33조	〈제1항〉 1. 피고인이 구속된 때 2. 피고인이 미성년자인 때 12. 변호사시험 3. 피고인이 70세 이상인 때 4. 피고인이 듣거나 말하는 데 모두 장애가 있는 사람인 때 5. 피고인이 심신장애가 있는 것으로 의심되는 때 6. 피고인이 사형·무기 또는 단기 3년 이상의 징역이나 금고에 해당하는 사건으로 기소된 때 08. 순경·9급 법원직, 09·10·11. 순경 1차, 11. 7급 국가직, 13. 9급 검찰·마약수사, 16·22. 경찰승진 ⇨ 법정형을 기준으로 하며 단기가 3년 미만이라도 사형·무기형이 함께 규정되어 있으면 이에 해당한다. 〈제2항〉 피고인이 빈곤이나 그 밖의 사유로 변호인을 선임할 수 없는 경우 ⇨ 피고인이 청구하면 변호인을 선정하여야 한다(사유 × ⇨ 기각결정). 08·11. 순경, 10. 9급 법원직, 16. 경찰승진 〈제3항〉 피고인의 권리보호를 위하여 필요하다고 인정하면 ⇨ 피고인의 명시적 의사에 반할 수는 없다. 08·11. 순경, 12. 7급 국가직 ▶ 제1항 각 호의 어느 하나에 해당하는 사건 및 같은 조 제2항·제3항의 규정에 따라 변호인이 선정된 사건에 관하여는 변호인 없이 개정하지 못한다. 단, 판결만을 선고할 경우에는 예외로 한다.
체포·구속 적부심사	체포·구속적부심사를 청구한 피의자에게 제33조의 국선변호인 선임사유에 해당하고 변호인이 없는 때에는 국선변호인을 선정하여야 한다(제214조의 2 제10항). 11·20. 9급 법원직
피의자심문과 구속	영장실질심사에서 심문할 피의자에게 변호인이 없는 때(이때 선정된 국선변호인은 심문을 통해 피의자가 구속된 경우에 제1심까지 효력이 있다)(제201조의 2 제8항) 08·10. 순경, 12. 7급 국가직, 13. 순경 2차 ▶ 구속영장의 청구가 기각된 경우에도 선정의 효력은 제1심까지 지속된다. (×) 11. 9급 법원직, 12. 변호사시험, 13. 순경 2차, 22. 경찰승진
공판준비기일	법원은 공판준비기일이 지정된 사건에 관하여 변호인이 없는 때에는 직권으로 변호인을 선정하여야 한다(제266조의 8 제4항). 10. 순경, 12. 7급 국가직, 16. 경찰승진
재심사건	재심개시 결정이 확정된 사건에 있어서 ① 사망자 또는 회복할 수 없는 심신장애인을 위하여 재심청구가 있는 때 ② 유죄의 선고를 받는 자가 재심의 판결 전에 사망하거나 회복할 수 없는 심신장애인으로 된 때 재심청구자가 변호인을 선임하지 아니하면 국선변호인을 선임하여야 한다(제438조 제4항). ▶ 재심개시 결정 전의 절차에서는 재심청구인이 국선변호인선임을 청구할 수 없다(**판례**). 12·17. 경찰간부, 21. 순경 1차

기 타	① 군사법원 관할사건(군사법원법 제62조 제1항) ② 치료감호청구사건(치료감호 등에 관한 법률 제15조 제2항) 13. 9급 검찰 · 마약수사 ③ 국민참여재판(국민의 형사재판 참여에 관한 법률 제7조) 11 · 13. 순경 2차, 15. 경찰승진 · 9급 법원직 ④ 전자장치부착명령사건(전자장치 부착 등에 관한 법률 제11조)

01 **국선변호인에 관한 설명 중 옳지 않은 것은?**(다툼이 있는 경우 판례에 의함) 20. 9급 법원직

① 구속영장이 청구되어 심문할 피의자에게 변호인이 없어 판사가 직권으로 국선변호인을 선정한 경우에 구속영장의 청구가 기각되어 효력이 소멸한 경우를 제외하고는 제1심까지 국선변호인선정의 효력이 있다.

② 법원이 국선변호인을 반드시 선정해야 하는 사유로 형사소송법 제33조 제1항 제5호에서 정한 '피고인이 심신장애의 의심이 있는 때'란 진단서나 정신감정 등 객관적인 자료에 의하여 피고인의 심신장애 상태를 확신할 수 있는 경우만을 의미한다.

③ 이해가 상반된 피고인들 중 어느 피고인이 법무법인을 변호인으로 선임하고, 법무법인이 담당변호사를 지정하였을 때, 법원이 담당변호사 중 1인 또는 수인을 다른 피고인을 위한 국선변호인으로 선정한다면, 이는 국선변호인의 조력을 받을 피고인의 권리를 침해하는 것이다.

④ 피고인이 별건으로 구속되어 있거나 다른 형사사건에서 유죄로 확정되어 수형 중인 경우는 형사소송법 제33조 제1항 제1호의 "피고인이 구속된 때"에 해당하지 않는다.

해설 ① 제201조의 2 제8항

② 법원이 국선변호인을 반드시 선정해야 하는 사유로 형사소송법 제33조 제1항 제5호에서 정한 '피고인이 심신장애의 의심이 있는 때'라 함은 진단서나 정신감정 등 객관적인 자료에 의하여 피고인의 심신장애 상태를 확신할 수 있거나 그러한 상태로 추단할 수 있는 근거가 있는 경우는 물론, 범행의 경위, 범행의 내용과 방법, 범행 전후 과정에서 보인 행동 등과 아울러 피고인의 연령 · 지능 · 교육 정도 등 소송기록과 소명자료에 드러난 제반 사정에 비추어 피고인의 의식상태나 사물에 대한 변별능력, 행위통제능력이 결여되거나 저하된 상태로 의심되어 피고인이 공판심리단계에서 효과적으로 방어권을 행사하지 못할 우려가 있다고 인정되는 경우를 포함한다(대판 2019.9.26, 2019도8531).

③ 대판 2015.12.23, 2015도9951

④ 출제 당시의 판례에 의하면 타당한 내용이나, 최근 판례의 변경으로 옳지 않은 내용이다. 대법원은 '형사소송법 제33조 제1항(국선변호인 선정사유) 제1호의 '피고인이 구속된 때'라고 함은 '피고인이 해당 형사사건에서 구속되어 재판을 받고 있는 경우에 한정된다고 볼 수 없고, 피고인이 별건으로 구속영장이 발부되어 집행되거나 다른 형사사건에서 유죄판결이 확정되어 그 판결의 집행으로 구금 상태에 있는 경우 또한 포괄하고 있다고 보아야 한다'라고 판시하여, 피고인이 구속된 때란 '해당 형사사건에서 구속되어 재판을 받고 있는 경우만를 의미한다'는 종전 판례를 변경하였다(대판 2024.5.23, 2021도6357 전원합의체).

Answer 1. ②④

02 다음 중 국선변호인을 선정하지 않아도 되는 것은 모두 몇 개인가?

> ㉠ 체포된 피의자에 대해 구속영장이 청구된 때 영장실질심사를 함에 있어 심문할 피의자에게 변호인이 없는 경우
> ㉡ 알코올중독자에 대한 치료감호청구사건에서 변호인이 없는 경우
> ㉢ 체포·구속적부심사가 청구된 미성년 피의자에게 변호인이 없는 경우
> ㉣ 공판준비기일이 지정된 사건에 관하여 피고인에게 변호인이 없는 경우
> ㉤ 19세의 피고인이 사문서위조를 한 경우 그에게 변호인이 없는 경우

① 모두 선정해야 한다. ② 1개
③ 2개 ④ 3개

| 해설 | 국선변호인을 선임할 필요가 없는 것은 ㉤이다.
㉠ 제201조의 2 제1항, 규칙 제16조 제1항 전단
㉡ 치료감호법의 개정으로 이제는 필요적 변호사건이다(치료감호 등에 관한 법률 제15조 제2항).
㉢ 규칙 제16조 제1항 후단
㉣ 공판준비기일이 지정된 사건에 관하여 피고인에게 변호인이 없는 때에는 법원은 지체 없이 국선변호인을 선정하고 피고인 및 변호인에게 그 뜻을 고지하여야 한다. 공판준비기일이 지정된 후에 변호인이 없게 된 때에도 동일하다(규칙 제123조의 11).
㉤ 19세는 성년자(2013. 7. 1. 민법개정)이므로 국선변호인 선정대상이 아니며, 사문서위조죄(5년 이하 징역 또는 천만원 이하 벌금) 역시 필요적 변호사건이 아니다.

03

03 다음 중 변호인 없이 개정할 수 없는 경우가 아닌 것은 모두 몇 개인가?

> ㉠ 판결만을 선고할 경우 ㉡ 군사법원 관할사건의 경우
> ㉢ 심신장애인에 대한 치료감호의 경우 ㉣ 알콜중독자에 대한 치료감호의 경우
> ㉤ 국민참여재판의 경우 ㉥ 사망자를 위한 재심청구가 있는 경우
> ㉦ 전자장치부착명령청구사건

① 1개 ② 2개 ③ 3개 ④ 4개

| 해설 | 변호인 없이 개정할 수 있는 사건을 묻고 있다.
㉡㉢㉣㉤㉥㉦은 변호인을 필요로 하는 필요적 변호사건이며, ㉠ 판결만을 선고할 경우에는 변호인 없이도 개정이 가능하다(제282조 단서).

Answer 2.② 3.①

04 다음 설명 중 옳지 않은 것은 모두 몇 개인가?(다툼이 있으면 판례에 의함)

> ㉠ 사형·무기 또는 단기 3년 이상의 징역이나 금고에 해당하는 사건은 변호인 없이 개정하지 못하는 이른바 필요적 변호사건인바, 법정형이 무기 또는 2년 이상의 징역에 처하도록 규정되어 있는 범죄에 관한 사건은 필요적 변호사건이라고 할 수 없다.
> ㉡ 피고인이 미성년자인 경우 반드시 변호인이 있어야 하므로 미성년자에 대한 구속적부심사에서도 사선변호인이 없으면 국선변호인을 선정하여야 한다.
> ㉢ 필요적 변호사건의 제1심 공판절차가 변호인 없이 이루어진 경우에는 당사자가 모든 증거에 동의하여 증거조사가 행해졌다고 하더라도 제1심에서 한 증거조사는 효력이 없으므로 항소심에서는 새로 증거조사를 하여야 한다.
> ㉣ 군사법원법이 적용되는 사건에 관하여 피고인에게 변호인이 없는 때에는 직권으로 변호인을 선정하여야 하는바, 이 조항은 상고심인 대법원에서도 적용되므로 그러한 사건에 관하여 상고가 된 경우에도 대법원이 국선변호인을 선정하여야 한다.
> ㉤ 법원의 국선변호인 선정은 판결 전 소송절차에 관한 것이므로 이에 대하여 불복할 수 없다.

① 1개 ② 2개 ③ 3개 ④ 4개

해설 ㉠ ×: 단기가 3년 이하일지라도 사형이나 무기징역, 무기금고가 함께 규정되어 있으면 실무에서는 필요적 변호사건으로 본다.
㉡ ○: 제214조의 2 제10항
㉢ ○: 대판 1995.4.25, 94도2347
㉣ ○: 군사법원법 제62조 제1항
㉤ ○: 제403조 제1항

Answer 4. ①

THEMA 53 필요적 변호사건 판례정리

1. 필요적 변호사건의 경우에 변호인 없이 개정·심리한 것은 소송절차의 법령위반에 해당하여 무효라 할 것이지만, 이는 피고인의 이익을 위하여 만들어진 제도이므로 피고인에게 유리한 무죄판결이 난 경우에는 그 판결은 유효하다(대판 2003.3.25, 2002도5748). 11. 경찰승진
2. 필요적 변호사건에서 제1심 공판절차가 변호인 없이 이루어진 경우 무효이므로 항소심절차에서 변호인 있는 상태에서 소송행위를 새로이 한 후 위법한 제1심 판결을 파기하고, 항소심에서의 진술 및 증거조사 등 심리결과에 기하여 다시 판결을 하여야 한다(대판 1995.4.25, 94도2347). 11. 경찰승진, 12. 경찰간부, 16. 7급 국가직, 20. 순경 1차
3. 공판절차가 아닌 재심개시결정 전의 절차에서 재심청구인이 국선변호인선임청구를 할 수 없다(대결 1993.12.3, 92모49). 12. 경찰간부, 13. 순경 2차, 11·15·19. 경찰승진
4. 필요적 변호사건에서 피고인이 재판거부의 의사표시 후 재판장의 허가 없이 퇴정하고 변호인마저 이에 동조하여 퇴정해 버린 경우, 수소법원으로서는 피고인이나 변호인의 재정 없이도 심리판결할 수 있다(대판 1991.6.28, 91도865). 11. 경찰승진, 12. 순경
5. 즉결심판을 받은 피고인이 정식재판을 청구하여 공판절차가 개시된 경우에는 통상의 공판절차와 마찬가지로 국선변호인 선정에 관한 규정이 적용된다(대판 1997.2.14, 96도3059). 08. 순경 2차, 11. 7급 국가직, 16. 9급 검찰·마약·교정·보호·철도경찰
   ▶ 즉결심판에 관한 절차법에 특별한 규정이 없고 그 성질에 반하지 않는 한 형사소송법 규정은 즉결심판절차에도 준용된다(즉결심판에 관한 절차법 제19조). 이와 관련하여 형사소송법의 국선변호에 관한 규정을 즉결심판에도 적용할 수 있는가에 대하여는 긍정설과 부정설의 대립이 있다. 생각건대 국선변호인제도는 간이·신속이라는 즉결심판의 본질과 일치할 수 없으므로 부정설이 타당하다.
6. 빈곤 등을 이유로 국선변호인 선정청구를 하였으나 법원이 정당한 이유 없이 국선변호인을 선정하지 않고 있는 사이에 피고인 스스로 변호인을 선임하였으나 그때는 이미 피고인에 대한 항소이유서 제출기간이 도과해버린 후인 경우에는 법원은 사선변호인에게도 소송기록접수통지를 함으로써 그 사선변호인이 통지를 받은 날로부터 20일 내에 항소이유서를 작성·제출할 수 있는 기회를 주어야 한다(대판 2009.2.12, 2008도11486). 04. 행시, 12. 9급 법원직, 18. 경찰승진
7. 필요적 변호사건이라도 일부만이 유죄로 인정되고 유죄부분만이 상소되어 그 범죄사실이 변호인 없이 개정할 수 있는 사건에 해당하게 된 경우라면 필요적 변호사건으로 취급되지 아니한다(대판 2003.3.25, 2002도5748).
8. 필요적 변호사건에 있어서 선임된 사선변호인에 대한 기일통지를 하지 아니함으로써 사선변호인의 출석 없이 제1회 공판기일을 진행하였더라도 그 공판기일에 국선변호인이 출석하였다면 변호인 없이 재판한 잘못이 있다 할 수 없고, 또한 사선변호인이 제2회 공판기일부터는 계속 출석하여 변호권을 행사하였다면 사선변호인으로부터의 변호를 받을 기회를 박탈하였다거나 사선변호인의 변호권을 제한하였다 할 수 없다(대판 1990.9.25, 90도1571). 10. 경찰승진, 20. 순경 1차
9. 필요적 변호사건의 공판절차가 사선변호인과 국선변호인이 모두 불출석한 채 개정되어 국선변호인 선정 취소 결정이 고지된 후 변호인 없이 피해자에 대한 증인신문 등 심리가 이루어진 경우, 그와 같은 위법한 공판절차에서 이루어진 피해자에 대한 증인신문 등 일체의 소송행위는 모두 무효라고 할 것이나, 18. 7급 국가직, 19. 경찰간부 그 절차에서의 소송행위 외에 다른 절차에서 적법하게 이루어진 소송행위까지 모두 무효로 된다고 볼 수는 없다(대판 1999.4.23, 99도915).09. 10. 경찰승진, 11. 9급 법원직, 12. 순경·변호사시험, 14. 9급 검찰·마약수사, 15. 7급 국가직

10. 형사소송법 제33조 제1항(국선변호인 선정사유) 제1호의 '피고인이 구속된 때'라고 함은 피고인이 해당 형사사건에서 구속되어 재판을 받고 있는 경우에 한정된다고 볼 수 없고, 피고인이 별건으로 구속영장이 발부되어 집행되거나 다른 형사사건에서 유죄판결이 확정되어 그 판결의 집행으로 구금 상태에 있는 경우 또한 포괄하고 있다고 보아야 한다(대판 2024.5.23, 2021도6357 전원합의체).
– 대법원은 형사소송법 제33조 제1항 제1호의 '피고인이 구속된 때'라고 함은 피고인이 해당 형사사건에서 구속되어 재판을 받고 있는 경우만를 의미한다는 종전 판례를 변경하였다.
11. 피고인이 2급 시각장애인으로서 점자자료가 아닌 경우에는 인쇄물 정보접근에 상당한 곤란을 겪는 수준임에도, 국선변호인 선정절차를 취하지 아니한 채 공판심리를 진행한 경우에는 제33조 제3항을 위반한 위법이 있으므로, 피고인의 명시적 의사에 반하지 아니하는 범위 안에서 국선변호인을 선정하여 방어권을 보장해 줄 필요가 있다(대판 2010.4.29, 2010도881). 11. 경찰승진, 13. 순경 2차
12. 법원이 피고인 본인의 항소이유서 제출기간 경과 후 국선변호인을 선정하고 그에게 소송기록 접수통지를 하였으나, 국선변호인이 항소이유서를 제출하지 아니한 데 대하여 피고인에게 귀책사유가 있음이 특별히 밝혀지지 않는 한, 항소법원은 종전 국선변호인의 선정을 취소하고 새로운 국선변호인을 선정하여 다시 소송기록접수통지를 함으로써 새로운 국선변호인으로 하여금 그 통지를 받은 때로부터 항소이유서제출기간(제361조의 3 제1항) 내에 피고인을 위하여 항소이유서를 제출하도록 하여야 한다(대결 2012.2.16, 2009모1044 전원합의체). 14. 경찰간부, 15 · 16. 7급 국가직, 18. 9급 법원직, 19. 변호사시험, 20. 순경 1차
13. 국선변호인 선정의 효력은 선정 이후 병합된 다른 사건에도 미치는 것이므로, 항소심에서 국선변호인이 선정된 이후 변호인이 없는 다른 사건이 병합된 경우에는 항소법원은 지체 없이 국선변호인에게 병합된 사건에 관한 소송기록 접수통지를 함으로써 국선변호인이 통지를 받은 날로부터 20일 내에 피고인을 위하여 항소이유서를 작성 · 제출할 수 있도록 하여야 한다(대판 2010.5.27, 2010도3377). 12. 순경
14. 법원은 시각장애인인 피고인의 연령 · 지능 · 교육 정도 등을 확인한 다음 권리보호를 위하여 필요하다고 인정하는 때에는 피고인의 명시적 의사에 반하지 아니하는 범위 안에서 국선변호인을 선정하여야 한다(대판 2014.8.28, 2014도4496). 16. 7급 국가직, 19. 경찰승진, 20. 순경 1차
15. 피고인이 지체(척추) 4급 장애인으로서 국민기초생활수급자에 해당한다는 소명자료를 첨부하여 서면으로 빈곤을 사유로 한 국선변호인 선정청구를 하였고, 위 소명자료에 의하면 피고인이 빈곤으로 인하여 변호인을 선임할 수 없는 경우에 해당하는 것으로 인정할 여지가 충분하며 기록상 이와 달리 판단할 사정을 찾아볼 수 없으므로, 특별한 사정이 없는 한 국선변호인 선정결정을 하여 선정된 변호인으로 하여금 공판심리에 참여하도록 하였어야 하는데도, 위 청구를 기각하는 결정을 한 후 피고인만 출석한 상태에서 심리를 진행하여 판결을 선고한 것은 위법하다(대판 2011.3.24, 2010도18103). 13. 경찰승진
16. 형사소송법 제33조 제5호(현행 제33조 제2항)의 경우에는 피고인의 청구가 있어야 한다. 따라서 피고인의 국선변호인선정청구가 있는 경우에 법원이 아무런 결정을 하지 않는 것은 위법하다(대판 1995.2.28, 94도2880). 04. 순경
17. 피고인이 극빈자이나 수소법원에 국선변호인 선정청구(현 제33조 제2항)를 하지 않는 가운데 법원으로부터 유죄판결을 받았는바, 항소법원이 변론을 종결한 후에 피고인은 청구국선변호인제도를 알게 되었고, 곧바로 국선변호인 청구서와 변론개시 신청서를 항소법원에 제출하였으나 항소법원이 이를 기각하였다 하더라도 법원이 국선변호인선정청구권 있음을 고지해야 할 의무는 없다 할 것이므로 위법이라 할 수 없다(대판 1994.10.25, 94도1467). 04. 행시 · 순경, 12. 9급 법원직

18. 국선변호인 선임청구를 기각한 결정은 판결 전 소송절차이므로 그 결정에 대하여 즉시항고할 수 있는 근거가 없기 때문에 그 결정에 대하여는 재항고도 할 수 없다(대결 1993.12.3, 92모49). 09 · 10 · 11 · 13. 경찰승진, 11. 7급 국가직
19. 피고인이 빈곤 등을 이유로 국선변호인 선정을 청구하면서, 충분한 시간적 여유를 두고 선정청구를 하였는데도, 법원이 그 선정을 지연하여 항소이유서 제출기간이 경과한 후에야 비로소 선정되었다면, 항소이유서 제출기간의 경과를 이유로 피고인의 항소를 기각하면 안 되고, 국선변호인에게 별도로 소송기록접수통지를 하여 국선변호인이 그 통지를 받은 날로부터 기산하여 20일 내에 항소이유서를 제출할 수 있는 기회를 주어야 한다(대결 2000.11.28, 2000모66). 02. 법원사무관
20. 필요적 변호사건에서, 피고인에게 변호인이 없는 때에는 국선변호인을 선정하여 그 국선변호인으로 하여금 항소이유서를 작성 · 제출하도록 하여야 하는 것이고, 피고인이 항소이유서 제출기간 이내에 항소이유서를 제출하지 않고, 항소장에도 항소이유를 기재하지 않았다고 하더라도 항소심은 국선변호인 선임 없이는 항소기각결정을 할 수 없다(대결 1996.11.28, 96모100).
21. 필요적 국선사건이 아님에도 제1심이 국선변호인을 선정하여 준 후 피고인에게 징역 1년의 형을 선고하면서 법정구속을 하지 않았는데, 피고인이 항소장만을 제출한 다음 국선변호인 선정청구를 하지 않은 채 법정기간 내에 항소이유서를 제출하지 아니하자 항소심이 피고인의 항소를 기각한 경우, 국선변호인 선정 없이 공판심리를 진행한 항소심의 판단과 조치 및 절차는 정당하다(대판 2013.5.9, 2013도1886).
22. 제1심에서 국선변호인 선정청구가 인용되고 불구속 상태로 실형을 선고받은 피고인이 그 후 별건 구속된 상태에서 항소를 제기하여 국선변호인 선정청구를 하였는데, 항소심이 이에 대해 아무런 결정도 하지 않고 공판기일을 진행하여 실질적 변론과 심리를 마치고서야 국선변호인 선정청구를 기각한 경우, 국선변호인 선정에 관한 형사소송법 규정을 위반한 잘못이 있다(대판 2013.7.11, 2012도16334).
23. 법원은 피고인으로부터 국선변호인 선정청구가 있는 경우 또는 직권으로 소송기록과 소명자료를 검토하여 피고인이 형사소송법 제33조 제2항(청구국선) 또는 제3항(재량국선)에 해당한다고 인정되는 경우 즉시 국선변호인을 선정하고, 소송기록에 나타난 자료만으로 그 해당 여부가 불분명한 경우에는 제1회 공판기일의 심리에 의하여 국선변호인의 선정 여부를 결정할 것이며, 제1심에서 피고인의 청구 또는 직권으로 국선변호인이 선정되어 공판이 진행된 경우에는 항소법원은 특별한 사정변경이 없는 한 국선변호인을 선정함이 바람직하다(대판 2013.7.11, 2013도351).
24. 피고인이 필요적 변호사건인 '흉기휴대 상해'의 폭력행위 등 처벌에 관한 법률 위반죄로 기소된 후 '사기죄'의 약식명령에 대해 정식재판을 청구하여 제1심에서 모두 유죄판결을 받고 항소하였는데, 항소심이 국선변호인을 선정하지 아니한 채 두 사건을 병합 · 심리하여 항소기각 판결을 선고한 경우, 변호인의 관여 없이 공판절차를 진행한 위법은 필요적 변호사건이 아닌 사기죄 부분에도 미치며, 이는 사기죄 부분에 대해 별개의 벌금형을 선고하였더라도 마찬가지다(대판 2011.4.28, 2011도2279).
25. 필요적 변호사건에서 법원이 정당한 이유 없이 국선변호인을 선정하지 않고 있는 사이에 피고인 스스로 변호인을 선임하였으나 그 때는 이미 피고인에 대한 항소이유서 제출기간이 도과해버린 후이어서 그 변호인이 피고인을 위하여 항소이유서를 작성 · 제출할 시간적 여유가 없는 경우에도 마찬가지로 보호되어야 한다고 할 것이므로, 그 경우에는 법원은 사선변호인에게도 소송기록접수통지를 함으로써 그 변호인이 통지를 받은 날로부터 기산하여 소정의 기간 내에 피고인을 위하여 항소이유서를 작성 · 제출할 수 있는 기회를 주어야 한다(대판 2000.12.22, 2000도4694).

26. 변호인 없는 불구속 피고인에 대하여 국선변호인을 선정하지 않은 채 판결을 선고한 다음 법정구속한 것이 형사소송법 제33조 제1항 제1호를 위반한 것은 아니다(대판 2011.3.10, 2010도17353). 18. 7급 국가직·9급 법원직, 19. 변호사시험
27. 필요적 변호사건에서, 항소법원이 이미 피고인과 국선변호인에게 소송기록접수통지를 하였으나, 피고인과 국선변호인이 항소이유서를 제출하지 않고 있던 중 항소이유서 제출기간 내에 피고인이 사선변호인을 선임함에 따라 국선변호인 선정결정이 취소된 경우 새로 선임된 사선변호인에게 다시 소송기록접수통지를 하여야 할 필요는 없다. 이러한 경우 항소이유서 제출기간은 국선변호인 또는 피고인이 소송기록접수통지를 받은 날부터 계산하여야 한다(대판 2018.11.22, 2015도10651 전원합의체).
28. 피고인에 대하여 제1심법원이 집행유예를 선고하였으나 검사만이 양형부당을 이유로 항소한 사안에서 항소심이 변호인이 선임되지 않은 피고인에 대하여 검사의 양형부당 항소를 받아들여 형을 선고하는 경우에는 판결 선고 후 피고인을 법정구속한 뒤에 비로소 국선변호인을 선정하는 것보다는, 피고인의 권리보호를 위해 판결 선고 전 공판심리 단계에서부터 형사소송법 제33조 제3항에 따라 피고인의 명시적 의사에 반하지 아니하는 범위 안에서 국선변호인을 선정해 주는 것이 바람직하다(대판 2016.11.10, 2016도7622).
29. 국선변호인 제도는 구속영장실질심사, 체포·구속 적부심사의 경우를 제외하고는 공판절차에서 피고인의 지위에 있는 자에게만 인정되고 이 사건과 같이 집행유예의 취소청구 사건의 심리절차에서는 인정되지 않는다(대결 2013.2.13, 2013모281).
30. 법원이 국선변호인을 반드시 선정해야 하는 사유로 형사소송법 제33조 제1항 제5호에서 정한 '피고인이 심신장애의 의심이 있는 때'라 함은 진단서나 정신감정 등 객관적인 자료에 의하여 피고인의 심신장애 상태를 확신할 수 있거나 그러한 상태로 추단할 수 있는 근거가 있는 경우는 물론, 범행의 경위, 범행의 내용과 방법, 범행 전후 과정에서 보인 행동 등과 아울러 피고인의 연령·지능·교육 정도 등 소송기록과 소명자료에 드러난 제반 사정에 비추어 피고인의 의식상태나 사물에 대한 변별능력, 행위통제능력이 결여되거나 저하된 상태로 의심되어 피고인이 공판심리단계에서 효과적으로 방어권을 행사하지 못할 우려가 있다고 인정되는 경우를 포함한다(대판 2019.9.26, 2019도8531).

01 **국선변호인에 대한 설명으로 가장 적절하지 않은 것은?**(다툼이 있는 경우 판례에 의함)

19. 경찰승진

① 형사소송법 제33조 제1항 제1호의 '피고인이 구속된 때'라고 함은 피고인이 별건으로 구속되어 있거나 다른 형사사건에서 유죄로 확정되어 수형 중인 경우는 이에 해당하지 아니한다.
② 공판절차가 아닌 재심개시결정 전의 절차에서 재심청구인의 국선변호인선임청구를 기각한 것은 적법하다.
③ 피고인이 70세 이상인 때에 변호인이 없으면 법원은 직권으로 국선변호인을 선정하여야 한다.
④ 시각장애인인 피고인의 경우, 법원으로서는 피고인의 연령·지능·교육 정도를 비롯한 시각장애의 정도 등을 확인한 다음 권리보호를 위하여 필요하다고 인정하는 때에는 그 피고인의 명시적 의사에 반하더라도 국선변호인을 선정하여 방어권을 보장해 줄 필요가 있다.

| 해설 | ① 대판 2009.5.28, 2009도579 ② 대결 1993.12.3, 92모49 ③ 제33조 제1항 제3호
④ 법원으로서는 피고인의 연령·지능·교육 정도를 비롯한 시각장애의 정도 등을 확인한 다음 권리보호를 위하여 필요하다고 인정하는 때에는 그 피고인의 명시적 의사에 반하지 아니하는 범위 안에서 국선변호인을 선정하여 방어권을 보장해 줄 필요가 있다(대판 2014.8.28, 2014도4496).

02 **국선변호인에 대한 다음 설명 중 가장 옳지 않은 것은?**

19. 9급 법원직

① 피고인이 2급 시각장애인으로서 점자자료가 아닌 경우에는 인쇄물 정보접근에 상당한 곤란을 겪는 수준임에도 국선변호인 선정절차를 취하지 아니한 채 공판심리를 진행하였다면 위법하다.
② 항소심에서 국선변호인을 선정하고 그에게 소송기록접수 통지를 한 이후에 변호인이 없는 다른 사건이 병합된 경우, 국선변호인 선정의 효력은 선정 이후 병합된 다른 사건에도 미치므로, 항소법원은 국선변호인에게 그 병합된 사건에 관하여도 소송기록 접수통지를 할 필요는 없다.
③ 제1심에서 국선변호인 선정청구가 인용되고 불구속 상태로 실형을 선고받은 피고인이 그 후 별건 구속된 상태에서 항소를 제기하여 다시 국선변호인 선정청구를 하였는데, 원심이 이에 대해 아무런 결정도 하지 않고 공판기일을 진행하여 실질적 변론과 심리를 모두 마치고 난 뒤에 국선변호인 선정청구를 기각하고 판결을 선고하였다면 위법하다.
④ 형사소송법 제33조 제1항 각 호에 해당하는 경우가 아닌 한 법원으로서는 권리보호를 위하여 필요하다고 인정하지 않으면 국선변호인을 선정하지 않아도 위법이 아니다.

| 해설 | ① 대판 2010.4.29, 2010도881
② 항소심에서 국선변호인이 선정된 이후 변호인이 없는 다른 사건이 병합된 경우에는 형사소송법 제361조의 2, 형사소송규칙 제156조의 2의 규정에 따라 항소법원은 지체 없이 국선변호인에게 병합된 사건에 관한 소송기록 접수통지를 함으로써 국선변호인이 통지를 받은 날로부터 기산한 소정의 기간 내에 피고인을 위하여 항소이유서를 작성·제출할 수 있도록 하여 변호인의 조력을 받을 피고인의 권리를 보호하여야 한다(대판 2010.5.27, 2010도3377). ③ 대판 2013.7.11, 2012도16334 ④ 대판 2016.8.30, 2016도7672

Answer 1.④ 2.②

03 필요적 변호사건에 대한 설명으로 옳은 것만을 모두 고르면?(다툼이 있는 경우 판례에 의함)

20. 9급 검찰 · 마약 · 교정 · 보호 · 철도경찰

㉠ 필요적 변호사건과 다른 사건을 병합하여 심리하는 경우에 변호인의 관여 없이 공판절차를 진행한 위법은 필요적 변호사건이 아닌 다른 사건 부분에는 미치지 않는다.
㉡ 필요적 변호사건에서 항소법원이 국선변호인을 선정하고 피고인과 그 변호인에게 소송기록접수통지를 한 다음 피고인이 새로이 사선변호인을 선임함에 따라 국선변호인의 선정을 취소한 경우, 항소법원은 사선변호인에게 소송기록접수통지를 다시 하여야 한다.
㉢ 필요적 변호사건의 항소심에서는, 원심법원이 피고인 본인의 항소이유서 제출기간 경과 후 국선변호인을 선정하고 그에게 소송기록접수통지를 하였으나 국선변호인이 법정기간 내에 항소이유서를 제출하지 아니한 경우, 국선변호인의 항소이유서 불제출에 대하여 피고인이 귀책사유가 밝혀지지 아니한 이상 피고인의 항소를 기각할 것이 아니라 국선변호인의 선정을 취소하고 새로운 국선변호인을 선정하는 조치를 취하여야 한다.
㉣ 필요적 변호사건이라 하여도 피고인이 재판거부의사를 표시하고 재판장의 허가 없이 퇴정한 후 변호인마저 이에 동조하여 퇴정해 버린 경우, 피고인과 변호인이 출석하지 않는 상태에서 증거조사를 할 수밖에 없는 때에는 피고인의 증거동의가 있는 것으로 간주한다.

① ㉠, ㉡ ② ㉡, ㉢ ③ ㉢, ㉣ ④ ㉠, ㉢, ㉣

| 해설 ㉠ × : 필요적 변호사건과 다른 사건을 병합하여 심리하는 경우에 변호인의 관여 없이 공판절차를 진행한 위법은 필요적 변호사건이 아닌 다른 사건 부분에 미친다(대판 2011.4.28, 2011도2279).
㉡ × : 필요적 변호사건에서 항소법원이 국선변호인을 선정하고 피고인과 그 변호인에게 소송기록접수통지를 한 다음 피고인이 새로이 사선변호인을 선임함에 따라 국선변호인의 선정을 취소한 경우, 항소법원은 사선변호인에게 다시 소송기록접수통지를 할 필요는 없다(대판 2018.11.22, 2015도10651 전원합의체).
㉢ ○ : 대결 2012.2.16, 2009모1044 전원합의체 ㉣ ○ : 대판 1991.6.28, 91도865

04 국선변호인에 대한 설명으로 가장 적절하지 않은 것은?(다툼이 있는 경우 판례에 의함)

22. 경찰승진

① 사형, 무기 또는 단기 3년 이상의 징역이나 금고에 해당하는 사건으로 기소된 피고인에게 변호인이 없는 때에는 법원은 직권으로 변호인을 선정하여야 한다.
② 국민참여재판에 관하여 변호인이 없는 때에는 법원은 직권으로 변호인을 선정하여야 한다.
③ 구속영장이 청구되어 심문할 피의자에게 변호인이 없어 지방법원판사가 직권으로 변호인을 선정한 경우 변호인의 선정은 피의자에 대한 구속영장 청구가 기각되어 효력이 소멸하더라도 제1심까지 효력이 있다.
④ 국선변호인선정청구를 기각한 결정은 판결 전의 소송절차이므로, 그 결정에 대하여 즉시항고를 할 수 있는 근거가 없는 이상 그 결정에 대하여는 재항고도 할 수 없다.

| 해설 ① 제33조 제1항 제6호 ② 국민의 형사재판 참여에 관한 법률 제7조
③ 구속영장이 청구되어 심문할 피의자에게 변호인이 없어 지방법원판사가 직권으로 변호인을 선정한 경우 변호인의 선정은 피의자에 대한 구속영장 청구가 기각되어 효력이 소멸한 경우를 제외하고는 제1심까지 효력이 있다(제201조의 2 제8항). ④ 대결 1993.12.3, 92모49

Answer 3. ③ 4. ③

05 **변호인에 대한 설명으로 옳지 않은 것은?**(다툼이 있는 경우 판례에 의함) 22. 7급 국가직

① 형사소송법 제33조 제1항이 정하는 필요적 변호사건이 아닌 경우에도 제1심법원이 피고인의 청구에 따라 또는 직권으로 국선변호인을 선정하여 공판을 진행하였다면, 항소법원이 특별한 사정변경 없이 국선변호인을 선정하지 않고 심리를 진행하는 것은 위법하다.

② 형사소송규칙은 항소이유서 제출기간 내에 피고인이 책임질 수 없는 사유로 국선변호인이 변경되면 그 국선변호인에게도 소송기록접수통지를 하여야 한다고 정하고 있는데, 이 규정을 새로 선임된 사선변호인의 경우까지 확대해서 적용하거나 유추적용할 수는 없다.

③ 항소법원은 피고인에게 소송기록접수통지를 한 다음에 변호인이 선임된 경우에는 그 변호인에게 다시 같은 통지를 할 필요가 없고, 이는 필요적 변호사건에서 항소법원이 국선변호인을 선정하고 피고인과 그 변호인에게 소송기록접수통지를 한 다음 피고인이 사선변호인을 선임함에 따라 항소법원이 국선변호인의 선정을 취소한 경우에도 마찬가지이다.

④ 피고인과 국선변호인이 모두 법정기간 내에 항소이유서를 제출하지 아니하였더라도, 국선변호인이 항소이유서를 제출하지 아니한 데 대하여 피고인에게 귀책사유가 있음이 특별히 밝혀지지 않는 한, 항소법원은 종전 국선변호인의 선정을 취소하고 새로운 국선변호인을 선정하여 다시 소송기록접수통지를 함으로써 새로운 변호인으로 하여금 그 통지를 받은 때로부터 형사소송법 제361조의 3 제1항의 기간 내에 피고인을 위하여 항소이유서를 제출하도록 하여야 한다.

해설 ① 필요적 변호사건이 아닌 경우에 제1심법원이 피고인의 청구 또는 직권으로 국선변호인을 선정하여 공판을 진행하였더라도 항소심의 판단과 조치 및 절차는 정당하고, 국선변호인을 선정하여 주지 않은 것이 피고인의 방어권을 침해하여 판결에 영향을 미쳤다고 보기도 어렵다(대판 2013.5.9, 2013도1886).
②③ 대판 2018.11.22, 2015도10651 전원합의체
④ 대결 2012.2.16, 2009모1044 전원합의체

06 **국선변호인에 대한 판례의 내용으로 올바르지 아니한 것은 모두 몇 개인가?**

㉠ 필요적 국선사건이 아님에도 제1심이 국선변호인을 선정하여 준 후 피고인에게 징역형을 선고하면서 법정구속을 하지 않았는데, 피고인이 항소장만을 제출한 다음 국선변호인 선정청구를 하지 않은 채 법정기간 내에 항소이유서를 제출하지 아니하자 항소심이 피고인의 항소를 기각한 경우라면, 항소심의 판단과 조치 및 절차는 정당하다.

㉡ 피고인에 대한 공소사실 범행의 피해자가 공동피고인이고 범행동기도 공동피고인에 대한 공소사실 범행에 있어서 피고인에 대한 유리한 변호는 공동피고인의 정상에 대하여 불리한 결과를 초래한 경우 피고인과 공동피고인에 대하여 동일한 국선변호인을 선정해서는 아니 된다.

㉢ 피고인이 형사소송법 제33조 제2항 또는 제3항에 해당한다고 인정되어 제1심에서 국선변호인을 선정하였더라도, 항소법원은 이와는 무관하게 국선변호인 선정 여부를 판단함이 바람직하다.

Answer 5. ① 6. ②

㉣ 필요적 변호사건의 공판절차가 사선변호인과 국선변호인이 모두 불출석한 채 개정되어 국선변호인 선정 취소 결정이 고지된 후 변호인 없이 피해자에 대한 증인신문 등 심리가 이루어진 경우, 그와 같은 위법한 공판절차에서 이루어진 피해자에 대한 증인신문 등 일체의 소송행위가 모두 무효라고 볼 수는 없다.
㉤ 항소법원이 국선변호인 선정 이후 병합된 사건에 관하여 국선변호인에게 소송기록 접수통지를 하지 아니함으로써 항소이유서 제출기회를 주지 않은 채 판결선고한 것은 위법이다.
㉥ 변호인 없는 불구속 피고인에 대하여 국선변호인을 선정하지 않은 채 판결을 선고한 다음 법정구속을 하더라도 법원이 직권으로 변호인을 선정하여야 하는 형사소송법 제33조 제1항 제1호를 위반한 것이 아니다.

① 1개 ② 2개 ③ 3개 ④ 4개

| 해설 ㉠ ○ : 필요적 국선사건이 아님에도 제1심이 국선변호인을 선정하여 준 후 피고인에게 징역 1년의 형을 선고하면서 법정구속을 하지 않았는데, 피고인이 항소장만을 제출한 다음 국선변호인 선정청구를 하지 않은 채 법정기간 내에 항소이유서를 제출하지 아니하자 원심이 피고인의 항소를 기각한 사안에서, 국선변호인 선정 없이 공판심리를 진행한 원심의 판단과 조치 및 절차는 정당하다(대판 2013.5.9, 2013도1886).
㉡ ○ : 폭행의 공동피고인(甲·乙)을 납치하여 강도상해한 피고인(丙)에 대하여 동일한 국선변호인을 선정한 것은 서로 이해가 상반되는 관계에 있음이 명백하므로(丙에 대한 유리한 변론은 피해자이기도 한 甲·乙에 대해서는 불리한 결과 초래) 동일한 국선변호인을 선정해서는 안 된다(대판 2000.11.24, 2000도4398).
㉢ × : 법원은 피고인으로부터 형사소송법 제33조 제2항에 의한 국선변호인 선정청구가 있는 경우 또는 직권으로 소송기록과 소명자료를 검토하여 피고인이 형사소송법 제33조 제2항 또는 제3항에 해당한다고 인정되는 경우 즉시 국선변호인을 선정하고, 소송기록에 나타난 자료만으로 그 해당 여부가 불분명한 경우에는 제1회 공판기일의 심리에 의하여 국선변호인의 선정 여부를 결정할 것이며, 제1심에서 피고인의 청구 또는 직권으로 국선변호인이 선정되어 공판이 진행된 경우에는 항소법원은 특별한 사정변경이 없는 한 국선변호인을 선정함이 바람직하다(대판 2013.7.11, 2013도351).
㉣ × : 필요적 변호사건의 공판절차가 사선변호인과 국선변호인이 모두 불출석한 채 개정되어 국선변호인 선정 취소 결정이 고지된 후 변호인 없이 피해자에 대한 증인신문 등 심리가 이루어진 경우, 그와 같은 위법한 공판절차에서 이루어진 피해자에 대한 증인신문 등 일체의 소송행위는 모두 무효라고 할 것이고, 다만 필요적 변호사건에서 변호인이 없거나 출석하지 아니한 채 공판절차가 진행되었기 때문에 그 공판절차가 위법한 것이라 하더라도 그 절차에서의 소송행위 외에 다른 절차에서 적법하게 이루어진 소송행위까지 모두 무효로 된다고 볼 수는 없다(대판 1999.4.23, 99도915).
㉤ ○ : 대판 2010.5.27, 2010도3377
㉥ ○ : 대판 2011.3.10, 2010도17353

07 국선변호인에 대한 판례의 태도에 반하는 것으로만 묶인 것은?

㉠ 필요적 변호사건에 있어서 선임된 사선변호인에 대한 기일통지를 하지 아니함으로써 사선변호인의 출석 없이 제1회 공판기일을 진행하였다면 그 공판기일에 국선변호인이 출석하였다 하더라도 그 공판절차는 위법하다.
㉡ 필요적 변호사건에서 변호인이 없거나 출석하지 아니한 채 공판절차가 진행되었다 하더라도 그 절차에서의 소송행위 외에 다른 절차에서 적법하게 이루어진 소송행위까지 모두 무효로 된다고 볼 수는 없다.
㉢ 법원이 정당한 이유 없이 그 선정을 지연하여 항소이유서 제출기간이 경과한 후에야 비로소 국선변호인이 선정됨으로써 항소이유서 작성·제출에 필요한 변호인의 조력을 받지도 못한 상태로 피고인에 대한 항소이유서 제출기간이 도과해 버렸다면 항소이유서 제출기간 내에 적법한 항소이유서의 제출이 없었다는 사유만으로 곧바로 항소를 기각할 수는 없다.
㉣ 필요적 변호사건에서 법원이 정당한 이유 없이 국선변호인을 선정하고 있지 않고 있는 사이에 피고인이 스스로 변호인을 선임하였으나 그때에는 이미 피고인에 대한 항소이유서 제출기간이 도과해 버린 후여서 변호인이 피고인을 위하여 항소이유서를 작성·제출할 시간적 여유가 없는 경우에는 변호인에게 별도로 소송기록접수통지를 함으로써 변호인이 통지를 받은 날로부터 기산하여 소정의 기간 내에 항소이유서를 작성·제출할 수 있는 기회를 주어야 한다.
㉤ 피고인이 지체(척추)4급 장애인으로서 국민기초생활수급자에 해당한다는 소명자료를 첨부하여 국선변호인선정청구를 하였을지라도 허용 여부는 어디까지나 법원의 재량이므로 법원이 청구를 기각하는 결정을 한 후 공판심리를 진행한 조치는 위법이 있다고 할 수 없다.

① ㉠, ㉡　　② ㉠, ㉤　　③ ㉡, ㉢, ㉣　　④ ㉠, ㉣, ㉤

해설 ㉠ ×: 필요적 변호사건에 있어서 선임된 사선변호인에 대한 기일통지를 하지 아니함으로써 사선변호인의 출석 없이 제1회 공판기일을 진행하였더라도 그 공판기일에 국선변호인이 출석하였다면 변호인 없이 재판한 잘못이 있다 할 수 없고, 또한 사선변호인이 제2회 공판기일부터는 계속 출석하여 변호권을 행사하였다면 사선변호인으로부터의 변호를 받을 기회를 박탈하였다거나 사선변호인의 변호권을 제한하였다 할 수 없다(대판 1990.9.25, 90도1571).
㉡ ○: 대판 1999.4.29, 99도915
㉢ ○: 대결 2000.11.28, 2000모66
㉣ ○: 대판 2009.2.12, 2008도11486
㉤ ×: 피고인이 지체(척추)4급 장애인으로서 국민기초생활수급자에 해당한다는 소명자료를 첨부하여 서면으로 형사소송법 제33조 제2항에서 정한 빈곤을 사유로 한 국선변호인 선정청구를 하였고, 위 소명자료에 의하면 피고인이 빈곤으로 인하여 변호인을 선임할 수 없는 경우에 해당하는 것으로 인정할 여지가 충분하며 기록상 이와 달리 판단할 사정을 찾아볼 수 없으므로, 특별한 사정이 없는 한 국선변호인 선정결정을 하여 선정된 변호인으로 하여금 공판심리에 참여하도록 하였어야 하는데도, 위 청구를 기각하는 결정을 한 후 피고인만 출석한 상태에서 심리를 진행하여 판결을 선고한 원심의 조치에 법령위반의 위법이 있다(대판 2011.3.24, 2010도18103).

Answer 7. ②

THEMA 54 국선변호인 선정 취소 · 사임사유

취소사유	• 필요적 취소사유 : 피고인 또는 피의자에게 변호인이 선임된 때, 국선변호인이 자격을 상실한 때, 국선변호인의 사임을 허가한 때에 법원 또는 지방법원판사는 국선변호인 선정을 취소하여야 한다(규칙 제18조 제1항). 09. 순경 • 임의적 취소사유 : 기타 국선변호인이 그 직무를 성실히 수행하지 아니하거나 기타 상당한 이유가 있는 때에는 선정을 취소할 수 있다(동조 제2항). 09. 경찰승진
사임사유	질병 또는 장기여행으로 인하여 직무수행이 곤란한 때, 피고인 또는 피의자에 대하여 신뢰관계를 지속할 수 없을 때, 피고인 · 피의자로부터 부정한 행위를 종용받았을 때, 그 밖에 국선변호인으로서의 직무를 수행하는 것이 어렵다고 인정할 만한 상당한 이유가 있을 때에는 법원 또는 지방법원판사의 허가를 얻어 사임할 수 있다(규칙 제20조). 11. 9급 법원직, 12. 경찰승진

01 국선변호인 선정의 취소 · 사임사유와 관련하여 틀린 것은?

① 국선변호인이 자격을 상실한 때에는 반드시 선정을 취소하여야 한다.

② 국선변호인이 그 직무를 성실하게 수행하지 아니한 때에는 법원은 직권으로 국선변호인의 선정을 취소하여야 한다.

③ 국선변호인은 정당한 사유가 있는 경우에 사임할 수 있으나, 그 경우에는 법원 또는 지방법원 판사의 허가를 얻어야 한다.

④ 국선변호인이 그 직무를 성실히 수행하지 아니하거나 기타 상당한 이유가 있을 때에는 임의적 취소사유이다.

| 해설 ① 규칙 제18조 제1항
② 국선변호인 선정을 취소할 수 있다(규칙 제18조 제2항).
③ 규칙 제20조
④ 규칙 제18조 제2항

Answer 1. ②

03

THEMA 55 변호인의 지위

<table>
<tr><td>보호자적 지위</td><td colspan="3">1. 변호인은 형사절차에서 피고인·피의자의 이익을 보호할 임무가 있다. 이러한 보호자로서의 지위가 변호인의 기본적 지위이다.
2. 변호인은 단순히 피의자·피고인의 일방적인 이익대변인은 아니다.
3. 따라서 변호인은 피의자·피고인에게 이익이 되는 것이면 피의자나 피고인의 반대의사에도 불구하고 이에 구속되지 않고 증거신청 등을 할 수 있다(예 피의자·피고인의 근친자에 대한 증인신문신청, 피의자·피고인 정신감정신청 등).</td></tr>
<tr><td rowspan="3">공익적 지위
(진실의무)</td><td>의 의</td><td colspan="2">1. 변호인은 피고인·피의자의 정당한 이익을 보호함으로써 국가형벌권의 공정한 실현에 협력할 의무가 있는바, 이를 변호인의 공익적 지위(진실의무)라 한다.
▶ 변호인의 지위는 국가적 지위로 판단하여야 한다. (×) 94. 경찰승진
2. 그러나 변호인의 진실의무는 적극적으로 진실발견에 협력할 의무를 의미하는 것은 아니고, 변호인이 피고인에 대한 보호적 기능을 행사함에 있어 진실에 구속되어야 한다는 소극적 의미를 갖는 데 그친다.</td></tr>
<tr><td rowspan="2">위반 여부</td><td>진실의무 위반 ○</td><td>진실의무 위반 ×</td></tr>
<tr><td>1. 허위진술 권유(대판 2012.8.30, 2012도6027) 14. 경찰간부
2. 위증을 교사
3. 불리한 증거의 인멸 지시
4. 임의자백의 철회 지시</td><td>1. 유죄확신의 경우에 무죄변론
2. 진술거부권행사 권유 12. 순경 1차, 17. 9급 법원직
3. 법적 조언</td></tr>
</table>

01 변호인의 진실의무에 대한 설명 중 틀린 것은?

① 변호인이 증거불충분으로 무죄변론을 하는 것은 진실의무 위반이다.
② 변호인은 기본적 인권을 옹호하고 사회정의를 실현함을 사명으로 한다.
③ 피고인의 보호자인 변호인의 지위는 진실의무에 의하여 그 권한이 제한될 수 있다.
④ 변호인의 피고인에게 임의의 자백의 철회를 지시하는 것은 진실의무 위반이다.

해설 ① 변호인이 증거불충분으로 무죄변론을 하는 것은 진실의무 위반이 아니며, 오히려 이 경우 유죄의 변론을 하게 되면 피고인의 보호자라는 기본적 지위에 반하게 된다.

Answer 1. ①

02 변호인에 관하여 다음 중 타당하지 아니한 것은?

① 피고인의 이익을 위하여서라도 진실을 은폐하거나 허위의 진술을 하여서는 안 된다.
② 피고인의 보조자이므로 피고인에게 이익이 되는 것이면, 반드시 피고인의 의사에 구속되지 않고 주장할 수 있다.
③ 변호인도 피고인의 자백에는 구속된다.
④ 공판정에 제출된 증거만으로 유죄가 될 수 없는 경우에는 비록 변호인이 유죄로 인정하더라도 유죄의 증거를 제출할 의무는 없다.

| 해설 ③ 변호인은 피고인의 단순한 대리인이 아니라 피고인의 보호자이므로 피고인의 자백에 구속되지 않는다. 피고인의 자백이 사실과 다르다고 믿은 경우에는 변호인은 당연히 무죄변론을 하여야 한다.

03 다음 중 변호인의 정당한 변호권 행사로 볼 수 있는 것은?

93. 경찰승진

① 유리한 허위증거 제출
② 피고인이 원하는 경우 유죄의 변호
③ 불리한 증거의 인멸
④ 피고인에 대한 진술거부의 권유

| 해설 변호인이 유리한 허위증거를 제출하거나, 불리한 증거인멸은 진실의무에 위반되나, 피고인에 대한 진술거부권 행사를 권유한 것은 헌법이나 형사소송법에서 인정하고 있는 당연한 피고인의 권리행사를 권유한 것이므로 허용된다. 피고인이 아무리 원한다 하더라도 자백의 내용이 진실이 아니라고 판단된 경우에는 피고인을 위하여 무죄변론을 하여야 한다.

04 변호인의 지위와 관련한 설명으로 틀린 것은?

① 변호인은 업무상 알게 된 비밀을 다른 곳에 누설하지 않을 소극적 · 적극적 비밀유지의무를 가지고 있다.
② 변호인은 국가적 지위가 아니라, 공익적 지위를 가진다.
③ 변호인에게는 수사기관과 같은 강제적인 증거수집권은 없지만, 범행현장의 탐방이나 유리한 증인의 소재탐지 또는 사적인 감정의견서의 수집과 같은 활동은 할 수 있다.
④ 피고인에게 불리한 변호인의 상소제기는 허용되지 않는다.

| 해설 ① 변호인의 비밀유지의무는 변호인이 업무상 알게 된 비밀을 다른 곳에 누설하지 않을 소극적 의무를 말하는 것일 뿐 진범을 은폐하는 허위자백을 적극적으로 유지하게 한 행위가 변호인의 비밀유지의무에 의하여 정당화될 수 없다(대판 2012.8.30, 2012도6027).
② 변호인은 피고인 · 피의자의 이익을 보호하여야 할 지위에 있으나 보호하여야 할 이익은 정당한 이익에 한한다. 이와 같이 변호인은 피고인이나 피의자의 정당한 이익을 보호함으로써 국가형벌권의 공정한 실현에 협력할 의무가 있는데, 변호인의 이러한 지위를 공익적 지위(국가적 지위 ×)라 한다. 변호인의 공익적 지위에서 진실발견을 부당하게 방해하지 아니할 진실의무가 나온다.
③ 타당한 내용이다.
④ 대판 1986.5.27, 86도530

Answer 2. ③ 3. ④ 4. ①

THEMA 56 변호인의 권한

1. **대리권** : 변호인은 대리가 허용되는 소송행위에 관하여 포괄적 대리권을 가진다. 이러한 대리권에는 독립대리권과 종속대리권이 있다.

구분	종류	내용	예
대리권	**독립대리권** (본인의 의사에 반하여 행사 가능)	본인의 명시적인 의사에 반하여도 행사 가능한 경우	• 구속의 취소청구(제93조) • 보석청구(제94조) • 증거보전청구(제184조) • 공판기일 변경신청(제270조 제1항) • 증거조사 이의신청(제296조 제1항) • 재판장 처분에 대한 이의신청권(제304조)
		본인의 묵시적인 의사에 반하여도 행사 가능한 경우(명시적 의사에 반해서는 불가)	• 기피신청(제18조) • 상소제기(제341조)
	종속대리권 (본인의 의사에 종속하여 행사)	• 관할이전신청(제15조) • 관할위반신청(제320조) • 증거의 동의(제318조) ⇨ 판례는 독립대리권으로 봄 • 상소의 취하(제351조) • 정식재판청구 취하(제458조, 제351조)	

▶ 정식재판청구권(제453조)을 독립대리권으로 볼 것인지, 종속대리권(다수설)으로 볼 것인지에 대하여 견해의 대립이 있다.

2. **고유권** : 고유권이란 변호인이라는 지위에서 그에게 독자적으로 인정되는 권리를 말한다. 고유권이란 피의자나 피고인의 권리가 소멸한 경우에도 이에 영향을 받지 않고 변호인이 독자적 입장에서 행사할 수 있다.

구분	종류	예
고유권	**변호인만 가지는 권리** (협의의 고유권)	• 피의자 · 피고인과의 접견교통권(제34조) • 피고인신문권(제296조의 2) • 상고심에서 변론권(제387조)
	피의자나 피고인과 중복하여 가지는 권리	• 증인신문참여권(제163조) • 증인신문권(제161조의 2) • 강제처분참여권(제121조) • 최종의견진술권(제303조) • 소송기록열람권(제35조) • 증인신문신청권(제294조)

01 **다음 중 피고인의 명시한 의사에 반하여 할 수 없는 것은 모두 몇 개인가?**(다툼이 있으면 판례에 의함) 05. 9급 검찰

> ㉠ 피고인의 변호인이 상소하는 경우
> ㉡ 피고인의 배우자가 상소하는 경우
> ㉢ 피고인의 변호인이 법관에 대하여 기피신청을 하는 경우
> ㉣ 피고인의 배우자가 변호인을 선임하는 경우
> ㉤ 피고인의 변호인이 증거동의를 하는 경우

① 2개 ② 3개 ③ 4개 ④ 5개

해설 피고인의 명시한 의사에 반하여 할 수 없는 것으로는 ㉠㉡ 제341조 ㉢ 제18조 제2항 ㉤ 대판 1988. 11.8, 88도1628이 이에 해당하고, ㉣은 명시적 또는 묵시적 의사에 반하여도 가능한 독립대리권이다(제30조 제2항).

02 **다음 변호인의 대리권 중 본인의 명시한 의사에 반하여 행사할 수 있는 대리권으로 가장 옳지 않은 것은?** 22. 해경승진

① 상소제기권 ② 보석청구권
③ 증거조사에 대한 이의신청권 ④ 구속취소청구권

해설 ① 상소제기권은 피고인의 명시한 의사에 반하여 상소하지 못한다(제341조).
②③④ 피고인의 명시한 의사에 반해서도 할 수 있다. 피고인에 유리한 소송행위이기 때문이다.

03 **변호인에게만 독자적으로 인정되는 권리로만 묶은 것은?** 12. 9급 교정·보호·철도경찰

> ㉠ 체포·구속적부심사청구권
> ㉡ 상고심에서의 변론권
> ㉢ 인신구속된 피의자·피고인과의 접견교통권
> ㉣ 피고인신문권
> ㉤ 증거조사에 대한 이의신청권
> ㉥ 재판장의 처분에 대한 이의신청권

① ㉡ ② ㉡, ㉤
③ ㉠, ㉢, ㉥ ④ ㉠, ㉣, ㉤, ㉥

해설 ㉡㉢㉣은 변호인만이 가지는 권리(협의의 고유권), ㉠㉤㉥은 피의자나 피고인과 중복해서 가지는 권리라고 볼 수 있는데, 지문 중에서 찾는다면 ①을 정답으로 할 수밖에 없다.

Answer 1.③ 2.① 3.①

종합문제

01 변호인에 관한 설명 중 가장 적절하지 않은 것은?(다툼이 있는 경우 판례에 의함) 20. 경찰승진

① 피고인 또는 피의자는 변호인을 선임할 수 있고 피고인 또는 피의자의 법정대리인, 배우자, 직계친족과 형제자매는 독립하여 변호인을 선임할 수 있다.

② 어느 피고인에 대한 유리한 변론이 다른 피고인에게는 불리한 결과를 초래하는 경우 공동피고인들 사이에 이해가 상반되므로 법원이 공동피고인들 중 어느 피고인이 선임한 법무법인의 담당 변호사를 다른 피고인을 위한 국선변호인으로 선정하는 것은 국선변호인의 조력을 받을 다른 피고인의 권리를 침해하는 것이다.

③ 피의자신문에 참여한 변호인은 신문 후 의견을 진술할 수 있고 신문 중이라도 부당한 신문방법에 대한 이의제기나 검사 또는 사법경찰관의 승인을 얻은 경우는 의견을 진술할 수 있다.

④ 필요적 변호사건에서 변호인 없이 개정하여 심리를 진행하고 판결한 것은 소송절차의 법령위반에 해당하므로 피고인이 무죄판결을 받은 경우라 하더라도 그와 같은 법령위반은 무죄판결에 영향을 미친다.

해설 ① 제30조 제1항・제2항
② 대판 2015.12.23, 2015도9951
③ 제243조의 2 제3항
④ 필요적 변호사건에서 변호인 없이 개정하여 심리를 진행하고 판결한 것은 소송절차의 법령위반에 해당하여 무효라 할 것이지만, 피고인에 유리한 무죄판결이 난 경우에는 그 판결은 유효하다(대판 2003.3.25, 2002도5748).

02 형사절차상 변호인제도에 대한 설명 중 가장 적절하지 않은 것은?(다툼이 있는 경우 판례에 의함) 20. 순경 1차

① 형사소송법 제282조에 규정된 필요적 변호사건에 해당하는 사건에서 제1심의 공판절차가 변호인 없이 이루어진 경우 그와 같은 위법한 공판절차에서 이루어진 소송행위는 무효이므로 이러한 경우에는 항소심으로서는 변호인이 있는 상태에서 소송행위를 새로이 한 후 위법한 제1심 판결을 파기하고, 항소심에서의 진술 및 증거조사 등 심리결과에 기하여 다시 판결하여야 한다.

② 원심법원이 피고인 본인의 항소이유서 제출기간 경과 후 국선변호인을 선정하고 그에게 소송기록접수통지를 하였으나 국선변호인이 법정기간 내에 항소이유서를 제출하지 아니한 경우 항소법원은 피고인의 귀책사유를 불문하고 종전 국선변호인의 선정을 취소하고 새로운 국선변호인을 선정하는 조치를 취할 필요까지는 없다.

Answer 1. ④ 2. ②

③ 형사소송법 제282조의 필요적 변호사건에 있어서 선임된 사선변호인에 대한 기일통지를 하지 아니함으로써 사선변호인의 출석 없이 제1회 공판기일을 진행하였더라도 그 공판기일에 국선변호인이 출석하였다면 변호인 없이 재판한 잘못이 있다 할 수 없고, 또한 사선변호인이 제2회 공판기일부터는 계속 출석하여 변호권을 행사하였다면 사선변호인으로부터의 변호를 받을 기회를 박탈하였다거나 사선변호인의 변호권을 제한하였다 할 수 없다.

④ 법원으로서는 피고인이 시각장애인인 경우 장애의 정도를 비롯하여 연령・지능・교육 정도 등을 확인한 다음 권리보호를 위하여 필요하다고 인정하는 때에는 형사소송법 제33조 제3항의 규정에 의하여 피고인의 명시적 의사에 반하지 아니하는 범위 안에서 국선변호인을 선정하여 방어권을 보장해 줄 필요가 있다.

| 해설 ① 대판 1995.4.25, 94도2347

② 피고인과 국선변호인이 모두 법정기간 내에 항소이유서를 제출하지 아니하였더라도, 국선변호인이 항소이유서를 제출하지 아니한 데 대하여 피고인에게 귀책사유가 있음이 특별히 밝혀지지 않는 한, 항소법원은 종전 국선변호인의 선정을 취소하고 새로운 국선변호인을 선정하여 다시 소송기록접수통지를 함으로써 새로운 국선변호인으로 하여금 그 통지를 받은 때로부터 형사소송법 제361조의 3 제1항의 기간 내에 피고인을 위하여 항소이유서를 제출하도록 하여야 한다(대결 2012.2.16, 2009모1044 전원합의체).

③ 대판 1990.9.25, 90도1571

④ 대판 2014.8.28, 2014도4496

03 변호인에 관한 설명 중 옳은 것은 모두 몇 개인가?(다툼이 있으면 판례에 의함)

㉠ 피고인이 2급 시각장애인으로서, 점자자료가 아닌 경우에는 인쇄물 정보접근에 상당한 곤란을 겪는 수준이더라도 국선변호인 선정사유인 '듣거나 말하는 데 모두 장애가 있는 사람인 때' 또는 '심신장애의 의심이 있는 때'에 해당하지 않으므로 국선변호인의 선정 없이 공판심리를 진행했다고 하여 위법하다고 할 수 없다.

㉡ 1인의 피의자 또는 피고인은 변호인을 3인까지 선임할 수 있다.

㉢ 공소제기 전에 변호인을 선임한 경우에는 제1심에도 효력이 있다.

㉣ 변호인은 진실의무가 있으므로 유죄임을 안 경우 무죄의 변론을 하는 것은 허용되지 않는다.

㉤ 변호인은 피고인의 동의를 얻어 상소를 취하할 수 있으므로, 변호인의 상소취하에 대한 피고인의 동의가 없다면 상소취하의 효력은 발생하지 아니한다.

㉥ 변호인의 상소취하에 대한 피고인의 동의는 공판정에서는 구술로써 할 수 있지만, 피고인의 구술 동의는 명시적으로 이루어져야만 한다.

① 1개 ② 2개 ③ 3개 ④ 4개

| 해설 ㉠ × : 피고인이 2급 시각장애인으로서 점자자료가 아닌 경우에는 인쇄물 정보접근에 상당한 곤란을 겪는 수준임에도, 국선변호인의 선정 없이 공판심리가 이루어져 피고인의 방어권이 침해됨으로써 판결에 영향을 미쳤다고 인정되는 경우에는 위 법 제33조 제3항을 위반한 위법이 있다고 보아야 한다(대판 2010.4.29, 2010도881).

Answer 3. ③

㉡ × : 대표변호인의 수에는 3인까지 제한이 있으나, 피의자 · 피고인이 선임할 수 있는 변호인의 수에는 제한이 없다.
㉢ ○ : 제32조 제2항
㉣ × : 얼마든지 무죄의 변론을 할 수 있다.
㉤㉥ ○ : 대판 2015.9.10, 2015도7821

04 변호인에 대한 설명으로 가장 적절하지 않은 것은?(다툼이 있는 경우 판례에 의함) 21. 경찰승진

① 대법원 이외의 법원은 특별한 사정이 있으면 변호사가 아닌 자를 변호인으로 선임함을 허가할 수 있다.
② 변호인의 선임은 심급마다 변호인과 연명날인한 서면으로 제출하여야 하므로 변호인 선임서를 제출하지 아니한 채 상고이유서만을 제출하고 상고이유서 제출기간이 경과한 후에 변호인 선임서를 제출하였다면, 그 상고이유서는 적법 · 유효한 상고이유서가 될 수 없다.
③ 필요적 변호사건에서 판결만을 선고할 경우 변호인 없이 개정할 수 있다.
④ 변호인만이 가지고 있는 고유권으로는 접견교통권, 피의자신문참여권, 피고인신문권, 서류 · 증거물의 열람 · 복사권 등이 있다.

| 해설 ① 제31조
② 대결 1969.10.4, 69모68
③ 제282조
④ 접견교통권, 피의자신문참여권, 피고인신문권은 변호인만이 가지고 있는 고유권이나, 서류 · 증거물의 열람 · 복사권은 피고인과 변호인 모두가 갖는 권리이다(제35조 제1항).

05 변호인에 대한 설명으로 가장 적절하지 않은 것은?(다툼이 있는 경우 판례에 의함) 21. 순경 1차

① '변호인이 되려는 자'의 접견교통권은 피의자 등이 가지는 '변호인이 되려는 자'의 조력을 받을 권리가 실질적으로 확보되기 위하여 헌법상 기본권으로서 보장되어야 한다.
② 원심법원에서의 변호인 선임은 관할위반의 재판이 법률에 위반됨을 이유로 원심판결을 파기하여 판결로써 사건을 원심법원에 환송한 후에도 효력이 있다.
③ 국선변호인의 선정사유를 규정하고 있는 형사소송법 제33조 제1항 제1호의 '피고인이 구속된 때'라고 함은, 피고인이 별건으로 구속되어 있거나 다른 형사사건에서 유죄로 확정되어 수형 중인 경우를 포함한다.
④ 공판절차가 아닌 재심개시결정 전의 절차에서 재심청구인이 국선변호인 선임 청구를 할 수는 없다.

| 해설 ① 헌재결 2017.11.30, 2016헌마503
② 규칙 제158조, 대판 1968.2.27, 68도64

Answer 4.④ 5.③

③ 형사소송법 제33조 제1항 제1호의 '피고인이 구속된 때'라고 함은, 원래 구속제도가 형사소송의 진행과 형벌의 집행을 확보하기 위하여 법이 정한 요건과 절차 아래 피고인의 신병을 확보하는 제도라는 점 등에 비추어 볼 때 피고인이 당해 형사사건에서 구속되어 재판을 받고 있는 경우를 의미하고, 피고인이 별건으로 구속되어 있거나 다른 형사사건에서 유죄로 확정되어 수형 중인 경우는 이에 해당하지 아니한다(대판 2009.5.28, 2009도579).
④ 대결 1993.12.3, 92모49

06 변호인에 대한 다음 설명 중 옳지 않은 것은?(다툼이 있는 경우 판례에 의함)

① 하나의 사건에 관하여 한 변호인 선임은 피고인 또는 변호인이 다른 의사표시를 하지 않는 한, 동일 법원의 동일 피고인에 대하여 병합된 다른 사건에 관하여도 그 효력이 있다.
② 원심법원에서의 변호인 선임은 항소심에서 공소기각 또는 관할위반의 재판이 법률에 위반됨을 이유로 원심판결을 파기・환송한 후에도 효력이 있다.
③ 동일한 변호사가 민사사건에서 형사사건의 피해자에 해당하는 상대방 당사자를 위한 소송대리인으로서 소송행위를 하는 등 직무를 수행하였다가 나중에 실질적으로 동일한 쟁점을 포함하고 있는 형사사건에서 피고인을 위한 변호인으로 선임되어 변호활동을 하는 등 직무를 수행하는 것은 허용되지 않는다.
④ 구속영장실질심사를 위하여 심문할 피의자에게 변호인이 없는 때에는 지방법원판사는 직권으로 변호인을 선정하여야 한다. 이 경우 변호인의 선정은 피의자에 대한 구속영장 청구가 기각된 경우에도 제1심까지 효력이 있다.

| 해설 ① 규칙 제13조 ② 규칙 제158조
③ 동일한 변호사가 민사사건에서 형사사건의 피해자에 해당하는 상대방 당사자를 위한 소송대리인으로서 소송행위를 하는 등 직무를 수행하였다가 나중에 실질적으로 동일한 쟁점을 포함하고 있는 형사사건에서 피고인을 위한 변호인으로 선임되어 변호활동을 하는 등 직무를 수행하는 것 역시 금지된다고 봄이 상당하다. 다만, 피고인들의 제1심 변호인에게 수임제한 규정을 위반한 위법이 있다 하여도, 피고인들 스스로 위 변호사를 변호인으로 선임한 이 사건에 있어서 다른 특별한 사정이 없는 한 위와 같은 위법으로 인하여 변호인의 조력을 받을 피고인들의 권리가 침해되었다거나 그 소송절차가 무효로 된다고 볼 수는 없다(대판 2009.2.26, 2008도9812).
④ 구속영장실질심사를 위하여 심문할 피의자에게 변호인이 없는 때에는 지방법원판사는 직권으로 변호인을 선정하여야 한다. 이 경우 변호인의 선정은 피의자에 대한 구속영장 청구가 기각되어 효력이 소멸한 경우를 제외하고는 제1심까지 효력이 있다(제201조의 2 제8항).

Answer 6. ④

07 **변호인에 관한 다음 기술 중 옳지 않은 것은 모두 몇 개인가?**(다툼이 있는 경우 판례에 의함)

㉠ 변호인선임신고서는 특별한 사정이 없는 한 원본을 의미한다 할 것이므로 사본은 적법한 변호인선임신고서가 아니라고 할 것이다.
㉡ 국선변호인 선정의 법적 성질에 관하여 재판설에 따르면 법원이 국선변호인을 선정함에 있어서는 반드시 피선정자의 동의를 받아야 한다.
㉢ 변호인선임선고서를 제출하지 아니한 변호인이 변호인 명의로 정식재판청구서만 제출하고, 정식재판청구기간 경과 후에 비로소 변호인선임선고서를 제출한 경우, 변호인 명의로 제출한 위 정식재판청구서는 적법·유효한 정식재판청구로서의 효력이 없다.
㉣ 형사소송법 제33조 제2항에 따라 피고인이 빈곤 기타 사유로 변호인을 선임할 수 없는 때에 국선변호인을 선정하는 것은 피고인의 청구가 있는 경우에 한하는 것이고, 이 경우 법원으로서는 피고인에게 국선변호인 선정청구를 할 수 있음을 고지하여야 할 의무가 있는 것은 아니다.
㉤ 상고심의 환송 전 원심에서 선임된 변호인의 변호권은 사건이 환송된 뒤에는 항소심에서 다시 생긴다.
㉥ 변호인의 필요적 변론을 요하는 사건에 있어서 변호인의 변론과 피고인의 최후진술을 듣지 않고 재판한 것이 위법은 아니다.
㉦ 변호인 없는 피고인이 빈곤 기타 사유로 변호인을 선임할 수 없는 경우에는 재판장은 국선변호인의 선정을 청구할 수 있음을 서면 또는 구술로 고지한다.

① 없 음　　② 1개　　③ 2개　　④ 3개

해설 ㉠ ○ : 대결 2005.1.20, 2003모429

㉡ × : 국선변호인 선정의 법적 성질에 관하여 재판설, 공법상의 일방행위설, 공법상의 계약설이 대립하고 있다. 재판설은 국선변호인 선정에 당사자의 동의가 필요 없고 한 번 선정된 변호인은 해임명령이 없는 한 해임되지 않는다고 하는 견해이며, 계약설과 공법상 일방행위설은 국선변호인의 선정에 변호인의 승낙을 필요로 한다는 견해이다. 국선변호인제도의 효율적 운영과 절차의 명확성을 위하여 재판설이 타당하다 하겠다(다수설).

㉢ ○ : 대결 2001.11.1, 2001도4839

㉣ ○ : 대판 1994.10.25, 94도1467

㉤ ○ : 원심의 변호인의 선임은 항소심의 파기환송(제366조) 또는 파기이송(제367조)이 있는 후에도 효력이 있다(규칙 제158조). 파기환송 또는 파기이송이 있으면 원심판결선고가 없는 상태로 돌아가므로 선임의 효과가 유지되는 것이라고 할 수 있다. 그러나 이러한 예외규정은 현행법상 항소심의 경우에 존재할 뿐, 상고심의 파기환송이나 파기이송의 경우에는 존재하지 않아(규칙 제158조, 제159조, 제164조 참조) 인정 여부에 대해서 논의가 될 수 있으나, 대법원은 상고심의 경우에도 환송 전 원심에서 선임된 변호인의 변호권은 사건이 환송된 뒤에는 항소심에서 다시 생긴다라고 판시하고 있다(대판 1968.2.27, 68도64).

㉥ × : 필요적 변호를 요하는 사건에 있어서 변호인의 변호를 듣지 않았을 뿐더러 피고인의 최후진술을 들은 바 없이 판결을 선고하였음을 명백한 법령위반이 있어 판결에 영향을 미치는 사유가 있다고 인정된다(대판 1963.1.10, 62도225).

㉦ × : 공소제기가 있는 때에는 재판장은 변호인이 없는 피고인에게 제33조 제1항 제1호 내지 제6호의 어느 하나에 해당하는 때에는 변호인 없이 개정할 수 없는 취지와 피고인 스스로 변호인을 선임하지 아니할 경우에는 법원이 국선변호인을 선정하게 된다는 취지, 제33조 제2항에 해당하는 때에는 법원에 대하여 국선변호인의 선정을 청구할 수 있다는 취지, 제33조 제3항에 해당하는 때에는 법원에 대하여 국선변호인의 선정을 희망하지 아니한다는 의사를 표시할 수 있다는 취지를 고지한다(규칙 제17조 제1항). 고지는 서면으로 하여야 한다(동조 제2항).

Answer 7. ④

THEMA 57 보조인

1. **의의** : 일정한 신분관계에 기한 정의(情誼)에 의하여 피고인 또는 피의자의 이익을 보호하는 보조자를 말한다(변호인제도의 보충).
2. **자격**
   ① 피고인·피의자의 법정대리인·배우자·직계친족·형제자매는 보조인이 될 수 있다(제29조 제1항).
   ② 보조인이 될 수 있는 자가 없거나 장애 등의 사유로 보조인으로서 역할을 할 수 없는 경우에는 피고인 또는 피의자와 신뢰관계 있는 자가 보조인이 될 수 있다(동조 제2항, 2015. 7. 31. 신설).
3. **절차** : 보조인이 되고자 하는 자는 심급별로 그 취지를 신고하여야 한다(종전에는 서면에 의한 신고를 하도록 되어 있었으나 개정법에서는 삭제되었다).
4. **권한** : 피고인·피의자의 명시한 의사에 반하지 아니하는 소송행위를 할 수 있다(따라서 제한적인 변호권행사가능).
5. **변호인과 구별**

변호인	보조인
변호사 중 선임(원칙)	법정대리인, 배우자, 직계친족, 형제자매
선임서 제출	취지를 신고(심급별로)
독립대리권, 고유권	• 고유권 없음. • 명시적 의사에 반하지 않는 소송행위 가능

01 다음 중 보조인에 관하여 옳은 설명은?

① 보조인은 법률에 따로 규정된 경우를 제외하고는 독립하여 피고인 또는 피의자의 명시한 의사에 반하지 아니하는 소송행위를 할 수 있다.
② 보조인이 되고자 하는 자는 심급마다 서면으로 신고하여야 한다.
③ 보조인은 피고인·피의자를 위하여 변호권을 행사할 수는 없다.
④ 피고인 또는 피의자의 법정대리인·배우자 또는 직계친족·형제자매는 언제든지 보조인이 될 수 있다.

| 해설 ①③ 제29조 제4항
② 서면에 의한 신고제도는 삭제되었다.
④ 보조인이 되고자 하는 자는 심급별로 그 취지를 신고하여야 하며(제29조 제3항), 보조인이 되고자 하는 자와 피고인 또는 피의자 사이의 신분관계를 소명하는 서면을 첨부하여야 한다(규칙 제11조 제1항).

Answer 1. ①

02 보조인에 관하여 아래 기술 중 옳지 않은 것은 모두 몇 개인가?

㉠ 보조인이 될 수 있는 자는 독립하여 변호인을 선임할 수 있다.
㉡ 보조인이 되고자 하는 자는 반드시 서면으로 신고하여야 하는 것은 아니다.
㉢ 보조인은 독립하여 피고인 또는 피의자의 명시한 의사에 반하지 아니하는 소송행위를 할 수 있다.
㉣ 변호인이 선임되어 있는 경우에는 보조인은 있을 수 없다.
㉤ 공소제기 전의 보조인 신고는 제1심에도 효력이 있다.
㉥ 보조인의 신고는 보조인이 되고자 하는 자와 피고인 또는 피의자 사이의 신분관계를 소명하는 서면을 첨부하여 이를 하여야 한다.

① 1개 ② 2개 ③ 3개 ④ 4개

| 해설 ㉠㉢ ○ : 제29조 제3항
㉡ ○ : 보조인이 되고자 하는 자는 심급별로 그 취지를 신고하여야 한다(제29조 제2항). − 종전에는 서면에 의하도록 하였으나 현행법에서는 삭제
㉣ × : 변호인이 선임되어 있어도 보조인선임이 가능하다.
㉤ ○ : 규칙 제11조 제2항
㉥ ○ : 규칙 제11조 제1항

03

Answer 2. ①

CHAPTER

02 소송절차의 일반이론

제1절 소송절차의 기본이론

THEMA 58

실체면이 절차면에 영향을 미치는 경우	• 사물관할의 표준(법원조직법 제32조) 01. 순경 • 고소의 요부(제223조) 01. 순경 • 긴급체포의 요건(제200조의 3) 05. 순경 • 공소시효기간(제249조) 01. 순경 • 필요적 변호의 요부(제282조) • 피고인의 출석요부(제277조)
절차면이 실체면에 영향을 미치는 경우	• 위법수집증거 배제법칙 02. 여경 • 자백배제법칙 05. 순경 • 전문법칙 05. 순경

01 다음 중 소송의 절차면이 실체면에 영향을 미치는 경우로 틀린 것은? 05. 순경

① 피고인의 자백이 고문·폭행 등으로 인하여 임의로 진술한 것이 아니라고 의심할 만한 상당한 이유가 있는 경우
② 피고인의 자백이 그에게 불리한 유일한 증거일 경우
③ 전문증거는 원칙적으로 증거능력이 없다는 원칙
④ 긴급체포의 요건

| 해설 ④ 실체면이 절차면에 영향을 미치는 경우에 해당한다.

Answer 1. ④

제2절 소송조건

THEMA 59 소송조건의 종류

일반적 소송조건과 특별소송조건	전자는 일반사건에 공통으로 요구되는 소송조건(예 재판권, 관할권)을 말하며, 후자는 특수한 사건에 대해서만 요구되는 소송조건(예 친고죄의 고소)을 말한다.
절대적 소송조건과 상대적 소송조건	전자는 법원의 직권으로 조사해야 하는 소송조건을 말하고, 후자는 당사자의 신청이 있을 때 심사하는 소송조건(예 토지관할)을 말한다.
적극적 소송조건과 소극적 소송조건	전자는 일정한 사실의 존재가 소송조건이 되는 것을 말하고(예 재판권, 관할권 존재), 후자는 일정한 사실의 부존재가 소송조건이 되는 것을 말한다(예 동일 법원에 이중기소가 없을 것).
형식적 소송조건과 실체적 소송조건	전자는 절차면에 관한 사유를 소송조건으로 하는 경우를 말하고, 후자는 실체면에 관한 사유를 소송조건으로 하는 경우를 말한다. 형식적 소송조건이 결여되면 공소기각재판(제327조, 제328조), 관할위반판결(제319조) 등을 통하여 형사절차를 종결함에 반하여 실체적 소송조건이 결여되면 면소판결(제326조)에 의해 종결하게 된다. 13. 경찰승진

01 다음 중 형식적 소송조건이 아닌 것으로만 묶인 것은? 13. 경찰승진

> ㉠ 공소가 취소되지 않았을 것
> ㉡ 사면이 없을 것
> ㉢ 공소시효가 완성되지 않았을 것
> ㉣ 피고사건이 법원의 관할에 속할 것
> ㉤ 확정판결이 없을 것
> ㉥ 범죄 후 법령개폐로 형의 폐지가 없을 것
> ㉦ 공소가 제기된 사건에 대하여 다시 공소가 제기되지 않았을 것

① ㉠, ㉢, ㉣
② ㉡, ㉢, ㉤, ㉦
③ ㉡, ㉢, ㉤, ㉥
④ ㉡, ㉢, ㉤, ㉥, ㉦

| 해설 | 관할위반이나 공소기각의 재판을 받지 않을 사유를 형식적 소송조건이라 하고, 면소판결을 받지 않을 사유를 실체적 소송조건이라고 한다. ㉡㉢㉤㉥은 실체적 소송조건이다.

Answer 1. ③

THEMA 60 소송조건의 조사 및 흠결효과

<table>
<tr><td>소송조건의 조사</td><td colspan="2">1. 소송조건의 존부는 원칙적으로 법원이 직권으로 조사하여야 한다. 다만, 토지관할 위반의 경우에는 피고인의 신청이 있을 때에만 법원은 조사할 수 있다(제320조 제1항). 소송조건은 공소제기시부터 확정판결시까지 항상 존재하여야 한다. 그러나 토지관할은 공소제기시에만 존재하면 된다.
2. 소송조건의 존부는 소송법적 사실에 해당하므로 자유로운 증명으로 충분하다. 따라서 증거능력이 있는 증거를 통하여 정식 증거조사에 의하여 증명할 필요는 없다.</td></tr>
<tr><td rowspan="2">소송조건 흠결의 효과</td><td>형식재판에 의한 종결</td><td>소송조건이 구비되지 아니한 때에는 유·무죄의 실체재판을 할 수 없으므로 형식재판(공소기각판결, 공소기각결정, 관할위반판결, 면소판결)에 의하여 소송을 종결하여야 한다. 99·08. 9급 검찰</td></tr>
<tr><td>소송조건 흠결의 경합</td><td>1. 형식적 소송조건과 실체적 소송조건의 흠결이 경합한 경우에는 형식적 소송조건의 흠결을 이유로 재판을 하여야 한다.
예 공소기각판결사유(제327조)와 면소판결사유(제326조)가 경합되면 공소기각판결로써 절차 종결
2. 수개의 형식적 소송조건의 흠결이 경합한 경우에는 하자의 정도가 중한 것을 이유로 재판하여야 한다. 98. 경찰승진
예 공소기각결정사유(제328조) ⇨ 공소기각판결사유(제327조) ⇨ 관할위반사유 순으로 절차 종결</td></tr>
</table>

01 소송조건의 흠결에 관한 설명 중 타당한 것은?

① 상대적 소송조건도 법원의 직권조사 사항이다.
② 소송조건은 공소제기시에만 구비하면 족하고 판결시에는 존재하지 않아도 된다.
③ 비친고죄로 고소한 사건이라면, 검사가 친고죄로 공소를 제기하였더라도 법원으로서는 고소의 존재유무를 직권으로 조사·심리할 필요는 없다.
④ 소송조건을 결한 사건에 대해 무죄판결을 할 수 없다.

| 해설 ① 절대적 소송조건은 법원의 직권조사 사항이지만 상대적 소송조건은 당사자의 신청이 있을 때 심사하는 소송조건을 말한다(예 토지관할).
② 소송조건은 공소제기의 유효요건인 동시에 절차의 존속과 발전을 위한 조건이므로 공소제기시뿐만 아니라 판결시에도 존재하여야 한다. 따라서 법원은 절차의 모든 단계에서 소송조건의 유무를 조사하여야 한다. 단, 토지관할의 경우에는 공소제기시에만 존재하면 된다.
③ 고소권자가 비친고죄로 고소한 사건이더라도 검사가 사건을 친고죄로 구성하여 공소를 제기하였다면 공소장 변경절차를 거쳐 공소사실이 비친고죄로 변경되지 아니하는 한, 법원으로서는 친고죄에서 소송조건이 되는 고소가 유효하게 존재하는지를 직권으로 조사·심리하여야 한다(대판 2015.11.17, 2013도7987).
④ 소송조건의 흠결시 형식재판에 의해 소송을 종결하여야 한다. 따라서 소송조건을 결한 사건에 대해 무죄판결 등 실체재판을 하는 것은 허용되지 않는다.

Answer 1. ④

02 소송조건의 흠결에 관한 내용으로 옳은 것은?

① 형식적 소송조건을 결한 경우에 공소기각판결, 공소기각결정, 면소판결을 행한다.
② 반의사불벌죄에 있어서 처벌불원의 의사표시 존재 여부에 대하여는 직권으로 조사·판단하여야 한다.
③ 관할위반과 공소기각재판(결정·판결)의 사유가 경합할 때에는 공소기각재판에 의하여야 하고, 공소기각결정과 공소기각판결의 사유가 경합하면 공소기각판결을 하여야 한다.
④ 무죄판결, 면소판결, 공소기각판결, 공소기각결정 등은 소송조건이 구비하지 아니한 경우에 하는 재판이다.

| 해설 ① 면소판결은 실체적 소송조건 흠결을 이유로 하는 재판이며, 나머지는 형식적 소송조건의 흠결을 이유로 하는 재판이다.
② 대판 2002.3.15, 2002도158
③ 수개의 형식적 소송조건 흠결이 경합한 때에는 하자의 정도가 중한 것을 기준으로 소송을 종결시켜야 한다. 관할위반과 공소기각재판(결정·판결)의 사유가 경합할 때에는 공소기각재판에 의하여야 하고, 공소기각결정과 공소기각판결의 사유가 경합하면 공소기각결정을 하여야 한다.
④ 무죄판결은 소송조건이 구비되었을 것을 전제로 하는 실체재판이고, 나머지는 소송조건의 흠결시 행하는 형식재판이다.

Answer 2. ②

제3절 소송행위

THEMA 61 소송행위의 의의 및 종류

<table>
<tr><td>의의</td><td>소송행위라 함은 형사절차를 조성하는 행위로서 소송법상 효과가 인정되는 것을 말한다. 이는 공판절차뿐만 아니라 수사와 집행절차를 조성하는 행위도 포함한다.
▶ 이중기능적 소송행위 ⇨ 소송법상 효과와 실체법상 효과가 함께 인정되는 소송행위를 말한다.
예 자수 · 자백〔자수나 자백은 형의 감면이라는 실체법상 효과(형법 제52조, 제153조, 제157조)뿐만 아니라 수사의 단서 또는 유죄의 증거라는 소송법상의 효과도 발생함〕
소송행위라 볼 수 없는 경우
1. 소송에 관계있는 행위일지라도 소송절차 그 자체를 조성하지 않는 행위는 소송행위가 아니다(예 법관임면, 재판사무 분배).
2. 형사절차의 진행을 현실적으로 촉진하는 행위일지라도 아무런 소송법적 효과가 발생하지 않는 경우에는 소송행위가 아니다(예 법정경위의 법정정리 또는 개정준비 행위).</td></tr>
<tr><td>종류</td><td>1. 주체에 의한 분류
① 법원의 소송행위 : 법원, 법관, 법원사무관 등의 소송행위가 여기에 해당한다.
② 당사자의 소송행위
• 신청(청구) : 법원에 대하여 일정한 재판을 청구하는 소송행위를 말한다. 예 관할이전신청, 기피신청, 공소제기, 보석청구
• 입증 : 증명에 관한 소송행위 일반을 말한다. 예 증거제출, 증거조사신청, 증인신문
• 진술 : 진술에는 사실 또는 법률에 대한 의견을 진술하는 주장(예 검사는 논고 · 구형, 변호인의 변론)과 법원의 심증형성에 영향을 미치는 진술(예 피고인의 진술)이 있다.
③ 제3자의 소송행위 : 법원과 당사자 이외의 자가 행하는 소송행위로서 고소, 고발, 증언, 감정 등이 여기에 해당한다.
2. 기능에 의한 분류
① 취효적 소송행위(효과요구 소송행위) : 그 자체로는 희망하는 소송법적 효과가 바로 발생하지 않고 법원의 소송행위가 있을 때 법적 효과가 발생하는 소송행위를 말한다.
예 기피신청, 관할위반신청, 공소제기, 증거신청
② 여효적 소송행위(효과부여 소송행위) : 법원의 행위와 관계없이 행위 그 자체만으로 일정한 소송법적 효과가 발생하는 소송행위를 말한다.
예 상소취하, 상소포기, 고소의 취소, 정식재판청구의 취하
3. 성질에 의한 분류
① 법률행위적 소송행위 : 법률행위적 소송행위란 일정한 소송법적인 효과발생을 지향하는 의사표시를 본질적 요소로 하는 소송행위를 말한다. 다만, 의사표시의 내용대로 효과가 발생되는 것이 아니라 소송법이 정한 바에 따른 정형적 효과가 발생할 뿐이라는 점에서 민법상의 법률행위와는 차이가 있다. 예 공소제기, 상소제기, 기피신청, 고소, 재판의 선고
② 사실행위적 소송행위 : 사실행위적 소송행위란 소송행위를 행하는 자의 의사에 관계없이 행위 자체에 대하여 일정한 소송법적 효과가 부여되는 소송행위를 말한다. 사실행위적 소송행위에는 다음의 두 가지가 있다.</td></tr>
</table>

• 표시행위 : 외부적 의사표시를 수반하지만 의사표시에 상당하는 소송법적 효과가 인정되지 아니하는 점에서 전술한 법률행위와 구별된다. 이러한 표시행위는 사실적으로 법관의 심증을 형성하려고 하는 것에 그친다. 예 검사의 논고, 구형, 변호인의 변론, 증언, 감정
• 순수한 사실행위 : 구속, 압수, 수색 등 각종의 영장을 집행하는 행위를 말한다.

③ 복합적 소송행위 : 법률행위적 소송행위와 사실행위적 소송행위가 복합된 소송행위를 말한다. 예 영장에 의한 강제처분(영장에 의한 구속, 영장에 의한 압수 · 수색 등) : 영장에 의한 강제처분은 영장의 발부라는 법률행위적 소송행위와 영장의 집행이라는 사실행위적 소송행위가 결합하여 1개의 소송행위를 이루고 있다.

4. 목적에 의한 분류

① 실체형성행위 : 법관의 심증형성에 직접적인 역할을 담당하는 소송행위를 말한다. 예 피고인의 진술, 증인의 증언, 법원의 검증, 증거조사, 검사논고, 변호인변론

② 절차형성행위 : 오직 형사절차의 진행 자체와 관련된 소송행위를 말한다. 예 공소제기, 공판기일지정, 소송관계인 소환, 증거조사신청, 기피신청, 상소제기, 재판의 선고

03

01 소송행위에 관한 설명 중 옳지 않은 것은?

① 증인의 증언은 법률행위적 소송행위이다.
② 검사의 논고는 사실행위적 소송행위이다.
③ 고소취소는 효과부여 소송행위이다.
④ 관할위반의 신청은 효과요구 소송행위이다.

| 해설 ① 증인의 증언은 사실행위적 소송행위 중 표시행위에 해당한다.
③④ 소송행위는 그 기능에 따라 효과요구 소송행위(취효적 소송행위)와 효과부여 소송행위(여효적 소송행위)로 나눌 수 있다. 관할위반의 신청은 그 자체로 희망하는 소송법적 효과가 바로 발행하지 않는 효과요구 소송행위에 해당하나, 고소취소는 효과부여 소송행위에 해당한다.

02 소송행위에 대한 다음 설명 중 옳지 않은 것은?

12. 경찰간부

① 소송행위는 소송절차를 조성하는 행위이기 때문에 법관에게 사건을 배부하는 행위는 소송행위에 해당하지 않는다.
② 법원의 소송행위에는 피고사건에 대한 심리와 재판뿐만 아니라 재판장 · 수명법관 · 수탁판사의 소송행위나 법원사무관이 공판절차에서 조서를 작성하는 행위도 포함된다.
③ 법률행위적 소송행위는 의사표시를 내용으로 하면서도 그 내용대로 효과가 발생하지 아니하고 소송법이 예정하고 있는 정형적 효과가 발생한다는 점에서 사법상의 법률행위와 구별된다.
④ 공소의 제기, 기피신청, 증거조사, 상소의 제기 등의 행위는 절차형성행위에 속한다.

| 해설 ①②③ 타당한 내용이다. ④ 공소제기, 기피신청, 상소제기 등은 절차형성행위에 속한다. 증거조사신청 역시 절차형성행위에 해당하나 증거조사(예 증인신문)는 실체형성행위이다.

Answer 1.① 2.④

THEMA 62 대리의 허용범위

1. 명문으로 대리를 인정하는 경우

포괄적 대리가 허용되는 경우	• 경미사건에 대한 피고인의 대리(제277조 제1호) 16. 9급 검찰 · 마약수사 • 공소기각 또는 면소재판이 명백한 사건(제277조 제2호) • 의사무능력자에 대한 법정대리인의 대리(제26조) 10. 9급 법원직, 16. 9급 검찰 · 마약수사 • 법인의 대표자의 대리(제27조) • 변호인 · 보조인에 의한 대리(제36조, 제29조)
특정소송행위에 대하여 대리가 허용되는 경우	• 고소 또는 고소취소의 대리(제236조) 16. 9급 검찰 · 마약수사 • 재정신청의 대리(제264조) • 변호인선임의 대리(제30조) • 상소의 대리(제341조)

대리가 허용되지 아니한 경우의 예

- 고발의 대리(04. 행시, 06. 순경), 공소취소의 대리(94. 7급 검찰), 공소제기의 대리(01. 순경)
- 자수 · 자백의 대리(06. 순경), 증언의 대리(16. 9급 검찰 · 마약수사), 피고인이 공판심리 중 심신상실 또는 질병으로 출정할 수 없을 때 소송대리(단, 제277조 사유 제외)

2. 명문의 허용규정이 없는 경우 : 대리를 허용하는 규정이 없는 경우에도 대리가 인정될 것인가에 대하여 긍정설과 부정설(대판)14. 7급 국가직의 대립이 있다.

01 소송행위의 대리가 인정될 수 없는 경우로만 묶인 것은? 06. 순경 변형

㉠ 고 소	㉡ 고 발	㉢ 상 소	㉣ 재정신청
㉤ 자 수	㉥ 변호인선임	㉦ 자 백	㉧ 공소제기

① ㉠, ㉡, ㉢ ② ㉠, ㉡, ㉤
③ ㉠, ㉤, ㉦ ④ ㉡, ㉤, ㉦, ㉧

해설 ㉡㉤㉦㉧은 대리가 인정되지 않는다.

02 소송행위의 대리에 관한 설명 중 옳은 것은?

① 소송행위의 대리는 피고인 · 피의자 또는 검사의 소송행위 대리를 말하며, 소송대리권이 없는 자의 대리는 무효이다.
② 소송행위의 대리는 명문의 허용규정 이외에는 허용되지 않는다는 것이 판례의 입장이다.
③ 피고인 또는 피의자를 대리 또는 대표하여 소송행위를 할 자가 있더라도, 일단 특별대리인으로 선임되면 그 대리권은 소멸되지 아니한다.

Answer 1. ④ 2. ②

④ 피고인을 대리 또는 대표할 자가 없는 때에는 법원은 직권 또는 검사의 청구에 의하여 특별대리인을 선임하여야 하며 피의자를 대리 또는 대표할 자가 없는 때에는 검사는 직권 또는 이해관계인의 청구에 의하여 특별대리인을 선임하여야 한다.

| 해설 ① 소송행위대리는 피고인(피의자) 또는 제3자의 소송행위에 대해서만 문제된다. 법원의 소송행위와 검사의 소송행위에 대하여는 대리를 인정할 여지가 없기 때문이다. 대리권 없는 자의 소송행위는 무효이다.
② 대결 1953.6.9, 4286형항3
③ 특별대리인은 피고인 또는 피의자를 대리 또는 대표하여 소송행위를 할 자가 있을 때까지 그 임무를 행한다(제28조 제2항).
④ 피고인을 대리 또는 대표할 자가 없는 때에는 법원은 직권 또는 검사의 청구에 의하여 특별대리인을 선임하여야 하며 피의자를 대리 또는 대표할 자가 없는 때에는 법원은 검사 또는 이해관계인의 청구에 의하여 특별대리인을 선임하여야 한다(제28조 제1항).

03 다음 중 소송행위의 대리에 관한 설명 중 가장 옳지 않은 것은?

10. 9급 법원직

① 피고인이 빈곤하여 변호인을 선임할 수 없는 경우에는 법원에 변호인 신청을 할 수 있고, 이 경우 법원은 피고인을 위하여 변호인을 선정하여야 한다.
② 형법 제9조 내지 제11조의 규정을 받지 아니하는 범죄사건에 관하여 피고인 또는 피의자가 의사능력이 없는 때에는 그 법정대리인이 소송행위를 대리할 수 있다.
③ 피고인이 법인인 때에는 그 대표자가 소송행위를 대표하는데, 수인이 공동하여 법인을 대표하는 경우에는 소송행위에 관하여도 공동으로 대표한다.
④ 피고인의 법정대리인, 배우자, 직계친족, 형제자매는 피고인의 보조인이 될 수 있다.

| 해설 ① 제33조 제2항
② 제26조
③ 소송행위에 관하여는 각자가 대표한다(제27조).
④ 제29조

04 소송행위의 대리 중 형사소송법상 허용되는 것만을 모두 고른 것은?

16. 9급 검찰 · 마약수사, 22. 해경간부

㉠ 다액 500만원 이하의 벌금에 해당하는 사건에 관한 피고인의 출석 대리 ㉡ 의사무능력자인 피고인의 법정대리인에 의한 소송행위의 대리 ㉢ 증언의 대리 ㉣ 고소취소의 대리

① ㉠, ㉡ ② ㉢, ㉣ ③ ㉠, ㉡, ㉣ ④ ㉡, ㉢, ㉣

| 해설 ㉠㉡㉣은 대리가 허용되나, ㉢의 경우 성질상 대리가 허용되지 아니한다.

Answer 3. ③ 4. ③

THEMA 63 소송행위의 방식

소송행위의 일반적 방식으로는 구두주의와 서면주의가 있으며, 어느 방식에 의하건 국어를 사용하여야 하고 국어에 능통하지 아니하면 통역을 사용한다(법원조직법 제62조).

구술에 의해서만 가능한 경우	• 검사의 모두진술(제285조), 피고인의 모두진술(제286조) • 피고인신문(제296조의 2) • 증인신문(제161조의 2) • 증거조사 결과에 대한 피고인 의견진술(제293조) • 변호인의 최종변론(제303조), 피고인의 최후진술(제303조) • 재판장 인정신문(제284조) • 판결선고(제43조) 03. 경찰승진 • 상소권고지(제324조) • 진술거부권고지(제293조의 2 제2항, 제244조의 3)
서면에 의해서만 가능한 경우	• 공소제기(제254조) • 약식명령청구(제449조) • 정식재판청구(제453조 제2항) • 상소제기(제343조 제1항) • 준항고(제418조) • 비상상고(제442조) • 재정신청(제260조) • 관할이전 및 지정신청(제16조) • 판결정정신청(제400조) • 토지관할 병합심리신청(규칙 제2조) • 영장청구(규칙 제93조 제1항) • 증거보전청구(규칙 제92조) • 보석청구(규칙 제53조 제1항) • 재심청구(규칙 제166조) • 영장발부(제75조)ㆍ변호인선임신고(제32조 제1항) 14. 7급 국가직 • 불기소통지 및 이유통지(제258조, 제259조) • 공소장변경신청(규칙 제142조) ⇨ 예외(피고인이 재정하는 공판정에서의 공소장변경은 피고인에게 이익이 되거나 피고인이 동의하는 경우 구술로도 가능 : 동조 제5항) • 체포ㆍ구속적부심사청구(규칙 제102조)(▶ 서면 또는 구술이 가능하다는 견해 有) • 상소권회복청구(제346조)
구술 또는 서면으로 가능한 경우	• 공소취소(제255조) 09. 9급 법원직 • 상소포기ㆍ취하(제352조) 14. 7급 국가직 • 정식재판청구 취하(제458조) • 기피신청(제18조) • 증거조사신청(제273조, 제294조) • 증거조사 이의신청(제296조) • 고소ㆍ고발 및 그 취소(제237조 제1항, 제239조) 14. 7급 국가직 • 재판장의 처분에 대한 이의신청(제304조) • 변론분리와 병합신청(제300조) • 공판기일변경신청(규칙 제176조 제1항)

01 **소송행위의 방식에 관한 설명으로 옳지 않은 것은?** 03. 경찰승진

① 소송행위의 방식에는 구두방식과 서면방식이 있다.
② 실체형성행위에 관해서는 원칙적으로 구두방식이 요청된다.
③ 공소장변경신청은 서면방식으로 하여야 한다.
④ 판결의 선고는 서면방식으로 하여야 한다.

| 해설 ④ 판결의 선고는 주문을 낭독하고 이유의 요지를 설명하는 방법으로 한다(제43조). 따라서 판결의 선고는 구두에 의한 것임을 전제로 하고 있다.

02 **다음 중 반드시 서면으로 하여야 할 소송행위는 모두 몇 개인가?**

㉠ 구속의 통지	㉡ 인정신문
㉢ 무죄판결선고	㉣ 피고인의 최후진술
㉤ 약식명령에 대한 정식재판청구	㉥ 검사의 모두진술
㉦ 공소취소	㉧ 상소의 취하·포기
㉨ 기피신청	

① 1개 ② 2개 ③ 3개 ④ 4개

| 해설 서면으로만 가능한 소송행위는 ㉠㉤, 구술로만 가능한 소송행위는 ㉡㉢㉣㉥, 서면 또는 구술 모두 가능한 소송행위는 ㉦㉧㉨

03 **다음 중 반드시 서면으로만 하여야 하는 소송행위는 모두 몇 개인가?** 22. 해경승진

㉠ 상소의 제기	㉡ 상소의 포기	㉢ 공소의 제기
㉣ 공소의 취소	㉤ 약식명령 청구	

① 1개 ② 2개 ③ 3개 ④ 4개

| 해설 서면으로만 하는 소송행위 : ㉠㉢㉤, 서면 또는 구술 가능한 소송행위 : ㉡㉣

Answer 1. ④ 2. ② 3. ③

THEMA 64 기간의 종류

행위기간과 불행위기간	행위기간	일정한 기간 내에만 적법한 소송행위를 할 수 있는 기간을 말한다. 예 고소기간(제230조), 상소기간(제358조, 제374조)
	불행위기간	일정기간 내에는 소송행위를 할 수 없는 기간을 말한다. 예 제1회 공판기일 유예기간(제269조)
법정기간과 재정기간	법정기간	기간의 길이가 법률로 정하여져 있는 것을 말한다. 예 구속기간(제92조), 상소제기기간(제358조, 제374조)
	재정기간	재판에 의해 정하여지는 기간을 말한다. 예 구속기간 연장(제205조), 감정유치기간(제172조)
효력기간과 훈시기간	효력기간 (불변기간)	기간경과 후에 행한 소송행위가 무효로 되는 경우로서 연장이 허용되지 않는 기간을 말한다. 예 고소기간(제230조), 재정신청기간(제260조)
	훈시기간	기간경과 후에 소송행위를 하더라도 그 효력에 영향이 없는 기간을 말한다. 예 검사의 고소사건 처리기간(제257조), 재정결정기간(제262조 제2항), 판결선고기간(제318조의 4), 사형집행기간(제466조)

01 다음 중 훈시기간인 것은?

① 고소기간 ② 재정신청기간
③ 재정결정기간 ④ 즉시항고 제기기간

| 해설 ①②④는 효력기간이고, ③은 훈시기간이다.

02 다음 기간 중 7일과 관계없는 것은?

① 항소의 제기 ② 약식명령에 대한 정식재판의 청구
③ 상고의 제기 ④ 항고법원의 당사자에 통지

| 해설

5일과 관계 있는 소송행위	7일과 관계 있는 소송행위
• 공소장 부본송달(제266조) • 제1회 공판기일 유예기간(제269조) • 항고법원의 당사자에의 통지(제411조 제3항) • 사형집행기간(제466조) • 제2회 이후의 공시송달 공시기간	• 고소인 등에의 처분고지(제258조) • 고소인 등에의 공소부제기 이유고지(제259조) • 재정신청 사건을 받은 검사장이 관할 고등법원에 송부하는 기간(제261조) • 상소 제기기간(제358조, 제374조) • 약식명령에 대한 정식재판의 청구(제453조) • 즉시항고 제기기간(제405조)

Answer 1. ③ 2. ④

03 **5일이라는 법정기간과 관련이 없는 것은?**

① 제1회 공판기일 전의 공소장부본 송달기간

② 공시송달기간으로서 제2회 이후의 공시기간

③ 긴급체포시 구속영장 청구기간

④ 사형집행기간

| 해설 ③ 긴급체포시 구속영장의 청구는 지체 없이 하여야 하고, 체포한 후로부터 48시간을 경과하여 하지 못한다.

04 **다음의 기간계산에 있어 10일에 해당하는 사항은?** 97. 경찰승진, 03. 순경

① 공소장부본의 송달기간

② 검사의 고소권자 지정기간

③ 즉시항고 제기기간

④ 항소·상고의 이유서제출기간

| 해설 ① 5일

② 10일(제228조)

③ 7일(제405조)

④ 20일(제361조의 3 제1항, 제379조)

Answer 3. ③ 4. ②

THEMA 65

제66조 【기간의 계산】 ① 기간의 계산에 관하여는 시로써 계산하는 것은 즉시부터 기산하고 일, 월 또는 연으로써 계산하는 것은 초일을 산입하지 아니한다. 다만, 시효와 구속기간의 초일은 시간을 계산하지 아니하고 1일로 산정한다.

② 연 또는 월로 정한 기간은 연 또는 월 단위로 계산한다.

③ 기간의 말일이 공휴일(임시공휴일 포함 : 대결 2021.1.14, 2020모3694)이거나 토요일이면 그 날은 기간에 산입하지 아니한다. 다만, 시효와 구속기간에 관하여는 예외로 한다.

제67조 【법정기간의 연장】 법정기간은 소송행위를 할 자의 주거 또는 사무소의 소재지와 법원 또는 검찰청 소재지와의 거리 및 교통통신의 불편 정도에 따라 대법원규칙으로 이를 연장할 수 있다.

규칙 제44조 【법정기간의 연장】 ① 소송행위를 할 자가 국내에 있는 경우 주거 또는 사무소의 소재지와 법원 또는 검찰청, 고위공직자범죄수사처 소재지와의 거리에 따라 해로는 100킬로미터, 육로는 200킬로미터마다 각 1일을 부가한다. 그 거리의 전부 또는 잔여가 기준에 미달할지라도 50킬로미터 이상이면 1일을 부가한다. 다만, 법원은 홍수, 천재지변 등 불가피한 사정이 있거나 교통통신의 불편 정도를 고려하여 법정기간을 연장함이 상당하다고 인정하는 때에는 이를 연장할 수 있다.

② 소송행위를 할 자가 외국에 있는 경우의 법정기간에는 그 거주국의 위치에 따라 다음 각 호의 기간을 부가한다.

1. 아시아주 및 오세아니아주 : 15일
2. 북아메리카주 및 유럽주 : 20일
3. 중남아메리카주 및 아프리카주 : 30일

01 **다음 중 기간계산 방법으로 옳은 것은?**

① 구속된 날 익일부터 구속기간을 산입한다.

② 구속기간, 시효기간은 초일을 산입하나 말일이 공휴일 또는 토요일이면 다음 날 완성한다.

③ 일 · 월 · 연으로 계산한 것은 원칙적으로 초일을 불산입하나, 말일은 공휴일 또는 토요일인 때라도 기간에 산입된다.

④ 기간의 계산에서 시로써 계산한 것은 즉시부터 기산한다.

해설 ④ 제66조 참조

02 **기간의 계산에 관한 다음의 설명 중 가장 옳지 아니한 것은?**

① 소송행위를 할 자가 국내에 있는 경우 주거 또는 사무소의 소재지와 법원 또는 검찰청, 고위공직자범죄수사처 소재지와의 거리에 따라 해로는 100km, 육로는 200km마다 각 1일을 부가한다.

Answer 1. ④ 2. ③

② 소송행위를 할 자가 중남아메리카 및 아프리카주에 있는 경우에는 30일을 부가한다.
③ 일 · 월 또는 연으로써 기간을 계산하는 경우에는 모든 경우에 초일을 산입하지 아니한다.
④ 헌법재판소는 형기를 역수에 따라 계산하도록 한 형법 제83조에 대하여, 신체의 자유를 침해하는 것은 아니라고 판시하였다.

| 해설 ① 규칙 제44조 제1항
② 동조 제2항 제3호(아시아 · 오세아니아주 : 15일, 북아메리카주 및 유럽 : 20일)
③ 일 · 월 또는 연으로써 계산하는 것은 초일을 산입하지 아니한다. 단, 시효와 구속기간의 초일은 기간을 계산함이 없이 1일로 계산한다.
④ 헌법재판소는 자유형의 형기를 역수에 따라 계산하도록 한 형법 제83조에 대하여, 형기에 윤달(2월이 29일)이 포함되어 윤달이 아닌 해보다 1일 더 복역하게 되더라도 이는 자유형의 형기를 '연월'로 정하고, 태양력의 오차시정을 위해 주기적으로 윤달이 발생하는데 기인하는 것으로 신체의 자유를 침해하지 않으므로 청구인의 헌법소원을 기각하는 결정을 선고하였다(헌재결 2013.5.30, 2011헌마861).

03 기간의 계산에 관한 설명으로 틀린 것은?

① 공소시효기간의 말일이 토요일인 경우에는 그 익일이 기간의 말일이 된다.
② 항소제기기간은 제1심 판결 선고일의 다음 날로부터 기산한다.
③ 긴급체포 후 구속영장의 청구기간은 긴급체포한 시간부터 기산한다.
④ 재정신청기간의 말일이 공휴일 또는 토요일인 경우에는 그 익일이 기간의 말일로 된다.

| 해설 ① 공소시효기간 계산의 경우 말일이 공휴일 또는 토요일이라도 그 익일을 말일로 하지 않는다(제66조 제3항 단서).

04 다음의 설명 중 가장 옳지 않은 것은? 07. 9급 법원직

① 기간의 계산에 관하여는 시로써 계산하는 것은 즉시부터 기산하고, 일 · 월 또는 연으로써 계산하는 것은 초일을 산입하지 않으나, 다만 시효와 구속기간의 초일은 시간을 계산하지 않고 1일로 계산한다.
② 기간의 말일이 공휴일에 해당하는 날은 기간에 산입하지 않는데, 이는 시효와 구속의 기간에 관해서도 마찬가지이다.
③ 최초의 공시송달은 법원사무관 등이 송달할 서류를 보관하고 그 사유를 법원게시장에 공시한 날로부터 2주일을 경과하면 효력이 생기고, 다만 제2회 이후의 공시송달은 5일을 경과하면 효력이 생긴다.
④ 법정기간은 소송행위를 할 자의 주거 또는 사무소의 소재지와 법원 또는 검찰청 소재지와의 거리 및 교통통신의 불편 정도에 따라 대법원규칙으로 연장할 수 있다.

| 해설 ② 기간의 말일이 공휴일 또는 토요일이라도 시효와 구속의 기간에 관해서는 산입한다.
④ 제67조

Answer 3. ① 4. ②

05 **법정기간연장**(제67조, 규칙 제44조)**이 적용되지 아니한 경우는 모두 몇 개인가?**(판례에 의함)

㉠ 상고제기기간 ㉡ 즉시항고기간 ㉢ 항소이유서제출기간 ㉣ 상고이유서제출기간(상고제기검사가 제출한 경우)

① 1개 ② 2개 ③ 3개 ④ 4개

| 해설 ㉠ 대결 1976.9.27, 76모58 ㉡ 대결 1962.11.15, 62모12 ㉢ 대결 1985.10.27, 85모47은 법정기간연장이 적용된다.
㉣ 상고이유서제출기간도 법정기간연장이 적용된다(대결 1964.5.21, 64모87). 다만, 검사가 상고한 경우에는 상고법원에 대응하는 검찰청 소속 검사가 소송기록접수통지를 받은 날로부터 20일 이내에 그 이름으로 상고이유서를 제출하여야 한다. 상고를 제기한 검찰청 소속 검사가 그 이름으로 상고이유서를 제출하여도 유효한 것으로 취급되지만, 이 경우 상고이유서 제출기간에 법정기간 연장을 적용할 수 없다(대결 2003.6.26, 2003도2008).

Answer 5. ①

THEMA 66

소송행위에 대한 소송법적 효과는 소송행위의 가치판단에 의해 결정되며, 가치판단의 기준으로는 ㉠ 성립 · 불성립, ㉡ 유효 · 무효, ㉢ 적법 · 부적법, ㉣ 이유의 유 · 무 등을 들 수 있다.

불성립 · 성립	1. 의의 : 소송행위의 성립이란 소송행위의 본질적 구성요소를 구비하여 소송행위의 외관을 갖춘 경우를 말하며, 그렇지 못한 경우를 소송행위의 불성립(예 사인의 공소제기)이라 한다. 2. 법적 효과 ① 소송행위가 불성립한 경우에는 처음부터 소송행위의 유효 · 무효의 문제를 논할 수 없으며, 법원 및 소송관계인은 불성립한 소송행위를 무시하거나 방치할 수 있고 어떠한 별도의 법적 판단을 필요로 하지 않는다(하자의 치유문제도 있을 수 없음). **관련판례** 1. 법원이 경찰서장의 즉결심판청구를 기각하자 경찰서장이 사건을 관할지방검찰청으로 송치(송치받은 검사는 공소제기 여부를 결정하게 됨)하였는데, 검사는 즉결심판에 대한 정식재판청구사건으로 오인(정식재판청구사건이라면 관할법원에 송부하여 재판이 진행되는 것이고, 다시 공소제기가 필요한 것은 아님)하고 그 사건기록을 법원에 송부(공소장제출 ×)한 경우라면 이는 공소제기가 성립되었다고 볼 수 없다(대판 2003.11.14, 2003도2735). 14. 9급 검찰 · 마약수사 2. 소송행위의 본질적인 개념요소가 결여(예 공소장제출이 없는 공소제기)되어 소송행위로 성립되지 아니한 경우에는 소송행위가 성립되었으나 무효인 경우와는 달리 하자의 치유문제는 발생하지 않으나, 18. 순경 3차 추후 당해 소송행위가 적법하게 이루어진 경우에는 그 때부터 위 소송행위가 성립된 것으로 볼 수 있다(대판 2003.11.14, 2003도2735). 15. 9급 검찰 · 마약 · 교정 · 보호 · 철도경찰, 18. 5급 검찰 · 교정승진 ② 소송행위가 성립한 경우에는 무효일지라도 일정한 법률효과가 발생하며 소송법적 판단을 요한다(예 검사가 공소장에 필요적 기재사항을 기재하지 않고 공소제기하였더라도 공소시효 정지효과가 발생할 뿐 아니라, 법원은 방치할 수 없고 공소기각판결로 종결하여야 한다).
유효 · 무효	1. 소송행위의 유효 · 무효는 소송행위가 일단 성립한 것을 전제로 하여 그 소송행위의 본래적 효력(예 공소제기의 본래적 효력은 실체심판을 받을 효력을 말함)을 인정할 것인가에 대한 가치판단을 말한다. 2. 소송행위의 무효란 소송행위가 지향하는 본래적 효력이 인정되지 아니한 것을 말하고 소송법적으로 아무런 법적 효과가 인정되지 않는 것은 아니다. 따라서 소송행위의 불성립과 구별된다.
적법 · 부적법	1. 소송행위가 법률의 규정에 합치되면 적법, 불합치되면 부적법한 것이 된다. 적법 · 부적법도 소송행위의 성립을 전제로 하며, 소송행위의 부적법에는 효력규정 위반뿐만 아니라 훈시규정 위반도 포함된다. 2. 따라서 부적법하다 하여 언제나 무효가 되는 것은 아니다. 효력규정에 위반한 경우는 부적법 · 무효이지만, 훈시규정에 위반한 경우는 부적법하기는 하지만 무효는 아니기 때문이다. ▶ 소송행위의 적법 · 부적법 판단은 소송행위 이유의 유 · 무판단을 위한 전제가 된다.
이유의 유 · 무	1. 소송행위의 이유 유 · 무란 법률행위적 소송행위에 관하여 그 의사표시의 내용이 정당한가에 대한 가치판단을 의미한다. 2. 이유 유 · 무의 판단은 취효적(효과요구) 소송행위(예 공소제기, 기피신청)에 대하여 행해지며, 여효적(효과부여) 소송행위(예 상소취하, 고소취소)에 대해서는 적용될 여지가 없다.

01 소송행위의 가치판단에 관한 다음의 설명 중 틀린 것은?

① 소송행위는 언제나 취소할 수 있다.
② 소송행위가 부적법하면 항상 무효로 되는 것은 아니다.
③ 무효인 소송행위라 해서 어떠한 효과도 발생시키지 않는 것은 아니다.
④ 이유 없음 · 이유 있음의 가치판단은 소송행위가 적법한 경우에 한다.

| 해설 ① 소송행위의 취소라 함은 소송행위의 효력을 소급적으로 소멸시키는 것을 말하며, 이를 인정할 것인가에 대하여 부정하는 견해와 절차형성행위에서는 허용될 수 없지만 실체형성행위에는 인정하는 것이 타당하다는 견해로 나누어진다.

02 소송행위의 불성립과 무효에 관한 다음 설명 중 틀린 것은?

① 검사가 공소장에 필요적 기재사항을 기재하지 않고 공소제기한 경우 법원은 방치하여서는 안 되고 공소기각판결로 종결하여야 한다.
② 소송행위가 불성립된 경우에는 하자의 치유문제가 있을 수 없다.
③ 소송행위의 무효는 소송행위가 지향한 원래의 소송법적 효과가 인정되지 않는 경우이다.
④ 사인이 행한 판결이나 공소제기는 무효원인이다.

| 해설 소송행위의 본질적 구성요소를 구비하지 않음으로써 소송행위의 정형이 인정될 수 없는 경우가 소송행위 불성립(검찰서기가 공소제기, 법원서기가 판결)이며, 어느 정도 본질적 요소를 갖추어 소송행위의 외관을 구비하였으면 일단 소송행위는 성립하는 것으로 본다. 성립한 소송행위에 대해서는 유효 · 무효, 적법 · 부적법, 이유의 유 · 무 등의 가치판단을 할 수 있다. 법원은 불성립한 소송행위를 무시하거나 방치할 수 있고 어떠한 별도의 법적 판단을 요하지 아니한다. 그러나 소송행위가 성립한 경우에는 무효일지라도 일정한 법률효과가 발생하며 소송법적 판단을 요한다.
① 검사가 공소장에 기재사항을 전혀 기재하지 아니한 경우에는 별도의 무효선언을 할 필요 없이 당연히 무효가 되는 것이나, 일부 기재가 있는 경우에는 법원이 판단하여 무효선언이 필요(예 공소기각판결)하다.
② 소송행위의 유효 · 무효, 무효의 치유문제 등은 소송행위의 성립을 전제로 한다.
④ 무효가 아니고 불성립되는 경우이다.

03 소송행위가 불성립하는 경우는?

① 허무인에 대한 공소제기
② 법원사무관의 재판
③ 상소권이 없는 자의 상소제기
④ 법정형을 초과하여 형을 선고한 판결

| 해설 ①③④ 무효원인이나, ② 소송행위의 본질적 구성요소를 구비하여 소송행위의 외관을 갖춘 경우가 아니어서 소송행위가 불성립하는 경우이다.

Answer 1. ① 2. ④ 3. ②

THEMA 67 소송행위의 무효원인

행위주체에 관한 무효 원인	소송행위 적격	고소권이 없는 자처럼 소송행위에 필요한 행위적격이 없는 자의 소송행위는 무효이다.
	의사표시의 하자	1. 착오 · 사기 · 강박에 의한 실체형성행위(예 증언)는 무효의 원인이 될 수 없다. 2. 착오 · 사기 · 강박에 의한 절차형성행위(예 피고인이 기망이나 강박으로 상소포기를 하는 경우)에 대해서는 견해의 대립이 있으나, 원칙적으로는 유효하고, 착오 등의 행위자가 책임질 수 없는 사유로 인한 경우에는 무효로 함이 타당하다(다수설). 소송절차의 형식적 확실성을 위하여는 외부에 표시되는 것에 따라서 판단해야 하기 때문이다. **관련판례** 1. 교도관이 내어 주는 상소권포기서를 항소장으로 잘못 믿은 나머지 이를 확인하여 보지도 않고 서명 · 무인한 경우, 항소포기가 유효하다(대결 1995.8.17, 95모49). 04. 순경 2. 착오에 의한 소송행위가 무효로 되기 위하여는 통상인의 판단을 기준으로 하여 만일 착오가 없었다면 그러한 소송행위를 하지 않았으리라고 인정되는 중요한 점에 관하여 착오가 있고, 착오가 행위자 또는 대리인이 책임질 수 없는 사유로 인하여 발생하였으며 그 행위를 유효로 하는 것이 현저히 정의에 반한다고 인정될 것 등 세 가지 요건을 필요로 한다(대결 1995.8.17, 95모49). 17.경찰간부
소송행위의 내용 또는 방식에 관한 무효원인	내용상 무효원인	소송행위의 내용은 법이 인정하는 정형적인 것이어야 함은 물론이나, 그 소송행위의 내용이 가능하고 그것을 행할 이익이 있어야 한다(예 법정형을 초과한 유죄판결, 허무인에 대한 공소제기).
	방식상 무효원인	방식에 대한 하자도 방식을 요구하는 목적과 필요성을 고려하여 무효원인이 될 수 있다(예 소송조건이 결여된 공소제기).

01 다음 중 소송행위의 무효원인에 해당되지 않는 것은?

① 착오에 의한 고소의 취소
② 허무인에 대한 공소제기
③ 소송행위적격의 결여
④ 절차형성행위에 관한 소송능력의 결여

해설 ① 절차형성행위에 있어 의사표시의 하자는 원칙적으로 무효원인이 아니다.
②③④ 무효원인

Answer 1. ①

02 다음 중 무효가 되는 소송행위는 모두 몇 개인가?

04. 9급 검찰

㉠ 경찰관에 의한 공소제기	㉡ 선서무능력자가 선서하고 증언하는 경우
㉢ 고소권 없는 자의 고소	㉣ 착오에 의한 실체형성행위

① 1개 ② 2개 ③ 3개 ④ 4개

해설 ㉠ 불성립한다. ㉡ 원칙적으로 유효하다. ㉢ 무효의 원인이다.
㉣ 증언 자체는 유효하다. 따라서 무효인 것은 아니다.

03 소송행위에 관한 설명으로 옳지 않은 것은?(다툼이 있으면 판례에 의함)

① 무효인 소송행위라도 당연무효가 아니라면 법원의 판단이 요구된다.
② 교도관이 내어주는 상소권포기서를 항소장으로 잘못 믿고 서명·무인한 경우 항소포기서는 유효하다.
③ 절차형성행위의 경우 중대한 착오가 있는 이상 귀책사유 유무와 관계없이 무효로 된다.
④ 실체형성행위의 경우 착오가 있더라도 소송행위의 효력에 영향을 미치지 않는다.

해설 ① 무효에는 당연무효(예 공소장의 기재사항을 전혀 기재하지 아니한 경우)와 무효선언을 별도로 필요로 하는 경우(예 공소기각판결)가 있다.
② 대결 1995.8.17, 95모49 ③ 중대한 착오가 행위자의 귀책사유인 때에는 소송행위가 유효하나, 행위자의 귀책사유로 인한 것이 아닌 때에는 그 소송행위는 무효이다.
④ 착오가 있더라도 실체형성행위는 무효가 아니다.

04 착오로 인한 소송행위에 관한 다음 판례의 ( ) 안에 들어갈 용어로 옳은 것은?

17. 경찰간부

> (㉠) 소송행위가 착오로 인하여 행하여진 경우, 절차의 형식적 확실성을 강조하면서도 피고인의 이익과 정의의 희생이 커서는 안된다는 측면에서 그 소송행위의 효력을 고려할 필요가 있으므로, 착오에 의한 소송행위가 무효로 되기 위하여서는 첫째 (㉡)의 판단을 기준으로 하여 만일 착오가 없었다면 그러한 소송행위를 하지 않았으리라고 인정되는 중요한 점에 관하여 착오가 있고, 둘째 착오가 행위자 또는 대리인이 책임질 수 없는 사유로 인하여 발생하였으며, 셋째 그 행위를 유효로 하는 것이 현저히 (㉢)에 반한다고 인정될 것 등 세 가지 요건을 필요로 한다.

① ㉠－절차형성적, ㉡－피고인, ㉢－법률 ② ㉠－실체형성적, ㉡－법원, ㉢－법률
③ ㉠－실체형성적, ㉡－통상인, ㉢－정의 ④ ㉠－절차형성적, ㉡－통상인, ㉢－정의

해설 절차형성적 소송행위가 착오로 인하여 행하여진 경우, 절차의 형식적 확실성를 강조하면서도 피고인의 이익과 정의의 희생이 커서는 안된다는 측면에서 그 소송행위의 효력을 고려할 필요가 있으므로 착오에 의한 소송행위가 무효로 되기 위하여서는 첫째 통상인의 판단을 기준으로 하여 만일 착오가 없었다면 그러한 소송행위를 하지 않았으리라고 인정되는 중요한 점(동기를 포함)에 관하여 착오가 있고, 둘째 착오가 행위자 또는 대리인이 책임질 수 없는 사유로 인하여 발생하였으며, 셋째 그 행위를 유효로 하는 것이 현저히 정의에 반한다고 인정될 것 등 세 가지 요건을 필요로 한다(대결 1992.3.13, 92모1).

Answer 2.① 3.③ 4.④

THEMA 68 무효의 치유(무효인 소송행위가 사정변경에 의하여 유효하게 될 수 있는가의 문제)

소송행위의 추완	단순 추완	법정기간이 경과한 후에 소송행위를 하였을 경우에도 법정기간 내에 소송행위가 있었던 것과 동일한 효과가 인정되는 경우를 말하며, 형사소송법에 허용하는 명문의 규정이 있다〔예 상소기간 만료 후의 상소권회복청구(제345조), 약식명령에 대한 정식재판청구권회복청구(제458조)〕. 08. 순경, 10. 9급 국가직
	보정적 추완	1. 의의 : 일정한 소송행위의 추완을 통해 다른 소송행위의 하자를 보정하는 것을 말한다(피보정소송행위가 존재한다는 점이 단순추완과 구별). 2. 인정범위 ① 변호인선임의 추완 : 변호인선임신고 이전에 변호인으로서 한 소송행위가 선임신고에 의하여 유효하게 되는가의 문제이다. 판례는 부정하고 있다. **관련판례** 1. 상소이유서 제출기간 경과 후에 변호인선임계를 제출한 경우에는 변호인이 그 기간 경과 전에 상소이유서를 제출하였다 하더라도 적법·유효한 상소이유서로 볼 수 없다(대판 1961.6.7, 4293형상923). 08. 순경, 10. 9급 국가직 2. 변호인선임신고서를 제출하지 아니한 변호인이 변호인 명의로 정식재판청구서만 제출하고 정식재판청구기간 경과 후에 비로소 변호인선임신고서를 제출한 경우, 효력이 없다(대결 2005.1.20, 2003모429). 10. 9급 국가직, 12. 9급 법원직, 14. 7급 국가직, 15·18. 경찰간부·순경 3차, 19. 경찰승진 ② 공소장변경에 의한 추완 : 공소장에 공소사실이 특정되지 않아 그 자체로는 무효인 경우라도 공소장변경을 통해 이를 특정하면 무효가 치유되는가의 문제이다. 공소사실을 공소장에 전혀 기재하지 않는 경우라면 공소장변경에 의해 보정될 수 없지만, 공소제기시에 어느 정도 공소사실이 기재되고 피고인의 방어권 보장에 특별한 영향이 없는 경우에는 공소장변경에 의한 공소사실의 추완을 인정하자는 견해가 타당하다. **관련판례** : 검사가 고소취소된 사건을 협박죄로 기소하였다가 공갈미수로 공소장을 변경한 경우, 공갈죄의 수단으로 한 협박은 공갈에 흡수될 뿐 별도로 협박죄(반의사불벌죄)를 구성하지 않으므로, 고소가 취소되었다 하여 공갈죄로 처벌하는 데 아무런 장애가 되지 아니한다. 따라서 검사가 협박죄로 기소하였다 하여도 그 후 공소사실을 공갈미수로 공소장이 변경된 이상 그 공소제기의 하자는 치유된다(대판 1996.9.26, 96도2151). 09. 경찰승진, 14·18. 경찰간부, 23. 9급 검찰·마약수사 ③ 고소의 추완 : 친고죄에 있어 고소가 없음에도 공소제기를 하고 그 후에 비로소 고소가 있는 경우에 이미 행한 공소제기가 적법하게 될 수 있는가의 문제이다. 소송경제와 절차유지의 차원에서 고소의 추완을 인정하는 견해도 있으나, 피고인을 소송에서 해방시키는 것은 소송경제보다 중요한 이익이라 할 것이므로 고소의 추완을 부정하는 입장이 타당하다(다수설·판례). **관련판례** 1. 비친고죄(강간치사)로 공소제기되었다가 친고죄(강간죄)로 공소장이 변경된 경우 비로소 피해자의 父가 고소장을 제출한 경우에는 강간죄의 공소제기절차는 법률의 규정에 위반하여 무효인 때에 해당한다(대판 1982.9.14, 82도1504). 09·10. 경찰승진, 12. 순경·9급 국가직, 08·14. 7급 국가직, 12·14·15. 경찰간부 따라서 법원은 공소기각판결(제327조 제2호)을 하여야 한다.

	▶ 이제는 강간죄가 비친고죄로 변경되었으므로, 고소 없이도 실체재판이 가능하게 되었다. 2. 세무공무원의 고발 없이 조세범 사건의 공소가 제기된 후 세무공무원이 비로소 고발을 하더라도 공소제기의 무효가 치유될 수 없다(대판 1970.7.28, 70도942). 18. 9급 검찰·마약수사, 08·19. 경찰승진
공격·방어방법의 소멸에 의한 하자의 치유	소송이 어느 단계에 이르면 무효를 주장할 수 없게 되는 경우가 있다. 이 때에도 무효의 치유가 인정된다. 예 토지관할 위반, 공소장부본 송달의 하자, 공판기일 유예기간의 하자 **관련판례** ● 하자가 치유되는 경우 1. 공소장의 송달이 부적법하다 하여도 피고인이 제1심에서 이의함이 없이 공소사실에 관하여 충분히 진술할 기회를 부여받은 이상 판결결과에는 영향이 없어 그것이 적법한 상소이유가 된다고 할 수 없다(대판 1992.3.10, 91도3272). 14. 경찰간부, 15·18. 9급 검찰·마약수사 2. 검사가 주신문을 하면서 허용되지 않는 유도신문을 한 경우, 그 다음 공판기일에 재판장이 증인신문 결과 등을 각 공판조서(증인신문조서)에 의하여 고지하였음에도 피고인과 변호인이 '변경할 점과 이의할 점이 없다.'고 진술하여 피고인이 책문권 포기 의사를 명시함으로써 유도신문에 의하여 이루어진 주신문의 하자가 치유되었다(대판 2012.7.26, 2012도2937). 18. 7급 국가직 3. 변호인이 없는 피고인을 일시 퇴정하게 하고 증인신문을 한 경우, 그 다음 공판기일에서 재판장이 증인신문 결과 등을 공판조서(증인신문조서)에 의하여 고지하였는데 피고인이 '변경할 점과 이의할 점이 없다.'고 진술하여 책문권 포기 의사를 명시함으로써 실질적인 반대신문의 기회를 부여받지 못한 하자가 치유되었다(대판 2010.1.14, 2009도9344). 18. 7급 국가직·9급 검찰·마약수사 4. 법원이 피고인에게 증인신문의 시일과 장소를 미리 통지함이 없이 증인들의 신문을 시행하였음은 위법이나 그 후 신문결과를 신문조서에 의하여 소송관계인에게 고지하였던바, 피고인이나 변호인이 이의를 하지 않았다면 위의 하자는 책문권의 포기로 치유된다(대판 1974.1.15, 73도2967). 5. 항소심이 피고인에게 검사의 항소이유(양형부당)서 부본을 송달하지 아니하였는데, 피고인 역시 항소이유로서 사실오인과 양형과중의 사유를 들고 있는 경우, 항소심이 제1심의 형의 양정이 적절하다고 하여 쌍방의 항소를 기각한 경우 검사의 항소에 대한 피고인의 방어권을 충분히 참작하였다고 보여지고, 피고인에게 양형에 있어 불이익하게 변경된 바 없으므로 위 하자는 치유되었다 할 것이다(대판 1981.9.8, 81도2040). 18. 7급 국가직 6. 제1심이 피고인의 국민참여재판을 받을 권리를 침해하여 위법하게 절차를 진행하고 그에 따라 제1심 소송행위가 무효라 하더라도, 항소심이 피고인에게 국민참여재판에 관하여 안내하고 숙고의 기회를 부여하였으며, 피고인도 그에 따라 숙고한 후 제1심의 절차적 위법을 문제삼지 않겠다는 의사를 명백히 밝혔다면, 제1심의 공판절차상 하자는 치유되었다고 할 것이다(대판 2012.6.14, 2011도15484).

	• 하자가 치유되지 않는 경우 공소의 제기에 있어서 현저한 방식위반이 있는 경우에는 공소제기의 절차가 법률의 규정에 위반하여 무효인 경우에 해당된다고 할 것이고, 위와 같은 절차위배의 공소제기에 대하여 피고인과 변호인이 이의를 제기하지 아니하고 변론에 응하였다고 하여 그 하자가 치유되지는 않는다. ▶ 구체적 사례 : 검사가 새로운 범죄사실을 추가하기 위하여 공소장변경신청을 하였으나 법원이 이를 받아들이지 않자 공소장부본 송달 등의 절차 없이 공판기일에서 당해 공소장변경신청서로 공소장을 갈음한다는 구두진술을 하였고, 피고인의 성명 기타 피고인을 특정할 수 있는 사항, 적용법조 등을 당해 공소장변경신청서에 기재하지 않는 등 공소의 제기에 현저한 방식 위반이 있었지만, 이에 대하여 피고인과 변호인이 이의를 제기하지 아니하고 변론에 응한 경우일지라도 그 하자가 치유된다고 볼 수 없으므로 판결로써 공소기각을 선고하여야 한다(대판 2009.2.26, 2008도11813). 18. 7급 국가직

03

01 **소송행위의 무효 및 추완에 대한 설명으로 옳은 것만을 모두 고른 것은?**(다툼이 있는 경우 판례에 의함)

18. 9급 검찰·마약수사

㉠ 제1심법원이 공소장 부본을 피고인 또는 변호인에게 송달하지 않은 채 공판절차가 진행되었다면, 그 공판절차에서 이루어진 소송행위는 효력이 없으며, 피고인 또는 변호인의 이의가 없더라도 추완도 인정되지 않는다.
㉡ 변호인 선임신고 이전에 변호인으로서 한 소송행위라고 하더라도 소송절차의 동적·발전적 성격을 고려하여 변호인 선임신고에 의해서 추완이 인정된다.
㉢ 당사자에게 참여의 기회를 주지 않고 행한 증인신문은 참여권을 침해한 것으로서 무효이지만, 피고인이 그 증인신문조서에 대하여 증거동의를 하면 그 하자는 치유된다.
㉣ 세무공무원의 고발 없이 조세범처벌법 위반사건의 공소가 제기된 이후에 세무공무원(세무서장)이 고발한 경우에는 공소제기의 흠결이 치유될 수 없다.

① ㉠, ㉡ ② ㉢, ㉣ ③ ㉠, ㉢ ④ ㉡, ㉣

| 해설 ㉠ × : 공소장의 송달이 부적법하다 하여도 피고인이 제1심에서 이의함이 없이 공소사실에 관하여 충분히 진술할 기회를 부여받은 이상 이러한 하자는 모두 치유된다(대판 1992.3.10, 91도3272).

비교판례 : 공소의 제기에 현저한 방식 위반이 있는 경우에는 공소제기의 절차가 법률의 규정에 위반하여 무효인 경우에 해당하고, 위와 같은 절차위배의 공소제기에 대하여 피고인과 변호인이 이의를 제기하지 아니하고 변론에 응하였다고 하여 그 하자가 치유되지는 않는다(대판 2009.2.26, 2008도11813).

㉡ × : 변호인 선임서를 제출하지 않은 채 상고이유서만을 제출하고 상고이유서 제출기간이 지난 후에 변호인 선임서를 제출하였다면 그 상고이유서는 적법·유효한 변호인의 상고이유서가 될 수 없다(대판 2015.2.26, 2014도12737).

㉢ ○ : 대판 1974.1.15, 73도2967

㉣ ○ : 대판 1970.7.28, 70도942

Answer 1. ②

02 **소송행위에 있어서 절차에 하자가 있으나 사후적으로 하자의 치유가 인정되지 않는 것은?**(다툼이 있는 경우 판례에 의함) 18. 7급 국가직

① 변호인이 없는 피고인을 일시 퇴정하게 하고 증인신문을 한 후 피고인에게 실질적인 반대신문의 기회를 부여하지 아니한 채, 그 다음 공판기일에서 재판장이 피고인에게 증인신문 결과 등을 공판조서에 의하여 고지하였는데 피고인이 '변경할 점과 이의할 점이 없다.'고 진술한 경우

② 항소심이 피고인에게 검사의 항소이유서 부본을 송달하지 아니하였는데, 검사의 항소이유서의 요지는 제1심의 피고인에 대한 형량은 너무 가벼워 부당하다는 것이고, 피고인 역시 항소이유로서 사실오인과 양형과중의 사유를 들고 있는 경우, 항소심이 쌍방의 항소를 변론 없이 기록에 나타난 양형의 조건이 되는 제반사항을 참작하여 한 제1심의 형의 양정이 적절하고 무겁거나 가볍다고 볼 수 없다고 하여 쌍방의 항소를 기각한 경우

③ 증인신문 과정에서 검사가 주신문을 하면서 유도신문을 하였으나 그 다음 공판기일에서 재판장이 피고인에게 증인신문 결과 등을 공판조서에 의하여 고지하였는데 피고인과 변호인이 '변경할 점과 이의할 점이 없다.'고 진술한 경우

④ 검사가 새로운 범죄사실을 추가하기 위하여 공소장변경신청을 하였으나 법원이 이를 받아들이지 않자 공소장부본 송달 등의 절차 없이 공판기일에서 당해 공소장변경신청서로 공소장을 갈음한다는 구두진술을 하였고, 피고인의 성명 기타 피고인을 특정할 수 있는 사항, 적용법조 등을 당해 공소장변경신청서에 기재하지 않는 등 공소의 제기에 현저한 방식 위반이 있었지만, 이에 대하여 피고인과 변호인이 이의를 제기하지 아니하고 변론에 응한 경우

| 해설 ①(대판 2010.1.14, 2009도9344), ②(대판 1981.9.8, 81도2040), ③(대판 2012.7.26, 2012도2937) 모두 소송행위에 있어서 하자가 치유된다.
④ 공소의 제기에 현저한 방식 위반이 있는 경우에는 공소제기의 절차가 법률의 규정에 위반하여 무효인 경우에 해당하고, 위와 같은 절차위배의 공소제기에 대하여 피고인과 변호인이 이의를 제기하지 아니하고 변론에 응하였다고 하여 그 하자가 치유되지는 않는다(대판 2009.2.26, 2008도11813).

03 **소송행위에 대한 설명으로 옳은 것은 모두 몇 개인가?**(다툼이 있는 경우 판례에 의함)

㉠ 검사가 공소장을 제출하지 아니하고서 행한 공소제기는 무효이지만 추완이 허용된다. ㉡ 반의사불벌죄 사건에서 피해자인 청소년의 처벌희망 의사표시의 철회는 법정대리인의 동의가 있거나 법정대리인의 대리에 의하여야 효력이 있다. ㉢ 기피신청을 받은 법관이 본안의 소송절차를 정지해야 함에도 그대로 소송을 진행해서 이루어진 소송행위는 그 후 기피신청에 대한 기각결정이 확정되었더라도 무효이다. ㉣ 법원에서 피고인이 국민참여재판을 원하는지에 관한 의사의 확인절차를 거치지 아니한 채 통상의 공판절차로 재판을 진행한 경우 그 공판절차에서 이루어진 소송행위는 유효하다.

Answer 2. ④ 3. ②

ⓜ 검사가 고소취소된 사건을 협박죄로 기소하였다가 공갈미수로 공소장을 변경한 경우, 공갈죄의 수단으로 한 협박은 공갈에 흡수될 뿐 별도로 협박죄(반의사불벌죄)를 구성하지 않으므로, 고소가 취소되었다 하여 공갈죄로 처벌하는 데 아무런 장애가 되지 아니한다. 따라서 검사가 협박죄로 기소하였다 하여도 그 후 공소사실을 공갈미수로 공소장이 변경된 이상 그 공소제기의 하자는 치유된다.

① 1개 ② 2개 ③ 3개 ④ 4개

| 해설 ㉠ × : 검사에 의한 공소장의 제출은 공소제기라는 소송행위가 성립하기 위한 본질적 요소라고 보아야 할 것이므로, 이러한 공소장의 제출이 없는 경우에는 소송행위로서의 공소제기가 성립되었다고 할 수 없다(대판 2003.11.14, 2003도2735).

㉡ × : 피해자가 제1심 법정에서 피고인들에 대한 처벌희망 의사표시를 철회할 당시 나이가 14세 10개월이었더라도 그 철회의 의사표시가 의사능력이 있는 상태에서 행해졌다면 법정대리인의 동의가 없었더라도 유효하다(대판 2009.11.19, 2009도6058 전원합의체).

㉢ ○ : 대판 2012.10.11, 2012도8544

㉣ × : 국민참여재판을 원하는지에 관한 의사의 확인절차를 거치지 아니한 채 통상의 공판절차로 재판을 진행하였다면, 무효라고 보아야 한다. 그러나 피고인이 항소심에서 국민참여재판을 원하지 아니한다고 하면서 위와 같은 제1심의 절차적 위법을 문제삼지 아니할 의사를 명백히 표시하는 경우에는 그 하자가 치유되어 제1심 공판절차는 전체로서 적법하게 된다고 봄이 상당하다(대판 2013.1.31, 2012도13896).

ⓜ ○ : 대판 1996.9.26, 96도2151

04 소송행위에 대한 설명으로 옳지 않은 것은?(다툼이 있으면 판례에 의함) 18. 5급 검찰 · 교정승진

① 피의자에게 의사능력이 있으면 직접 소송행위를 하는 것이 원칙이고, 피의자에게 의사능력이 없는 경우 형법 제9조 내지 제11조의 규정의 적용을 받지 아니하는 범죄사건에 한하여 예외적으로 그 법정대리인이 소송행위를 할 수 있다.

② 공소제기에 현저한 방식 위반이 있는 경우에는 공소제기절차가 법률의 규정에 위반하여 무효인 때에 해당하지만, 피고인과 변호인이 절차위배의 공소제기에 대하여 이의를 제기하지 아니하고 변론에 응한 때에는 그 하자가 치유된다.

③ 필요적 변호사건에서 변호인이 없거나 출석하지 아니한 채 공판절차가 진행되었기 때문에 그 공판절차가 위법한 것이라 하더라도, 그 절차에서의 소송행위 외에 다른 절차에서 적법하게 이루어진 소송행위까지 모두 무효로 된다고 볼 수 없다.

④ 소송행위로서 요구되는 본질적인 개념요소가 결여되어 소송행위로 성립되지 아니한 경우에는 하자의 치유문제가 발생하지 않으나, 추후 당해 소송행위가 적법하게 이루어진 경우에는 그때부터 그 소송행위가 성립된 것으로 볼 수 있다.

⑤ 기피신청을 받은 법관이 형사소송법 제22조에 위반하여 본안의 소송절차를 정지하지 않은 채 그대로 소송을 진행하여서 한 소송행위는 그 효력이 없다.

| 해설 ① 대판 2014.11.13, 2013도1228

② 엄격한 형식과 절차에 따른 공소장의 제출은 공소제기라는 소송행위가 성립하기 위한 본질적 요소라고 할 것이므로, 공소의 제기에 현저한 방식 위반이 있는 경우에는 공소제기의 절차가 법률의 규정에 위반하여

Answer 4. ②

무효인 경우에 해당하고, 위와 같은 절차위배의 공소제기에 대하여 피고인과 변호인이 이의를 제기하지 아니하고 변론에 응하였다고 하여 그 하자가 치유되지는 않는다(대판 2009.2.26, 2008도11813).
③ 대판 1999.4.23, 99도915 ④ 대판 2003.11.14, 2003도2735 ⑤ 대판 2012.10.11, 2012도8544

05 **소송행위에 대한 설명으로 가장 적절하지 않은 것은?**(다툼이 있는 경우 판례에 의함) 19. 경찰승진

① 세무공무원의 고발 없이 조세범칙사건의 공소가 제기된 후에 세무공무원이 고발한 경우에는 그 공소절차의 무효가 치유된다.
② 기피신청을 받은 법관이 본안의 소송절차를 정지해야 함에도 그대로 소송을 진행해서 이루어진 소송행위는 그 후 기피신청에 대한 기각결정이 확정되었더라도 무효이다.
③ 변호인선임신고서를 제출하지 아니한 변호인이 변호인 명의로 정식재판청구서만 제출하고, 형사소송법 제453조 제1항이 정하는 정식재판청구기간 경과 후에 비로소 변호인선임신고서를 제출한 경우, 변호인 명의로 제출한 정식재판청구서는 적법·유효한 정식재판청구로서의 효력이 없다.
④ 친고죄는 피해자의 고소가 있어야 공소를 제기할 수 있고 공소제기 이후 고소의 추완은 허용되지 아니하고, 이는 비친고죄로 기소되었다가 제1심 공판진행 중 친고죄로 공소장이 변경된 경우에도 동일하며, 어느 경우이든 법원은 검사의 공소제기절차가 법률의 규정에 위반하여 무효임을 이유로 공소기각 판결을 선고하여야 한다.

| 해설 ① 세무공무원의 고발 없이 조세범칙사건의 공소가 제기된 후에 세무공무원이 고발한 경우에는 그 공소절차의 무효가 치유된다고 할 수 없다(대판 1970.7.28, 70도942).
② 대판 2012.10.11, 2012도8544 ③ 대결 2005.1.20, 2003모429 ④ 대판 1982.9.14, 82도1504

06 **소송행위에 관한 설명 중 가장 옳지 않은 것은?**(다툼이 있는 경우 판례에 의하고, 전원합의체 판결의 경우 다수의견에 의함. 이하 같음) 19. 9급 법원직

① 음주운전과 관련한 도로교통법 위반죄의 범죄수사를 위하여 피의자의 혈액채취가 필요한 상황에서 만 17세인 피의자가 사고로 인한 의식불명의 상태에 있어 의사능력이 없는 때에는 모친이 법정대리인으로서 피의자를 대리하여 유효하게 혈액채취에 동의할 수 있다.
② 반의사불벌죄에 있어서 피해자의 피고인 또는 피의자에 대한 처벌을 희망하지 않는다는 의사표시는 의사능력이 있는 한 미성년자인 피해자 자신이 단독으로 유효하게 이를 할 수 있고 거기에 법정대리인의 동의가 있을 필요는 없다.
③ 피고인이 법인인 경우에는 그 대표자가 당해 법인을 대표하여 피고인을 위한 변호인을 선임하여야 하고 대표자가 제3자에게 변호인 선임을 위임하여 제3자로 하여금 유효하게 변호인을 선임하도록 할 수는 없다.
④ 피고인 또는 피의자의 법정대리인, 배우자, 직계친족과 형제자매는 보조인이 될 수 있는데, 보조인이 되고자 하는 자는 심급별로 그 취지를 법원에 신고하여야 한다.

Answer 5. ① 6. ①

해설 ① 음주운전과 관련한 도로교통법 위반죄의 범죄수사를 위하여 피의자의 혈액채취가 필요한 상황에서 만 17세인 피의자가 사고로 인한 의식불명의 상태에 있어 의사능력이 없는 경우에도 명문의 규정이 없는 이상 모친이 법정대리인으로서 피의자를 대리하여 유효하게 혈액채취에 동의할 수 없다(대판 2014.11.13, 2013도1228).
② 대판 2009.11.19, 2009도6058 전원합의체
③ 대결 1994.10.28, 94모25
④ 제29조 제1항 · 제3항

07 무효의 치유에 대한 설명 중 옳지 않은 것은 모두 몇 개인가?(다툼이 있는 경우 판례에 의함)

㉠ 약식명령에 대한 정식재판청구권회복청구에 의하여 다시 정식재판을 청구한 경우에는 단순추완에 속하나 상소기간만료 후 상소권회복청구에 의하여 다시 상소를 제기한 경우는 보정적 추완에 속한다.
㉡ 유효한 고소의 존재는 친고죄의 본질적 소송조건을 이루므로 고소의 추완이 있는 경우 법원은 공소기각의 판결을 내려야 한다.
㉢ 공소제기시에 공소사실이 친고죄임을 알면서도 고소 없이 공소를 제기한 경우에는 고소의 추완을 인정할 수 없지만, 비친고죄로 공소제기된 사건이 심리결과 친고죄로 판명된 때에는 검사의 공소제기에 비난할 점이 없어 고소의 추완을 인정할 수 있다.
㉣ 공소장의 송달이 부적법하다고 하여도 피고인이 제1심에서 이의함이 없이 공소사실에 관하여 충분히 진술할 기회를 부여받은 이상 판결결과에는 영향이 없어 그것이 적법한 상소이유가 된다고 할 수 없다.
㉤ 항소이유서 부본을 상대방에게 송달하지 아니하였다면, 상대방으로부터 그 방어의 기회를 박탈했다고 볼 수 없는 특별한 사정이 있다고 할지라도 그 하자는 치유되지 아니한다.
㉥ 필요적 변호사건에 관하여 변호인 없이 변론을 진행하였다면 그 소송절차는 위법이라 할 것이나 그 후에 변호인이 선임되어 변론이 진행되었다면 그 위법이 치유될 수 있다.

① 1개 ② 2개 ③ 3개 ④ 4개

해설 ㉠ × : 모두 단순추완의 사례이다.
㉡ ○ : 대판 1982.9.14, 82도1504
㉢ × : 비친고죄로 공소제기된 사건이 친고죄로 판명된 경우에도 고소의 추완을 인정할 수 없다(대판 1982.9.14, 82도1504).
㉣ ○ : 대판 1992.3.10, 91도3272
㉤ × : 항소이유서의 부본을 피고인에게 송달하지 아니한 경우에도 피고인이 출석한 항소심공판기일에서 검사가 항소이유서를 낭독함으로써 피고인으로서의 방어의 대상, 범위, 중점 등이 명백하여지고 또 피고인이 항소이유서의 불송달에 대하여 아무 이의 없이 소송의 진행에 협동한 경우에는 하자는 치유되었다고 본다(대판 1963.12.12, 63도304).
㉥ × : 필요적 변호사건에 관하여 변호인 없이 변론을 진행하였다면 그 소송절차는 위법이라 할 것이고 이러한 위법은 그 후에 변호인이 선임되어 변론이 진행되었다 하더라도 그 사실만으로써 곧 그 위법이 치유될 수는 없다고 할 것이다(대판 1973.9.25, 73도1895).

Answer 7. ④

08 다음 중 소송행위와 관련한 판례의 입장과 거리가 먼 것은 모두 몇 개인가?

㉠ 검사의 항소이유서 부본(요지는 양형부당임)을 피고인에게 송달하지 아니하였으나 피고인도 사실오인과 양형과중을 이유로 항소하였고, 항소심은 변론 없이 기록에 의하여 양형조건이 되는 제반사항을 참작하여 한 제1심의 형의 양정이 적절하다 하여 쌍방 항소를 기각하였다면, 항소이유서 부본을 송달하지 않은 위법은 치유되었다 할 것이다.
㉡ 법정 외에서 증인신문을 실시함에 있어서 피고인에 대하여 통지하지 아니하여 참여기회를 주지 않은 잘못이 있다고 하더라도 그 후 속개된 공판기일에서 피고인과 변호인이 그 증인신문조서에 대하여 별 의견이 없다고 진술하였다면 그 잘못은 책문권의 포기로 치유된다 할 것이다.
㉢ 집회 및 시위에 관한 법률상 해산명령위반의 공소사실에 대한 적용법조로 처벌규정인 같은 법 제24조 제5호, 제20조 제2항만을 기재한 사안에서, 해산명령의 근거가 되는 규정과 이에 관한 사실을 기재하지 않은 것은 피고인의 방어권 행사에 실질적인 불이익을 주는 것이어서 공소제기의 절차가 무효인 경우에 해당하나, 검사가 제1심 변론종결 후 해산명령의 근거조항을 제시하였다면 공소장변경의 절차를 밟지 아니하였더라도 위 공소제기절차상의 위법이 치유된다고 할 수 있다.
㉣ 공소장부본 송달 등의 절차 없이 공판기일에서 이 사건 변경신청서로 공소장을 갈음한다는 검사의 구두진술에 의한 공소제기의 절차에는 법률의 규정에 위반하여 무효라고 볼 정도의 현저한 방식위반이 있다고 봄이 상당하나, 피고인과 변호인이 그에 대하여 이의를 제기하지 않았다면 그 하자가 치유된다고 볼 수 있다.
㉤ 법원이 약식명령 청구사건을 공판절차회부를 한 사건에서 공소장 부본을 피고인에게 송달하지 아니하였다면, 검사와 피고인이 공판기일에 출석하여 피고인을 신문하고 피고인도 이에 대하여 이의를 제기하지 아니하고 신문에 응하고 변론을 하였더라도 이러한 하자는 모두 치유되었다고 할 수 없다.

① 1개 ② 2개 ③ 3개 ④ 4개

| 해설 ㉠ ○ : 대판 1981.9.8, 81도2040 ㉡ ○ : 대판 1980.5.20, 80도306 ; 대판 1974.1.15, 73도2967
㉢ × : 집회 및 시위에 관한 법률상 해산명령위반의 공소사실에 대한 적용법조로 처벌규정인 같은 법 제24조 제5호, 제20조 제2항만을 기재한 사안에서, 해산명령의 근거가 되는 규정과 이에 관한 사실을 기재하지 않은 것은 피고인의 방어권 행사에 실질적인 불이익을 주는 것이어서 공소제기의 절차가 무효인 경우에 해당하고, 검사가 제1심 변론종결 후 해산명령의 근거조항을 제시하였다고 하더라도 공소장변경의 절차를 밟지 아니한 이상 위 공소제기절차상의 위법이 치유된다고 할 수 없다고 한 사례(대판 2009.8.20, 2009도9)
㉣ × : 공소의 제기에 현저한 방식 위반이 있는 경우에는 공소제기의 절차가 법률의 규정에 위반하여 무효인 경우에 해당하고, 위와 같은 절차위배의 공소제기에 대하여 피고인과 변호인이 이의를 제기하지 아니하고 변론에 응하였다고 하여 그 하자가 치유되지는 않는다. 공소장부본 송달 등의 절차 없이 공판기일에서 이 사건 변경신청서로 공소장을 갈음한다는 검사의 구두진술에 의한 것이라서, 그 공소제기의 절차에는 법률의 규정에 위반하여 무효라고 볼 정도의 현저한 방식위반이 있다고 봄이 상당하고, 피고인과 변호인이 그에 대하여 이의를 제기하지 않았다고 하여 그 하자가 치유된다고 볼 수는 없다(대판 2009.2.26, 2008도11813).
㉤ × : 법원이 약식명령 청구사건을 공판절차회부를 한 때에는 법원사무관 등은 즉시 검사에게 그 취지를 통지하여야 하고(규칙 제172조 제1항), 그 통지서를 받은 검사는 5일 이내에 피고인 수에 상응하는 공소장부본을 법원에 제출하여야 하며(규칙 제172조 제2항), 법원은 공소장부본이 제출되면 제1회 공판기일 전 5일까지 이를 피고인에게 송달하여야 하도록 규정하고 있고(규칙 제172조 제3항), 이 사건의 경우 기록상 공소장 부본을 피고인에게 송달하였음을 인정할 자료가 없으나, 검사와 피고인이 공판기일에 출석하여 피고인을 신문하고 피고인도 이에 대하여 이의를 제기하지 아니하고 신문에 응하고 변론을 한 이상 이러한 하자는 모두 치유되었다고 할 것이다(대판 2003.11.14, 2003도2735).

Answer 8. ③

09 소송행위에 대한 설명으로 옳지 않은 것은?

23. 9급 검찰·마약수사

① 항소포기와 같은 절차형성적 소송행위가 착오로 인하여 행하여진 경우 그 행위가 무효로 되기 위하여는 그 착오가 행위자 또는 대리인이 책임질 수 없는 사유로 발생하였을 것이 요구된다.

② 검사에 의한 공소장제출은 공소제기라는 소송행위가 성립하기 위한 본질적 요소이므로 공소장제출이 없는 경우에는 공소제기가 성립되었다고 할 수 없다.

③ 형사소송규칙에 따르면 법원은 공시송달의 사유가 있다고 인정한 때에는 직권 또는 검사의 청구에 따라 결정으로 공시송달을 명한다.

④ 검사가 고소 취소된 사건을 반의사불벌죄인 협박죄로 기소하였다가 반의사불벌죄가 아닌 공갈미수로 공소장변경을 신청하여 허가된 경우 공소제기의 하자는 치유된다.

| 해설 ① 대결 1995.8.17, 95모49 ② 대판 2003.11.14, 2003도2735
③ 법원은 공시송달사유가 있다고 인정한 때에는 직권으로 결정에 의하여 공시송달을 명한다(규칙 제43조).
④ 대판 1996.9.26, 96도2151

10 소송행위의 추완에 관한 다음 설명 중 가장 옳은 것은?(다툼이 있는 경우 판례에 의하고, 전원합의체 판결의 경우 다수의견에 의함)

23. 9급 법원직

① 변호인 선임서를 제출하지 않은 채 상고이유서만을 제출하고 상고이유서 제출기간이 지난 후에 변호인 선임서를 제출하였다면 그 상고이유서는 적법·유효한 변호인의 상고이유서로 볼 수 있다.

② 친고죄에서 피해자의 고소가 없거나 고소가 취소되었음에도 친고죄로 기소되었다가 그 후 당초에 기소된 공소사실과 동일성이 인정되는 비친고죄로 공소장변경이 허용된 경우라도 그 공소제기의 흠은 치유될 수 없다.

③ 원래 공소제기가 없었음에도 피고인의 소환이 이루어지는 등 사실상의 소송계속이 발생한 상태에서 검사가 약식명령을 청구하는 공소장을 제1심법원에 제출하고, 위 공소장에 기하여 공판절차를 진행한 경우 제1심법원으로서는 이에 기하여 유·무죄의 실체판단을 하여야 한다.

④ 세무공무원의 고발 없이 조세범칙사건의 공소가 제기된 후에 세무공무원이 고발을 한 경우 그 공소절차의 흠은 치유된다.

| 해설 ① 변호인 선임서를 제출하지 않은 채 상고이유서만을 제출하고 상고이유서 제출기간이 지난 후에 변호인 선임서를 제출하였다면 그 상고이유서는 적법·유효한 변호인의 상고이유서가 될 수 없다(대판 2013.4.11, 2012도15128).
② 친고죄로 기소되었다가 그 후 당초에 기소된 공소사실과 동일성이 인정되는 비친고죄로 공소장변경이 허용된 경우 그 공소제기의 흠은 치유된다(대판 2011.5.13, 2011도2233).
③ 대판 2003.11.14, 2003도2735 ④ 세무공무원의 고발 없이 조세범칙사건의 공소가 제기된 후에 세무공무원이 고발을 한 경우 그 공소절차의 흠은 치유된다고 할 수 없다(대판 1970.7.28, 70도942).

Answer 9. ③ 10. ③

THEMA 69 소송행위의 취소와 철회

1. **의의** : 소송행위의 취소란 소송행위의 효력을 소급하여 소멸시키는 것을 말하며, 철회는 소송행위의 효력을 장래에 향하여 상실시키는 것을 말한다.
2. **명문의 규정** : 형사소송법은 공소의 취소(제255조), 고소취소(제232조), 재정신청의 취소(제264조), 상소취하(제349조), 재심청구취하(제429조), 정식재판청구취하(제454조) 등을 명문으로 인정하고 있으나, 이 경우의 취소는 엄격히 말하면 철회에 해당한다고 보아야 한다.
3. **명문의 규정이 없는 경우**
   ① 소송행위의 철회를 명문의 규정이 없는 경우에도 허용할 것인가에 대하여 절차형성행위에 대해서는 절차의 안정성을 해하지 않는 한 인정할 수 있으나, 실체형성행위에 대해서는 허용되지 않는다는 견해와 절차의 안정성을 해하지 아니하는 범위 안에서라면 허용된다는 견해로 나누어져 있다.
   ② 소송행위의 효력을 소급적으로 소멸시키는 소송행위의 취소를 인정할 것인가에 대하여서도 절차유지의 원칙상 취소를 부정하는 견해와 절차형성행위에 대해서는 절차유지의 원칙상 취소가 허용될 수 없지만 실체형성행위는 사정변경에 유연하게 대처해야 하고 실체적 진실발견과 적법절차이념은 절차유지원칙보다 중요하다 할 것이므로 취소를 인정하는 것이 타당하다는 견해로 나누어져 있다.

01 다음 중 철회가 허용되는 것이 아닌 것은?

① 공소의 취소 ② 재정신청의 취소
③ 재심청구의 취하 ④ 약식명령의 고지

해설 ④ 종국재판이 외부적으로 성립한 때에는 법적 안정성의 요청에 의하여 재판을 한 재판기관도 여기에 구속되어 철회하거나 변경할 수 없다.

02 소송행위 철회에 관한 설명으로 틀린 것으로만 조합한 것은?

㉠ 재정결정이나 피고인의 증거동의는 철회가 허용된다.
㉡ 고소, 구속, 재정신청, 자수와 자복 등은 소송행위의 철회가 명문으로 인정되는 경우이다.
㉢ 소송행위의 철회는 장래에 향하여 그 소송행위의 효력을 상실하게 하는 것이다.
㉣ 형사소송법에 명문의 규정이 없는 경우에도 소송행위의 철회가 허용되는 경우가 있다.
㉤ 소송행위의 철회시기는 언제든지 가능하다.

① ㉠ ② ㉠, ㉡, ㉢
③ ㉡, ㉢, ㉣ ④ ㉠, ㉡, ㉤

Answer 1.④ 2.④

| 해설 ㉠ × : 재정결정은 재판으로서 재판을 행한 기관도 이에 구속되어 철회 · 변경이 불가능하나, 증거동의의 철회는 허용된다. 다만, 증거동의 철회가 허용되는 기간에 대해서는 견해가 나뉘어져 있으나, 증거조사완료 전까지는 가능하다는 견해가 통설 · 판례의 입장이다.

㉡ × : 고소(제232조 제1항), 구속(제93조, 제209조), 재정신청(제264조 제2항)은 철회(취소)가 가능하나, 자수 · 자복은 성질상 철회(취소)가 인정되지 않는다.

㉢㉣ ○

㉤ × : 언제든지 철회가 가능한 것은 아니다. 예를 들면 소송행위의 철회에 해당하는 고소취소나 정식재판청구취하는 제1심 판결 선고 전까지(제232조 제1항, 제454조), 재정신청의 취소는 고등법원의 재정결정이 있을 때까지(제264조 제2항) 할 수 있다.

03 다음 중 소송행위의 취소에 대한 설명으로 틀린 것은?

03. 경찰승진 변형

① 고소의 취소 – 청구의 상대방은 검사 또는 사법경찰관으로 서면이나 구술로 청구 가능
② 공소의 취소 – 청구의 상대방은 법원이고 기간은 제1심 판결 선고 전까지
③ 피고인의 구속집행정지의 취소 – 검사의 청구에 의해서만 가능
④ 보석의 취소 – 법원의 직권이나 검사의 청구로 가능

| 해설 ① 공소제기 후에는 법원에 대하여 가능하다.

② 검사가 법원에 대하여 서면으로 청구(공판정에서는 구술 가능)한다.

③④ 구속된 피고인에 대해서는 법원의 직권 또는 검사의 청구에 의하여 결정으로 보석 또는 구속의 집행정지를 취소할 수 있다(제102조 제2항).

Answer 3. ③

THEMA 70 공무원 등이 작성한 서류

공무원의 서류	1. 공무원이 작성하는 서류에는 법률에 다른 규정이 없는 때에는 작성 연월일과 소속 공무소를 기재하고 기명날인 또는 서명하여야 한다(제57조 제1항). 그리고 서류에는 간인하거나 이에 준하는 조치를 하여야 한다(동조 제2항). ▶ 검찰사건사무규칙은 검찰 내부의 업무처리지침으로서의 성격을 가지는 것이므로, 이를 형사소송법 제57조의 적용을 배제하기 위한 '법률의 다른 규정'으로 볼 수 없다(대판 2007.10.25, 2007도4961). 23. 9급 검찰·마약·교정·보호·철도경찰 2. 공무원이 작성하는 서류로서 판결과 각종 영장(감정유치장 및 감정처분허가장 포함) 이외에는 서명날인을 기명날인으로 갈음할 수 있다(규칙 제25조의 2). 3. 공무원이 서류를 작성함에는 문자를 변개하지 못한다. 그리고 삽입, 삭제 또는 난외기재를 할 때에는 이 기재한 곳에 날인하고 그 자수를 기재하여야 한다. 단 삭제한 부분은 해득할 수 있도록 자체를 존치하여야 한다.
비공무원의 서류	공무원 아닌 자가 작성하는 서류에는 연월일을 기재하고 기명날인 또는 서명하여야 한다<2017. 12. 12. 개정>. 인장이 없으면 지장으로 한다(제59조).

01 소송서류의 작성방식에 관한 설명 중 옳은 것이 아닌 것은?

① 공무원이 작성하는 서류에는 법률에 다른 규정이 없는 한 작성연월일과 소속공무소를 기재하고 기명날인하여야 한다.
② 비공무원이 작성하는 서류는 꼭 간인하여야 하는 것은 아니다.
③ 공무원이 서류를 작성함에는 문자를 변개하지 못하나, 삭제는 할 수 있다.
④ 문자를 삽입할 때에는 그 기재한 곳에 날인하고 그 자수를 기재하여야 한다.

해설 ① 기명날인 또는 서명하여야 한다(제57조 제1항).
② 제59조 참조
③④ 제58조 제2항

02 다음 재판서 중 법관의 서명날인을 기명날인으로 갈음할 수 없는 재판서는? 08. 9급 법원직

① 구속적부심사청구에 대한 결정
② 감정유치장
③ 보석취소결정
④ 상소권회복청구에 대한 결정

해설 재판서 중 판결과 각종 영장(감정유치장 및 감정처분허가장 포함)은 반드시 서명날인을 하여야만 하고, 그 밖의 재판서는 서명날인을 기명날인으로 갈음할 수 있다(규칙 제25조의 2).

Answer 1.① 2.②

THEMA 71 조서작성

1. 조서의 의의

구분	내용
의 의	조서란 일정한 절차나 사실을 인증하기 위해 소송법상의 기관이 작성하는 공문서를 말한다.
분 류	조서 ┌ 수사기관이 작성하는 조서(예 피의자신문조서) └ 법원에서 작성하는 조서 ┌ 공판조서(공판기일에 작성) └ 공판기일 외의 절차에서 작성한 조서(예 증인신문조서, 압수·수색·검증조서 등)

2. 법원에서 작성한 조서

〈공판조서〉

구분	내용
의 의	공판기일의 소송절차가 법정의 방식에 따라 적법하게 행하여졌는지의 여부를 인증하기 위하여 참여한 법원사무관 등이 작성하는 조서를 말한다. ▶ 작성주체 ⇨ 법원사무관 등(법관 ×) 12. 9급 법원직 ▶ 공판기일에 참석하지 않은 법원사무관이 작성한 공판조서는 무효이다.
기재사항 (제51조 제2항)	1. 공판을 행한 일시·법원 04. 9급 법원직, 09. 순경 2. 법관, 검사, 법원사무관 등의 관직·성명 3. 피고인, 대리인, 대표자, 변호인, 보조인, 통역인의 성명 09. 순경 4. 피고인의 출석 여부 04. 9급 법원직 5. 공개 여부 6. 공소사실의 진술 또는 공소장변경, 서면의 낭독 7. 피고인에게 권리를 보호함에 필요한 진술의 기회를 준 사실과 그 진술한 사실 04. 9급 법원직 8. 피고인, 피의자, 증인, 통역인 또는 번역인의 진술, 증인, 감정인, 통역인, 번역인 등이 선서를 하지 않는 경우에 그 사유 9. 증거조사를 한 때에는 증거될 서류, 증거물과 증거조사방법 10. 공판정에서 행한 검증 또는 압수 09. 순경 11. 변론의 요지 12. 재판장이 기재를 명한 사항 또는 소송관계인의 청구에 의하여 기재를 허가한 사항 13. 피고인 또는 변호인에게 최종진술할 기회를 준 사실과 그 진술한 사실 14. 판결 기타 재판을 선고 또는 고지한 사실 ▶ 검사의 출석 여부(09. 순경), 변호인의 출석 여부, 구속만기일(04. 9급 법원직), 피고인의 태도, 검사의 서명, 피고인의 서명날인, 사법경찰관의 관직성명 ⇨ 기재사항 × ▶ 보조인·통역인의 성명 ⇨ 기재사항 ○
기명날인 또는 서명	① 공판조서에는 재판장과 참여한 법원사무관 등이 기명날인 또는 서명하여야 한다(제53조 제1항). ▶ 검사의 서명 또는 기명날인 ⇨ 필요 × ② 재판장이 기명날인 또는 서명할 수 없을 때에는 다른 법관이 그 사유를 부기하고 기명날인 또는 서명하여야 하며, 법관 전원이 기명날인 또는 서명할 수 없는 때에는 참여한 법원사무관 등이 그 사유를 부기하고 기명날인 또는 서명하여야 한다(동조 제2항). 05. 순경 ③ 법원사무관 등이 기명날인 또는 서명할 수 없는 때에는 재판장 또는 다른 법관이 그 사유를 부기하고 기명날인 또는 서명하여야 한다(동조 제3항).

공판 조서의 정리	① 공판조서는 각 공판기일 이후 신속히 정리하여야 한다(제54조 제1항). 11. 9급 법원직 ② 다음회의 공판기일에 있어서는 전회의 공판심리에 관한 주요사항의 요지를 조서에 의하여 고지하여야 한다. 다만, 다음회의 공판기일까지 전회의 공판조서가 정리되지 아니한 때에는 조서에 의하지 아니하고 고지할 수 있다(동조 제2항). 10 · 11. 9급 법원직 ▶ 고지를 생략할 수 있다. (×) ③ 공판조서 내용 변경청구, 이의제기 ⇨ 그 취지와 재판장(검사 ×)의 의견을 기재한 조서를 작성한 후 당해 공판조서에 첨부하여야 한다(동조 제4항). 11. 9급 법원직
공판 조서의 열람 · 낭독	① 피고인은 공판조서의 열람 또는 등사를 청구할 수 있다(제55조 제1항). 11. 교정특채 ▶ 청구가 있을 경우 법원은 반드시 열람 · 등사를 시켜야 한다. ▶ 변호인이 있는 경우에도 피고인이 청구가능 ② 피고인이 공판조서를 읽지 못한 경우에는 공판조서의 낭독을 청구할 수 있다(동조 제2항). 10. 9급 법원직 ③ 위 ①②의 청구에 응하지 않는 공판조서는 유죄의 증거로 할 수 없다(동조 제3항). 07. 경찰승진 ▶ 피고인의 공판조서 열람 · 등사의 청구에 법원이 응하지 아니한 것이 피고인의 방어권이나 변호인의 변호권을 본질적으로 침해한 정도에 이르지는 않은 경우에는, 그 공판조서는 증거로 사용할 수 있다(대판 2012.12.27, 2011도15869). 15. 9급 검찰 · 마약 · 교정 · 보호 · 철도경찰
속기, 녹음, 영상녹화	① 법원은 검사, 피고인 또는 변호인의 신청이 있는 때에는 특별한 사정이 없는 한 공판정에서의 심리의 전부 또는 일부를 속기사로 하여금 속기하게 하거나 녹음장치 또는 영상녹화장치를 사용하여 녹음 또는 영상녹화하여야 하며(할 수 있다. ×), 12. 9급 법원직 필요시 직권으로 명할 수 있다(제56조의 2 제1항). 09. 7급 국가직 ▶ 속기 · 녹음 · 영상녹화 등의 신청 ⇨ 공판기일 · 공판준비기일을 열기 전까지(규칙 제30조의 2 제1항) ▶ 국민참여재판 ⇨ 속기 · 녹화(필요적) ② 법원은 속기록, 녹음물 또는 영상녹화물을 공판조서와 별도로 보관하여야 한다(제56조의 2 제2항). ▶ 속기록, 녹음물, 영상녹화물 또는 녹취서는 전자적 형태로 보관할 수 있으며, 재판이 확정(선고 ×)되면 폐기한다. 12. 9급 법원직, 14. 경찰간부 다만, 조서의 일부가 된 경우에는 폐기하지 아니한다(규칙 제39조). 09. 9급 법원직
공판 조서의 증명력	공판기일의 소송절차로서 공판조서에 기재된 것은 그 조서만으로 증명한다(제56조). ▶ 공판조서의 기재가 명백한 오기인 경우는 제외 ▶ 그 증명력은 공판조서 이외의 자료에 의한 반증이 허용되지 않는 절대적인 것이다(대판 2002.7.12, 2002도2134). 11 · 12. 9급 법원직 ▶ 공판기일의 절차가 아닌 공판준비절차 또는 공판기일 외의 절차를 기재한조서는 배타적 증명력이 인정되지 아니한다.

〈공판기일 이외 절차에서 작성한 조서〉

각종 신문조서 (제48조)	① 피고인 · 피의자(예 구속영장실질심사, 체포구속적부심사의 심문) · 증인 · 감정인 · 통역인 · 번역인을 신문할 때에는 신문에 참여한 법원사무관 등이 조서를 작성하여야 한다(제48조 제1항). ② 조서는 진술자에게 읽어 주거나 열람하게 하여 기재 내용이 정확한지를 물어야 한다(동조 제3항). ③ 진술자가 조서에 대하여 추가, 삭제 또는 변경을 청구한 때에는 그 진술내용을 조서에 기재하여야 한다(동조 제4항). ④ 검사, 피고인, 피의자 또는 변호인이 조서 기재 내용의 정확성에 대하여 이의를 진술한 때에는 그 진술의 요지를 조서에 기재하여야 한다(동조 제5항). ⑤ 위의 경우 재판장이나 신문한 법관은 그 진술에 관한 의견을 기재하게 할 수 있다(동조 제6항). ⑥ 조서에는 진술자로 하여금 간인한 후 서명날인하게 하여야 한다. 다만, 진술자가 서명날인을 거부한 때에는 그 사유를 기재하여야 한다(동조 제7항).
압수 · 수색 · 검증조서 (제49조)	공판기일 외에서 행한 압수 · 수색 · 검증에 관하여는 조서를 작성하여야 한다(제49조 제1항). ▶ 공판기일에서의 검증 · 압수 ⇨ 공판조서에 기재됨
기명날인 또는 서명 (제50조)	위 각종 신문조서나 압수 · 수색 · 검증조서에는 조사 또는 처분의 연월일시와 장소를 기재하고 그 조사 또는 처분을 행한 자와 참여한 법원사무관 등이 기명날인 또는 서명하여야 한다. 단, 공판기일 외에 법원이 조사 또는 처분을 한 때에는 재판장 또는 법관과 참여한 법원사무관 등이 기명날인 또는 서명하여야 한다.

01 **조서작성과 관련한 내용으로 가장 적절한 것은?**

① 검사의 출석 여부, 변호인의 출석 여부, 피고인의 태도, 사법경찰관의 관직성명, 보조인 · 통역인의 성명은 공판조서 기재사항이 아니다.

② 공판조서에 재판장 또는 법관 전원이 기명날인 또는 서명할 수 없는 경우에는 참여한 법원사무관 등이 그 사유를 부기하고 기명날인 또는 서명하여야 한다.

③ 공판조서 및 공판기일 외의 증인신문조서에 진술자는 간인 후 서명 · 날인하여야 한다.

④ 법원은 검사, 피고인 또는 변호인의 신청이 있는 때에는 특별한 사정이 없는 한 공판정에서의 심리의 전부 또는 일부를 속기사로 하여금 속기하게 하거나 녹음 또는 영상녹화할 수 있다.

해설 ① 검사의 출석 여부, 변호인의 출석 여부, 피고인의 태도, 사법경찰관의 관직성명은 기재사항이 아니나, 보조인 · 통역인의 성명은 공판조서 기재사항이다(제51조 제2항).
② 제53조 제2항 ③ 공판조서 및 공판기일 외의 증인신문조서에는 제48조 제3항 내지 제7항을 적용하지 않는다(제52조). 따라서 진술자의 열람 · 낭독, 이의진술, 의견기재, 진술자 간인 후 서명날인 규정은 적용되지 않는다. ④ 속기사로 하여금 속기하게 하거나 녹음 또는 영상녹화하여야 한다(제56조의 2 제1항).

Answer 1. ②

02 공판조서에 관한 기술 중 옳지 않은 것은?

① 공판조서는 공판기일 후 5일 이내에 정리하여야 하나, 이를 어겼다고 하여 공판조서가 무효가 되는 것은 아니다.

② 공판조서에 재판장의 기명날인은 있으나 참여한 법원사무관 등의 기명날인이 없는 경우에는 무효이다.

③ 간인이 없는 공판조서라도 무효는 아니나, 입회하지 아니한 서기가 기명날인 또는 서명한 공판조서는 무효라 볼 것이다.

④ 피고인은 변호인이 있는 때에도 그 열람을 청구할 수 있다.

| 해설 ① 공판기일 후 5일 이내로 되어있던 공판조서 정리시한을 삭제하고, '공판기일 후 신속히' 정리하도록 개정하였다(제54조).
② 제53조 제1항
③ 간인이 없는 공판조서라도 무효는 아니며(대판 1960.1.29, 4292형상747), 입회하지 아니한 서기가 기명날인 또는 서명한 공판조서는 무효라 볼 것이다(대판 1953.4.28, 4286형상127).
④ 피고인은 변호인이 있는 때에도 그 열람을 청구할 수 있다(제55조 참조).

03 공판조서에 관한 판례의 내용으로 옳은 것은 모두 몇 개인가?

㉠ 공판조서의 열람 또는 등사를 청구하였음에도 법원이 불응한 경우에는 다른 증거들만으로도 범죄사실을 인정하기에 충분하다고 할지라도 공판조서를 유죄의 증거로 할 수 없다.
㉡ 공판조서에는 작성자의 기명날인 또는 서명이 필요하며, 공판조서 및 공판기일 외의 증인신문조서의 경우에는 진술자로 하여금 간인한 후 서명날인하게 하는 규정이 적용되지 아니한다.
㉢ 공판조서의 일부가 된 변호인의 피고인에 대한 신문사항을 기재한 별지가 공판조서에 첨부되지 않았다면, 그 공판조서는 무효이다.
㉣ 열람·등사가 늦어짐으로 인하여 피고인의 방어권 행사에 지장이 있었다 하더라도 변론종결 이전에 공판조서를 열람·등사한 경우에는 그 공판조서를 유죄의 증거로 할 수 있다.

① 1개 ② 2개 ③ 3개 ④ 4개

| 해설 ㉠ ×: 피고인이 공판조서의 열람 또는 등사를 청구하였음에도 법원이 불응하여 피고인의 열람 또는 등사청구권이 침해된 경우에는 공판조서를 유죄의 증거로 할 수 없을 뿐만 아니라 공판조서에 기재된 당해 피고인이나 증인의 진술도 증거로 할 수 없다고 보아야 한다. 다만, 그러한 증거들 이외에 적법하게 채택하여 조사한 다른 증거들만에 의하더라도 범죄사실을 인정하기에 충분하고, 또한 당해 공판조서의 내용 등에 비추어 보아 공판조서의 열람 또는 등사에 응하지 아니한 것이 피고인의 방어권이나 변호인의 변호권을 본질적으로 침해한 정도에 이르지는 않은 경우에는, 판결에서 공판조서 등을 증거로 사용하였다고 하더라도 그러한 잘못이 판결에 영향을 미친 위법이라고 할 수는 없다(대판 2012.12.27, 2011도15869).
㉡ ○: 제48조 제7항, 제50조, 제52조
㉢ ×: 공판조서의 일부가 된 변호인의 피고인에 대한 신문사항을 기재한 별지가 공판조서에 첨부되지 않았으나, 공판조서에 의하면 피고인은 판사의 신문과 공소사실에 대한 검사의 신문에 대하여 범행을 부인하고, 변호인이 '별지 신문사항과 같이 피고인을 신문'한 데 대하여 피고인은 모두 '예'라고 대답한 것으로 기재되어 있는 점에 비추어 볼 때 공판기일에서 변호인이 별지로 된 신문사항에 의하여 피고인을 신문하였지만

Answer 2. ① 3. ①

공판조서 작성상의 잘못으로 인하여 별지 첨부가 누락된 것으로 보이고, 또 변호인의 신문에 앞선 판사와 검사의 신문에 대한 피고인의 진술이 기재되어 있는 점을 고려하면 변호인의 피고인에 대한 신문사항 첨부 누락으로 인하여 위 공판조서가 무효로 된다고는 할 수 없다(대판 1999.11.26, 98도3040).
㉣ ×: 그 열람·등사가 늦어짐으로 인하여 피고인의 방어권 행사에 지장이 있었다는 등의 특별한 사정이 없는 경우에라야 유죄의 증거로 할 수 있다(대판 2007.7.26, 2007도3906). – 피고인방어권행사에 지장이 있으면 그 공판조서는 유죄증거 ×

04 공판조서 등 소송 관련 서류에 관한 다음 설명 중 가장 옳지 않은 것은? 18. 9급 법원직

① 공판기일의 소송절차로서 공판조서에 기재된 것은 조서만으로 증명하여야 하고 그 증명력은 공판조서 이외의 자료에 의한 반증이 허용되지 않는 절대적인 것이다.
② 증거목록도 공판조서의 일부인 이상 검사 제출의 증거에 관한 피고인의 동의 또는 진정성립 여부 등에 관한 의견이 증거목록에 기재된 경우에는 명백한 오기가 아닌 이상 그 기재 내용도 절대적인 증명력을 갖는다.
③ 당해 공판기일에 열석하지 아니한 판사가 재판장으로서 서명날인한 공판조서는 정식의 공판조서라고 할 수 없어 소송법상 무효이므로, 공판기일에 있어서의 소송절차를 증명할 공판조서로서의 증명력은 인정될 수 없다.
④ 피고인이 자신의 진술 내용을 확인하기 위해 공판조서에 대한 열람·등사 청구를 하였으나 법원이 이에 불응하여 열람·등사청구권이 침해된 경우에도 공판조서의 기재 내용 자체에는 영향이 없으므로 위 공판조서에 기재된 당해 피고인의 진술은 유죄의 증거로 할 수 있다.

해설 ① 대판 2010.12.9, 2007도10121
② 대판 1998.12.22, 98도2890
③ 대판 1983.2.8, 82도2940
④ 피고인이 자신의 진술 내용을 확인하기 위해 공판조서에 대한 열람·등사 청구를 하였으나 법원이 이에 불응하여 열람·등사청구권이 침해된 경우에는 공판조서를 유죄의 증거로 할 수 없을 뿐만 아니라, 공판조서에 기재된 피고인이나 증인의 진술도 증거로 할 수 없다(대판 2003.10.10, 2003도3282).

05 소송서류 등에 관한 설명 중 옳지 않은 것은?(다툼이 있는 경우 판례에 의함)

① 피고인 甲에 대한 공판과정에서 ABCD 4개의 공판조서가 증거로 제출되었고, 피고인의 열람청구에도 불구하고 법원은 AB의 공판조서만 열람하여주고 나머지는 열람하여주지 않은 경우, ABCD 모두 증거능력이 없다.
② 공판조서는 각 공판기일 후 신속히 정리하여야 하고, 다음 회의 공판기일에 있어서는 전회의 공판심리에 관한 주요사항의 요지를 조서에 의하여 고지하여야 하나, 다음 회의 공판기일까지 전회의 공판조서가 정리되지 아니한 때에는 조서에 의하지 아니하고 고지할 수 있다.

Answer 4.④ 5.①

③ 검사, 피고인 또는 변호인은 공판조서의 기재에 대하여 변경을 청구하거나 이의를 제기할 수 있고, 이 경우 그 취지와 이에 대한 재판장의 의견을 기재한 조서를 당해 공판조서에 첨부하여야 한다.

④ 소송에 관한 서류는 공판의 개정 전에는 공익상 필요 기타 상당한 이유가 없으면 공개하지 못한다.

| 해설 ① AB는 증거능력이 있지만, CD는 증거능력이 없다(제55조 제3항).
②③ 제54조
④ 제47조

06 **공판조서에 관한 다음 설명 중 가장 옳지 않은 것은?** 19. 9급 법원직

① 결심공판에 검사가 출석하여 의견을 진술하였다고 하더라도 결심공판에 관한 공판조서에 검사의 의견진술이 누락되어 있다면 검사의 의견진술이 없는 것으로 보아야 하므로 판결에 영향을 미친 잘못이 있다.

② 공판조서에 그 공판에 관여한 법관의 성명이 기재되어 있지 않다면 공판절차가 법령에 위반되어 판결에 영향을 미친 위법이 있다.

③ 공판조서에 재판장이 판결서에 의하여 판결을 선고하였음이 기재되어 있다면 동 판결선고 절차는 적법하게 이루어졌음이 증명되었다고 할 것이고 여기에는 다른 자료에 의한 반증은 허용되지 않는다.

④ 공판조서의 기재가 명백한 오기인 경우에는 공판조서의 기재에도 불구하고 공판조서에 기재된 내용과 다른 사실을 인정할 수 있다.

| 해설 ① 공판조서에 검사의 의견진술이 누락되어 있었다 하더라도 판결에 영향을 미친 법률위반이 있는 경우에 해당한다고 볼 수 없다(대판 1977.5.10, 74도3293).
② 대판 1970.9.22, 70도1312
③ 대판 1983.10.25, 82도571
④ 대판 1995.12.22, 95도1289

Answer 6. ①

THEMA 72 소송서류의 송달

의 의	송달이란 당사자 기타 소송관계인에 대하여 소송서류의 내용을 알리는 법원 또는 법관의 직권행위를 말한다.
송달 방법	1. 송달수령인의 신고 ① 피고인, 대리인, 대표자, 변호인 또는 보조인이 법원소재지에 서류의 송달을 받을 수 있는 주거 또는 사무소를 두지 아니한 때에는 법원 소재지에 주거 또는 사무소가 있는 자를 송달영수인으로 선임하여 연명한 서면으로 신고하여야 한다(제60조 제1항). 02. 9급 법원직 ② 송달수령인에 관한 규정은 신체구속을 당한 자에 적용하지 않는다(동조 제4항). 여기서 신체구속을 당한 자의 범위에 대해 당해 사건에서 신체구속을 당한 자를 말한다(판례). ▶ 다른 사건으로 신체구속을 당한 자는 송달받기 위한 신고의무를 면제받을 수 없는 것이다. 따라서 신고의무를 이행하지 아니하였으므로 공시송달절차로 하기로 하는 것은 위법이라고 말할 수 없다(대결 1976.11.10, 76모69). 12. 9급 법원직 ③ 송달수령인의 선임은 같은 지역에 있는 각 심급법원에 대하여 효력이 있다(동조 제3항). 위 규정은 신체구속을 당한 자에 적용하지 않는다(동조 제4항). 2. 송달방법 ① 송달방법은 특별한 규정이 없으면 교부송달에 의한다(민사소송법 제178조). 송달장소는 받을 사람의 주거, 사무소 또는 현재지이다. **관련판례** 1. 피고인이 항소 후 주거지를 변경하고 주민등록까지 옮겨 주민등록상 신고를 하였다면, 종전 주거지는 적법한 송달장소라고 할 수 없다(대판 1997.6.10, 96도2814). 10. 경찰승진, 19. 경찰간부 2. 형사피고사건으로 법원에 재판이 계속되어 있는 사람은 공소제기 당시의 주소지나 그 후 신고한 주소지를 옮길 때에는 자기의 새로운 주소지를 법원에 신고하거나 기타 소송진행 상태를 알 수 있는 방법을 강구하여야 하고, 만일 이러한 조치를 취하지 않았다면 불이익을 받는 책임을 면할 수 없다(대결 2008.3.10, 2007모795). 23. 9급 법원직 ② 교부할 장소에서 송달받을 자를 만나지 못한 때에는 그 사무원, 피용자 또는 동거자로서 그 사리를 분별할 지능이 있는 자에게 교부(보충송달)할 수 있으며, 송달을 받을 자가 정당한 이유 없이 송달받기를 거부한 때에는 송달할 장소에 서류를 놓아둘 수 있다(유치송달)(민사소송법 제186조). **관련판례** 1. 8세 4월 정도의 여자 어린이가 송달로 인하여 생기는 형사소송절차에 있어서의 효력까지 이해하였다고는 볼 수 없으나, 그 송달 자체의 취지를 이해하고 영수한 서류를 송달받을 자인 아버지에게 교부하는 것을 기대할 수 있는 능력 정도는 있다(대결 1995.8.16, 95모20) 라고 하였으며, 11. 경찰승진 10세 정도의 아동에 대해서도 동일한 판결(대결 1996.6.3, 96모32)을 내림으로써 위 아동들에 대해서 송달받을 능력을 인정하였다. 2. 피고인의 어머니가 주거지에서 소송기록접수통지서를 송달받은 경우, 그 어머니가 문맹자이고 관절염, 골다공증으로 인하여 거동이 불편하다고 하더라도 그 송달은 유효하다(대결 2000.2.14, 99모225). 00. 법원사무관, 10·11. 경찰승진 3. 피수용자 甲의 인신보호법상 구제신청에 대한 제1심법원의 기각결정이 甲이 수용되어 있는 병원에서 병원 직원으로 보이는 乙에게 송달된 경우, 위 송달장소는 甲의 근무장소로 볼 수 없을 뿐 아니라, 이를 甲의 거소로 보더라도 특별한 사정이 없는 한 乙이

민사소송법 제186조 제1항이 규정한 사무원, 피용자 또는 동거인에 해당한다고 단정할 수 없으므로, 위 송달은 甲에 대한 송달로서 적법한 것으로 볼 수 없다(대결 2011.6.14, 2011인마1).

4. 피고인의 배우자가 거주지에서 항소사건 소송기록접수통지서를 송달받았지만 당시 피고인은 이미 호주로 출국하여 2년 이상 외국에서 계속 머물면서 피고인의 배우자와 함께 생활하지 않고 있었던 이상 피고인 배우자의 거주지를 피고인의 실제 생활근거지인 주소, 거소 등 적법한 송달장소로 볼 수 없고, 피고인의 배우자를 피고인의 동거인이라고 볼 수도 없다. 따라서 피고인은 소송기록접수통지서를 송달받았다고 볼 수 없다(대결 2018.3.29, 2018모642).

③ 서류를 우체에 부칠 때에는 도달된 때에 송달된 것으로 간주한다(제61조). 08 · 10 · 15 · 16. 9급 법원직 검사에 대한 송달은 소속검찰청으로 하여야 하며(제62조), 10 · 11 · 17. 9급 법원직 교도소 또는 구치소에 구속된 자에 대한 송달은 그 소장에게 한다(민사소송법 제182조). 11. 경찰승진, 15 · 17. 9급 법원직

3. 공시송달

① 공시송달이란 법원사무관 등이 송달서류를 보관하고 그 사유를 법원게시장에 공시하여 행하는 송달을 말한다(제64조 제2항). 10. 9급 법원직, 15. 경찰간부

② 피고인의 주거 · 사무소 · 현재지를 알 수 없는 때 또는 피고인이 우리 법원의 재판권이 미치지 아니하는 장소에 있는 경우에 다른 방법으로 송달할 수 없는 때에는 공시송달을 할 수 있다(제63조). 09 · 15. 9급 법원직

③ 공시송달은 대법원규칙이 정하는 바에 따라 법원이 명하는 때에 한하여 할 수 있고(제64조 제1항), 05 · 09 · 12. 9급 공시송달사유를 관보나 신문지상에 공고할 것을 명할 수 있다(동조 제3항). 법원은 공시송달의 사유가 있다고 인정한 때에는 직권으로 결정에 의하여 공시송달을 명한다(규칙 제43조). 23. 9급 검찰 · 마약수사

④ 최초의 공시송달은 공시한 날로부터 2주일을 경과하면 그 효력이 발생한다. 다만, 제2회 이후의 공시송달은 5일을 경과하면 효력을 발생한다(제64조 제4항). 08 · 09 · 10 · 15. 9급 법원직, 15. 경찰간부

⑤ 피고인에 대한 송달불능보고서가 접수된 때로부터 6월이 경과하도록 소재조사촉탁, 구인장발부, 검사에 대한 주소보정요구 등의 조치를 취하였음에도 불구하고 피고인의 소재가 확인되지 아니한 때에 공시송달에 의할 수 있는데, 공시송달에 의해 공판기일의 소환을 2회 이상 받고도 출석하지 아니한 때에는 피고인의 진술 없이 재판할 수 있다. 다만, 사형, 무기 또는 장기(長期) 10년이 넘는 징역이나 금고에 해당하는 사건의 경우에는 그러하지 아니하다(소송촉진 등에 관한 특례법 제23조, 소송촉진 등에 관한 특례규칙 제19조 제1항).

공시송달 관련판례

• 위법한 공시송달

1. 항소한 피고인이 거주지 변경신고를 하지 아니한 잘못이 있는 상태라고 할지라도, 법원이 기록에 나타난 피고인의 휴대전화번호로 연락하여 송달받을 장소를 확인해 보는 등의 조치를 취하지 아니한 채 곧바로 공시송달을 명하고 피고인의 진술 없이 판결을 한 것은 위법이다(대판 2010.1.28, 2009도12430). 13. 7급 국가직, 09 · 11 · 23. 9급 법원직

2. 공시송달 방법에 의한 피고인 소환이 부적법하여 피고인이 공판기일에 출석하지 않은 가운데 진행된 제1심의 절차가 위법하고 그에 따른 제1심판결이 파기되어야 한다면, 항소심으로서는 다시 적법한 절차에 의하여 소송행위를 새로이 한 후 항소심에서의 진술과 증거조사 등 심리 결과에 기초하여 다시 판결하여야 한다(대판 2012.4.26, 2012도986). 13. 9급 법원직, 15. 순경 1차 · 9급 법원직

3. 법원이 수감 중인 피고인에 대하여 공소장 부본과 피고인소환장 등을 종전 주소지 등으로 송달한 경우는 물론 공시송달의 방법으로 송달하였다면 이는 위법하다(대판 2013.6.27, 2013도2714). 15. 9급 교정 · 보호 · 철도경찰, 20. 9급 법원직 – 구치소장이나 교도소장에게 송달해야 함 23. 9급 법원직
4. 공시송달을 명하기에 앞서 피고인이 송달받을 수 있는 장소를 찾아보는 조치들을 다하지 아니한 채 공소장 기재의 주거나 주민등록부의 주소로 우송한 공판기일소환장 등이 이사불명 · 폐문부재 등의 이유로 송달불능되었다는 것만으로 공시송달 요건인 '피고인의 소재가 확인되지 아니한 때'에 해당한다고 보기 어려우므로 공시송달을 명하는 것은 위법하다(대결 2006.2.8, 2005모507). 11. 경찰승진
5. 우편집배원 작성의 주소불명을 이유로 한 소송기록접수통지서의 송달불능보고서를 근거로 피고인의 주거를 알 수 없다고 판단하여 공시송달의 결정을 하였으나, 주소불명을 이유로 송달불능이라고 한 장소가 제1심 판결문상의 피고인의 주거지이고 피고인의 주민등록표상의 주소라면 위 송달불능보고서는 신빙성이 없다고 할 것이므로 원심이 송달불능보고서만으로 피고인의 주거를 알 수 없다고 단정하여 공시송달의 결정을 하였음은 위법이다(대결 1991.1.25, 90모70). 11. 경찰승진
6. 기록상 피고인의 주거가 나타나 있는 경우에는 공시송달을 할 수 없다(대결 1986.2.27, 85모6). 10. 경찰승진
7. 항소심에서 폐문부재로 송달불능이 된 경우 소재조사촉탁이나 집행관 송달 등의 절차 없이 공시송달한 것은 위법하다(대판 2015.2.12, 2014도16822).
8. 피고인 주소지에 피고인이 거주하지 아니한다는 이유로 구속영장이 여러 차례에 걸쳐 집행불능되어 반환된 바 있었다고 하더라도 이를 소송촉진 등에 관한 특례법이 정한 '송달불능보고서의 접수'로 볼 수는 없다(대결 2014.10.16, 2014모1557). 16. 9급 법원직 – 따라서 6개월 경과에 의한 공시송달은 위법
   ▶ 반면에 소재탐지불능보고서의 경우는 경찰관이 직접 송달 주소를 방문하여 거주자나 인근 주민 등에 대한 탐문 등의 방법으로 피고인의 소재 여부를 확인하므로 송달불능보고서보다 더 정확하게 피고인의 소재 여부를 확인할 수 있기 때문에 송달불능보고서와 동일한 기능을 한다고 볼 수 있으므로 소재탐지불능보고서의 접수는 소송촉진 등에 관한 특례법이 정한 '송달불능보고서의 접수'로 볼 수 있다(대결 2014.10.16, 2014모1557).
9. 공시송달결정을 함에 앞서 피고인 남편의 주소지로 송달이 가능한지 여부를 살펴보거나 위 휴대전화번호로 연락하여 송달받을 장소를 확인하여 보는 등의 시도를 해 보았어야 할 것이다. 그럼에도 위와 같은 조치를 다하지 아니한 채 공시송달의 방법에 의한 송달은 위법이다(대판 2014. 5.16, 2014도3037).
10. 제1심이 공소장 부본을 피고인 또는 변호인에게 송달하지 아니한 채 공판절차를 진행하였다면 이는 소송절차에 관한 법령을 위반한 경우에 해당한다. 이러한 경우에도 피고인이 제1심 법정에서 이의함이 없이 공소사실에 관하여 충분히 진술할 기회를 부여받았다면 판결에 영향을 미친 위법이 있다고 할 수 없으나, 15. 순경 1차 공소장부본을 피고인 또는 변호인에게 송달하지 아니한 채 제1심이 공시송달의 방법으로 피고인을 소환하여 피고인이 공판기일에 출석하지 아니한 가운데 제1심의 절차가 진행되었다면 그와 같은 위법한 공판절차에서 이루어진 소송행위는 효력이 없으므로, 이러한 경우 항소심은 피고인 또는 변호인에게 공소장 부본을 송달하고 적법한 절차에 의하여 소송행위를 새로이 한 후 항소심에서의 진술과 증거조사 등 심리결과에 기초하여 다시 판결하여야 한다(대판 2014.4.24, 2013도9498). 20. 7급 국가직
11. 이미 송달불능된 피고인과 전화통화가 이루어졌음에도 송달장소를 확인하는 등의 시도를 하지 아니한 채 단순히 공판기일에 출석할 것을 통지하는 데 그친 경우, 소재탐지촉탁, 구속영장 발부, 지명수배 의뢰 등의 절차를 거쳐 공시송달의 방법으로 공소장 부본 등을 송달한 조치는 위법하다(대판 2012.1.12, 2011도15236).
12. 항고법원이 제1심법원으로부터 소송기록을 송부받고 피고인에게 소송기록접수통지서를 발송한 후 송달보고서를 통해 피고인이 이를 송달받았는지 여부를 확인하지도 않은 상태에서 피고인이 위 통지서를 수령한 다음 날 곧바로 피고인의 즉시항고를 기각한 것은 위법하다(대결 2006.7.25, 2006모389).

03

13. 피고인의 동거녀의 핸드폰 번호와 주거지가 기록상 나타나 있고 피고인이 검사의 신문을 받으면서 자신의 자택전화 번호로서 동거녀의 핸드폰번호를 진술하고 있으므로 법원으로서는 공시송달 결정을 함에 앞서 피고인의 동거녀의 주거지로 송달이 가능한지의 여부를 살펴보거나 위 전화번호로 연락하여 송달받을 장소를 확인하여 보는 등의 시도를 해 보았어야 할 것이다. 따라서 공시송달에 의한 소송절차는 위법하다(대판 2003.11.14, 2003도4983).
14. 공소장에 피고인의 사무소 주소가 기재되어 있음에도 불구하고 주거지로 우송한 소송기록접수통지서가 송달불능되자 곧바로 공시송달한 것은 위법하다(대결 1996.8.22, 96모59).
15. 주민등록표상의 주소가 불명하다는 우편집배원의 송달불능보고서만으로 피고인의 주거를 알 수 없다고 단정하여 한 공시송달 결정은 위법하다(대결 1991.1.25, 90모70).
16. 피고인이 제1심법원에 자신의 주거를 신고하여 제1심판결서에도 기재되어 있음에도 불구하고 법원이 피고인의 주거가 아닌 곳으로 소송기록접수 통지서를 송달하여 송달불능되자 곧바로 소환장 등의 서류를 공시송달하기로 결정하고, 각 공판기일에 소환장을 모두 공시송달하여 피고인이 공판기일에 한번도 출석하지 아니한 채 공판절차를 진행한 끝에, 판결을 선고하였다면, 법원은 소환장을 공시송달할 사유가 없는데도 공시송달을 한 것이므로 법령을 위반하여 판결에 영향을 미친 위법이 있다고 할 것이다(대판 1990.9.14, 90도1297).
17. 집배원이 2회에 걸쳐 주소지를 찾아갔으나, 그때마다 수취인이 부재하였다 하여 이를 공시송달의 원인이 되는 주거를 알 수 없는 때에 해당하는 사유로 볼 수 없다(대결 1984.11.8, 84모31).

• **적법한 공시송달**

1. '약식명령에 대한 정식재판청구사건'에 관하여는 피고인이 적법한 소환을 받고도 정당한 사유 없이 2회 이상 불출석하면 피고인의 진술 없이 판결을 할 수 있으므로(제458조 제2항, 제365조), 소촉법 제23조 및 그 시행규칙 제19조가 정하는 '피고인에 대한 송달불능보고서가 접수된 때로부터 6개월이 지나도록 피고인의 소재를 확인할 수 없는 경우'에까지 이르지 아니하더라도, 공시송달의 방법에 의하여 피고인의 진술 없이 재판을 함은 적법하다(대판 2013.3.28, 2012도12843).
2. 법원은 공시송달에 있어서 법원서기관 또는 서기가 송달할 서류를 보관한다는 사유를 관보나 신문지상에 공고할 것을 명할 수 있을 뿐 반드시 명하여야 하는 것은 아니고, 법원의 재량에 속하는 것이므로 공고가 없었다고 하더라도 공시송달이 부적법이라 할 수 없다(대판 1966.7.26, 66도599).

01 소송서류의 송달과 관련하여 가장 옳은 것은?(다툼이 있으면 판례에 의함)

① 송달수령인에 관한 규정은 신체구속을 당한 자에 적용하지 않으므로, 다른 사건으로 신체구속을 당한 자도 송달받기 위한 신고의무를 면제받을 수 있다.

② 문맹인인 데다가 관절염 등으로 거동이 불편한 상태에 있는 동거가족인 피고인의 모(母)에게 서류가 교부된 경우 송달은 적법하지 않다.

③ 피고인이 항소 후 타처로 전입하여 주민등록상 신고를 하였는데 법원이 피고인의 종전 주거지로 소송기록접수통지서를 송달하였다고 하더라도 피고인의 모(母)가 수령한 경우 위 송달은 효력이 있다.

④ 수감사실을 알지 못하여 재감자에 대한 약식명령의 송달을 교도소 등의 소장에게 하지 아니하고 수감되기 전의 종전 주거지에다 한 경우 그 송달은 무효이다.

해설 ① 송달수령인에 관한 규정은 신체구속을 당한 자에 적용하지 않는다(제60조 제4항). 신체구속을 당한 자라 함은 그 사건에서 신체를 구속당한 자를 가리키는 것이며, 다른 사건으로 신체구속을 당한 자는 여기에 해당하지 아니한다. 따라서 다른 사건으로 신체구속을 당한 자는 송달받기 위한 신고의무를 면제받을 수 없는 것이다. 따라서 신고의무를 이행하지 아니하였으므로 공시송달절차로 하기로 하는 것은 위법이라고 말할 수 없다(대결 1976.11.10, 76모69).
② 피고인의 동거가족에게 서류가 교부되고 그 동거가족이 사리를 변식할 지능이 있는 이상 피고인이 그 서류의 내용을 알지 못한 경우에도 송달의 효력이 있고, 사리를 변식할 지능이 있다고 하기 위하여는 사법제도 일반이나 소송행위의 효력까지 이해할 필요는 없더라도 송달의 취지를 이해하고 영수한 서류를 수송달자에게 교부하는 것을 기대할 수 있는 정도의 능력이 있으면 족하다. 따라서, 피고인의 어머니가 주거지에서 항소사건 소송기록접수통지서를 동거자로서 송달받은 경우, 그 어머니가 문맹이고 관절염, 골다공증으로 인하여 거동이 불편하다고 하더라도 그것만으로 사리를 변식할 능력이 없다고 할 수 없으므로 위 송달은 적법한 보충송달로서의 효력이 있다(대결 2000.2.14, 99모225).
③ 피고인이 항소를 제기한 후 타처로 전입하여 주민등록상 신고를 하였는데, 법원이 종전의 주거지로 소송기록접수통지서를 송달하여 피고인의 모가 이를 수령한 경우, 피고인이 주민등록상의 신고와 같이 주거지를 변경한 것이라면 피고인의 종전 주거지는 적법한 송달장소라고 할 수 없고, 피고인의 모를 동거자라고도 할 수 없으므로, 위 송달은 그 효력이 없다(대판 1997.6.10, 96도2814)
④ 대결 1995.6.14, 95모14

02 송달에 관한 설명 중 가장 옳지 않은 것은?(다툼이 있는 경우 판례에 의함) 15. 9급 법원직

① 피고인이 재판권이 미치지 아니하는 장소에 있는 경우에 다른 방법으로 송달할 수 없는 때에도 공시송달을 할 수 있다.

② 공시송달 방법에 의한 피고인 소환이 부적법하여 피고인이 공판기일에 출석하지 않은 가운데 진행된 제1심의 절차가 위법한 경우에도, 제1심에서 증거조사가 이루진 이상 그 증거에 대하여 그 항소심이 새로이 증거조사를 거칠 필요는 없다.

③ 주거, 사무소 또는 송달영수인의 선임을 신고하여야 할 자가 그 신고를 하지 아니하는 때에는 법원사무관 등은 서류를 우체에 부치거나 기타 적당한 방법에 의하여 송달할 수 있고, 이때 서류를 우체에 부친 경우에는 도달된 때에 송달된 것으로 간주한다.

Answer 1.④ 2.②

④ 교도소·구치소 또는 국가경찰관서의 유치장에 체포·구속 또는 유치된 사람에게 할 송달은 그 교도소·구치소 또는 국가경찰관서의 장에게 한다.

| 해설 ① 제63조 제2항

② 제1심이 위법한 공시송달결정에 터잡아 피고인에게 공소장 부본 및 공판기일 소환장 등을 송달하고 피고인의 진술 없이 심리·판단한 이상, 이는 피고인에게 진술의 기회를 주지 아니한 것이 되어 그 소송절차는 위법하고, 항소법원은 판결에 영향을 미친 사유에 관하여는 항소이유서에 포함되지 아니한 경우에도 직권으로 심판할 수 있으므로, 항소심으로서는 검사만이 양형부당을 이유로 항소하였더라도 마땅히 직권으로 제1심의 위법을 시정하는 조치를 취했어야 한다. 즉, 이러한 경우 항소심으로서는 다시 적법한 절차에 의하여 소송행위를 새로이 한 후 위법한 제1심판결을 파기하고, 항소심에서의 진술 및 증거조사 등 심리결과에 기하여 다시 판결하여야 한다(대판 2004.2.27, 2002도5800).

③ 제61조 ④ 제65조, 민사소송법 제182조

03 공소장의 송달에 대한 설명으로 옳지 않은 것은?(다툼이 있는 경우 판례에 의함)

15. 9급 교정·보호·철도경찰

① 교도소 또는 구치소에 구속된 자에 대한 송달은 그 소장에게 송달하면 구속된 자에게 전달되었는지 여부와 관계없이 효력이 발생한다.

② 공소장변경 허가신청서가 제출된 경우 법원은 그 부본을 피고인과 변호인에게 각각 즉시 송달하여야 한다.

③ 피고인이 주소지인 사무소에 나가지 아니하여 그 사무소로 송달된 약식명령을 송달받지 못한 것은 정식재판청구권회복청구의 사유가 될 수 없다.

④ 법원은 주거, 사무소, 현재지 등 소재가 확인되지 않는 피고인에 대하여 공시송달을 할 때에는 검사에게 주소보정을 요구하거나 기타 필요한 조치를 취하여 피고인의 수감 여부를 확인할 필요가 있다.

| 해설 ① 대판 1995.1.12, 94도2687

② 형사소송규칙 제142조 제3항은 공소장변경허가신청서가 제출된 경우 법원은 그 부본을 피고인 또는 변호인에게 즉시 송달하여야 한다고 규정하고 있는데, 피고인과 변호인 모두에게 부본을 송달하여야 하는 취지가 아님은 문언상 명백하므로, 공소장변경신청서 부본을 피고인과 변호인 중 어느 한 쪽에 대해서만 송달하였다고 하여 절차상 잘못이 있다고 할 수 없다(대판 2013.7.12, 2013도5165).

③ 대결 2002.9.27, 2002모184 ④ 대판 2013.6.27, 2013도2714

04 제1심이 공소장 부본을 피고인 또는 변호인에게 송달하지 아니한 채 공시송달의 방법으로 피고인을 소환하여 피고인이 공판기일에 출석하지 아니한 가운데 제1심 공판절차가 진행된 경우에 관한 설명이다. 가장 적절하지 않은 것은?(다툼이 있으면 판례에 의함)

15. 순경 1차

① 제1심이 공소장 부본을 피고인 또는 변호인에게 송달하지 아니한 채 공판절차를 진행하였다면 이는 소송절차에 관한 법령을 위반한 경우에 해당한다.

② 피고인이 제1심 법정에서 이의함이 없이 공소사실에 관하여 충분히 진술할 기회를 부여받았다고 하더라도 방어권의 침해로서 판결에 영향을 미친 위법에 해당한다.

Answer 3. ② 4. ②

③ 피고인이 공판기일에 출석하지 아니한 가운데 제1심의 절차가 진행되었다면 위법한 공판절차에서 이루어진 소송행위로서 효력이 없다.

④ 항소심은 피고인 또는 변호인에게 공소장 부본을 송달하고 적법한 절차에 의하여 소송행위를 새로이 한 후 항소심에서의 진술과 증거조사 등 심리결과에 기초하여 다시 판결하여야 한다.

해설 ① 제1심이 공소장 부본을 피고인 또는 변호인에게 송달하지 아니한 채 공판절차를 진행하였다면 이는 소송절차에 관한 법령을 위반한 경우에 해당한다(대판 2014.4.24, 2013도9498).
② 이러한 경우에도 피고인이 제1심 법정에서 이의함이 없이 공소사실에 관하여 충분히 진술할 기회를 부여받았다면 판결에 영향을 미친 위법이 있다고 할 수 없다(대판 2014.4.24, 2013도9498).
③④ 공소장부본을 송달하지 아니한 채 제1심이 공시송달의 방법으로 피고인을 소환하여 피고인이 공판기일에 출석하지 아니한 가운데 제1심의 절차가 진행되었다면 그와 같은 위법한 공판절차에서 이루어진 소송행위는 효력이 없다. 이러한 경우 항소심은 피고인 또는 변호인에게 공소장 부본을 송달하고 적법한 절차에 의하여 소송행위를 새로이 한 후 항소심에서의 진술과 증거조사 등 심리결과에 기초하여 다시 판결하여야 한다(대판 2014.4.24, 2013도9498).

05 **송달에 관한 다음 설명 중 가장 옳지 않은 것은?** 17. 9급 법원직

① 검사에 대한 송달은 서류를 소속 검찰청에 송부하여야 한다.
② 교도소에 신체를 구속당한 자에 대한 송달은 교도소의 장에게 한다.
③ 사형, 무기 또는 장기 10년이 넘는 징역이나 금고에 해당하는 사건의 제1심 공판절차에서는 피고인에 대한 송달불능보고서가 접수된 때부터 6개월이 지나도록 피고인이 소재불명이더라도 피고인 불출석 재판을 진행할 수 없다.
④ 최초의 공시송달은 법원게시장에 공시를 한 날로부터 2주일을 경과하면 그 효력이 생기고, 제2회 이후의 송달은 공시를 한 날로부터 1주일을 경과하면 그 효력이 생긴다.

해설 ① 제62조 ② 제65조 ③ 소송촉진에 관한 특례법 제23조
④ 최초의 공시송달은 법원게시장에 공시를 한 날로부터 2주일을 경과하면 그 효력이 생기고, 제2회 이후의 송달은 공시를 한 날로부터 5일을 경과하면 그 효력이 생긴다(제64조 제4항).

06 **재판서 정본 또는 등본의 송달과 관련한 내용으로 잘못된 것은?**

① 법원이 구속된 피고인에 대하여 판결을 선고한 때에는 언제나 판결서 등본을 송부하여야 한다.
② 배상명령을 하는 때에는 유죄판결서의 정본을 피고인과 피해자에게 지체 없이 송달하여야 한다.
③ 공판정 외에서 결정·명령을 고지하는 경우에는 재판서 등본의 송달에 의하는 것이 원칙이다.
④ 불구속피고인에 대해서는 피고인이 송달을 신청하는 경우에 한하여 판결서 등본을 송달한다.

Answer 5. ④ 6. ①

해설 ①④ 불구속피고인 또는 형사소송법 제331조(구속영장의 효력이 상실된 경우)에 해당한 경우의 구속피고인에 대하여 판결을 선고한 때에는 피고인이 송달을 신청하는 경우에 한하여 판결서 등본을 송달한다(규칙 제148조).
② 소송촉진 등에 관한 특례법 제31조 제5항
③ 제42조

07 송달에 관한 다음 설명 중 옳지 않은 것은 모두 몇 개인가?(판례에 의함)

㉠ 법원이 수감 중인 피고인에 대하여 공소장 부본과 피고인소환장 등을 종전 주소지 등으로 송달한 경우는 물론 공시송달의 방법으로 송달하였다면 이는 위법하다.
㉡ 주소불명을 이유로 송달불능이라고 한 장소가 제1심 판결문상의 피고인의 주거지이고 피고인의 주민등록표상의 주소라면 위 송달불능보고서는 신빙성이 없다고 할 것이므로 원심이 송달불능보고서만으로 피고인의 주거를 알 수 없다고 단정하여 공시송달의 결정을 하였음은 위법이다.
㉢ 집배원이 2회에 걸쳐 주소지를 찾아갔으나, 그때마다 수취인이 부재하였다 하여 이를 공시송달의 원인이 되는 주거를 알 수 없는 때에 해당하는 사유로 볼 수 없다.
㉣ 법원이 공시송달에 있어서 법원서기관 또는 서기가 송달할 서류를 보관한다는 사유를 관보나 신문지상에 공고할 것을 명하지 않았다면 공시송달이 부적법이라 할 수 있다.

① 1개 ② 2개 ③ 3개 ④ 4개

해설 ㉠ ○ : 대판 2013.6.27, 2013도2714
㉡ ○ : 대결 1991.1.25, 90모70
㉢ ○ : 대결 1984.11.8, 84모31
㉣ × : 법원은 공시송달에 있어서 법원서기관 또는 서기가 송달할 서류를 보관한다는 사유를 관보나 신문지상에 공고할 것을 명할 수 있을 뿐 반드시 명하여야 하는 것은 아니고, 법원의 재량에 속하는 것이므로 공고가 없었다고 하더라도 공시송달이 부적법이라 할 수 없다(대판 1966.7.26, 66도599).

08 공시송달에 대한 설명으로 옳지 않은 것은?(다툼이 있는 경우 판례에 의함) 17. 7급 국가직

① 소송촉진 등에 관한 특례법 제23조에 따라 법원이 피고인의 출정 없이 증거조사를 하는 경우에는 형사소송법 제318조 제2항에 따른 피고인의 증거동의가 있는 것으로 간주할 수 없다.
② 법원이 수감 중인 피고인에 대하여 공소장부본과 피고인소환장 등을 종전 주소지 등으로 송달한 경우는 물론 공시송달의 방법으로 송달하였더라도 이는 위법하다.
③ 공시송달은 법원사무관 등이 송달할 서류를 보관하고 그 사유를 법원게시장에 공시하는 방법으로 시행하며, 법원은 그 사유를 관보나 신문지상에 공고할 것을 명할 수 있다.
④ 피고인이 소송계속 중인 사실을 알면서도 법원에 거주지 변경 신고를 하지 않았다고 하더라도 잘못된 공시송달에 터 잡아 피고인의 진술 없이 공판이 진행되고 피고인이 출석하지 않은 기일에 판결이 선고되었다면, 피고인은 자기 또는 대리인이 책임질 수 없는 사유로 상소제기기간 내에 상소를 하지 못한 것으로 볼 수 있다.

Answer 7. ① 8. ①

| 해설 | ① 피고인이 공시송달의 방법에 의한 공판기일의 소환을 2회 이상 받고도 출석하지 아니하여 법원이 피고인의 출정 없이 증거조사를 하는 경우에는 형사소송법 제318조 제2항에 따른 피고인의 증거동의가 있는 것으로 간주된다고 할 것이다(대판 2011.3.10, 2010도15977).
② 대판 2013.6.27, 2013도2714
③ 제64조
④ 피고인이 소송계속 중인 사실을 알면서도 법원에 거주지 변경 신고를 하지 않았다고 하더라도 잘못된 공시송달에 터 잡아 피고인의 진술 없이 공판이 진행되고 피고인이 출석하지 않은 기일에 판결이 선고되었다면 위법하며(대판 2010.1.28, 2009도12430), 공시송달의 요건이 갖추어지지 않았음에도 법원이 피고인의 소환을 공시송달의 방법으로 하고 피고인의 진술 없이 공판절차를 진행하여 판결이 선고되고, 동 판결 등본이 공시송달되었다면 피고인은 자기가 책임질 수 없는 사유로 인하여 동 판결에 대하여 항소제기기간 내에 항소를 하지 못한 것이라 할 것이므로 상소권회복 청구를 할 수 있다(대결 1984.9.28, 83모55).

09 소송서류의 송달과 관련하여 옳지 않은 것은 모두 몇 개인가?(다툼이 있으면 판례에 의함)

㉠ 피고인 주소지에 피고인이 거주하지 아니한다는 이유로 구속영장이 여러 차례에 걸쳐 집행불능되어 반환된 바 있었다면 이를 소송촉진 등에 관한 특례법이 정한 '송달불능보고서의 접수'로 볼 수는 있으므로, 6개월 경과에 의한 공시송달은 적법하다.
㉡ 제1심이 공소장 부본을 피고인 또는 변호인에게 송달하지 아니한 채 공판절차를 진행하였다면 이는 소송절차에 관한 법령을 위반한 경우에 해당하므로, 피고인이 제1심 법정에서 이의함이 없이 공소사실에 관하여 충분히 진술할 기회를 부여받았다 하더라도 판결에 영향을 미친 위법이 있다고 할 수 있다.
㉢ 서울구치소로 소송기록접수통지서를 송달하면서 송달받을 사람을 재감 중인 피고인으로 하였고, 서울구치소 서무계원이 이를 수령한 경우 이는 적법한 것이 아니어서 효력이 없다.
㉣ 송달명의인이 체포 또는 구속된 날 소송기록접수통지서 등의 송달서류가 송달명의인의 종전 주・거소에 송달되었다면 그 송달의 효력 발생 여부는 체포 또는 구속된 시각과 송달된 시각의 선후에 의하여 결정하되, 그 선후관계가 명백하지 않다면 송달의 효력은 발생한 것으로 본다.
㉤ 피고인의 배우자가 거주지에서 항소사건 소송기록접수통지서를 송달받았지만 당시 피고인은 이미 호주로 출국하여 2년 이상 외국에서 계속 머물면서 배우자와 함께 생활하지 않고 있었더라도 피고인은 소송기록접수통지서를 송달받았다고 볼 수 있다.

① 1개 ② 2개 ③ 3개 ④ 4개

| 해설 | ㉠ × : 소송촉진 등에 관한 특례법 제23조와 같은 법 시행규칙 제19조 제1항에 의하면, 피고인의 소재를 확인하기 위하여 필요한 조치를 취하였음에도 불구하고 피고인에 대한 송달불능보고서가 접수된 때로부터 6월이 경과하도록 피고인의 소재가 확인되지 아니한 때에 비로소 공시송달의 방법에 의하도록 하고 있는데, 피고인 주소지에 피고인이 거주하지 아니한다는 이유로 구속영장이 여러 차례에 걸쳐 집행불능되어 반환된 바 있었다고 하더라도 이를 소송촉진 등에 관한 특례법이 정한 '송달불능보고서의 접수'로 볼 수는 없다(대결 2014.10.16, 2014모1557). – 따라서 6개월 경과에 의한 공시송달은 위법

▶ 반면에 소재탐지불능보고서의 경우는 경찰관이 직접 송달 주소를 방문하여 거주자나 인근 주민 등에 대한 탐문 등의 방법으로 피고인의 소재 여부를 확인하므로 송달불능보고서보다 더 정확하게 피고인의 소재 여부를 확인할 수 있기 때문에 송달불능보고서와 동일한 기능을 한다고 볼 수 있으므로 소재탐지불능보고서의 접수는 소송촉진 등에 관한 특례법이 정한 '송달불능보고서의 접수'로 볼 수 있다(대결 2014.10.16, 2014모1557).

Answer 9. ④

㉡ ×: 제1심이 공소장 부본을 피고인 또는 변호인에게 송달하지 아니한 채 공판절차를 진행하였다면 이는 소송절차에 관한 법령을 위반한 경우에 해당한다. 이러한 경우에도 피고인이 제1심 법정에서 이의함이 없이 공소사실에 관하여 충분히 진술할 기회를 부여받았다면 판결에 영향을 미친 위법이 있다고 할 수 없으나, 공소장 부본을 피고인 또는 변호인에게 송달하지 아니한 채 제1심이 공시송달의 방법으로 피고인을 소환하여 피고인이 공판기일에 출석하지 아니한 가운데 제1심의 절차가 진행되었다면 그와 같은 위법한 공판절차에서 이루어진 소송행위는 효력이 없으므로, 이러한 경우 항소심은 피고인 또는 변호인에게 공소장 부본을 송달하고 적법한 절차에 의하여 소송행위를 새로이 한 후 항소심에서의 진술과 증거조사 등 심리결과에 기초하여 다시 판결하여야 한다(대판 2014.4.24, 2013도9498).
㉢ ○: 대결 2017.9.22, 2017모1680
㉣ ×: 그 송달의 효력 발생 여부는 체포 또는 구속된 시각과 송달된 시각의 선후에 의하여 결정하되, 그 선후관계가 명백하지 않다면 송달의 효력은 발생하지 않는 것으로 보아야 할 것이다(대결 2017.11.7, 2017모2162).
㉤ ×: 피고인의 배우자가 거주지에서 항소사건 소송기록접수통지서를 송달받았지만 당시 피고인은 이미 호주로 출국하여 2년 이상 외국에서 계속 머물면서 배우자와 함께 생활하지 않고 있었던 이상 배우자의 거주지를 피고인의 실제 생활근거지인 주소, 거소 등 적법한 송달장소로 볼 수 없고, 배우자를 피고인의 동거인이라고 볼 수도 없다. 따라서 피고인은 소송기록접수통지서를 송달받았다고 볼 수 없다(대결 2018.3.29, 2018모642).

10 공시송달에 관한 판례의 내용으로 옳지 않은 것은?

① 피수용자 甲의 인신보호법상 구제신청에 대한 제1심 법원의 기각결정이 그가 수용되어 있는 병원에서 병원 직원으로 보이는 乙에게 송달된 후, 甲이 위 결정에 불복하여 즉시항고를 제기하였으나 위 즉시항고가 항고기간 도과를 이유로 각하되자 재항고를 제기한 사안에서, 위 송달은 甲에 대한 송달로서 적법한 것으로 볼 수 없다.
② 제1심의 법원사무관 등이 피고인의 주거지로 이미 송달불능되어 소재탐지촉탁 등의 절차를 거친 상태에서 피고인과 전화통화가 이루어졌음에도 송달장소를 확인하는 등의 시도를 하지 아니한 채 단순히 공판기일에 출석할 것을 통지하는 데 그친 경우, 그 후 공판기일에 출석하지 아니한 피고인에 대하여 구속영장 발부, 지명수배 의뢰 등의 절차를 거쳤다거나 공시송달 결정 전에 피고인의 휴대전화번호가 바뀌어 전화연락을 할 수 없게 되었다 하더라도 공시송달의 방법으로 공소장 부본 등을 송달한 제1심의 조치는 위법하다.
③ 피고인이 항소심에 소송이 계속된 사실을 알면서도 법원에 거주지 변경신고를 하지 않아 그로 인하여 송달이 되지 아니하자 법원이 공시송달을 하였더라도, 법원의 공시송달 절차가 명백히 위법한 경우에는 재판이 적법하게 되는 것은 아니다.
④ 약식명령에 대한 정식재판청구사건에서도 피고인에 대한 송달불능보고서가 접수된 때로부터 6개월이 지나도록 피고인의 소재를 확인할 수 없는 경우에까지 이르러야 공시송달의 방법에 의하여 피고인의 진술 없이 재판을 할 수 있다.

| 해설 ① 위 송달장소는 甲의 근무장소로 볼 수 없을 뿐 아니라, 이를 甲의 거소로 보더라도 특별한 사정이 없는 한 乙이 민사소송법 제186조 제1항이 규정한 사무원, 피용자 또는 동거인에 해당한다고 단정할 수도 없다는 이유로, 위 송달은 甲에 대한 송달로서 적법한 것으로 볼 수 없다(대판 2011.6.14, 2011인마1).
② 대판 2012.1.12, 2011도15236

Answer 10. ④

③ 대판 2010.1.28, 2009도12430
④ 약식명령에 대한 정식재판청구사건에 관하여는 형사소송법 제458조 제2항이 항소심에서의 피고인 불출석 재판에 관한 같은 법 제365조를 준용하고 있는데, 위 제365조는 피고인이 적법한 소환을 받고도 정당한 사유 없이 2회 이상 불출석하면 피고인의 진술 없이 판결을 할 수 있다고 규정하고 있다. 한편 '소송촉진 등에 관한 특례법' 제23조 및 그 시행규칙 제19조는 피고인에 대한 송달불능보고서가 접수된 때부터 6개월이 지나도록 피고인의 소재를 확인할 수 없는 경우에 비로소 공시송달의 방법에 의하여 피고인의 진술 없이 재판할 수 있다고 규정하고 있다. 이는 제1심 공판절차에서의 피고인 불출석 재판에 관한 특례규정으로서, 위와 같이 형사소송법 제458조, 제365조가 적용되는 약식명령에 대한 정식재판청구사건에서 제1심은 소송촉진 등에 관한 특례법 제23조 및 그 시행규칙 제19조가 정하는 "피고인에 대한 송달불능보고서가 접수된 때로부터 6개월이 지나도록 피고인의 소재를 확인할 수 없는 경우"에까지 이르지 아니하더라도 공시송달의 방법에 의하여 피고인의 진술 없이 재판을 할 수 있다고 할 것이다(대판 2013.3.28, 2012도12843).

03

11 소송행위에 대한 설명으로 옳은 것은?(다툼이 있는 경우 판례에 의함) 19. 9급 교정·보호·철도경찰

① 송달 당시 영수인이 10세 정도라면 송달로 인하여 생기는 형사소송절차에 있어서의 효력까지 이해하였다고 볼 수는 없으나 그 송달 자체의 취지를 이해하고 이를 아버지인 피고인에게 교부하는 것을 기대할 수 있으므로 피고인에 대한 소송기록접수통지서의 송달은 적법하다.
② 피고인이 공판정에 재정하지 않더라도 피고인에게 이익이 되는 경우라면 구술에 의한 공소장변경을 허가할 수 있다.
③ 경찰서장의 청구에 의해 즉결심판을 받은 피고인으로부터 적법한 정식재판의 청구가 있는 경우, 경찰서장의 즉결심판청구는 공소제기와 동일한 소송행위라고 할 수 없고 검사의 공소제기에 의하여 심판하여야 한다.
④ 검사가 공소사실의 일부가 되는 범죄일람표를 컴퓨터 프로그램을 통하여 열어보거나 출력할 수 있는 전자적 형태의 문서로 작성한 후, 종이문서로 출력하여 제출하지 아니하고 위 전자적 형태의 문서가 저장된 저장매체 자체를 서면인 공소장에 첨부하여 제출한 경우, 그 저장매체나 전자적 형태의 문서를 공소장의 일부로서의 '서면'으로 볼 수 있다.

| 해설 ① 대결 1996.6.3, 96모32
② 법원은 피고인이 재정하는 공판정에서는 피고인에 이익이 되거나 피고인이 동의하는 경우 구술에 의한 공소장변경을 허가할 수 있다(규칙 제142조 제5항).
③ 경찰서장의 청구에 의해 즉결심판을 받은 피고인으로부터 적법한 정식재판의 청구가 있는 경우, 경찰서장의 즉결심판청구는 공소제기와 동일한 소송행위라고 할 수 있으므로, 공판절차에 의하여 심판하여야 한다(대판 2017.10.12, 2017도10368).
④ 검사가 공소사실의 일부가 되는 범죄일람표를 컴퓨터 프로그램을 통하여 열어보거나 출력할 수 있는 전자적 형태의 문서로 작성한 후, 종이문서로 출력하여 제출하지 아니하고 위 전자적 형태의 문서가 저장된 저장매체 자체를 서면인 공소장에 첨부하여 제출한 경우, 서면인 공소장에 기재된 부분에 한하여 공소가 제기된 것으로 볼 수 있을 뿐이고, 그 저장매체나 전자적 형태의 문서를 공소장의 일부로서의 '서면'으로 볼 수 없다(대판 2016.12.15, 2015도3682).

Answer 11.①

12 **피고인에 대한 공소장 부본, 피고인 소환장 등의 송달에 관한 다음 설명 중 가장 옳지 않은 것은?**(다툼이 있는 경우 판례에 의함)

20. 9급 법원직

① 피고인이 구치소나 교도소 등에 수감 중에 있는 경우는 법원이 수감 중인 피고인에 대하여 공소장 부본과 피고인 소환장 등에 종전 주소지 등으로 송달한 경우는 물론 공시송달의 방법으로 송달하였더라도 이는 위법하다.

② 피고인에 대한 공판기일 소환은 형사소송법이 정한 소환장의 송달 또는 이와 동일한 효력이 있는 방법에 의하여야 하고, 그 밖의 방법에 의한 사실상의 기일의 고지 또는 통지 등은 적법한 피고인 소환이라고 할 수 없다.

③ 피고인 주소지에 피고인이 거주하지 아니한다는 이유로 여러 차례에 걸쳐 집행불능되어 반환된 구속영장이나 경찰관이 작성한 소재탐지불능보고서를 소송촉진 등에 특례법이 정한 '송달불능보고서의 접수'로 볼 수는 없다.

④ 제1심이 공소장 부본을 피고인 또는 변호인에게 송달하지 아니한 채 공시송달의 방법으로 피고인을 소환하여 피고인이 공판기일에 출석하지 아니한 가운데 제1심 공판절차가 진행된 경우 항소심은 피고인 또는 변호인에게 공소장 부본을 송달하고 적법한 절차에 의하여 소송행위를 새로이 한 후 항소심에서의 진술과 증거조사 등 심리결과에 기초하여 다시 판결하여야 한다.

| 해설 ① 대판 2013.6.27, 2013도2714

② 대판 2018.11.29, 2018도13377

③ 피고인 주소지에 피고인이 거주하지 아니한다는 이유로 구속영장이 여러 차례에 걸쳐 집행불능되어 반환된 바 있었다고 하더라도 이를 소송촉진 등에 관한 특례법이 정한 '송달불능보고서의 접수'로 볼 수는 없다. 반면에 소재탐지불능보고서의 경우는 경찰관이 직접 송달 주소를 방문하여 거주자나 인근 주민 등에 대한 탐문 등의 방법으로 피고인의 소재 여부를 확인하므로 송달불능보고서보다 더 정확하게 피고인의 소재 여부를 확인할 수 있기 때문에 송달불능보고서와 동일한 기능을 한다고 볼 수 있으므로 소재탐지불능보고서의 접수는 소송촉진 등에 관한 특례법이 정한 '송달불능보고서의 접수'로 볼 수 있다(대결 2014.10.16, 2014모1557).

④ 대판 2014.4.24, 2013도9498

13 **송달에 관한 설명 중 가장 옳지 않은 것은?**

21. 9급 법원직

① 피고인이 원심 공판기일에 불출석하자, 검사가 피고인과 통화하여 피고인이 변호인으로 선임한 甲변호사의 사무소로 송달을 원하고 있음을 확인하고 피고인의 주소를 甲변호사 사무소로 기재한 주소보정서를 원심에 제출하였는데, 그 후 甲변호사가 사임하고 새로이 乙변호사가 변호인으로 선임된 사안에서, 원심이 피고인에 대한 공판기일 소환장 등을 甲변호사 사무소로 발송하여 그 사무소 직원이 수령하였더라도 적법한 방법으로 피고인의 소환이 이루어졌다고 볼 수 없다.

Answer 12. ③ 13. ③

② 송달영수인은 송달에 관하여 본인으로 간주하고 그 주거 또는 사무소는 본인의 주거 또는 사무소로 간주한다.

③ 재감자에 대한 약식명령의 송달을 교도소 등의 소장에게 하지 아니하고 수감되기 전의 종전 주·거소에다 한 경우에 수소법원이 당사자의 수감사실을 모르고 종전의 주·거소에 하였고, 당사자가 약식명령이 고지된 사실을 다른 방법으로 알았다면 송달의 효력이 발생한다.

④ 교도소 또는 구치소에 구속된 자에 대한 송달은 그 소장에게 송달하면 구속된 자에게 전달된 여부와 관계없이 효력이 생기는 것이다.

| 해설 ① 검사가 피고인의 주소로서 보정한 甲변호사 사무소는 피고인의 주소, 거소, 영업소 또는 사무소 등의 송달장소가 아니고, 피고인이 형사소송법 제60조에 따라 송달영수인과 연명하여 서면으로 신고한 송달영수인의 주소에도 해당하지 아니하며, 달리 그곳이 피고인에 대한 적법한 송달장소에 해당한다고 볼 자료가 없으므로, 피고인에 대한 공판기일소환장 등을 甲변호사 사무소로 발송하여 그 사무소 직원이 수령하였더라도 형사소송법이 정한 적법한 방법으로 피고인의 소환이 이루어졌다고 볼 수 없다(대판 2018.11.29, 2018도13377).

② 제60조 제2항

③ 재감자에 대한 약식명령의 송달을 교도소 등의 소장에게 하지 아니하고 수감되기 전의 종전 주·거소에다 하였다면 부적법하여 무효이고, 수소법원이 송달을 실시함에 있어 당사자 또는 소송관계인의 수감사실을 모르고 종전의 주·거소에 하였다고 하여도 마찬가지로 송달의 효력은 발생하지 않고, 송달 자체가 부적법한 이상 당사자가 약식명령이 고지된 사실을 다른 방법으로 알았다고 하더라도 송달의 효력은 여전히 발생하지 않는다(대결 1995.6.14, 95모14).

④ 대판 1995.1.12, 94도2687

최신판례

피고인이 재판권이 미치지 아니하는 외국에 거주하고 있는 경우에는 형사소송법 제65조에 의하여 준용되는 민사소송법 제196조 제2항에 따라 첫 공시송달은 실시한 날부터 2월이 지나야 효력이 생긴다고 볼 것이다. 따라서 2개월이 경과하기 전에 피고인의 출석 없이 공판기일을 개정한 것은 형사소송법 제365조에 어긋나고 형사소송법 제370조, 제276조가 규정한 피고인의 출석권을 침해하였다고 보아야 한다(대판 2023.10.26, 2023도3720).

THEMA 73 소송서류의 열람 · 등사

<table>
<tr><td rowspan="3">피의자
·
피고인
·
변호인</td><td>법원
보관
서류</td><td>① 피고인과 변호인은 소송계속 중의 관계서류 또는 증거물을 열람하거나 복사할 수 있다(제35조 제1항). 09. 9급 국가직, 15. 순경 3차
② 피고인의 법정대리인, 특별대리인(제28조), 보조인(제29조) 또는 피고인의 배우자, 직계친족, 형제자매로서 피고인의 위임장 및(또는 ×) 신분관계를 증명하는 문서를 제출한 자도 소송계속 중의 관계서류 또는 증거물을 열람 또는 복사할 수 있다(제35조 제2항). 09. 9급 법원직, 15. 9급 검찰 · 마약 · 교정 · 보호 · 철도경찰</td></tr>
<tr><td>검사
보관
서류</td><td>피고인 또는 변호인은 검사에게 공소제기된 사건에 관한 서류 또는 물건의 목록과 공소사실의 인정 또는 양형에 영향을 미칠 수 있는 다음 서류 등의 열람 · 등사 또는 서면의 교부를 신청할 수 있다. 다만, 피고인에게 변호인이 있는 경우에는 피고인은 열람만을 신청할 수 있다(제266조의 3).</td></tr>
<tr><td>수사
서류</td><td>① 공소제기 전 수사서류에 대한 열람 · 등사권은 원칙적으로 인정되지 않는다.
② 구속 전 영장실질심사에서 피의자심문에 참여할 변호인, 체포 · 구속적부심사를 청구한 피의자의 변호인은 지방법원판사에게 제출된 구속영장청구서 및 그에 첨부된 고소 · 고발장, 피의자의 진술을 기재한 서류와 피의자가 제출한 서류를 열람(등사 ×)할 수 있다(규칙 제96조의 21, 제104조의 2).
▶ 헌법재판소는 구속적부심사청구를 의뢰받은 피의자의 변호인에게 고소장과 피의자신문조서에 대한 열람 및 등사권 인정(헌재결 2003.3.27, 2000헌마474)
③ 피의자, 사건관계인 또는 그 변호인은 검사 또는 사법경찰관이 수사 중인 사건에 관한 본인의 진술이 기재된 부분 및 본인이 제출한 서류의 전부 또는 일부에 대해 열람 · 복사를 신청할 수 있다(수사준칙 제69조 제1항).
④ 피의자, 사건관계인 또는 그 변호인은 검사가 불기소 결정을 하거나 사법경찰관이 불송치 결정을 한 사건에 관한 기록의 전부 또는 일부에 대해 열람 · 복사를 신청할 수 있다(수사준칙 제69조 제2항).
⑤ 피의자 또는 그 변호인은 필요한 사유를 소명하고 고소장, 고발장, 이의신청서, 항고장, 재항고장(이하 "고소장 등"이라 한다)의 열람 · 복사를 신청할 수 있다. 이 경우 열람 · 복사의 범위는 피의자에 대한 혐의사실 부분으로 한정하고, 그 밖에 사건관계인에 관한 사실이나 개인정보, 증거방법 또는 고소장등에 첨부된 서류 등은 제외한다(수사준칙 제69조 제3항).
⑥ 체포 · 구속된 피의자 또는 그 변호인은 현행범인체포서, 긴급체포서, 체포영장, 구속영장의 열람 · 복사를 신청할 수 있다(수사준칙 제69조 제4항).
⑦ 피의자 또는 사건관계인의 법정대리인, 배우자, 직계친족, 형제자매로서 피의자 또는 사건관계인의 위임장 및 신분관계를 증명하는 문서를 제출한 사람도 수사준칙 제69조 제1항부터 제4항까지의 규정에 따라 열람 · 복사를 신청할 수 있다(수사준칙 제69조 제5항).
⑧ 검사 또는 사법경찰관은 수사준칙 제69조 제1항부터 제5항까지의 규정에 따른 신청을 받은 경우에는 해당 서류의 공개로 사건관계인의 개인정보나 영업비밀이 침해될 우려가 있거나 범인의 증거인멸 · 도주를 용이하게 할 우려가 있는 경우 등 정당한 사유가 있는 경우를 제외하고는 열람 · 복사를 허용해야 한다(수사준칙 제69조 제6항).</td></tr>
</table>

검 사	검사도 공소제기 이후의 소송서류를 열람·등사할 수 있으며(제266조의 11), 증거보전처분에 관한 서류와 증거물을 판사의 허가를 얻어서 열람·등사할 수 있다(제185조).
증 인	증인은 자신에 대한 증인신문조서 및 그 일부로 인용된 속기록, 녹음물, 영상녹화물 또는 녹취서의 열람·등사 또는 사본을 청구할 수 있다(규칙 제84조의 2). 00. 법원주사보
감정인	감정인은 감정에 관하여 필요한 경우에는 재판장의 허가를 얻어 서류와 증거물을 열람 또는 등사할 수 있다(제174조 제1항).
피해자	① 소송계속 중인 사건의 피해자, 피해자의 법정대리인 또는 이들로부터 위임받은 피해자 본인의 배우자, 직계친족, 형제자매, 변호사는 소송기록의 열람 또는 등사를 재판장에게 신청할 수 있다(제294조의 4 제1항). 12. 9급 국가직, 14. 9급 교정·보호·철도경찰, 10·15. 경찰승진, 15. 순경 1차·2차·3차, 16. 경찰간부 ② 재판장은 피해자 측의 신청이 있는 때에는 지체 없이 검사, 피고인 또는 변호인에게 취지를 통지하여야 한다(제294조의 4 제2항). ③ 재판장은 피해자 등의 권리구제를 위하여 필요하다고 인정하거나 그 밖의 정당한 사유가 있는 경우 범죄의 성질, 심리의 상황, 그 밖의 사정을 고려하여 상당하다고 인정하는 때에는 열람 또는 등사를 허가할 수 있다(제294조의 4 제3항). ▶ 재판장은 범죄피해자가 열람 또는 등사 신청을 하면 허가하여야 한다. (×) 09. 9급 국가직, 15. 9급 법원직 ④ 재판장의 허가 및 조건부여에 관한 재판(제294조의 4 제3항·제4항)에 대하여는 불복할 수 없다(제294조의 4 제6항). 10. 7급 국가직, 11. 9급 법원직, 15. 순경 2차·9급 교정·보호·철도경찰

관련조문

형사기록 열람·등사 관련 조문 정리

제35조 【서류·증거물의 열람·복사】 ① 피고인과 변호인은 소송계속 중의 관계 서류 또는 증거물을 열람하거나 복사할 수 있다.

② 피고인의 법정대리인, 제28조에 따른 특별대리인, 제29조에 따른 보조인 또는 피고인의 배우자·직계친족·형제자매로서 피고인의 위임장 및 신분관계를 증명하는 문서를 제출한 자도 제1항과 같다.

③ 재판장은 피해자, 증인 등 사건관계인의 생명 또는 신체의 안전을 현저히 해칠 우려가 있는 경우에는 제1항 및 제2항에 따른 열람·복사에 앞서 사건관계인의 성명 등 개인정보가 공개되지 아니하도록 보호조치를 할 수 있다.

④ 제3항에 따른 개인정보 보호조치의 방법과 절차, 그 밖에 필요한 사항은 대법원규칙으로 정한다.

제55조 【피고인의 공판조서열람권 등】 ① 피고인은 공판조서의 열람 또는 등사를 청구할 수 있다.

② 피고인이 공판조서를 읽지 못하는 때에는 공판조서의 낭독을 청구할 수 있다.

③ 전 2항의 청구에 응하지 아니한 때에는 그 공판조서를 유죄의 증거로 할 수 없다.

제174조 【감정인의 참여권, 신문권】 ① 감정인은 감정에 관하여 필요한 경우에는 재판장의 허가를 얻어 서류와 증거물을 열람 또는 등사하고 피고인 또는 증인의 신문에 참여할 수 있다.

② 감정인은 피고인 또는 증인의 신문을 구하거나 재판장의 허가를 얻어 직접 발문할 수 있다.

제185조 【서류의 열람 등】 검사, 피고인, 피의자 또는 변호인은 판사의 허가를 얻어 전조의 처분에 관한 서류와 증거물을 열람 또는 등사할 수 있다.

제266조의 3【공소제기 후 검사가 보관하고 있는 서류 등의 열람 · 등사】 ① 피고인 또는 변호인은 검사에게 공소제기된 사건에 관한 서류 또는 물건(이하 "서류 등"이라 한다)의 목록과 공소사실의 인정 또는 양형에 영향을 미칠 수 있는 다음 서류 등의 열람 · 등사 또는 서면의 교부를 신청할 수 있다. 다만, 피고인에게 변호인이 있는 경우에는 피고인은 열람만을 신청할 수 있다.

1. 검사가 증거로 신청할 서류 등
2. 검사가 증인으로 신청할 사람의 성명 · 사건과의 관계 등을 기재한 서면 또는 그 사람이 공판기일 전에 행한 진술을 기재한 서류 등
3. 제1호 또는 제2호의 서면 또는 서류 등의 증명력과 관련된 서류 등
4. 피고인 또는 변호인이 행한 법률상 · 사실상 주장과 관련된 서류 등(관련 형사재판확정기록, 불기소처분기록 등을 포함한다)

② 검사는 국가안보, 증인보호의 필요성, 증거인멸의 염려, 관련 사건의 수사에 장애를 가져올 것으로 예상되는 구체적인 사유 등 열람 · 등사 또는 서면의 교부를 허용하지 아니할 상당한 이유가 있다고 인정하는 때에는 열람 · 등사 또는 서면의 교부를 거부하거나 그 범위를 제한할 수 있다.

③ 검사는 열람 · 등사 또는 서면의 교부를 거부하거나 그 범위를 제한하는 때에는 지체 없이 그 이유를 서면으로 통지하여야 한다.

④ 피고인 또는 변호인은 검사가 제1항의 신청을 받은 때부터 48시간 이내에 제3항의 통지를 하지 아니하는 때에는 제266조의 4 제1항의 신청을 할 수 있다.

⑤ 검사는 제2항에도 불구하고 서류 등의 목록에 대하여는 열람 또는 등사를 거부할 수 없다.

⑥ 제1항의 서류 등은 도면 · 사진 · 녹음테이프 · 비디오테이프 · 컴퓨터용 디스크, 그 밖에 정보를 담기 위하여 만들어진 물건으로서 문서가 아닌 특수매체를 포함한다. 이 경우 특수매체에 대한 등사는 필요 최소한의 범위에 한한다.

제266조의 4【법원의 열람 · 등사에 관한 결정】 ① 피고인 또는 변호인은 검사가 서류 등의 열람 · 등사 또는 서면의 교부를 거부하거나 그 범위를 제한한 때에는 법원에 그 서류 등의 열람 · 등사 또는 서면의 교부를 허용하도록 할 것을 신청할 수 있다.

② 법원은 제1항의 신청이 있는 때에는 열람 · 등사 또는 서면의 교부를 허용하는 경우에 생길 폐해의 유형 · 정도, 피고인의 방어 또는 재판의 신속한 진행을 위한 필요성 및 해당 서류 등의 중요성 등을 고려하여 검사에게 열람 · 등사 또는 서면의 교부를 허용할 것을 명할 수 있다. 이 경우 열람 또는 등사의 시기 · 방법을 지정하거나 조건 · 의무를 부과할 수 있다.

③ 법원은 제2항의 결정을 하는 때에는 검사에게 의견을 제시할 수 있는 기회를 부여하여야 한다.

④ 법원은 필요하다고 인정하는 때에는 검사에게 해당 서류 등의 제시를 요구할 수 있고, 피고인이나 그 밖의 이해관계인을 심문할 수 있다.

⑤ 검사는 제2항의 열람 · 등사 또는 서면의 교부에 관한 법원의 결정을 지체 없이 이행하지 아니하는 때에는 해당 증인 및 서류 등에 대한 증거신청을 할 수 없다.

제266조의 11【피고인 또는 변호인이 보관하고 있는 서류 등의 열람 · 등사】 ① 검사는 피고인 또는 변호인이 공판기일 또는 공판준비절차에서 현장부재 · 심신상실 또는 심신미약 등 법률상 · 사실상의 주장을 한 때에는 피고인 또는 변호인에게 다음 서류 등의 열람 · 등사 또는 서면의 교부를 요구할 수 있다.

1. 피고인 또는 변호인이 증거로 신청할 서류 등
2. 피고인 또는 변호인이 증인으로 신청할 사람의 성명, 사건과의 관계 등을 기재한 서면
3. 제1호의 서류 등 또는 제2호의 서면의 증명력과 관련된 서류 등
4. 피고인 또는 변호인이 행한 법률상 · 사실상의 주장과 관련된 서류 등

② 피고인 또는 변호인은 검사가 제266조의 3 제1항에 따른 서류 등의 열람·등사 또는 서면의 교부를 거부한 때에는 제1항에 따른 서류 등의 열람·등사 또는 서면의 교부를 거부할 수 있다. 다만, 법원이 제266조의 4 제1항에 따른 신청을 기각하는 결정을 한 때에는 그러하지 아니하다.
③ 검사는 피고인 또는 변호인이 제1항에 따른 요구를 거부한 때에는 법원에 그 서류 등의 열람·등사 또는 서면의 교부를 허용하도록 할 것을 신청할 수 있다.
④ 제266조의 4 제2항부터 제5항까지의 규정은 제3항의 신청이 있는 경우에 준용한다.
⑤ 제1항에 따른 서류 등에 관하여는 제266조의 3 제6항을 준용한다.

제294조의 4 【피해자 등의 공판기록 열람·등사】 ① 소송계속 중인 사건의 피해자(피해자가 사망하거나 그 심신에 중대한 장애가 있는 경우에는 그 배우자·직계친족 및 형제자매를 포함한다), 피해자 본인의 법정대리인 또는 이들로부터 위임을 받은 피해자 본인의 배우자·직계친족·형제자매·변호사는 소송기록의 열람 또는 등사를 재판장에게 신청할 수 있다.
② 재판장은 제1항의 신청이 있는 때에는 지체 없이 검사, 피고인 또는 변호인에게 그 취지를 통지하여야 한다.
③ 재판장은 피해자 등의 권리구제를 위하여 필요하다고 인정하거나 그 밖의 정당한 사유가 있는 경우 범죄의 성질, 심리의 상황, 그 밖의 사정을 고려하여 상당하다고 인정하는 때에는 열람 또는 등사를 허가할 수 있다.
④ 재판장이 제3항에 따라 등사를 허가하는 경우에는 등사한 소송기록의 사용목적을 제한하거나 적당하다고 인정하는 조건을 붙일 수 있다.
⑤ 제1항에 따라 소송기록을 열람 또는 등사한 자는 열람 또는 등사에 의하여 알게 된 사항을 사용함에 있어서 부당히 관계인의 명예나 생활의 평온을 해하거나 수사와 재판에 지장을 주지 아니하도록 하여야 한다.
⑥ 제3항 및 제4항에 관한 재판에 대하여는 불복할 수 없다.

규칙 제84조의 2 【증인의 증인신문조서 열람 등】 증인은 자신에 대한 증인신문조서 및 그 일부로 인용된 속기록·녹음물·영상녹화물 또는 녹취서의 열람·등사 또는 사본을 청구할 수 있다.

규칙 제96조의 21 【구속영장청구서 및 소명자료의 열람】 ① 피의자 심문에 참여할 변호인은 지방법원 판사에게 제출된 구속영장청구서 및 그에 첨부된 고소·고발장, 피의자의 진술을 기재한 서류와 피의자가 제출한 서류를 열람할 수 있다.
② 검사는 증거인멸 또는 피의자나 공범 관계에 있는 자가 도망할 염려가 있는 등 수사에 방해가 될 염려가 있는 때에는 지방법원 판사에게 제1항에 규정된 서류(구속영장청구서는 제외)의 열람 제한에 관한 의견을 제출할 수 있고, 지방법원 판사는 검사의 의견이 상당하다고 인정하는 때에는 그 전부 또는 일부의 열람을 제한할 수 있다.
③ 지방법원 판사는 제1항의 열람에 관하여 그 일시, 장소를 지정할 수 있다.

규칙 제104조의 2 【준용규정】 제96조의 21의 규정은 체포·구속의 적부심사를 청구한 피의자의 변호인에게 이를 준용한다.

수사준칙 제69조 【수사서류 등의 열람·복사】 ① 피의자, 사건관계인 또는 그 변호인은 검사 또는 사법경찰관이 수사 중인 사건에 관한 본인의 진술이 기재된 부분 및 본인이 제출한 서류의 전부 또는 일부에 대해 열람·복사를 신청할 수 있다.
② 피의자, 사건관계인 또는 그 변호인은 검사가 불기소 결정을 하거나 사법경찰관이 불송치 결정을 한 사건에 관한 기록의 전부 또는 일부에 대해 열람·복사를 신청할 수 있다.

③ 피의자 또는 그 변호인은 필요한 사유를 소명하고 고소장, 고발장, 이의신청서, 항고장, 재항고장(이하 "고소장 등"이라 한다)의 열람·복사를 신청할 수 있다. 이 경우 열람·복사의 범위는 피의자에 대한 혐의사실 부분으로 한정하고, 그 밖에 사건관계인에 관한 사실이나 개인정보, 증거방법 또는 고소장 등에 첨부된 서류 등은 제외한다.
④ 체포·구속된 피의자 또는 그 변호인은 현행범인체포서, 긴급체포서, 체포영장, 구속영장의 열람·복사를 신청할 수 있다.
⑤ 피의자 또는 사건관계인의 법정대리인, 배우자, 직계친족, 형제자매로서 피의자 또는 사건관계인의 위임장 및 신분관계를 증명하는 문서를 제출한 사람도 제1항부터 제4항까지의 규정에 따라 열람·복사를 신청할 수 있다.
⑥ 검사 또는 사법경찰관은 제1항부터 제5항까지의 규정에 따른 신청을 받은 경우에는 해당 서류의 공개로 사건관계인의 개인정보나 영업비밀이 침해될 우려가 있거나 범인의 증거인멸·도주를 용이하게 할 우려가 있는 경우 등 정당한 사유가 있는 경우를 제외하고는 열람·복사를 허용해야 한다.

01 소송계속 중의 관계서류를 열람 또는 등사할 수 없는 자는?

① 불구속피고인의 출가한 누나
② 구속피고인의 변호인
③ 구속피고인의 삼촌
④ 피해자

해설 ① 피고인의 형제자매는 피고인의 위임장 및 신분관계를 증명하는 문서를 제출한 경우 열람·복사가 가능하다(제35조 제2항).
② 피고인의 변호인도 열람·등사가 가능하다(제35조 제1항).
③ 피고인의 직계친족은 열람·등사가 가능하나, 삼촌은 방계친족이므로 열람·등사를 할 수 없다(제35조 제2항). ④ 피해자도 소송기록의 열람 또는 등사가 가능하다는 규정을 신설하였다(제294조의 4).

02 열람·등사에 관한 설명 중 가장 적절하지 않은 것은?

15. 경찰승진

① 구속영장이 청구되거나 구속된 피의자의 변호인은 구속영장 또는 그 청구서를 보관하고 있는 검사, 사법경찰관 또는 법원사무관 등에게 그 등본의 교부를 청구할 수 있다.
② 소송계속 중인 사건의 피해자도 재판장에게 소송기록의 열람 또는 등사를 신청할 수 있다.
③ 피고인 또는 변호인이 검사에 대하여 열람·등사를 신청할 수 있는 서류 중에 불기소처분기록은 제외된다.
④ 변호인은 영장실질심사(구속 전 피의자심문) 또는 구속적부심사를 위하여 제출된 구속영장청구서 및 그에 첨부된 고소·고발장, 피의자의 진술을 기재한 서류와 피의자가 제출한 서류를 열람할 수 있다.

해설 ① 규칙 제101조 ② 제294조의 4 제1항
③ 형사재판 확정기록, 불기소처분기록 등을 포함한다(제266조의 3 제1항 제4호).
④ 규칙 제96조의 21 제1항

Answer 1.③ 2.③

03 열람 · 등사에 대한 설명으로 가장 적절하지 않은 것은?

① 피고인과 변호인은 소송계속 중의 관계서류 또는 증거물을 열람하거나 복사할 수 있다.

② 증인은 자신에 대한 증인신문조서 및 그 일부로 인용된 속기록, 녹음물, 영상녹화물 또는 녹취서의 열람 · 등사 또는 사본을 청구할 수 있다.

③ 범죄피해자가 열람 또는 등사 신청을 하면 재판장은 피해자 등의 권리구제를 위하여 필요하다고 인정하거나 그 밖의 정당한 사유가 있는 경우 범죄의 성질, 심리의 상황, 그 밖의 사정을 고려하여 상당하다고 인정하는 때에는 허가하여야 한다.

④ 공소제기 전 수사서류에 대한 열람 · 등사권은 원칙적으로 인정되지 않는다. 다만, 구속전 영장실질심사에서 피의자심문에 참여할 변호인, 체포 · 구속적부심사를 청구한 피의자의 변호인은 지방법원판사에게 제출된 구속영장청구서 및 그에 첨부된 고소 · 고발장, 피의자의 진술을 기재한 서류와 피의자가 제출한 서류를 열람할 수 있다.

해설 ① 제35조 제1항 ② 규칙 제84조의 2
③ 재판장은 피해자 등의 권리구제를 위하여 필요하다고 인정하거나 그 밖의 정당한 사유가 있는 경우 범죄의 성질, 심리의 상황, 그 밖의 사정을 고려하여 상당하다고 인정하는 때에는 열람 또는 등사를 허가할 수 있다(제294조의 4 제3항). ④ 규칙 제96조의 21, 제104조의 2

04 서류 등의 열람 · 등사제도에 대한 설명으로 가장 적절하지 않은 것은?

21. 순경 1차

① 검사 · 사법경찰관리와 그 밖에 직무상 수사에 관계 있는 자는 수사과정에서 수사와 관련하여 작성하거나 취득한 서류 또는 물건에 대한 목록을 빠짐없이 작성하여야 하며, 검사는 피해자 및 증인보호의 필요성이 있는 경우를 제외하고는 공소제기된 사건에 관한 서류 등의 목록에 대해서는 열람 또는 등사를 거부할 수 없다.

② 피고인 또는 변호인은 검사가 서류 등의 열람 · 등사 또는 서면의 교부를 거부한 때에는 법원에 그 서류 등의 열람 · 등사 또는 서면의 교부를 허용하도록 할 것을 신청할 수 있다.

③ 피고인 또는 변호인의 신청에 따라 법원이 검사에게 명하는 열람 · 등사 또는 서면의 교부를 지체 없이 이행하지 않는 경우, 검사는 해당 증인 및 서류 등에 대한 증거신청을 할 수 없다.

④ 검사는 피고인 또는 변호인이 공판기일 또는 공판준비절차에서 현장부재 · 심신상실 또는 심신미약 등 법률상 · 사실상의 주장을 한 때에는 피고인 또는 변호인에게 피고인 또는 변호인이 증거로 신청할 서류 등의 열람 · 등사 또는 서면의 교부를 요구할 수 있으며, 피고인 또는 변호인이 그 요구를 거부하는 경우, 검사는 법원에 그 서류 등의 열람 · 등사 또는 서면의 교부를 허용하도록 할 것을 신청할 수 있다.

해설 ① 검사 · 사법경찰관리와 그 밖에 직무상 수사에 관계 있는 자는 수사과정에서 수사와 관련하여 작성하거나 취득한 서류 또는 물건에 대한 목록을 빠짐없이 작성하여야 하며(제198조 제3항), 검사는 (피해자 및 증인보호의 필요성이 있는 경우 여부를 불문하고) 공소제기된 사건에 관한 서류 등의 목록에 대해서는 열람 또는 등사를 거부할 수 없다(제266조의 3 제5항).
② 제266조의 4 제1항 ③ 제266조의 4 제5항 ④ 제266조의 11 제1항 · 제3항

Answer 3. ③ 4. ①

05 **수사서류의 열람 · 등사에 관한 헌법재판소의 결정요지를 기술한 것이다. 밑줄 친 부분 중 옳지 않은 것을 모두 고르면?**

[1] 형사소송법은 피고인의 신속 · 공정한 재판을 받을 권리 및 변호인의 조력을 받을 권리를 실질적으로 보장하기 위하여 공소가 제기된 후의 피고인 또는 변호인의 수사서류 열람 · 등사권에 대하여, ㉠ 증거개시의 대상을 검사가 신청할 예정인 증거에 한정하고, 피고인에게 유리한 증거까지를 포함한 전면적인 증거개시를 원칙으로 하는 것은 아니다. 검사는 열람 · 등사의 신청이 있는 경우에는 원칙적으로 열람 · 등사를 허용해야 하고, 예외적으로 제한사유가 있는 경우에만 열람 · 등사를 제한할 수 있으며, 열람 · 등사를 제한할 경우에도 지체 없이 그 이유를 서면으로 통지하도록 규정하고 있고(제266조의 3), 피고인 측의 열람 · 등사신청권이 형해화되지 않도록 검사의 열람 · 등사 거부처분에 대하여 별도의 불복절차를 마련하고 있다(제266조의 4).

[2] 형사소송법은 검사의 열람 · 등사 거부처분에 대하여 법원이 그 허용 여부를 결정하도록 하면서도, ㉡ 법원의 열람 · 등사 허용 결정에 대하여 집행정지의 효력이 있는 즉시항고 등의 불복절차를 별도로 규정하고 있지 않으므로, 이러한 법원의 열람 · 등사 허용 결정은 그 결정이 고지되는 즉시 집행력이 발생한다고 보아야 할 것이다.

[3] 법원의 열람 · 등사 허용 결정에도 불구하고 검사가 이를 신속하게 이행하지 아니하는 경우에는 ㉢ 해당 증인 및 서류 등을 증거로 신청할 수 없는 불이익을 받는 것에 그치는 것이고, 그러한 검사의 거부행위는 피고인의 열람 · 등사권을 침해하고, 나아가 피고인의 신속 · 공정한 재판을 받을 권리 및 변호인의 조력을 받을 권리까지 침해하게 되는 것은 아니다.

[4] 신속하고 실효적인 구제절차를 형사소송절차 내에 마련하고자 열람 · 등사에 관한 규정을 신설한 입법취지와, 검사의 열람 · 등사 거부처분에 대한 정당성 여부가 법원에 의하여 심사된 마당에 헌법재판소가 다시 열람 · 등사 제한의 정당성 여부를 심사하게 된다면 이는 법원의 결정에 대한 당부의 통제가 되는 측면이 있는 점 등을 고려하여 볼 때, 이 사건과 같이 ㉣ 수사서류에 대한 법원의 열람 · 등사 허용 결정이 있음에도 검사가 열람 · 등사를 거부하는 경우 수사서류 각각에 대하여 검사가 열람 · 등사를 거부할 정당한 사유가 있는지를 심사할 필요 없이 그 거부행위 자체로써 청구인들의 기본권을 침해한다고 보아야 할 것이다.

[5] 변호인의 수사서류 열람 · 등사를 제한함으로 인하여 결과적으로 피고인의 신속 · 공정한 재판을 받을 권리 또는 변호인의 충분한 조력을 받을 권리가 침해된다면 이는 헌법에 위반되는 것이다. 따라서 변호인의 수사서류 열람 · 등사권이 위 헌법상 기본권의 중요한 내용이자 구성요소라고 할 수 있으므로 ㉤ 열람 · 등사의 절차 및 대상, 열람 · 등사의 거부 및 제한 사유, 검사의 열람 · 등사 거부처분에 대한 불복절차 및 제재 등 그 상세한 내용의 형성은 헌법을 통하여 구체화될 수 있는 것이지, 형사소송법에 의해 구체화될 수는 없다.

① ㉠, ㉡, ㉢　　② ㉢, ㉣, ㉤　　③ ㉠, ㉢, ㉤　　④ ㉡, ㉢, ㉣

| 해설 **열람 · 등사에 관한 헌법재판소결정요지**(헌재결 2010.6.24, 2009헌마257)

[1] 형사소송법은 피고인의 신속 · 공정한 재판을 받을 권리 및 변호인의 조력을 받을 권리를 실질적으로 보장하기 위하여 공소가 제기된 후의 피고인 또는 변호인의 수사서류 열람 · 등사권에 대하여, 증거개시의 대상을 검사가 신청할 예정인 증거에 한정하지 아니하고 피고인에게 유리한 증거까지를 포함한 전면적인 증거개시를 원칙으로 하며, 검사는 열람 · 등사의 신청이 있는 경우에는 원칙적으로 열람 · 등사를

Answer 5. ③

허용해야 하고, 예외적으로 제한사유가 있는 경우에만 열람·등사를 제한할 수 있으며, 열람·등사를 제한할 경우에도 지체 없이 그 이유를 서면으로 통지하도록 규정하고 있고(제266조의 3), 피고인 측의 열람·등사신청권이 형해화되지 않도록 검사의 열람·등사 거부처분에 대하여 별도의 불복절차를 마련하고 있다(제266조의 4).

[2] 형사소송법은 검사의 열람·등사 거부처분에 대하여 법원이 그 허용 여부를 결정하도록 하면서도, 법원의 열람·등사 허용 결정에 대하여 집행정지의 효력이 있는 즉시항고 등의 불복절차를 별도로 규정하고 있지 않으므로, 이러한 법원의 열람·등사 허용 결정은 그 결정이 고지되는 즉시 집행력이 발생한다고 보아야 할 것이다.

[3] 법원의 열람·등사 허용 결정에도 불구하고 검사가 이를 신속하게 이행하지 아니하는 경우에는 해당 증인 및 서류 등을 증거로 신청할 수 없는 불이익을 받는 것에 그치는 것이 아니라, 그러한 검사의 거부행위는 피고인의 열람·등사권을 침해하고, 나아가 피고인의 신속·공정한 재판을 받을 권리 및 변호인의 조력을 받을 권리까지 침해하게 되는 것이다.

[4] 신속하고 실효적인 구제절차를 형사소송절차 내에 마련하고자 열람·등사에 관한 규정을 신설한 입법취지와, 검사의 열람·등사 거부처분에 대한 정당성 여부가 법원에 의하여 심사된 마당에 헌법재판소가 다시 열람·등사 제한의 정당성 여부를 심사하게 된다면 이는 법원의 결정에 대한 당부의 통제가 되는 측면이 있는 점 등을 고려하여 볼 때, 이 사건과 같이 수사서류에 대한 법원의 열람·등사 허용 결정이 있음에도 검사가 열람·등사를 거부하는 경우 수사서류 각각에 대하여 검사가 열람·등사를 거부할 정당한 사유가 있는지를 심사할 필요 없이 그 거부행위 자체로써 청구인들의 기본권을 침해한다고 보아야 할 것이다.

[5] 변호인의 수사서류 열람·등사를 제한함으로 인하여 결과적으로 피고인의 신속·공정한 재판을 받을 권리 또는 변호인의 충분한 조력을 받을 권리가 침해된다면 이는 헌법에 위반되는 것이다. 그러나 이와 같이 변호인의 수사서류 열람·등사권이 위 헌법상 기본권의 중요한 내용이자 구성요소라고 하더라도 열람·등사의 절차 및 대상, 열람·등사의 거부 및 제한 사유, 검사의 열람·등사 거부처분에 대한 불복절차 및 제재 등 그 상세한 내용의 형성은 입법을 통하여 구체화될 수 있는 것으로서, 형사소송법 제266조의 3과 제266조의 4는 공소가 제기된 후 검사가 보관하고 있는 서류 등에 대한 피고인 또는 변호인의 열람·등사권을 구체화하고 있는 것이다.

06 **다음 중 기록의 열람·복사에 관한 설명으로 가장 옳지 않은 것은?** 22. 해경간부

① 구속적부심사건 피의자의 변호인은 지방법원 판사에게 제출된 구속영장청구서 및 그에 첨부된 고소장을 열람 및 복사할 수 있다.

② 피고인과 변호인은 소송계속 중의 관계 서류 또는 증거물을 열람하거나 복사할 수 있다.

③ 공소제기 후 검사가 보관하고 있는 서류의 열람·등사에 관하여는 피고인에게 변호인이 있는 때는 피고인은 열람만을 신청할 수 있다.

④ 피해자는 재판장의 허가를 받으면 계속 중인 소송기록을 열람 또는 등사할 수 있다.

| 해설 ① 구속적부심사를 청구한 피의자의 변호인은 지방법원 판사에게 제출된 구속영장청구서 및 그에 첨부된 고소·고발장, 피의자의 진술을 기재한 서류와 피의자가 제출한 서류를 열람할 수 있다(규칙 제96조의 21 제1항, 제104조의 2).

② 제35조 제1항

③ 제266조의 3 제1항

④ 제294조의 4

Answer 6. ①

THEMA 74 재판확정기록 열람 · 등사

검찰청 보관기록	① 누구든지 권리구제 · 학술연구 또는 공익목적으로 재판이 확정된 사건의 기록을 보관하고 있는 검찰청에 그 소송기록의 열람 또는 등사를 신청할 수 있다(제59조의 2 제1항). 08. 9급 국가직, 11. 순경 · 경찰승진 ▶ 증거로 채택되지 아니하였거나 그 범죄사실과 직접 관련되지 아니한 서류라고 하여 재판확정기록에 포함되지 않는다고 볼 것은 아니다(대결 2022.2.11, 2021모3175). ② 제한사유(제59조의 2 제2항)가 있는 경우에는 열람 · 등사를 제한할 수 있다. 다만, 소송관계인이나 이해관계가 있는 제3자가 열람 또는 등사에 관하여 정당한 사유가 있다고 인정하는 경우에는 제한없이 신청 가능 11. 경찰승진 ③ 소송기록의 열람 또는 등사를 신청한 자는 열람 또는 등사에 관한 검사의 처분에 불복하는 경우에는 당해 기록을 보관하고 있는 검찰청에 대응한 법원에 그 처분의 취소 또는 변경을 신청할 수 있다(동조 제6항). 11. 경찰승진 ▶ 당해기록을 보관하고 있는 검찰청에 그 처분의 취소 또는 변경을 신청할 수 있다. (×) 11. 순경 1차 ④ 불복신청에 대해서는 수사절차상의 준항고(제418조 및 제419조)에 관한 규정이 준용된다(동조 제7항). ▶ 형사재판확정기록이 아닌 불기소처분으로 종결된 기록에 관해서는 정보공개법에 따른 정보공개청구가 허용되고 그 거부나 제한 등에 대한 불복은 항고소송절차에 의한다(대결 2022.2.11, 2021모3175).
법원 보관기록	① 누구든지 판결이 확정된 사건의 판결서 또는 그 등본, 증거목록 또는 그 등본, 그 밖에 검사나 피고인 또는 변호인이 법원에 제출한 서류 · 물건의 명칭 · 목록 또는 이에 해당하는 정보를 보관하는 법원에서 해당 판결서 등을 열람 및 복사할 수 있다. 다만, 제한사유(제59조의 3 제1항)에 해당하는 경우에는 판결서 등의 열람 및 복사를 제한할 수 있다(제59조의 3 제1항). ② 열람 및 복사에 관하여 정당한 사유가 있는 소송관계인이나 이해관계 있는 3자는 제한 없이 법원공무원에게 판결서 등의 열람 및 복사를 신청할 수 있다. 이 경우 법원공무원의 열람 및 복사에 관한 처분에 불복하는 경우에는 기록을 보관 중인 법원에 처분의 취소 또는 변경을 신청할 수 있다(제59조의 3 제4항). ③ 위 제59조의 3 제4항의 불복신청에 대하여는 준항고(제417조, 제418조)에 관한 규정이 준용된다(제59조의 3 제5항).

01 재판확정기록의 열람·등사와 관련하여 옳은 내용은?(다툼이 있으면 판례에 의함)

① 누구든지 권리구제·학술연구 또는 공익적 목적으로 재판이 확정된 사건의 소송기록을 보관하고 있는 검찰청에 그 소송기록의 열람 또는 등사를 신청할 수 있다.

② 형사재판확정기록에 관해서는 형사소송법 제59조의 2에 따른 열람·등사신청이 허용되고 그 거부나 제한 등에 대한 불복은 준항고에 의하며, 형사재판확정기록이 아닌 불기소처분으로 종결된 기록에 관해서도 달리 볼 이유가 없다.

③ 형사소송법 제59조의 2의 '재판이 확정된 사건의 소송기록'이란 특정 형사사건에 관하여 법원이 작성하거나 검사, 피고인 등 소송관계인이 작성하여 법원에 제출한 서류들로서 재판확정 후 담당 기관이 소정의 방식에 따라 보관하고 있는 서면의 총체라 할 수 있고, 해당 형사사건에서 증거로 채택되지 아니하였거나 그 범죄사실과 직접 관련되지 아니한 서류는 재판확정기록에 포함되지 않는다.

④ 일부 혐의사실에 대해서 약식기소가 이루어져 약식명령이 확정된 사건 기록은 재판확정기록으로 보관되고 있는 기록에 해당하나, 나머지 고소사실에 대해서는 '혐의 없음'의 불기소처분이 있었다고 한다면, 이 사건 수사기록이 불기소기록에 해당하여 그 열람·등사에 관한 검사의 거부처분에 대하여 준항고로 다툴 수 없다.

| 해설 ① 제59조의 2 제1항

② 형사재판확정기록의 공개에 관하여는 정보공개법에 의한 공개청구가 허용되지 않는다. 따라서 형사재판확정기록에 관해서는 형사소송법 제59조의 2에 따른 열람·등사신청이 허용되고 그 거부나 제한 등에 대한 불복은 준항고에 의하며, 형사재판확정기록이 아닌 불기소처분으로 종결된 기록에 관해서는 정보공개법에 따른 정보공개청구가 허용되고, 그 거부나 제한 등에 대한 불복은 항고소송절차에 의한다(대결 2022.2.11, 2021모3175).

③ 형사소송법 제59조의 2의 '재판이 확정된 사건의 소송기록'이란 특정 형사사건에 관하여 법원이 작성하거나 검사, 피고인 등 소송관계인이 작성하여 법원에 제출한 서류들로서 재판확정 후 담당 기관이 소정의 방식에 따라 보관하고 있는 서면의 총체라 할 수 있고, 위와 같은 방식과 절차에 따라 보관되고 있는 이상 해당 형사사건에서 증거로 채택되지 아니하였거나 그 범죄사실과 직접 관련되지 아니한 서류라고 하여 재판확정기록에 포함되지 않는다고 볼 것은 아니다(대결 2022.2.11, 2021모3175).

④ 고소로 수사가 개시되어 일부 혐의사실에 대해서 약식기소가 이루어져 약식명령이 발령·확정된 사건 기록은 일련의 행위인 고소사실에 대해 한꺼번에 수사가 진행되어 서류가 작성된 후 범죄의 구성요건에 해당하는 부분에 관하여 약식기소가 이루어지면서 위와 같이 작성된 기록 일체가 법원에 제출되어 재판확정기록으로 보관되고 있는 기록이므로, 비록 나머지 고소사실에 대해서는 '혐의 없음'의 불기소처분이 있었다고 하더라도, 그 경위에 비추어 이 사건 수사기록 전체가 약식명령이 확정된 사건의 소송기록에 해당한다고 봄이 상당하다. 따라서 원심이 이 사건 수사기록이 불기소기록에 해당한다고 보아 그 열람·등사에 관한 검사의 거부처분에 대하여 준항고로 다툴 수 없다고 단정한 것은 잘못이다. 다만, 재판확정기록에 대한 열람·등사를 제한할 수 있는 형사소송법 제59조의 2 제2항 제3호, 제6호의 사유와 실질적으로 동일한 내용에 해당된다면, 수사기록 중 일부에 대해 불허가처분을 한 검사의 처분은 그 결과에 있어 정당한 것으로 볼 수는 있다(대결 2022.2.11, 2021모3175).

Answer 1. ①

02 **교수 甲이 학술연구의 목적으로 재판이 확정된 사건의 소송기록을 보관하고 있는 검찰청에 그 소송기록의 열람 또는 등사를 신청하였는데, 검사가 甲의 열람 또는 등사 신청에 대하여 소송기록의 전부 또는 일부의 열람·등사를 제한할 수 있는 사유로 올바른 것을 모두 고르면?**

> ㉠ 열람 또는 등사의 정당한 사유는 있지만, 심리가 비공개로 진행된 경우
> ㉡ 소송기록의 공개로 인하여 국가의 안전보장, 선량한 풍속, 공공의 질서유지 또는 공공복리를 현저히 해할 우려가 있는 경우
> ㉢ 소송기록의 공개로 인하여 사건관계인의 명예나 사생활의 비밀 또는 생명·신체의 안전이나 생활의 평온을 현저히 해할 우려가 있는 경우
> ㉣ 소송기록의 공개로 인하여 공범관계에 있는 자 등의 증거인멸 또는 도주를 용이하게 하거나 관련사건의 재판에 중대한 영향을 초래할 우려가 있는 경우
> ㉤ 소송기록의 공개에 대하여 당해 소송관계인이 동의하지 아니하는 경우

① ㉠, ㉡, ㉢, ㉣　② ㉡, ㉢, ㉣, ㉤　③ ㉣, ㉤　④ ㉠, ㉡, ㉢, ㉣, ㉤

| 해설 검사는 다음의 어느 하나에 해당하는 경우에는 소송기록의 전부 또는 일부의 열람·등사를 제한할 수 있다(제59조의 2 제2항). 다만, 소송관계인이나 이해관계에 있는 제3자가 열람 또는 등사에 관하여 정당한 사유가 있다고 인정되는 경우에는 제한할 수 없다(동조 제2항 단서).

1. 심리가 비공개로 진행된 경우
2. 소송기록의 공개로 인하여 국가의 안전보장, 선량한 풍속, 공공의 질서유지 또는 공공복리를 현저히 해할 우려가 있는 경우
3. 소송기록의 공개로 인하여 사건관계인의 명예나 사생활의 비밀 또는 생명·신체의 안전이나 생활의 평온을 현저히 해할 우려가 있는 경우
4. 소송기록의 공개로 인하여 공범관계에 있는 자 등의 증거인멸 또는 도주를 용이하게 하거나 관련사건의 재판에 중대한 영향을 초래할 우려가 있는 경우
5. 소송기록의 공개로 인하여 피고인의 개선이나 갱생에 현저한 지장을 초래할 우려가 있는 경우
6. 소송기록의 공개로 인하여 사건관계인의 영업비밀('부정경쟁방지 및 영업비밀보호에 관한 법률' 제2조 제2호의 영업비밀을 말한다)이 현저하게 침해될 우려가 있는 경우
7. 소송기록의 공개에 대하여 당해 소송관계인이 동의하지 아니하는 경우

03 **종래에는 확정사건의 기록을 보관하고 있는 검찰청에 대해서만 열람·등사를 신청할 수 있었으나, 개정법에서는 법원에서 보관하는 확정 판결서 등에 대해서도 열람·복사를 허용하는 규정을 신설(2013. 1. 1. 시행)하였다. 이와 관련하여 잘못된 내용은?**

① 누구든지 판결이 확정된 사건의 판결서 또는 그 등본, 증거목록 또는 그 등본, 그 밖에 검사나 피고인 또는 변호인이 법원에 제출한 서류·물건의 명칭·목록 또는 이에 해당하는 정보를 보관하는 법원에서 해당 판결서 등을 열람 및 복사할 수 있으나, 국가의 안전보장, 선량한 풍속·공공의 질서유지 또는 공공복리를 현저히 해할 우려가 있는 경우에는 제한할 수 있다.

② 열람 및 복사에 관하여 정당한 사유가 있는 소송관계인이나 이해관계 있는 제3자는 제59조의 3 제1항 단서에도 불구하고 법원의 법원사무관 등이나 그 밖의 법원공무원에게 판결서 등의 열람 및 복사를 신청할 수 있다.

Answer 2. ② 3. ①

③ 법원사무관 등이나 그 밖의 법원공무원의 열람 및 복사에 관한 처분에 불복하는 경우에는 법원에 처분의 취소 또는 변경을 신청할 수 있으며, 이에 대한 신청은 준항고의 방식에 의한다.

④ 개인정보 보호조치를 한 법원사무관 등이나 그 밖의 법원공무원은 고의 또는 중대한 과실로 인한 것이 아니면 열람 및 복사와 관련하여 민사상・형사상 책임을 지지 아니한다.

| 해설 ① 선량한 풍속・공공의 질서유지 또는 공공복리를 현저히 해할 우려가 있는 경우에 열람・복사를 제한할 수 있는 경우는 검찰에서 보관하고 있는 기록이다(제59조의 2 제2항).

법원에서 보관 중인 판결서 등의 열람 및 복사를 제한할 수 있는 경우(제59조의 3 제1항 단서)

1. 심리가 비공개로 진행된 경우
2. 소년법 제2조에 따른 소년에 관한 사건인 경우
3. 공범관계에 있는 자 등의 증거인멸 또는 도주를 용이하게 하거나 관련 사건의 재판에 중대한 영향을 초래할 우려가 있는 경우
4. 국가의 안전보장을 현저히 해할 우려가 명백하게 있는 경우
5. 제59조의 2 제2항 제3호 또는 제6호의 사유가 있는 경우. 다만, 소송관계인의 신청이 있는 경우에 한정한다.

② 제59조의 3 제4항 ③ 제59조의 3 제5항 ④ 제59조의 3 제3항

03

04 **형사소송법 제59조의 2**(재판확정기록의 열람・등사), **제59조의 3**(확정 판결서 등의 열람・복사) **에 관한 다음 설명 중 가장 옳지 않은 것은?** 22. 9급 법원직

① 법원사무관 등이나 그 밖의 법원공무원은 확정 판결서 등의 열람 및 복사에 앞서 판결서 등에 기재된 성명 등 개인정보가 공개되지 아니하도록 대법원규칙으로 정하는 보호조치를 하여야 하며, 이때 개인정보 보호조치를 한 법원사무관 등이나 그 밖의 법원공무원은 고의로 인한 것이 아니면 위 열람 및 복사와 관련하여 민사상・형사상 책임을 지지 아니한다.

② 검사는 소송기록의 보존을 위하여 필요하다고 인정하는 경우에는 그 소송기록의 등본을 열람 또는 등사하게 할 수 있다. 다만, 원본의 열람 또는 등사가 필요한 경우에는 그러하지 아니하다.

③ 누구든지 판결이 확정된 사건의 판결서 또는 그 등본, 증거목록 또는 그 등본, 그 밖에 검사나 피고인 또는 변호인이 법원에 제출한 서류・물건의 명칭・목록 또는 이에 해당하는 정보를 보관하는 법원에서 해당 판결서 등을 열람 및 복사할 수 있다.

④ 검사는 소송기록의 공개로 인하여 공범관계에 있는 자 등의 증거인멸 또는 도주를 용이하게 하거나 관련 사건의 재판에 중대한 영향을 초래할 우려가 있는 경우에는 소송기록의 전부 또는 일부의 열람 또는 등사를 제한할 수 있다. 다만, 소송관계인이나 이해관계 있는 제3자가 열람 또는 등사에 관하여 정당한 사유가 있다고 인정되는 경우에는 그러하지 아니하다.

| 해설 ① 개인정보 보호조치를 한 법원사무관 등이나 그 밖의 법원공무원은 고의 또는 중대한 과실로 인한 것이 아니면 제1항에 따른 열람 및 복사와 관련하여 민사상・형사상 책임을 지지 아니한다(제59조의 3 제3항).

② 제59조의 2 제4항 ③ 제59조의 3 제1항 ④ 제59조의 2 제2항 제4호

Answer 4. ①

MEMO

공편저자 약력

조충환

- 중앙대학교 법학박사(형사법전공)

現 • 교재집필 및 연구

前 • 중앙대 · 울산대 출강
- 노량진 남부경찰학원 대표강사
- 노량진 남부행정고시학원 대표강사
- 노량진 한교경찰학원 대표강사
- 노량진 베리타스경찰학원 대표강사
- 법무부 출간 교정지 출제위원
- 경찰청 인터넷방송 초빙교수

상 훈

- 중앙대 강의평가 우수강사 총장 표창(3회)
- 모범강사 전국학원연합회 회장표창

오상훈

- 고려대학교 법과대학 졸업

現 • 박문각경찰 형법 · 형사소송법 대표교수

前 • 베리타스 법학원 강사
- 윌비스 한림법학원 강사

양 건

現 • 박문각 경찰승진 형법 대표교수
- 공무원저널 형사법 판례교실 집필위원
- 법률저널 경찰 · 교정직 집필위원

前 • 조이에듀경찰학원 형법 대표강사
- 신림동 태학관 법정연구회 강의
- 종로행정고시학원 경찰승진 형법 대표강사
- 중앙경찰고시학원 형법 대표강사
- 경찰승진특강
- 노량진 한교경찰학원 대표강사(형법)
- 노량진 베리타스경찰학원 대표강사(형법)

2025 판례·기출증보판 **조충환 · 양건** 

형사소송법 

초판인쇄 : 2024년 6월 15일 초판발행 : 2024년 6월 20일
공편저자 : 조충환 · 양건 · 오상훈 발 행 인 : 박 용
발 행 처 : (주)박문각출판 등 록 : 2015. 4. 29 제2019-000137호
주 소 : 06654 서울시 서초구 효령로 283 서경 B/D
전 화 : 교재문의 (02) 6466-7202
팩 스 : (02) 584-2927

저자와의 협의하에 인지생략

정가 69,000원(전4권)

ISBN 979-11-7262-096-7
ISBN 979-11-7262-094-3(세트)